Sapiens

Uma breve história da humanidade

Yuval Noah Harari

Sapiens

Uma breve história da humanidade

Tradução de Janaína Marcoantonio

30ª EDIÇÃO

L&PM EDITORES

Texto de acordo com a nova ortografia.

Título original: *Sapiens – A Brief History of Humankind*

1ª edição: fevereiro de 2015
30ª edição: dezembro de 2017

Capa: L&PM Editores
Tradução: Janaína Marcoantonio
Preparação: Simone Diefenbach
Revisão: Lia Cremonese

CIP-Brasil. Catalogação na publicação
Sindicato Nacional dos Editores de Livros, RJ

H231s

Harari, Yuval Noah, 1976-
Sapiens – Uma breve história da humanidade / Yuval Noah Harari; tradução Janaína Marcoantonio. – 30. ed. – Porto Alegre, RS: L&PM, 2017.
464 p. : il. ; 23 cm.

Tradução de: *Sapiens – A Brief History of Humankind*
ISBN 978-85-254-3218-6

1. Evolução humana. 2. Evolução (Biologia). I. Título.

15-19095 CDD: 576.8
CDU: 575.8

www.ynharari.com

Rua Comendador Coruja, 314, loja 9 – Floresta – 90220-180
Porto Alegre – RS – Brasil / Fone: 51.3225.5777

Pedidos & Depto. comercial: vendas@lpm.com.br
Fale conosco: info@lpm.com.br
www.lpm.com.br

Impresso no Brasil
Primavera de 2017

Em memória do meu pai,
Shlomo Harari,
com amor

Sumário

Cronologia

Anos atrás	
13,5 bilhões	Surgem matéria e energia. Começo da física. Aparecem átomos e moléculas. Começo da química.
4,5 bilhões	Formação do planeta Terra.
3,8 bilhões	Surgimento de organismos. Começo da biologia.
6 milhões	Último ancestral em comum de humanos e chimpanzés.
2,5 milhões	Evolução do gênero *Homo* na África. Primeiras ferramentas de pedra.
2 milhões	Humanos se espalham da África para a Eurásia. Evolução de diferentes espécies humanas.
500 mil	Surgem os neandertais na Europa e no Oriente Médio.
300 mil	Uso cotidiano do fogo.
200 mil	Surge o *Homo sapiens* na África Oriental.
70 mil	Revolução Cognitiva. Surge a linguagem ficcional. Começo da história. Os sapiens se espalham a partir da África.
45 mil	Os sapiens povoam a Austrália. Extinção da megafauna australiana.
30 mil	Extinção dos neandertais.
16 mil	Os sapiens povoam a América. Extinção da megafauna americana.
13 mil	Extinção do *Homo floresiensis*. O *Homo sapiens* é a única espécie humana sobrevivente.

12 mil	Revolução Agrícola. Domesticação de plantas e animais. Assentamentos permanentes.
5 mil	Primeiros reinos, sistemas de escrita e dinheiro. Religiões politeístas.
4,25 mil	Primeiro império – o Império Acádio de Sargão.
2,5 mil	Invenção da moeda – um dinheiro universal. Império Persa – uma ordem política universal "em prol de todos os humanos". Budismo na Índia – uma verdade universal "para libertar todos os seres do sofrimento".
2 mil	Império Han na China. Império romano no Mediterrâneo. Cristianismo.
1,4 mil	Islamismo.
500	Revolução Científica. A humanidade admite sua ignorância e começa a conquistar a América e os oceanos. O planeta inteiro se torna um só palco histórico. Ascensão do capitalismo.
200	Revolução Industrial. Família e comunidade são substituídas por Estado e mercado. Extinção em massa de plantas e animais.
O presente	Os humanos transcendem os limites do planeta Terra. As armas nucleares ameaçam a sobrevivência da humanidade. Cada vez mais, os organismos são moldados por design inteligente e não por seleção natural.
O futuro	O design inteligente se torna o princípio básico da vida? O *Homo sapiens* é substituído por super-humanos?

Parte um

A Revolução Cognitiva

1. A marca de uma mão humana de cerca de 30 mil anos atrás, na parede na caverna de Chauvet-Pont-d'Arc, no sul da França. Alguém tentou dizer "Estive aqui!".

1

Um animal insignificante

Há cerca de 13,5 bilhões de anos, a matéria, a energia, o tempo e o espaço surgiram naquilo que é conhecido como o Big Bang. A história dessas características fundamentais do nosso universo é denominada física.

Por volta de 300 mil anos após seu surgimento, a matéria e a energia começaram a se aglutinar em estruturas complexas, chamadas átomos, que então se combinaram em moléculas. A história dos átomos, das moléculas e de suas interações é denominada química.

Há cerca de 3,8 bilhões de anos, em um planeta chamado Terra, certas moléculas se combinaram para formar estruturas particularmente grandes e complexas chamadas organismos. A história dos organismos é denominada biologia.

Há cerca de 70 mil anos, os organismos pertencentes à espécie *Homo sapiens* começaram a formar estruturas ainda mais elaboradas chamadas culturas. O desenvolvimento subsequente dessas culturas humanas é denominado história.

Três importantes revoluções definiram o curso da história. A Revolução Cognitiva deu início à história, há cerca de 70 mil anos. A Revolução Agrícola a acelerou, por volta de 12 mil anos atrás. A Revolução Científica, que começou há apenas 500 anos, pode muito bem colocar um fim à história e dar início a algo completamente diferente. Este livro conta como essas três revoluções afetaram os seres humanos e os demais organismos.

Muito antes de haver história, já havia seres humanos. Animais bastante similares aos humanos modernos surgiram por volta de 2,5 milhões de anos atrás. Mas, por incontáveis gerações, eles não se destacaram da miríade de outros organismos com os quais partilhavam seu habitat.

Em um passeio pela África Oriental de 2 milhões de anos atrás, você poderia muito bem observar certas características humanas familiares:

mães ansiosas acariciando seus bebês e bandos de crianças despreocupadas brincando na lama; jovens temperamentais rebelando-se contra as regras da sociedade e idosos cansados que só queriam ficar em paz; machos orgulhosos tentando impressionar as beldades locais e velhas matriarcas sábias que já tinham visto de tudo. Esses humanos arcaicos amavam, brincavam, formavam laços fortes de amizade e competiam por status e poder – mas os chimpanzés, os babuínos e os elefantes também. Não havia nada de especial nos humanos. Ninguém, muito menos eles próprios, tinha qualquer suspeita de que seus descendentes um dia viajariam à Lua, dividiriam o átomo, mapeariam o código genético e escreveriam livros de história. A coisa mais importante a saber acerca dos humanos pré-históricos é que eles eram animais insignificantes, cujo impacto sobre o ambiente não era maior que o de gorilas, vaga-lumes ou águas-vivas.

Os biólogos classificam os organismos em espécies. Consideram que os animais pertencem a uma mesma espécie se eles tendem a acasalar uns com os outros, gerando descendentes férteis. Cavalos e jumentos têm um ancestral recente em comum e partilham muitos traços físicos, mas demonstram pouco interesse sexual uns pelos outros. Acasalam entre si se forem induzidos a isso – entretanto seus descendentes, chamados mulas, são estéreis. Mutações no DNA dos jumentos podem nunca ter passado para os cavalos, e vice-versa. Os dois tipos de animais são consequentemente considerados duas espécies diferentes, trilhando caminhos evolucionários distintos. Já um buldogue e um spaniel podem ser muito diferentes em aparência, mas são membros da mesma espécie, partilhando a mesma informação de DNA. Acasalam entre si alegremente, e seus filhotes, ao crescer, cruzam com outros cachorros e geram mais filhotes.

As espécies que evoluíram de um mesmo ancestral são agrupadas em um “gênero”. Leões, tigres, leopardos e jaguares são espécies diferentes do gênero *Panthera.* Os biólogos nomeiam os organismos com um nome duplo latino, o gênero seguido da espécie. Os leões, por exemplo, são chamados *Panthera leo,* a espécie *leo* do gênero *Panthera.* Ao que tudo indica, todos os que estão lendo este livro são *Homo sapiens* – a espécie *sapiens* (sábia) do gênero *Homo* (homem).

Os gêneros, por sua vez, são agrupados em famílias, como a dos felídeos (leões, guepardos, gatos domésticos), a dos canídeos (lobos, raposas, chacais) e a dos elefantídeos (elefantes, mamutes, mastodontes). Todos os membros de uma família remontam a um mesmo patriarca ou matriarca original. Todos os gatos, por exemplo, dos menores gatos domésticos ao leão mais feroz, têm em comum um ancestral felídeo que viveu há cerca de 25 milhões de anos.

O *Homo sapiens* também pertence a uma família. Esse fato banal costumava ser um dos segredos mais bem guardados da história. Durante muito tempo, o *Homo sapiens* preferiu conceber a si mesmo como separado dos animais, um órfão destituído de família, carente de primos ou irmãos e, o que é mais importante, sem pai nem mãe. Mas isso simplesmente não é verdade. Gostemos ou não, somos membros de uma família grande e particularmente ruidosa chamada grandes primatas. Nossos parentes vivos mais próximos incluem os chimpanzés, os gorilas e os orangotangos. Os chimpanzés são os mais próximos. Há apenas 6 milhões de anos, uma mesma fêmea primata teve duas filhas. Uma delas se tornou a ancestral de todos os chimpanzés; a outra é nossa avó.

Esqueleto no armário

O *Homo sapiens* guardou um segredo ainda mais perturbador. Não só temos inúmeros primos não civilizados, como um dia também tivemos irmãos e irmãs. Costumamos pensar em nós mesmos como os únicos humanos, pois, nos últimos 10 mil anos, nossa espécie de fato foi a única espécie humana a existir. Porém, o verdadeiro significado da palavra humano é "animal pertencente ao gênero *Homo*", e antes havia várias outras espécies desse gênero além do *Homo sapiens.* Além disso, conforme veremos no último capítulo deste livro, num futuro não muito distante possivelmente teremos de enfrentar humanos não sapiens. Para melhor explicar este ponto, usarei o termo "sapiens" para designar membros da espécie *Homo sapiens*, ao passo que reservarei o termo "humano" para me referir a todos os membros do gênero *Homo.*

Os humanos surgiram na África Oriental há cerca de 2,5 milhões de anos, a partir de um gênero anterior de primatas chamado *Australopithecus*, que significa "macaco do Sul". Por volta de 2 milhões de anos atrás, alguns desses homens e mulheres arcaicos deixaram sua terra natal para se aventurar e se assentar em vastas áreas da África do Norte, da

2. Nossos irmãos, de acordo com reconstruções especulativas (da esquerda para a direita): *Homo rudolfensis* (África Oriental); *Homo erectus* (Ásia Oriental); e *Homo neanderthalensis* (Europa e Ásia Ocidental). Todos são humanos.

Europa e da Ásia. Como a sobrevivência nas florestas nevadas do norte da Europa requeria características diferentes das necessárias à sobrevivência nas florestas úmidas da Indonésia, as populações humanas evoluíram em direções diferentes. O resultado foram várias espécies distintas, a cada uma das quais os cientistas atribuíram um nome latino pomposo.

Os humanos na Europa e na Ásia Ocidental deram origem ao *Homo neanderthalensis* ("homem do vale do Neander"), popularmente conhecidos como "neandertais". Os neandertais, mais robustos e mais musculosos do que nós, sapiens, estavam bem adaptados ao clima frio da Eurásia ocidental da era do gelo. As regiões mais ocidentais da Ásia foram povoadas pelo *Homo erectus*, "Homem ereto", que sobreviveu na região por quase 1,5 milhão de anos, sendo a espécie humana de maior duração. Esse recorde dificilmente será quebrado, mesmo por nossa própria espécie. É questionável se o *Homo sapiens* ainda existirá daqui a mil anos, de modo que 2 milhões de anos certamente está fora do nosso alcance.

Na ilha de Java, na Indonésia, viveu o *Homo soloensis*, "homem do vale do Solo", que estava adaptado para a vida nos trópicos. Em outra ilha indonésia – a pequena ilha de Flores –, humanos arcaicos passaram por um processo que levou ao nanismo. Os humanos chegaram pela primeira vez à ilha de Flores quando o nível do mar estava excepcionalmente baixo, facilitando o acesso à ilha a partir do continente. Quando o nível do mar voltou a subir, algumas pessoas ficaram presas na ilha, que era pobre em recursos. As pessoas grandes, que necessitavam muita comida, morriam

primeiro. Os indivíduos menores tinham muito mais chances de sobrevivência. Com o passar das gerações, as pessoas de Flores se tornaram anãs. Essa espécie única, conhecida pelos cientistas como *Homo floresiensis*, chegava uma altura máxima de apenas um metro e pesava não mais de 25 quilos. Ainda assim, era capaz de produzir ferramentas de pedra e ocasionalmente conseguia abater alguns dos elefantes da ilha – embora, a bem da verdade, os elefantes também fossem uma espécie diminuta.

Em 2010, outro irmão perdido foi resgatado do esquecimento, quando cientistas, escavando a caverna de Denisova, na Sibéria, descobriram um osso de dedo fossilizado. A análise genética comprovou que o dedo pertencia a uma espécie humana até então desconhecida, que foi denominada *Homo denisova*. Sabe-se lá quantos de nossos parentes perdidos estão esperando para ser descobertos em outras cavernas, em outras ilhas e em outros climas.

Enquanto esses humanos evoluíam na Europa e na Ásia, a evolução na África Oriental não parou. O berço da humanidade continuou a nutrir numerosas espécies novas, como o *Homo rudolfensis* ("homem do lago Rudolf"), o *Homo ergaster* ("homem trabalhador") e, finalmente, nossa própria espécie, que, sem modéstia alguma, denominamos *Homo sapiens* ("homem sábio").

Alguns membros de algumas dessas espécies eram gigantes e outros, diminutos. Alguns eram caçadores destemidos, e outros, dóceis coletores de plantas. Alguns viviam em uma única ilha, ao passo que muitos perambulavam por continentes. Mas todos pertenciam ao gênero *Homo*. Eram seres humanos.

É uma falácia comum conceber essas espécies como dispostas em uma linha reta de descendência, com os *ergaster* dando origem aos *erectus*, os *erectus* dando origem aos neandertais e os neandertais dando origem a nós. Esse modelo linear dá a impressão equivocada de que, em determinado momento, apenas um tipo de humano habitou a Terra e de que todas as espécies anteriores foram meros modelos mais antigos de nós mesmos. A verdade é que, de aproximadamente 2 milhões de anos a 10 mil anos atrás, o mundo foi habitado por várias espécies humanas ao mesmo tempo. E por que não? Hoje há muitas espécies de raposas, ursos e porcos. O mundo de 100 mil anos atrás foi habitado por pelo menos seis espécies humanas diferentes. É nossa exclusividade atual, e não a multiplicidade de espécies em nosso passado, que é peculiar – e, talvez, incriminadora. Como logo veremos, nós, sapiens, temos boas razões para reprimir a lembrança de nossos irmãos.

O custo de pensar

Apesar de suas muitas diferenças, todas as espécies humanas têm em comum várias características que as definem. Mais notadamente, os humanos têm o cérebro extraordinariamente grande em comparação com o de outros animais. Mamíferos pesando 60 quilos têm um cérebro com tamanho médio de 200 centímetros cúbicos. Os primeiros homens e mulheres, há 2,5 milhões de anos, tinham cérebros de cerca de 600 centímetros cúbicos. Sapiens modernos apresentam um cérebro de 1200 a 1400 centímetros cúbicos. Os cérebros dos neandertais eram ainda maiores.

Que a evolução devesse selecionar cérebros maiores pode nos parecer óbvio. Somos tão apaixonados por nossa inteligência superior que presumimos que, em se tratando de capacidade cerebral, mais deve ser melhor. Mas, se fosse assim, a família dos felídeos também teria produzido gatos capazes de fazer cálculos, e porcos teriam a esta altura lançado seus próprios programas espaciais. Por que cérebros gigantes são tão raros no reino animal?

O fato é que um cérebro gigante é extremamente custoso para o corpo. Não é fácil de carregar, sobretudo quando envolvido por um crânio pesado. É ainda mais difícil de abastecer. No *Homo sapiens*, o cérebro equivale a 2 ou 3% do peso corporal, mas consome 25% da energia do corpo quando este está em repouso. Em comparação, o cérebro de outros primatas requer apenas 8% de energia em repouso. Os humanos arcaicos pagaram por seu cérebro grande de duas maneiras. Em primeiro lugar, passaram mais tempo em busca de comida. Em segundo lugar, seus músculos atrofiaram. Como um governo desviando dinheiro da defesa para a educação, os humanos desviaram energia do bíceps para os neurônios. Dificilmente pensaríamos que essa é uma boa estratégia para a sobrevivência na savana. Um chimpanzé não pode ganhar uma discussão com um *Homo sapiens*, mas pode parti-lo ao meio como uma boneca de pano.

Hoje, nosso cérebro grande é uma vantagem, porque podemos produzir carros e armas que permitem nos locomovermos mais rápido que os chimpanzés e atirar neles de uma distância segura em vez de enfrentá-los em um combate corpo a corpo. Mas carros e armas são um fenômeno recente. Por mais de 2 milhões de anos, as redes neurais dos humanos continuaram se expandindo, mas, com exceção de algumas facas de sílex e varetas pontiagudas, os humanos tiraram muito pouco proveito disso. Então, o que impulsionou a evolução do enorme cérebro humano durante esses 2 milhões de anos? Francamente, nós não sabemos.

Outro traço humano singular é que andamos eretos sobre duas pernas. Ao ficar eretos, é mais fácil esquadrinhar a savana à procura de animais de caça ou de inimigos, e os braços, desnecessários para a locomoção, são liberados para outros propósitos, como atirar pedras ou sinalizar. Quanto mais coisas essas mãos eram capazes de fazer, mais sucesso tinham os indivíduos, de modo que a pressão evolutiva trouxe uma concentração cada vez maior de nervos e músculos bem ajustados nas palmas e nos dedos. Em consequência, os humanos podem realizar tarefas complexas com as mãos. Em particular, podem produzir e usar ferramentas sofisticadas. Os primeiros indícios de produção de ferramentas datam de aproximadamente 2,5 milhões de anos atrás, e a manufatura e o uso de ferramentas são os critérios pelos quais os arqueólogos reconhecem humanos antigos.

Mas caminhar com a coluna ereta tem lá suas desvantagens. O esqueleto de nossos ancestrais primatas se desenvolveu durante milhões de anos para sustentar uma criatura que andava de quatro e tinha uma cabeça relativamente pequena. Adaptar-se a uma posição ereta foi um grande desafio, sobretudo quando a estrutura precisou sustentar um crânio extragrande. A humanidade pagou por sua visão elevada e suas mãos habilidosas com dores nas costas e rigidez no pescoço.

As mulheres pagaram ainda mais. Um andar ereto exigia quadris mais estreitos, constringindo o canal do parto – e isso justamente quando a cabeça dos bebês se tornava cada vez maior. A morte durante o parto se tornou uma grande preocupação para as fêmeas humanas. As mulheres que davam à luz mais cedo, quando o cérebro e a cabeça do bebê ainda eram relativamente pequenos e maleáveis, se saíam melhor e sobreviviam para ter mais filhos. Em consequência, a seleção natural favoreceu nascimentos precoces. E, de fato, em comparação com outros animais, os humanos nascem prematuramente, quando muitos de seus sistemas vitais ainda estão subdesenvolvidos. Um potro pode trotar logo após o nascimento; um gatinho deixa a mãe para buscar alimento por conta própria com poucas semanas de vida. Os bebês humanos são indefesos e durante muitos anos dependem dos mais velhos para sustento, proteção e educação.

Esse fato contribuiu enormemente para as extraordinárias habilidades sociais da humanidade e, ao mesmo tempo, para seus peculiares problemas sociais. Mães solitárias dificilmente conseguiam obter comida suficiente para sua prole e para si mesmas tendo crianças necessitadas sob seus cuidados. Criar filhos requeria ajuda constante de outros membros da família e de vizinhos. É necessária uma tribo para criar um ser humano. A evolução, assim, favoreceu aqueles capazes de formar fortes laços sociais. Além disso, como os humanos nascem subdesenvolvidos, eles podem ser educados e socializados em medida muito maior do que qualquer outro animal. A maioria dos mamíferos sai do útero como cerâmica vidrada saindo de um forno – qualquer tentativa de moldá-los novamente apenas irá rachá-los ou quebrá-los. Os humanos saem do útero como vidro derretido saindo de uma fornalha. Podem ser retorcidos, esticados e moldados com surpreendente liberdade. É por isso que hoje podemos educar nossos filhos para serem cristãos ou budistas, capitalistas ou socialistas, belicosos ou pacifistas.

Presumimos que um cérebro grande, o uso de ferramentas, uma capacidade superior de aprender e estruturas sociais complexas são vantagens enormes. Parece óbvio que esses atributos tornaram a humanidade o animal mais poderoso da Terra. Mas os humanos desfrutaram de todas essas vantagens por 2 milhões de anos, durante os quais continuaram sendo criaturas fracas e marginais. Assim, humanos que viveram há 1 milhão de anos, apesar de seus cérebros grandes e ferramentas de pedra afiadas, viviam com medo constante de predadores, raramente caçavam animais grandes e subsistiam principalmente coletando plantas, pegando insetos, capturando animais pequenos e comendo a carniça deixada por outros carnívoros mais fortes.

Um dos usos mais comuns das primeiras ferramentas de pedra foi abrir ossos para chegar até o tutano. Alguns pesquisadores acreditam que esse foi nosso nicho original. Assim como os pica-paus se especializam em extrair insetos dos troncos das árvores, os primeiros humanos se especializaram em extrair o tutano dos ossos. Por que o tutano? Bem, suponhamos que você esteja observando um bando de leões abater e devorar uma girafa. Você espera pacientemente até eles terminarem. Mas ainda não é a sua vez, porque primeiro as hienas e os chacais – e você não ousa se meter com eles – reviram as sobras. Só então você e seu bando ousam se aproximar da carcaça, olhando com cuidado à sua volta, e explorar o único tecido comestível que restou.

Isso é essencial para entender nossa história e nossa psicologia. A posição do gênero *Homo* na cadeia alimentar era, até muito pouco tempo atrás, solidamente intermediária. Durante milhões de anos, os humanos caçaram criaturas menores e coletaram o que podiam, ao passo que eram caçados por predadores maiores. Somente há 400 mil anos que várias espécies de homem começaram a caçar animais grandes de maneira regular, e só nos últimos 100 mil anos – com a ascensão do *Homo sapiens* – esse homem saltou para o topo da cadeia alimentar.

Esse salto espetacular do meio para o topo teve enormes consequências. Outros animais no topo da pirâmide, como os leões e os tubarões, evoluíram para essa posição gradualmente, ao longo de milhões de anos. Isso permitiu que o ecossistema desenvolvesse formas de compensação e equilíbrio que impediam que leões e tubarões causassem destruição em excesso. À medida que os leões se tornavam mais ferozes, a evolução fez as gazelas correrem mais rápido, as hienas cooperarem melhor, e os rinocerontes serem mais mal-humorados. Diferentemente, a humanidade ascendeu ao topo tão rapidamente que o ecossistema não teve tempo de se ajustar. Além disso, os próprios humanos não conseguiram se ajustar. A maior parte dos grandes predadores do planeta são criaturas grandiosas. Milhões de anos de supremacia os encheram de confiança em si mesmos. O sapiens, diferentemente, está mais para um ditador de uma república de bananas. Tendo sido até tão pouco tempo atrás um dos oprimidos das savanas, somos tomados por medos e ansiedades quanto à nossa posição, o que nos torna duplamente cruéis e perigosos. Muitas calamidades históricas, de guerras mortais a catástrofes ecológicas, resultaram desse salto apressado.

Uma raça de cozinheiros

Um passo importante rumo ao topo foi a domesticação do fogo. Já há 800 mil anos, algumas espécies humanas faziam uso esporádico do fogo. Por volta de 300 mil anos atrás, os *Homo erectus*, os neandertais e os antepassados do *Homo sapiens* usavam o fogo diariamente. Os humanos agora tinham uma fonte confiável de luz e de calor e uma arma letal contra os leões à espreita. Não muito tempo depois, os humanos podem até mesmo ter começado deliberadamente a fazer queimadas em suas áreas. Um fogo cuidadosamente manejado podia transformar bosques cerrados intransponíveis em campos cheios de animais de caça. Além disso, quando o fogo se apagava, os empreendedores da Idade da Pedra podiam caminhar pelos restos fumegantes e coletar animais, nozes e tubérculos carbonizados. Mas a melhor coisa que o fogo possibilitou foi o hábito de cozinhar.

Alimentos que os humanos não conseguem digerir em sua forma natural – como trigo, arroz e batata – se tornaram itens essenciais da nossa dieta graças ao cozimento. O fogo não só mudava a química dos alimentos; mudava também sua biologia. Cozinhar matava germes e parasitas que infestavam os alimentos. Também passou a ser muito mais fácil para os humanos mastigar e digerir seus alimentos favoritos, como frutas, nozes, insetos e carniça, se cozidos. Enquanto os chimpanzés passam cinco horas por dia mastigando alimentos crus, uma hora é suficiente para as pessoas comerem alimentos cozidos.

O advento do hábito de cozinhar possibilitou aos humanos comer mais tipos de comida, dedicar menos tempo à alimentação e se virar com dentes menores e intestino mais curto. Alguns estudiosos acreditam que existe uma relação direta entre o advento do hábito de cozinhar, o encurtamento do trato intestinal e o crescimento do cérebro humano. Considerando que tanto um intestino longo quanto um cérebro grande consomem muita energia, é difícil ter os dois ao mesmo tempo. Ao encurtar o intestino e reduzir seu consumo de energia, o hábito de cozinhar inadvertidamente abriu caminho para o cérebro enorme dos neandertais e dos sapiens.[1]

O fogo também abriu a primeira brecha significativa entre o homem e os outros animais. O poder de quase todos os animais depende de seu corpo: a força de seus músculos, o tamanho de seus dentes, a envergadura de suas asas. Embora possam fazer uso de ventos e correntes, são incapazes de controlar essas forças da natureza e estão sempre limitados por sua estrutura física. As águias, por exemplo, identificam colunas térmicas emanando do solo, abrem suas asas gigantes e permitem que o ar quente as faça alçar voo, mas não podem controlar a localização das colunas térmicas, e sua capacidade máxima de carga é estritamente proporcional à envergadura de suas asas.

Ao domesticar o fogo, os humanos ganharam controle de uma força obediente e potencialmente ilimitada. Ao contrário das águias, os humanos podiam escolher onde e quando acender uma chama, e foram capazes de explorar o fogo para inúmeras tarefas. O que é mais importante, o poder do fogo não era limitado pela forma, estrutura ou força do corpo humano. Uma única mulher com uma pedra ou vareta podia produzir fogo para queimar uma floresta inteira em uma questão de horas. A domesticação do fogo foi um sinal do que estava por vir.

Os cuidadores de nossos irmãos

Apesar dos benefícios do fogo, há 150 mil anos os humanos ainda eram criaturas marginais. Agora eles podiam espantar leões, se aquecer durante noites frias e queimar uma ou outra floresta. Mas, considerando todas as espécies juntas, possivelmente o número de humanos vivendo entre o arquipélago indonésio e a Península Ibérica ainda não passava de 1 milhão, um mero ponto no radar ecológico.

Nossa espécie, *Homo sapiens*, já estava presente no palco do mundo, mas, até então, estivera apenas vivendo sua vidinha num canto da África. Não sabemos exatamente onde ou quando animais que podem ser classificados como *Homo sapiens* evoluíram pela primeira vez a partir de algum tipo anterior de humano, mas a maioria dos cientistas concorda que há 150 mil anos a África Oriental estava povoada por sapiens que se pareciam exatamente como nós. Se um deles aparecesse em um necrotério moderno, o patologista local não notaria nada peculiar. Graças às bênçãos do fogo, eles tinham mandíbulas e dentes menores que seus ancestrais, ao passo que tinham cérebros enormes, iguais aos nossos em tamanho.

Os cientistas também concordam que há cerca de 70 mil anos, sapiens da África Oriental se espalharam na península Arábica e de lá rapidamente tomaram o território da Eurásia.

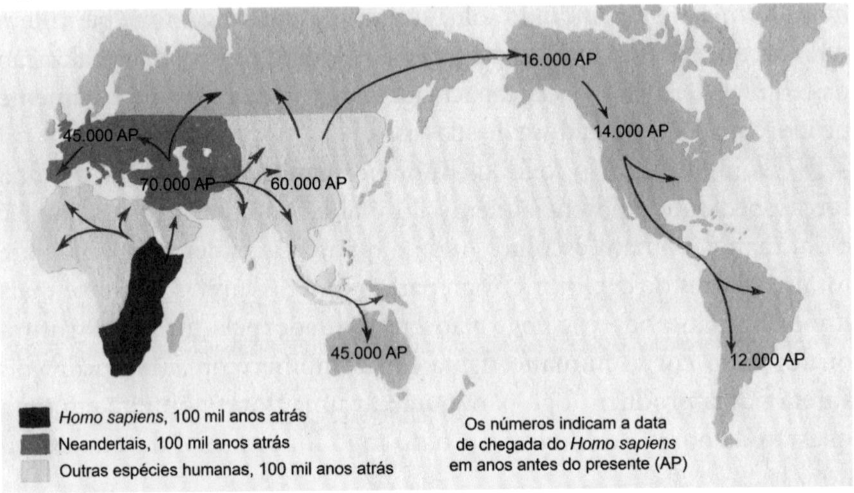

Mapa 1. O *Homo sapiens* conquista o globo.

Quando o *Homo sapiens* chegou à Arábia, a maior parte da Eurásia já era ocupada por outros humanos. O que aconteceu com eles? Há duas teorias conflitantes. A "teoria da miscigenação" conta uma história de atração, sexo e miscigenação. À medida que os imigrantes africanos se espalharam pelo mundo, eles procriaram com outras populações humanas, e as pessoas, hoje, são resultado dessa miscigenação.

Por exemplo, quando os sapiens chegaram ao Oriente Médio e à Europa, encontraram os neandertais. Esses humanos eram mais musculosos que os sapiens, tinham cérebro maior e eram mais bem adaptados a climas frios. Usavam ferramentas e fogo, eram caçadores exímios e, ao que parece, cuidavam dos doentes e debilitados (arqueólogos encontraram ossos de neandertais que viveram por muitos anos com várias deficiências físicas, indícios de que eram cuidados por seus parentes). Os neandertais muitas vezes são retratados em caricaturas como o arquetípico "homem das cavernas" bruto e estúpido, mas indícios recentes mudaram essa imagem.

3. Reconstrução especulativa de uma criança neandertal. As evidências genéticas indicam que pelo menos alguns neandertais podem ter tido pele e cabelo claros.

De acordo com a teoria da miscigenação, quando o *Homo sapiens* se espalhou por terras neandertais, os sapiens procriaram com neandertais até que as duas populações se fundiram. Se isso for verdade, então os eurasianos de hoje não são sapiens puros. São uma mistura de sapiens e neandertais. De forma semelhante, quando chegaram à Ásia Oriental, os sapiens se misturaram com os locais *Homo erectus*, de forma que os chineses e coreanos são uma mistura de sapiens e *Homo erectus*.

A visão oposta, chamada de "teoria da substituição", conta uma história muito diferente – uma história de incompatibilidade, repulsa e, talvez, até mesmo genocídio. Sapiens e neandertais tinham anatomias diferentes, e muito provavelmente hábitos de acasalamento e até mesmo odor corporal diferentes. Provavelmente tinham pouco interesse sexual uns pelos outros. Mesmo que um Romeu neandertal e uma Julieta sapiens se apaixonassem, não poderiam produzir descendentes férteis porque o abismo genético separando as duas populações já era intransponível. As duas populações teriam permanecido distintas, e quando os neandertais morreram, ou foram mortos, seus genes teriam morrido com eles. De acordo com essa teoria, sapiens substituíram todas as populações humanas anteriores sem se misturar com nenhuma delas. Nesse caso, a origem de todas as linhagens humanas existentes pode ser atribuída exclusivamente à África Oriental de 70 mil anos atrás.

Muita coisa depende desse debate. De uma perspectiva evolutiva, 70 mil anos é um intervalo relativamente curto. Se a teoria da substituição estiver correta, todos os humanos existentes têm mais ou menos a mesma bagagem genética, e as distinções raciais entre eles são desprezíveis. Mas se a teoria da miscigenação estiver correta, pode muito bem haver entre africanos, europeus e asiáticos diferenças genéticas que remontam a centenas de milhares de anos atrás. Trata-se de uma dinamite política que poderia fornecer matéria-prima para teorias raciais explosivas.

Nas últimas décadas, a teoria da substituição prevaleceu entre os cientistas. Tinha bases arqueológicas mais sólidas e era politicamente mais correta (os cientistas não tinham desejo algum de abrir a caixa de Pandora do racismo ao afirmar a existência de uma diversidade genética significativa entre as populações humanas modernas). Mas isso terminou em 2010, quando foram publicados os resultados de um esforço de quatro anos para mapear o genoma dos neandertais. Geneticistas conseguiram coletar DNA intacto de fósseis de neandertais em quantidade suficiente para fazer uma comparação detalhada com o DNA de humanos contemporâneos Os resultados desconcertaram a comunidade científica.

Revelou-se que de 1% a 4% do DNA das populações modernas no Oriente Médio e na Europa são DNA de neandertal. Não é uma grande quantidade, mas é significante. Um segundo choque veio meses depois, quando foi mapeado o DNA extraído do dedo fossilizado de Denisova. Os resultados comprovaram que até 6% do DNA humano dos melanésios e dos aborígenes australianos modernos são DNA denisovano!

Se esses resultados forem válidos – e é importante ter em mente que estão sendo realizadas mais pesquisas que podem tanto corroborar quanto modificar essas conclusões –, os defensores da teoria da miscigenação acertaram em pelo menos alguns aspectos. Mas isso não significa que a teoria da substituição esteja completamente errada. Uma vez que os neandertais e os denisovanos contribuíram apenas com uma pequena proporção de DNA para nosso genoma atual, é impossível falar de uma "fusão" entre os sapiens e outras espécies humanas. Embora as diferenças entre elas não fossem grandes o suficiente para evitar completamente a geração de descendentes férteis, eram suficientes para fazer que tais contatos fossem muito raros.

Sendo assim, como devemos entender as relações biológicas entre sapiens, neandertais e denisovanos? Claramente, não eram espécies completamente distintas, como são os cavalos e os jumentos. Por outro lado, não eram apenas populações diferentes da mesma espécie, como os buldogues e os spaniels. A realidade biológica não é em preto e branco. Há também áreas cinza importantes. Quaisquer duas espécies que tenham evoluído de um único ancestral, como os cavalos e os jumentos, foram, em algum momento, apenas duas populações da mesma espécie, como os buldogues e os spaniels. Com o tempo, as diferenças entre elas se acumularam, até que elas seguiram caminhos evolutivos separados. Deve ter havido um ponto em que as duas populações já eram bem diferentes uma da outra, mas ainda capazes, em raras ocasiões, de ter relações sexuais e gerar descendentes férteis. Então houve mutação em mais um ou dois genes, e esse último fio que as conectava se perdeu para sempre.

Ao que parece, há cerca de 50 mil anos, sapiens, neandertais e denisovanos se encontravam nesse limite. Eram espécies quase separadas, mas não totalmente. Como veremos no próximo capítulo, os sapiens já eram bem diferentes dos neandertais e dos denisovanos não só em seu código genético e em seus traços físicos, como também sua capacidade cognitiva e habilidades sociais. Mas ainda era igualmente possível, em raras ocasiões, que um sapiens e um neandertal tivessem um filho. Portanto, as populações não se fundiram – mas alguns genes sortudos de neandertais pegaram uma carona no Expresso Sapiens. É um tanto perturbador – e, talvez, fascinante – pensar que nós, sapiens, possamos em algum momento ter tido relações sexuais com um animal de uma espécie diferente e gerado descendentes.

Mas se neandertais, denisovanos e outras espécies humanas não simplesmente se miscigenaram com os sapiens, por que desapareceram? Uma possibilidade é que o *Homo sapiens* as levou à extinção. Imagine um bando de sapiens chegando a um vale nos Bálcãs onde os neandertais viviam há centenas de milhares de anos. Os recém-chegados começaram a caçar os cervos e a colher as nozes e as bagas que eram tradicionalmente a base alimentar dos neandertais. Os sapiens eram melhores caçadores e coletores – graças à superioridade de sua tecnologia e de suas habilidades sociais –, de modo que se multiplicaram e se espalharam. Os neandertais, menos engenhosos, tinham cada vez mais dificuldade para se alimentar. Sua população definhou e pouco a pouco desapareceu, exceto, talvez, por um ou dois membros que se uniram a seus vizinhos sapiens.

Outra possibilidade é que a competição por recursos tenha irrompido em violência e genocídio. A tolerância não é uma marca registrada dos sapiens. Nos tempos modernos, uma pequena diferença em cor de pele, dialeto ou religião tem sido suficiente para levar um grupo de sapiens a tentar exterminar outro grupo. Os sapiens antigos teriam sido mais tolerantes para com uma espécie humana totalmente diferente? É bem possível que, quando os sapiens encontraram os neandertais, o resultado tenha sido a primeira e mais significativa campanha de limpeza étnica na história.

O que quer que tenha acontecido, os neandertais (e outras espécies humanas) apresentam um dos grandes "e ses" da história. Imagine o que poderia ter acontecido se os neandertais ou denisovanos tivessem sobrevivido ao lado do *Homo sapiens*. Que tipos de cultura, sociedade e estrutura política teriam surgido em um mundo em que várias espécies humanas diferentes coexistissem? Como, por exemplo, as fés religiosas teriam se desenvolvido? O livro do Gênesis teria declarado que os neandertais descenderam de Adão e Eva, Jesus teria morrido pelos pecados dos denisovanos, e o Corão teria reservado lugares no Paraíso para todos os humanos corretos, independentemente da espécie? Os neandertais teriam recebido um lugar no sistema de castas hindu, ou na vasta burocracia da China imperial? A Declaração da Independência dos Estados Unidos teria considerado como uma verdade evidente que todos os membros do gênero *Homo* foram criados iguais? Karl Marx teria instado os trabalhadores de todas as espécies a se unirem?

Nos últimos 10 mil anos, o *Homo sapiens* esteve tão acostumado a ser a única espécie humana que é difícil para nós concebermos qualquer outra possibilidade. A ausência de irmãos ou irmãs torna fácil imaginar que somos o epítome da criação e que um cisma nos separa do resto do reino animal. Quando Charles Darwin sugeriu que o *Homo sapiens* era apenas mais uma espécie animal, as pessoas ficaram furiosas. Ainda hoje, muitos se recusam a acreditar nisso. Se os neandertais tivessem sobrevivido, ainda conceberíamos a nós mesmos como uma criatura distinta? Talvez tenha sido exatamente por isso que nossos ancestrais eliminaram os neandertais. Eles eram similares demais para se ignorar, mas diferentes demais para se tolerar.

Se a culpa é dos sapiens ou não, o fato é que, tão logo eles chegavam a um novo local, a população nativa era extinta. Os últimos remanescentes do *Homo soloensis* datam de cerca de 50 mil anos atrás. O *Homo denisova* desapareceu logo depois. Os neandertais sumiram há cerca de 30 mil anos. Os últimos humanos diminutos desapareceram da ilha de Flores há aproximadamente 12 mil anos. Deixaram para trás alguns ossos, ferramentas de pedra, uns poucos genes em nosso DNA e uma porção de perguntas sem resposta. Também deixaram a nós, *Homo sapiens*, a última espécie humana.

Qual o segredo do sucesso dos sapiens? Como conseguimos nos instalar tão rapidamente em tantos habitats distantes e tão diversos em termos ecológicos? Como condenamos todas as outras espécies humanas ao esquecimento? Por que nem mesmo os neandertais, fortes, de cérebro grande e resistentes ao frio, conseguiram sobreviver a nosso ataque violento? O debate continua a se alastrar. A resposta mais provável é propriamente aquilo que torna o debate possível: o *Homo sapiens* conquistou o mundo, acima de tudo, graças à sua linguagem única.

2

A árvore do conhecimento

No capítulo anterior vimos que embora os sapiens já habitassem a África Oriental há 150 mil anos, apenas por volta de 70 mil anos atrás eles começaram a dominar o resto do planeta Terra e levar as demais espécies humanas à extinção. Nos milhares de anos desse período, embora esses sapiens arcaicos se parecessem exatamente conosco e embora seu cérebro fosse tão grande quanto o nosso, eles não gozavam de qualquer vantagem notável sobre outras espécies humanas, não produziam ferramentas particularmente sofisticadas e não realizavam nenhum outro feito especial.

De fato, no primeiro encontro registrado entre sapiens e neandertais, os neandertais levaram a melhor. Por volta de 100 mil anos atrás, alguns grupos de sapiens migraram para o Levante – que era território neandertal –, mas foram incapazes de garantir sua sobrevivência. Isso pode ter se devido à crueldade dos nativos, a um clima inclemente ou à presença de parasitas com os quais não estavam familiarizados. Qualquer que seja o motivo, os sapiens acabaram por se retirar, deixando os neandertais como senhores do Oriente Médio.

Esse registro escasso de conquistas levou especialistas a especularem que a estrutura interna do cérebro desses sapiens provavelmente era diferente da nossa. Eles se pareciam conosco, mas suas capacidades cognitivas – aprendizado, memória, comunicação – eram muito mais limitadas. Ensinar português a um desses sapiens antigos, persuadi-lo da verdade do dogma cristão ou fazê-lo entender a teoria da evolução provavelmente teriam sido tarefas infrutíferas. Por outro lado, teríamos muita dificuldade para aprender sua linguagem e compreender seu modo de pensar.

Mas então, a partir de 70 mil anos atrás, o *Homo sapiens* começou a fazer coisas muito especiais. Nessa época, bandos de sapiens deixaram a África pela segunda vez. Dessa vez, eles expulsaram os neandertais e todas as outras espécies humanas não só do Oriente Médio como também da face da Terra. Em um período incrivelmente curto, os sapiens chegaram à Europa e ao leste da Ásia. Há aproximadamente 45 mil anos, conseguiram atravessar o mar aberto e chegaram à Austrália – um continente até então intocado por humanos. O período de 70 mil anos atrás a 30 mil anos atrás testemunhou a invenção de barcos, lâmpadas a óleo, arcos e flechas e agulhas (essenciais para costurar roupas quentes). Os primeiros objetos que podem ser chamados de arte e joalheria datam dessa era, assim como os primeiros indícios incontestáveis de religião, comércio e estratificação social.

A maioria dos pesquisadores acredita que essas conquistas sem precedentes foram produto de uma revolução nas habilidades cognitivas dos sapiens. Eles sustentam que os indivíduos que levaram os neandertais

4. Estatueta em marfim de um "homem-leão" (ou "mulher-leoa") da caverna de Stadel, na Alemanha (*c.* 32 mil anos atrás). O corpo é humano, mas a cabeça é leonina. Este é um dos primeiros exemplos indiscutíveis de arte, e provavelmente de religião e da capacidade da mente humana de imaginar coisas que não existem de fato.

à extinção, que se instalaram na Austrália e que esculpiram o homem-leão de Stadel eram tão inteligentes, criativos e sensíveis como nós. Se nos deparássemos com os artistas da caverna de Stadel, poderíamos aprender a língua deles, e eles, a nossa. Seríamos capazes de lhes explicar tudo que conhecemos – das aventuras de Alice no País das Maravilhas aos paradoxos da física quântica – e eles poderiam nos ensinar como seu povo concebia o mundo.

O surgimento de novas formas de pensar e se comunicar, entre 70 mil anos atrás a 30 mil anos atrás, constitui a Revolução Cognitiva. O que a causou? Não sabemos ao certo. A teoria mais aceita afirma que mutações genéticas acidentais mudaram as conexões internas do cérebro dos sapiens, possibilitando que pensassem de uma maneira sem precedentes e se comunicassem usando um tipo de linguagem totalmente novo. Poderíamos chamá-las de mutações da árvore do conhecimento. Por que ocorreram no DNA do sapiens e não no DNA dos neandertais? Até onde pudemos verificar, foi uma questão de puro acaso. Mas é mais importante entender as consequências das mutações da árvore do conhecimento do que suas causas. O que havia de tão especial na nova linguagem dos sapiens que nos permitiu conquistar o mundo?*

Essa não foi a primeira linguagem. Todos os animais têm alguma forma de linguagem. Até mesmo os insetos, como abelhas e formigas, sabem se comunicar de maneiras sofisticadas, informando uns aos outros sobre o paradeiro de alimentos. Tampouco foi a primeira linguagem vocal. Muitos animais, incluindo todas as espécies de macaco, têm uma linguagem vocal. Por exemplo, macacos-verdes usam gritos de vários tipos para se comunicar. Os zoólogos identificaram um grito que significa: "Cuidado! Uma águia!". Um grito um pouco diferente alerta: "Cuidado! Um leão!". Quando os pesquisadores reproduziram uma gravação do primeiro grito para um grupo de macacos, estes pararam o que estavam fazendo e olharam para cima assustados. Ao ouvir uma gravação do segundo grito, o aviso do leão, o grupo subiu rapidamente

* Aqui e nas páginas que seguem, ao mencionar a linguagem sapiens, refiro-me às habilidades linguísticas básicas de nossa espécie, e não a um dialeto em específico. Inglês, hindi e chinês são todos variantes de linguagem sapiens. Aparentemente, até mesmo na época da Revolução Cognitiva diferentes grupos sapiens falavam dialetos diferentes.

em uma árvore. Os sapiens podem produzir muitos mais sons do que os macacos-verdes, mas as baleias e os elefantes têm habilidades igualmente impressionantes. Um papagaio pode dizer qualquer coisa proferida por Albert Einstein, além de imitar o som de telefones chamando, portas batendo e sirenes tocando. Qualquer que fosse a vantagem de Einstein sobre um papagaio, não era vocal. O que, então, há de tão especial em nossa linguagem?

A resposta mais comum é que nossa linguagem é incrivelmente versátil. Podemos conectar uma série limitada de sons e sinais para produzir um número infinito de frases, cada uma delas com um significado diferente. Podemos, assim, consumir, armazenar e comunicar uma quantidade extraordinária de informação sobre o mundo à nossa volta. Um macaco-verde pode gritar para seus camaradas: "Cuidado! Um leão!", mas um humano moderno pode dizer aos amigos que esta manhã, perto da curva do rio, ele viu um leão atrás de um rebanho de bisões. Pode então descrever a localização exata, incluindo os diferentes caminhos que levam à área em questão. Com essas informações, os membros do seu bando podem pensar juntos e discutir se devem se aproximar do rio, expulsar o leão e caçar os bisões.

Uma segunda teoria concorda que nossa linguagem singular evoluiu como um meio de partilhar informações sobre o mundo. Mas as informações mais importantes que precisavam ser comunicadas eram sobre humanos, e não sobre leões e bisões. Nossa linguagem evoluiu como uma forma de fofoca. De acordo com essa teoria, o *Homo sapiens* é antes de mais nada um animal social. A cooperação social é essencial para a sobrevivência e a reprodução. Não é suficiente que homens e mulheres conheçam o paradeiro de leões e bisões. É muito mais importante para eles saber quem em seu bando odeia quem, quem está dormindo com quem, quem é honesto e quem é trapaceiro.

A quantidade de informações que é preciso obter e armazenar a fim de rastrear as relações sempre cambiantes até mesmo de umas poucas dezenas de indivíduos é assombrosa. (Em um bando de cinquenta indivíduos, há 1.225 relações de um para um, e incontáveis combinações sociais mais complexas.) Todos os macacos mostram um ávido interesse por tais informações sociais, mas eles têm dificuldade para fofocar de fato. Os neandertais e os *Homo sapiens* arcaicos provavelmente também tiveram dificuldade para falar pelas costas uns dos outros – uma habilidade muito difamada que, na verdade, é essencial para a cooperação em grande número. As novas habilidades linguísticas que os sapiens modernos adquiriram há cerca de 70 milênios permitiram que fofocassem por horas a fio. Graças a informações precisas sobre quem era digno de confiança, pequenos grupos puderam se expandir para bandos maiores, e os sapiens puderam desenvolver tipos de cooperação mais sólidos e mais sofisticados.[1]

A teoria da fofoca pode parecer uma piada, mas vários estudos a corroboram. Ainda hoje, a maior parte da comunicação humana – seja na forma de e-mails, telefonemas ou colunas nos jornais – é fofoca. É tão natural para nós que é como se nossa linguagem tivesse evoluído exatamente com esse propósito. Você acha que quando almoçam juntos professores de história conversam sobre as causas da Primeira Guerra Mundial, ou que físicos nucleares passam o intervalo do café em conferências científicas falando sobre partículas subatômicas? Às vezes. Mas com muito mais frequência eles fofocam sobre a professora que flagrou o marido com outra, ou sobre a briga entre o chefe do departamento e o reitor, ou sobre os rumores de que um colega usou sua verba de pesquisa para comprar um Lexus. A fofoca normalmente gira em torno de comportamentos inadequados. Os que fomentam os rumores são o quarto poder original, jornalistas que informam a sociedade sobre trapaceiros e aproveitadores e, desse modo, a protegem.

Muito provavelmente, tanto a teoria da fofoca quanto a teoria do leão perto do rio são válidas. Mas a característica verdadeiramente única da nossa linguagem não é sua capacidade de transmitir informações sobre homens e leões. É a capacidade de transmitir informações sobre coisas que não existem. Até onde sabemos, só os sapiens podem falar sobre tipos e mais tipos de entidades que nunca viram, tocaram ou cheiraram.

Lendas, mitos, deuses e religiões apareceram pela primeira vez com a Revolução Cognitiva. Antes disso, muitas espécies animais e humanas foram capazes de dizer: "Cuidado! Um leão!". Graças à Revolução Cognitiva, o *Homo sapiens* adquiriu a capacidade de dizer: "O leão é o espírito guardião da nossa tribo". Essa capacidade de falar sobre ficções é a característica mais singular da linguagem dos sapiens.

É relativamente fácil concordar que só o *Homo sapiens* pode falar sobre coisas que não existem de fato e acreditar em meia dúzia de coisas impossíveis antes do café da manhã. Você nunca convencerá um macaco a lhe dar uma banana prometendo a ele bananas ilimitadas após a morte no céu dos macacos. Mas isso é tão importante? Afinal, a ficção pode ser perigosamente enganosa ou confusa. As pessoas que vão à floresta à procura de fadas e unicórnios parecem ter uma chance menor de sobrevivência do que as que vão à procura de cogumelos e cervos. E, se você passa horas rezando para espíritos guardiães inexistentes, não está perdendo um tempo precioso, tempo que seria mais bem utilizado procurando comida, guerreando e copulando?

Mas a ficção nos permitiu não só imaginar coisas como também fazer isso *coletivamente*. Podemos tecer mitos partilhados, tais como a história bíblica da criação, os mitos do Tempo do Sonho dos aborígenes australianos e os mitos nacionalistas dos Estados modernos. Tais mitos dão aos sapiens a capacidade sem precedentes de cooperar de modo versátil em grande número. Formigas e abelhas também podem trabalhar juntas em grande número, mas elas o fazem de maneira um tanto rígida, e apenas com parentes próximos. Lobos e chimpanzés cooperam de forma muito mais versátil do que formigas, mas só o fazem com um pequeno número de outros indivíduos que eles conhecem intimamente. Os sapiens podem cooperar de maneiras extremamente flexíveis com um número incontável de estranhos. É por isso que os sapiens governam o mundo, ao passo que as formigas comem nossos restos e os chimpanzés estão trancados em zoológicos e laboratórios de pesquisa.

A lenda da Peugeot

Nossos primos chimpanzés normalmente vivem em pequenos bandos de várias dezenas de indivíduos. Eles formam fortes laços de amizade, caçam juntos e lutam lado a lado contra babuínos, guepardos e chimpanzés inimigos. Sua estrutura social tende a ser hierárquica. O membro dominante, que quase sempre é um macho, é denominado "macho alfa". Outros machos e fêmeas demonstram sua submissão ao macho alfa curvando-se diante dele enquanto emitem grunhidos, de modo não muito diferente de súditos humanos se ajoelhando diante de um rei.

O macho alfa se esforça para manter a harmonia social em seu bando. Quando dois indivíduos brigam, ele intervém e impede a violência. Em uma atitude menos benevolente, ele pode monopolizar alimentos particularmente cobiçados e evitar que machos de postos inferiores na hierarquia acasalem com as fêmeas.

Quando dois machos estão disputando a posição de alfa, eles normalmente fazem isso formando grandes coalizões de apoiadores, tanto machos quanto fêmeas, dentro do grupo. Os laços entre os membros da coalizão se baseiam em contato íntimo diário – abraçar, tocar, beijar, alisar e fazer favores mútuos. Assim como os políticos humanos em campanha eleitoral saem por aí distribuindo apertos de mão e beijando bebês, também os aspirantes à posição superior em um grupo de chimpanzés passam muito tempo abraçando, dando tapinhas nas costas e beijando filhotes. O macho alfa normalmente conquista essa posição não porque seja fisicamente mais forte, mas porque lidera uma coalizão grande e estável. Essas coalizões exercem um papel central não só durante as lutas pela posição de alfa como também em quase todas as atividades cotidianas. Membros de uma mesma coalizão passam mais tempo juntos, partilham alimentos e ajudam uns aos outros em momentos de dificuldade.

Há limites claros ao tamanho dos grupos que podem ser formados e mantidos de tal forma. Para funcionar, todos os membros de um grupo devem conhecer uns aos outros intimamente. Dois chimpanzés que nunca se encontraram, nunca lutaram e nunca se alisaram mutuamente não saberão se podem confiar um no outro, se valerá a pena ajudar um ao outro nem qual deles é superior na hierarquia. Em condições normais, um típico bando de chimpanzés consiste de 20 a 50 indivíduos. À medida que o número em um bando de chimpanzés aumenta, a ordem social se desestabiliza, levando enfim à ruptura e à formação de um novo bando por alguns dos animais. Apenas em alguns casos os zoólogos observaram grupos maiores que cem. Grupos separados raramente cooperam e tendem a competir por território e por alimentos. Os pesquisadores documentaram guerras prolongadas entre grupos, e até mesmo um caso de atividade "genocida" em que um bando assassinou sistematicamente a maioria dos membros de um bando vizinho.[2]

Padrões similares provavelmente dominaram a vida social dos primeiros humanos, incluindo o *Homo sapiens* arcaico. Os humanos, como os chimpanzés, têm instintos sociais que possibilitaram aos nossos ancestrais construir amizades e hierarquias e caçar ou lutar juntos. No entanto, como os instintos sociais dos chimpanzés, os dos humanos só eram adaptados para pequenos grupos íntimos. Quando o grupo ficava grande demais, sua ordem social se desestabilizava, e o bando se dividia. Mesmo se um vale particularmente fértil pudesse alimentar 500 sapiens arcaicos, não havia jeito de tantos estranhos conseguirem viver juntos. Como poderiam concordar sobre quem deveria ser o líder, quem deveria caçar onde, ou quem deveria acasalar com quem?

Após a Revolução Cognitiva, a fofoca ajudou o *Homo sapiens* a formar bandos maiores e mais estáveis. Mas até mesmo a fofoca tem seus limites. Pesquisas sociológicas demonstraram que o tamanho máximo "natural" de um grupo unido por fofoca é de cerca de 150 indivíduos. A maioria das pessoas não consegue nem conhecer intimamente, nem fofocar efetivamente sobre mais de 150 seres humanos.

Ainda hoje, um limite crítico nas organizações humanas fica próximo desse número mágico. Abaixo desse limite, comunidades, negócios, redes sociais e unidades militares conseguem se manter principalmente com base em relações íntimas e no fomento de rumores. Não há necessidade de hierarquias formais, títulos e livros de direito para manter a ordem.[3] Um pelotão de 30 soldados ou mesmo uma companhia de cem soldados podem funcionar muito bem com base em relações íntimas, com um mínimo de disciplina formal. Um sargento respeitado pode se tornar "rei da companhia" e exercer autoridade até mesmo sobre oficiais de patente. Um pequeno negócio familiar pode sobreviver e florescer sem uma diretoria, um CEO ou um departamento de contabilidade.

Mas, quando o limite de 150 indivíduos é ultrapassado, as coisas já não podem funcionar dessa maneira. Não é possível comandar uma divisão com milhares de soldados da mesma forma que se comanda um pelotão. Negócios familiares de sucesso normalmente enfrentam uma crise quando crescem e contratam mais funcionários. Se não forem capazes de se reinventar, acabam falindo.

Como o *Homo sapiens* conseguiu ultrapassar esse limite crítico, fundando cidades com dezenas de milhares de habitantes e impérios que governam centenas de milhões? O segredo foi provavelmente o surgimento da ficção. Um grande número de estranhos pode cooperar de maneira eficaz se acreditar nos mesmos mitos.

Toda cooperação humana em grande escala – seja um Estado moderno, uma igreja medieval, uma cidade antiga ou uma tribo arcaica – se baseia em mitos partilhados que só existem na imaginação coletiva das pessoas. As igrejas se baseiam em mitos religiosos partilhados. Dois católicos que nunca se conheceram podem, no entanto, lutar juntos em uma cruzada ou levantar fundos para construir um hospital porque ambos acreditam que Deus encarnou em um corpo humano e foi crucificado para redimir nossos pecados. Os Estados se baseiam em mitos nacionais partilhados. Dois sérvios que nunca se conheceram podem arriscar a vida para salvar um ao outro porque ambos acreditam na existência da nação sérvia, da terra natal sérvia e da bandeira sérvia. Sistemas judiciais se baseiam em mitos jurídicos partilhados. Dois advogados que nunca se conheceram podem unir esforços para defender um completo estranho porque acreditam na existência de leis, justiça e direitos humanos – e no dinheiro dos honorários.

Mas nenhuma dessas coisas existe fora das histórias que as pessoas inventam e contam umas às outras. Não há deuses no universo, nem nações, nem dinheiro, nem direitos humanos, nem leis, nem justiça fora da imaginação coletiva dos seres humanos.

As pessoas entendem facilmente que os "primitivos" consolidam sua ordem social acreditando em deuses e espíritos e se reunindo a cada lua cheia para dançar juntos em volta da fogueira. Mas não conseguimos avaliar que nossas instituições modernas funcionam exatamente sobre a mesma base. Considere, por exemplo, o mundo das corporações. Os executivos e advogados modernos são, de fato, feiticeiros poderosos. A principal diferença entre eles e os xamãs tribais é que os advogados modernos contam histórias muito mais estranhas. A lenda da Peugeot nos fornece um bom exemplo.

Um ícone que lembra um pouco o homem-leão de Stadel aparece hoje em carros, caminhões e motocicletas de Paris a Sydney. É o ornamento que adorna o capô dos veículos fabricados pela Peugeot, uma das maiores e mais antigas fabricantes de carros da Europa. A Peugeot começou como um negócio familiar no vilarejo de Valentigney, a apenas 300 quilômetros da caverna de Stadel. Hoje a empresa emprega cerca de 200 mil pessoas em todo o mundo, a maioria delas completamente estranhas umas às outras. Esses estranhos cooperam de maneira tão eficaz que em 2008 a Peugeot produziu mais de 1,5 milhão de automóveis, gerando uma receita de aproximadamente 55 bilhões de euros.

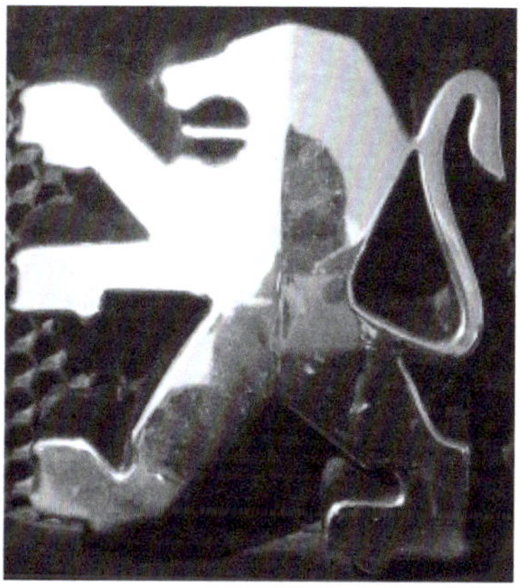

5. O leão da Peugeot

Em que sentido podemos afirmar que a Peugeot SA (nome oficial da empresa) existe? Há muitos veículos da Peugeot, mas estes obviamente não são a empresa. Mesmo que todos os Peugeot no mundo fossem descartados ao mesmo tempo e vendidos para o ferro-velho, a Peugeot SA não desapareceria. Continuaria a fabricar novos carros e a publicar seu relatório anual. A empresa tem fábricas, maquinário e showrooms e emprega mecânicos, contadores e secretárias, mas tudo isso junto não constitui a Peugeot. Um desastre poderia matar cada um dos empregados da Peugeot e destruir todas as suas linhas de montagem e todos os seus escritórios executivos. Mesmo assim, a empresa poderia obter empréstimos, contratar novos empregados, construir novas fábricas e comprar novo maquinário. A Peugeot tem gestores e acionistas, mas eles também não constituem a empresa. Todos os gestores poderiam ser demitidos e todas as suas ações, vendidas; mas a empresa propriamente dita permaneceria intacta.

Isso não significa que a Peugeot SA seja invulnerável ou imortal. Se um juiz ordenasse a dissolução da empresa, suas fábricas permaneceriam de pé e seus trabalhadores, contadores, gestores e acionistas continuariam a viver – mas a Peugeot SA desapareceria imediatamente. Em suma, a Peugeot SA parece não ter conexão alguma com o mundo físico. Ela existe de fato?

A Peugeot é um produto da nossa imaginação coletiva. Os advogados chamam isso de "ficção jurídica". Não pode ser sinalizada; não é um objeto físico. Mas existe como entidade jurídica. Como você ou eu, está submetida às leis dos países em que opera. Pode abrir uma conta bancária e ter propriedades. Paga impostos e pode ser processada, até mesmo separadamente de qualquer um de seus donos ou das pessoas que trabalham para ela.

A Peugeot pertence a um gênero particular de ficção jurídica chamado "empresas de responsabilidade limitada". A ideia por trás de tais empresas está entre as invenções mais engenhosas da humanidade. O *Homo sapiens* viveu sem elas por milênios. Durante a maior parte da história de que se tem registro, a propriedade só poderia pertencer a seres humanos de carne e osso, do tipo que anda sobre duas pernas e tem cérebro grande. Se na França do século XIII Jean abrisse uma oficina para fabricar vagões, ele próprio seria o negócio. Se um vagão por ele fabricado parasse de funcionar uma semana após a compra, o comprador insatisfeito processaria Jean pessoalmente. Se Jean tomasse emprestadas mil moedas de ouro para abrir sua oficina e o negócio falisse, ele teria de pagar o empréstimo vendendo sua propriedade privada – sua casa, sua vaca, sua terra. Talvez até precisasse vender seus filhos como escravos. Se não pudesse honrar a dívida, poderia ser jogado na prisão pelo Estado ou ser escravizado por seus credores. Ele era totalmente responsável, de maneira ilimitada, por todas as obrigações assumidas por sua oficina.

Se tivesse vivido naquela época, você provavelmente pensaria duas vezes antes de abrir um negócio próprio. E, com efeito, essa situação jurídica desencorajava o empreendedorismo. As pessoas tinham medo de começar novos negócios e assumir riscos econômicos. Dificilmente parecia valer a pena correr o risco de sua família acabar totalmente destituída.

Foi por isso que as pessoas começaram a imaginar coletivamente a existência de empresas de responsabilidade limitada. Tais empresas eram legalmente independentes das pessoas que as fundavam, ou investiam dinheiro nelas, ou as gerenciavam. Ao longo dos últimos séculos, essas empresas se tornaram os principais agentes na esfera econômica, e estamos tão acostumados a elas que nos esquecemos de que existem apenas na nossa imaginação. Nos Estados Unidos, o termo técnico para uma empresa de responsabilidade limitada é "corporação", o que é irônico, porque o termo deriva de "corpus" ("corpo" em latim) – exatamente aquilo de que as corporações carecem. Apesar de não ter um corpo real, o sistema jurídico norte-americano trata as corporações como pessoas jurídicas, como se fossem seres humanos de carne e osso.

Também foi isso o que fez o sistema jurídico francês em 1896, quando Armand Peugeot, que herdara de seus pais uma oficina de fundição de metal que fabricava molas, serrotes e bicicletas, decidiu entrar no ramo de automóveis. Para isso, ele criou uma empresa de responsabilidade limitada. Batizou a empresa com seu nome, mas ela era independente dele. Se um dos carros quebrasse, o comprador poderia processar a Peugeot, e não Armand Peugeot. Se a empresa tomasse emprestados milhões de francos e então falisse, Armand Peugeot não deveria a seus credores um único franco. O empréstimo, afinal, fora concedido à Peugeot, a empresa, e não a Armand Peugeot, o *Homo sapiens*. Armand Peugeot morreu em 1915. A Peugeot, a empresa, continua firme e forte.

Como exatamente Armand Peugeot, o homem, criou a Peugeot, a empresa? Praticamente da mesma forma como os padres e os feiticeiros criaram deuses e demônios ao longo da história e como milhares de padres católicos franceses continuaram recriando o corpo de Cristo todo domingo nas igrejas da paróquia. Tudo se resumia a contar histórias e convencer as pessoas a acreditarem nelas. No caso dos padres franceses, a história crucial foi a da vida e morte de Cristo tal como contada pela Igreja Católica. De acordo com essa história, se um padre católico usando suas vestes sagradas pronunciasse solenemente as palavras certas no momento certo, o pão e o vinho mundano se transformariam na carne e no sangue de Deus. O padre exclamava: "*Hoc est corpus meum!*" ("Este é meu corpo" em latim) e abracadabra! – o pão se transformava no corpo de Cristo. Vendo que o padre havia observado assiduamente todos os procedimentos, milhões de católicos franceses devotos se comportavam como se Deus de fato existisse no pão e no vinho consagrados.

No caso da Peugeot SA, a história crucial foi o código jurídico francês, tal como redigido pelo parlamento francês. De acordo com os legisladores franceses, se um advogado certificado seguisse todos os rituais e liturgias adequados, escrevesse todos os discursos e juramentos requeridos em um pedaço de papel maravilhosamente decorado e afixasse sua assinatura ornamentada ao pé do documento, abracadabra! – uma nova empresa era incorporada. Quando, em 1896, Armand Peugeot quis criar sua empresa, ele pagou para que um advogado fizesse todos esses procedimentos sagrados. Uma vez que o advogado tivesse desempenhado todos os rituais corretos e pronunciado todos os discursos e juramentos necessários, milhões de cidadãos franceses honrados se comportaram como se a empresa Peugeot realmente existisse.

Contar histórias eficazes não é fácil. A dificuldade está não em contar a história, mas em convencer todos os demais a acreditarem nela. Grande parte da nossa história gira em torno desta questão: como convencer milhões de pessoas a acreditarem em histórias específicas sobre deuses, ou nações, ou empresas de responsabilidade limitada? Mas, quando isso funciona, dá aos sapiens poder imenso, porque possibilita que milhões de estranhos cooperem para objetivos em comum. Tente imaginar o quão difícil teria sido criar Estados, ou igrejas, ou sistemas jurídicos se só fôssemos capazes de falar sobre coisas que realmente existem, como rios, árvores e leões.

Com o passar dos anos, as pessoas teceram uma rede incrivelmente complexa de histórias. Nessa rede, ficções como a da Peugeot não só existem como acumulam enorme poder. Têm mais poder do que qualquer leão ou bando de leões.

Os tipos de coisa que as pessoas criam por meio dessa rede de histórias são conhecidos nos meios acadêmicos como "ficções", "construtos sociais" ou "realidades imaginadas". Uma realidade imaginada não é uma mentira. Eu minto se digo que há um leão perto do rio quando sei perfeitamente que não há leão algum. Não há nada de especial nas mentiras. Macacos-verdes e chimpanzés podem mentir. Já se observou, por exemplo, um macaco-verde gritando "Cuidado! Um leão!" quando não havia leão algum por perto. Convenientemente, esse alarme falso afastava outro macaco que tinha acabado de encontrar uma banana, abrindo caminho para que o mentiroso roubasse o prêmio para si.

Ao contrário da mentira, uma realidade imaginada é algo em que todo mundo acredita e, enquanto essa crença partilhada persiste, a realidade imaginada exerce influência no mundo. O escultor da caverna de

Stadel pode ter acreditado sinceramente na existência do espírito guardião do homem-leão. Alguns feiticeiros são charlatães, mas a maioria acredita sinceramente na existência de deuses e demônios. A maioria dos milionários acredita sinceramente na existência do dinheiro e das empresas de responsabilidade limitada. A maioria dos ativistas dos direitos humanos acredita sinceramente na existência de direitos humanos. Ninguém estava mentindo quando, em 2011, a ONU exigiu que o governo líbio respeitasse os direitos humanos de seus cidadãos, embora a ONU, a Líbia e os direitos humanos sejam todos produtos de nossa fértil imaginação.

Desde a Revolução Cognitiva, os sapiens vivem, portanto, em uma realidade dual. Por um lado, a realidade objetiva dos rios, das árvores e dos leões; por outro, a realidade imaginada de deuses, nações e corporações. Com o passar do tempo, a realidade imaginada se tornou ainda mais poderosa, de modo que hoje a própria sobrevivência de rios, árvores e leões depende da graça de entidades imaginadas, tais como deuses, nações e corporações.

Superando o genoma

A capacidade de criar uma realidade imaginada com palavras possibilitou que um grande número de estranhos coopere de maneira eficaz. Mas também fez algo mais. Uma vez que a cooperação humana em grande escala é baseada em mitos, a maneira como as pessoas cooperam pode ser alterada modificando-se os mitos – contando-se histórias diferentes. Nas circunstâncias adequadas, os mitos podem mudar muito depressa. Em 1789, a população francesa, quase da noite para o dia, deixou de acreditar no mito do direito divino dos reis e passou a acreditar no mito da soberania do povo. Em consequência, desde a Revolução Cognitiva o *Homo sapiens* tem sido capaz de revisar seu comportamento rapidamente de acordo com necessidades em constante transformação. Isso abriu uma via expressa de evolução cultural, contornando os engarrafamentos da evolução genética. Acelerando por essa via expressa, o *Homo sapiens* logo ultrapassou todas as outras espécies humanas em sua capacidade de cooperar.

O comportamento de outros animais sociais é determinado em grande medida por seus genes. O DNA não é um autocrata. O comportamento animal também é influenciado por fatores ambientais e por peculiaridades individuais. No entanto, em um ambiente estável, animais da mesma espécie tendem a se comportar de maneira similar. Em geral, mudanças significativas no comportamento social não podem ocorrer sem mutações genéticas. Por exemplo, os chimpanzés comuns têm uma tendência genética a viver em grupos hierárquicos liderados por um macho alfa. Membros de uma espécie de chimpanzé muito próxima, os bonobos, normalmente vivem em grupos mais igualitários dominados por alianças femininas. As fêmeas dos chimpanzés comuns não podem aprender com suas parentes bonobos e conduzir uma revolução feminista. Os chimpanzés machos não podem se reunir em uma assembleia constituinte para abolir o cargo do macho alfa e declarar que de agora em diante todos os chimpanzés devem ser tratados como iguais. Tais mudanças drásticas de comportamento só ocorreriam se algo mudasse no DNA dos chimpanzés.

Por razões similares, os humanos arcaicos não iniciavam revoluções. Até onde sabemos, as mudanças nos padrões sociais, a invenção de novas tecnologias e a consolidação de novos hábitos decorreram mais de mutações genéticas e pressões ambientais do que de iniciativas culturais. É por isso que levou centenas de milhares de anos para os humanos darem esses passos. Há 2 milhões de anos, mutações genéticas resultaram no surgimento de uma nova espécie humana chamada *Homo erectus*. Seu surgimento foi acompanhado pelo desenvolvimento de uma nova tecnologia de ferramentas de pedra, hoje reconhecida como uma característica decisiva dessa espécie. Enquanto o *Homo erectus* não passou por novas alterações genéticas, suas ferramentas de pedra continuaram mais ou menos as mesmas – por quase 2 milhões de anos!

Por sua vez, desde a Revolução Cognitiva, os sapiens têm sido capazes de mudar seu comportamento rapidamente, transmitindo novos comportamentos a gerações futuras sem necessidade de qualquer mudança genética ou ambiental. Por exemplo, considere o advento repetido de elites sem filhos, como a classe sacerdotal católica, as ordens monásticas budistas e as burocracias eunucas chinesas. A existência de tais elites vai contra os princípios mais fundamentais da seleção natural, já que esses membros dominantes da sociedade deliberadamente abrem mão da procriação. Enquanto, entre os chimpanzés, os machos alfa usam seu poder para ter relações sexuais com tantas fêmeas quanto possível – e, consequentemente, gerar uma grande proporção dos filhotes do grupo –, os machos alfa católicos se abstêm completamente das relações sexuais e dos cuidados dos filhos. Essa abstinência não resulta de condições ambientais singulares, tais como a carência severa de alimentos ou de parceiros em potencial. Tampouco é resultado de alguma mutação genética peculiar. A Igreja Católica sobreviveu por séculos não por transmitir um "gene do celibato" de um papa ao seguinte, mas por transmitir as histórias do Novo Testamento e do direito canônico católico.

Em outras palavras, enquanto os padrões de comportamento dos humanos arcaicos permaneceram inalterados por dezenas de milhares de anos, os sapiens conseguem transformar suas estruturas sociais, a natureza de suas relações interpessoais, suas atividades econômicas e uma série de outros comportamentos no intervalo de uma ou duas décadas. Considere uma habitante de Berlim nascida em 1900 e vivendo longevos cem anos. Ela passou a infância no Império Hohenzollern de Guilherme II; seus anos adultos na República de Weimar, no Terceiro Reich nazista e na Alemanha Oriental comunista; e morreu cidadã de uma Alemanha democrática reunificada. Conseguiu ser parte de cinco sistemas sociopolíticos muito diferentes, embora seu DNA tenha permanecido exatamente o mesmo.

Isso foi essencial para o sucesso dos sapiens. Em uma briga de um para um, provavelmente um neandertal teria derrotado um sapiens. Mas em um conflito de centenas, os neandertais não teriam uma chance sequer. Os neandertais podiam partilhar informações sobre o paradeiro de leões, mas provavelmente não podiam contar – e revisar – histórias sobre espíritos tribais. Sem a capacidade de criar ficção, os neandertais não conseguiam cooperar efetivamente em grande número nem adaptar seu ambiente social para responder aos desafios em rápida transformação.

Embora não possamos adentrar a mente de um neandertal para entender como eles pensavam, temos indícios indiretos dos limites de sua capacidade cognitiva em comparação com seus rivais sapiens. Ao escavar sítios habitados por sapiens há 30 mil anos no interior do continente europeu, os arqueólogos ocasionalmente encontram conchas da costa mediterrânea e da costa atlântica. É muito provável que essas conchas tenham chegado ao interior do continente por meio de escambo a longa distância entre diferentes bandos de sapiens. Os sítios de neandertais não têm indícios de tal escambo. Cada grupo fabricava suas próprias ferramentas com materiais encontrados no local.[4]

Outro exemplo vem do Pacífico Sul. Bandos de sapiens que viveram na ilha de Nova Irlanda, no norte da Nova Guiné, usaram um vidro vulcânico chamado obsidiana para manufaturar ferramentas particularmente fortes e afiadas. A Nova Irlanda, entretanto, não tem depósitos naturais de obsidiana. As análises de laboratório revelaram que a obsidiana que eles usaram foi trazida de depósitos na Nova Bretanha, uma ilha a 400 quilômetros de distância. Alguns dos habitantes dessas ilhas devem ter sido navegantes habilidosos que percorriam longas distâncias negociando de ilha em ilha.[5]

O comércio pode parecer uma atividade muito pragmática, que não requer nenhuma base fictícia. Mas o fato é que nenhum outro animal além do sapiens pratica o comércio, e todas as redes de comércio dos sapiens sobre as quais temos informações detalhadas se baseiam em ficções. O comércio não pode existir sem confiança, e é muito difícil confiar em estranhos. A rede de comércio global de nossos dias se baseia em nossa confiança em entidades fictícias tais como o dólar, o Federal Reserve Bank e as marcas registradas das corporações. Quando dois estranhos em uma sociedade tribal querem fazer comércio, eles geralmente constroem confiança mútua recorrendo a um deus, ancestral mítico ou animal totêmico em comum.

Se sapiens arcaicos que acreditavam em tais ficções trocaram conchas e obsidianas, é razoável pensar que também podem ter trocado informações, criando assim redes de conhecimento muito mais amplas e mais densas do que a que serviu aos neandertais e a outros humanos arcaicos.

As técnicas de caça são outro exemplo dessas diferenças. Os neandertais geralmente caçavam sozinhos ou em pequenos grupos. Os sapiens, por outro lado, desenvolveram técnicas que se apoiavam na cooperação entre dezenas de indivíduos, e talvez até mesmo entre bandos diferentes. Um método particularmente eficaz era cercar um rebanho inteiro de animais, como cavalos selvagens, e então acossá-los em um desfiladeiro, onde era fácil abatê-los em massa. Se tudo saísse de acordo com o plano, os bandos podiam obter toneladas de carne, gordura e pele animal em uma única tarde de esforço coletivo, e consumir essas riquezas numa grande festividade, ou secá-las e congelá-las para uso posterior. Os arqueólogos descobriram sítios em que rebanhos inteiros eram abatidos anualmente dessa maneira. Há inclusive sítios onde se ergueram cercas e obstáculos a fim de criar armadilhas artificiais e abatedouros.

Podemos presumir que os neandertais não ficaram felizes ao ver seus campos de caça tradicionais transformados em abatedouros controlados pelos sapiens. No entanto, se a violência irrompeu entre as duas espécies, os neandertais não se saíram muito melhor do que os cavalos selvagens. Cinquenta neandertais cooperando em padrões tradicionais e estáticos não eram páreo para cinco centenas de sapiens versáteis e inovadores. E, mesmo que os sapiens perdessem o primeiro round, logo eram capazes de inventar novos estratagemas que lhes possibilitariam vencer o segundo.

O que aconteceu na Revolução Cognitiva?

Nova habilidade	**Benefícios**
Capacidade de transmitir maiores quantidades de informação sobre o mundo à volta dos *Homo sapiens*	Planejamento e realização de ações complexas, como evitar leões e caçar bisões
Capacidade de transmitir grandes quantidades de informação sobre as relações sociais dos sapiens	Grupos maiores e mais coesos, chegando a 150 indivíduos
Capacidade de transmitir grandes quantidades de informação sobre coisas que não existem de fato, tais como espíritos tribais, nações, companhias de responsabilidade limitada e direitos humanos	a. Cooperação entre números muito grandes de estranhos b. Rápida inovação do comportamento social

História e biologia

A imensa diversidade de realidades imaginadas que os sapiens inventaram e a diversidade resultante de padrões de comportamento são os principais componentes do que chamamos "culturas". Desde que apareceram, as culturas nunca cessaram de se transformar e se desenvolver, e essas alterações irrefreáveis são o que denominamos "história". A Revolução Cognitiva é, portanto, o ponto em que a história declarou independência da biologia. Até a Revolução Cognitiva, os feitos de todas as espécies humanas pertenciam ao reino da biologia, ou, se quisermos, da pré-história (eu tendo a evitar o termo "pré-história" pois sugere, erroneamente, que até mesmo antes da Revolução Cognitiva os humanos constituíam uma categoria própria). A partir da Revolução Cognitiva, as narrativas históricas substituem as narrativas biológicas como nosso principal meio de explicar o desenvolvimento do *Homo sapiens*. Para entender a ascensão do cristianismo ou a Revolução Francesa, não basta compreender a interação entre genes, hormônios e organismos. É necessário, também, levar em consideração a interação entre ideias, imagens e fantasias.

Isso não significa que o *Homo sapiens* e a cultura humana tenham se tornado isentos de leis biológicas. Ainda somos animais, e nossas capacidades físicas, emocionais e cognitivas continuam sendo moldadas por nosso DNA. Nossas sociedades são construídas com os mesmos tijolos que as sociedades dos neandertais ou dos chimpanzés, e, quanto mais examinamos esses tijolos – sensações, emoções, laços familiares –, menos diferenças encontramos entre nós e outros primatas.

No entanto, é um erro procurar as diferenças no nível do indivíduo ou da família. Nas comparações entre indivíduos, ou mesmo entre grupos de dez, somos embaraçosamente similares aos chimpanzés. As diferenças significativas só começam a aparecer quando ultrapassamos o limite de 150 indivíduos, e, quando chegamos a mil ou 2 mil indivíduos, as diferenças são assombrosas. Se você tentasse agrupar milhares de chimpanzés na praça Tiananmen, em Wall Street, no estádio do Maracanã ou na sede da ONU, o resultado seria um pandemônio. Já os sapiens se reúnem regularmente aos milhares em tais lugares. Juntos, criam padrões ordenados – tais como redes de negócios, celebrações em massa e instituições políticas – que jamais poderiam criar de forma isolada. A diferença real entre nós e os chimpanzés é a cola mítica que une grandes quantidades de indivíduos, famílias e grupos. Essa cola nos tornou os mestres da criação.

É claro, também precisamos de outras coisas, como a capacidade de confeccionar e usar ferramentas. Mas a confecção de ferramentas é insignificante se não estiver associada com a capacidade de cooperar com muitas outras pessoas. Como é possível que hoje tenhamos mísseis intercontinentais com ogivas nucleares se há 30 mil anos tínhamos apenas lanças com pontas de sílex? Fisiologicamente, não houve qualquer melhoria significativa em nossa capacidade de confeccionar ferramentas nos últimos 30 mil anos. Albert Einstein era muito menos hábil com as mãos do que um antigo caçador-coletor. No entanto, nossa capacidade de cooperar com um grande número de estranhos aumentou consideravelmente. A antiga lança com ponta de sílex era manufaturada em minutos por uma única pessoa, que confiava no conselho e no auxílio de uns poucos amigos íntimos. A produção de uma ogiva nuclear moderna requer a cooperação de milhões de estranhos em todo o mundo – dos trabalhadores que extraem o minério de urânio das profundezas da terra aos estudiosos da física que escrevem longas fórmulas matemáticas para descrever as interações entre partículas subatômicas.

Para resumir as relações entre a biologia e a história após a Revolução Cognitiva:

a. A biologia estabelece os parâmetros básicos para o comportamento e as capacidades do *Homo sapiens*. Toda a história acontece dentro dos limites dessa arena biológica.

b. No entanto, essa arena é extraordinariamente grande, possibilitando que os sapiens joguem uma incrível variedade de jogos. Graças à sua habilidade de criar ficções, os sapiens inventam jogos cada vez mais complexos, que cada geração desenvolve e elabora ainda mais.

c. Em consequência, a fim de entender como os sapiens se comportam, devemos descrever a evolução histórica de suas ações. Considerar apenas nossos limites biológicos seria como um locutor esportivo que, ao transmitir uma partida da Copa do Mundo, oferecesse aos ouvintes uma descrição detalhada do campo, em vez de relatar o que os jogadores estão fazendo.

Que jogo nossos ancestrais da Idade da Pedra jogaram na arena da história? Até onde sabemos, as pessoas que esculpiram o homem-leão de Stadel há cerca de 30 mil anos tinham as mesmas capacidades físicas, emocionais e intelectuais que nós temos. O que elas faziam assim que acordavam? O que comiam no café da manhã – e no almoço? Como eram suas sociedades? Tinham relações monogâmicas e famílias nucleares? Tinham cerimônias, códigos morais, competições esportivas e rituais religiosos? Travavam guerras? O próximo capítulo espreita detrás da cortina das eras, examinando como era a vida nos milênios que separam a Revolução Cognitiva da Revolução Agrícola.

3

Um dia na vida de Adão e Eva

Para entender nossa natureza, nossa história e nossa psicologia, devemos entrar na cabeça dos nossos ancestrais caçadores-coletores. Durante praticamente toda a história da nossa espécie, os sapiens viveram como caçadores-coletores. Os últimos 200 anos, durante os quais um número cada vez maior de sapiens ganham o pão de cada dia como trabalhadores urbanos e funcionários administrativos, e os 10 mil anos precedentes, durante os quais a maioria dos sapiens vivia como agricultores e pastores, são um piscar de olhos em comparação com as dezenas de milhares de anos durante os quais nossos ancestrais foram caçadores e coletores.

O campo próspero da psicologia evolutiva afirma que muitas de nossas características psicológicas e sociais do presente foram moldadas durante essa longa era pré-agrícola. Ainda hoje, afirmam especialistas da área, nosso cérebro e nossa mente são adaptados para uma vida de caça e coleta. Nossos hábitos alimentares, nossos conflitos e nossa sexualidade são todos consequência do modo como nossa mente de caçadores-coletores interage com o ambiente pós-industrial de nossos dias, com megacidades, aviões, telefones e computadores. Esse ambiente nos dá mais recursos materiais e vida mais longa do que a desfrutada por qualquer geração anterior, mas também nos faz sentir alienados, deprimidos e pressionados. Para entender por quê, apontam os psicólogos evolutivos, precisamos nos aprofundar no mundo de caçadores-coletores que nos moldou, o mundo que, subconscientemente, ainda habitamos.

Por que, por exemplo, as pessoas se regalam com alimentos altamente calóricos que tão pouco bem fazem a seus corpos? As sociedades afluentes de hoje estão tomadas por uma praga de obesidade, que está rapidamente se alastrando para países em desenvolvimento. É intrigante tentar entender por que nos empanturramos com os alimentos mais doces e mais gordurosos que conseguimos encontrar, até considerarmos os hábitos alimentares dos nossos ancestrais caçadores-coletores. Nas savanas e florestas que eles habitavam, alimentos doces e calóricos eram extremamente raros, e a comida em geral era escassa. Um caçador-coletor típico de 30 mil anos atrás só tinha acesso a um tipo de comida doce: frutas maduras. Se uma mulher da Idade da Pedra se deparasse com uma árvore repleta de figos, a coisa mais razoável a fazer era ingerir o máximo que pudesse imediatamente, antes que um bando de babuínos comesse tudo. Hoje, podemos morar em apartamentos com geladeiras abarrotadas, mas nosso DNA ainda pensa que estamos em uma savana. É isso o que nos motiva a comer um pote inteiro de sorvete quando encontramos um no freezer e fazê-lo descer com uma Coca-Cola grande.

Essa teoria do "gene guloso" é amplamente aceita. Outras teorias são muito mais controversas. Por exemplo, alguns psicólogos evolutivos afirmam que bandos antigos de caçadores-coletores não eram compostos de famílias nucleares centradas em casais monogâmicos. Em vez disso, eles viviam em comunidades onde não havia propriedade privada, relações monogâmicas ou mesmo paternidade. Em um bando como esse, uma mulher podia ter relações sexuais e formar laços íntimos com vários homens (e mulheres) ao mesmo tempo, e todos os adultos do bando cooperavam para cuidar das crianças. Os homens mostravam igual preocupação por todas as crianças, uma vez que nenhum sabia ao certo quais eram definitivamente filhos seus.

Tal estrutura social não é uma utopia aquariana. É bem documentada entre animais, notadamente entre nossos parentes mais próximos, os chimpanzés e os bonobos. Há, inclusive, uma série de culturas humanas nos dias de hoje em que se pratica a paternidade coletiva, como, por exemplo, entre os índios barés. De acordo com as crenças de tais sociedades, uma criança não nasce do esperma de um único homem, mas da acumulação de esperma no útero de uma mulher. Uma boa mãe trata de ter relações sexuais com vários homens diferentes, sobretudo enquanto está grávida, para que seu filho receba as qualidades (e os cuidados paternos) não só do melhor caçador como também do melhor contador de histórias, do guerreiro mais forte e do amante mais atencioso. Se isso parece estúpido, tenha em mente que antes do desenvolvimento dos estudos embriológicos modernos as pessoas não tinham provas concretas de que os bebês invariavelmente são concebidos por um único pai, e não por vários.

Os defensores dessa teoria da "comunidade antiga" afirmam que as infidelidades frequentes que caracterizam os casamentos modernos e o índice elevado de divórcios, sem falar da profusão de complexos psicológicos que acometem crianças e adultos, todos resultam de forçar os humanos a viver em famílias nucleares e relações monogâmicas, que são incompatíveis com nosso programa biológico.[1]

Muitos acadêmicos rejeitam veementemente essa teoria, insistindo que a monogamia e a formação de famílias são comportamentos essencialmente humanos. Esses pesquisadores afirmam que, embora as antigas sociedades caçadoras-coletoras tendessem a ser mais comunais e igualitárias do que as sociedades modernas, eram, no entanto, constituídas de células separadas, cada uma delas contendo um casal ciumento e os filhos que eles tinham em comum. É por isso que hoje as relações monogâmicas e as famílias nucleares são a norma na grande maioria das culturas, que homens e mulheres tendem a ser muito possessivos com relação a seus parceiros e filhos e que até mesmo em Estados modernos como a Coreia do Norte e a Síria a autoridade política passa de pai para filho.

A fim de resolver essa controvérsia e entender nossa sexualidade, nossa sociedade e nossa política, precisamos saber algumas coisas sobre as condições de vida de nossos ancestrais, a fim de examinar como viviam os sapiens entre a Revolução Cognitiva de 70 mil anos atrás e o começo da Revolução Agrícola, há cerca de 12 mil anos.

Infelizmente, há poucas certezas a respeito da vida de nossos ancestrais caçadores-coletores. O debate entre os defensores da "comunidade antiga" e os da "monogamia eterna" se baseia em indícios escassos. Obviamente, não temos registros escritos da época dos caçadores-coletores, e as evidências arqueológicas consistem basicamente de ossos fossilizados e ferramentas de pedra. Artefatos feitos de materiais mais perecíveis – como madeira, bambu ou couro – só sobrevivem em condições especiais. A impressão comum de que os humanos pré-agrícolas viveram em uma idade da pedra é um conceito equivocado baseado nessa tendência arqueológica. Seria mais adequado chamar a Idade da Pedra de Idade da Madeira, pois a maioria das ferramentas usadas pelos antigos caçadores-coletores era feita de madeira.

Toda reconstrução da vida dos antigos caçadores-coletores com base nos artefatos remanescentes é extremamente problemática. Uma das diferenças mais gritantes entre eles e seus descendentes agrícolas e industriais é que, para começar, os caçadores-coletores tinham pouquíssimos artefatos, e estes exerciam um papel comparativamente modesto em suas vidas. Ao longo de sua vida, um típico membro de uma sociedade moderna afluente possui vários milhões de artefatos – de carros e casas a fraldas descartáveis e caixas de leite. Dificilmente há uma atividade, uma crença ou mesmo uma emoção que não seja mediada por objetos concebidos por nós mesmos. Nossos hábitos alimentares são mediados por uma coleção impressionante de tais itens, de colheres e copos a laboratórios de engenharia genética e navios transoceânicos gigantes. Para brincar, usamos uma série de brinquedos, de cartas de plástico a estádios com 100 mil lugares. Nossas relações românticas e sexuais são equipadas por anéis, camas, roupas bonitas, lingeries sensuais, camisinhas, restaurantes da moda, motéis baratos, salas de espera de aeroporto, salões de festa e empresas de *catering*. As religiões trazem o sagrado à nossa vida com igrejas góticas, mesquitas muçulmanas, ashrams hindus, rolos de Torá, rodas de oração tibetanas, batinas eclesiásticas, velas, incenso, árvores de natal, lápides e ícones.

Mal percebemos o quanto nossos objetos são onipresentes até precisarmos nos mudar para uma casa nova. Os caçadores-coletores se mudavam todo mês, toda semana e, às vezes, todo dia, carregando nas costas o que quer que possuíssem. Não havia empresas de mudança, carroças e nem mesmo animais de carga para dividir o fardo. Consequentemente, eles tinham de se virar apenas com as posses essenciais. É razoável presumir, portanto, que a maior parte de sua vida mental, religiosa e emotiva fosse conduzida sem a ajuda de artefatos. Um arqueólogo trabalhando daqui a 100 mil anos seria capaz de recompor um cenário razoável da crença e da prática muçulmana com base nos vários objetos encontrados em escavações nas ruínas de uma mesquita. Mas, hoje, estamos praticamente perdidos tentando compreender as crenças e os rituais dos antigos caçadores-coletores. É, em grande medida, o mesmo dilema que um futuro historiador enfrentaria se tivesse de retratar o mundo social dos adolescentes do século XXI unicamente com base no que sobrevivesse das cartas trocadas entre eles – já que não restariam registros de conversas telefônicas, e-mails, blogs e mensagens de texto.

A dependência dos artefatos, portanto, resulta em um relato tendencioso da vida dos antigos caçadores-coletores. Uma maneira de remediar isso é observar as sociedades caçadoras-coletoras modernas. Estas podem ser estudadas diretamente, por meio de observação antropológica. Mas há boas razões para ser cauteloso ao fazer inferências a partir das sociedades caçadoras-coletoras modernas sobre as antigas.

Em primeiro lugar, todas as sociedades caçadoras-coletoras que sobreviveram até nossos dias foram influenciadas por sociedades agrícolas e industriais adjacentes. Portanto, é arriscado presumir que o que é verdade sobre elas também foi verdade há dezenas de milhares de anos.

Em segundo lugar, as sociedades caçadoras-coletoras modernas sobreviveram principalmente em áreas com condições climáticas difíceis e terreno inóspito, inadequado para a agricultura. As sociedades que se adaptaram às condições extremas de lugares como o deserto de Kalahari, no sul da África, podem muito bem fornecer um modelo um tanto enganoso para entender sociedades antigas em áreas férteis como o vale do rio Yangtzé. Em particular, a densidade populacional em uma área como o deserto de Kalahari é muito mais baixa do que foi na região do antigo Yangtzé, e isso tem implicações profundas para questões essenciais sobre o tamanho e a estrutura dos bandos humanos e a relação entre eles.

Em terceiro lugar, a característica mais notável das sociedades caçadoras-coletoras é o quanto elas são diferentes umas das outras. Diferem não só de uma parte do mundo a outra como inclusive na mesma região. Um bom exemplo é a enorme variedade que os primeiros colonizadores europeus encontraram entre os povos aborígenes da Austrália. Logo antes da conquista britânica, entre 300 mil e 700 mil caçadores-coletores viviam no continente distribuídos em 200 a 600 tribos, cada uma dividida em vários bandos.[2] Cada tribo tinha seu próprio idioma, religião, normas e costumes. Perto do que hoje é Adelaide, no sul da Austrália, viviam vários clãs patrilineares, que se baseavam na descendência por parte de pai. Esses clãs se uniam em tribos por razões estritamente territoriais. Por sua vez, algumas tribos no norte da Austrália davam mais importância à ancestralidade materna de uma pessoa, e sua identidade tribal não se baseava em território, e sim em seu totem.

É razoável pensar que a variedade étnica e cultural entre os antigos caçadores-coletores fosse igualmente impressionante e que os 5-8 milhões de caçadores-coletores que povoaram o mundo à véspera da Revolução Agrícola se dividissem em milhares de tribos com milhares de idiomas e culturas diferentes.[3] Esse, afinal, foi um dos principais legados da Revolução Cognitiva. Graças ao surgimento da ficção, até mesmo pessoas com a mesma composição genética e vivendo em condições ecológicas similares foram capazes de criar realidades imaginadas muito diferentes, que se manifestavam em diferentes normas e valores.

Por exemplo, temos todas as razões para acreditar que um bando de caçadores-coletores que viveram há 20 mil anos na região da atual Lisboa teria falado uma língua diferente daquele que viveu onde hoje se situa a cidade do Porto. Um bando pode ter sido beligerante e o outro, pacífico. Talvez o bando de Lisboa fosse comunal, e o do Porto se baseasse em famílias nucleares. O povo de Lisboa talvez passasse horas esculpindo estátuas de madeira de seus espíritos guardiães, ao passo que seus contemporâneos do Porto mostravam sua devoção por meio da dança. Os primeiros talvez acreditassem em reencarnação, enquanto os últimos consideravam isso absurdo. Em uma sociedade, relações homossexuais podem ter sido aceitas, ao passo que na outra eram um tabu.

Em outras palavras, embora as observações antropológicas dos caçadores-coletores modernos possam nos ajudar a entender algumas das possibilidades disponíveis para os caçadores-coletores antigos, o horizonte de possibilidades daquela época era muito mais amplo e, em sua maior parte, é desconhecido para nós.* Os debates acalorados sobre o "estilo de vida natural" do *Homo sapiens* perdem de vista a questão principal. Desde a Revolução Cognitiva, não existe um único estilo de vida natural para os sapiens. Há apenas escolhas culturais, dentro de um conjunto assombroso de possibilidades.

A sociedade afluente original

Que generalizações podemos fazer sobre a vida no mundo pré-agrícola, então? Parece seguro afirmar que a grande maioria das pessoas vivia em pequenos bandos compostos de várias dezenas ou, no máximo, várias

* Um "horizonte de possibilidades" significa todo o espectro de crenças, práticas e experiências que se apresentam diante de determinada sociedade, considerando suas limitações ecológicas, tecnológicas e culturais. Cada sociedade e cada indivíduo normalmente explora apenas uma pequena fração de seu horizonte de possibilidades.

centenas de indivíduos e que todos esses indivíduos eram humanos. É importante observar esse último aspecto, porque está longe de ser óbvio. A maioria dos membros de sociedades agrícolas e industriais são animais domesticados. Eles não são iguais a seus senhores, é claro, mas ainda assim são membros. Hoje, a sociedade chamada Nova Zelândia é composta de 4,5 milhões de sapiens e 50 milhões de ovelhas.

Havia apenas uma exceção a essa regra: o cão. O cachorro foi o primeiro animal domesticado pelo *Homo sapiens*, e isso ocorreu *antes* da Revolução Agrícola. Os especialistas discordam quanto à data exata, mas temos indícios incontroversos de domesticação de cachorros que datam de 15 mil anos atrás. Eles podem ter se unido aos humanos milhares de anos antes.

Os cachorros eram usados para caçar e guerrear e também como sistema de alarme contra animais selvagens e intrusos humanos. Com o passar das gerações, as duas espécies coevoluíram para se comunicar bem uns com os outros. Os cachorros que eram mais atentos às necessidades e aos sentimentos de seus companheiros humanos recebiam mais

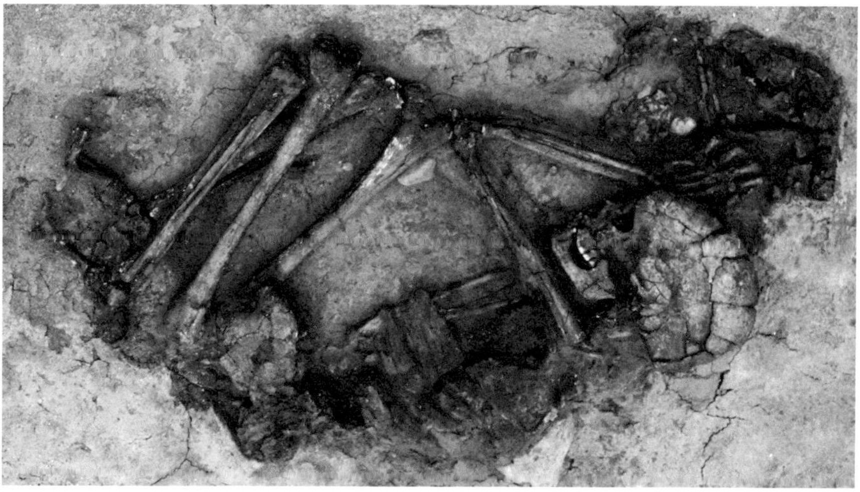

6. O primeiro bichinho de estimação? Um túmulo de 12 mil anos encontrado no norte de Israel. Contém o esqueleto de uma mulher de cinquenta anos ao lado do esqueleto de um filhote de cachorro (canto superior direito). O filhote foi enterrado perto da cabeça da mulher. A mão esquerda dela está pousada no cachorro de maneira que poderia indicar uma conexão emotiva. Há, é claro, outras explicações possíveis. Talvez, por exemplo, o cachorro fosse um presente para o guardião do mundo seguinte.

cuidados e alimentos e tinham mais probabilidade de sobreviver. Ao mesmo tempo, os cachorros aprenderam a manipular as pessoas para satisfazer suas próprias necessidades. Um vínculo de 15 mil anos resultou em uma compreensão e laços afetivos muito mais profundos entre humanos e cachorros do que entre humanos e qualquer outro animal.[4] Em alguns casos, cachorros mortos eram enterrados em cerimônias, de modo muito similar aos humanos.

Membros de um mesmo bando se conheciam intimamente e eram cercados por amigos e parentes durante a vida inteira. A solidão e a privacidade eram raras. Bandos vizinhos provavelmente competiam por recursos e até lutavam uns com os outros, mas também tinham contatos amigáveis. Eles intercambiavam membros, caçavam juntos, comerciavam artigos raros, construíam alianças políticas e celebravam festividades religiosas. Tal cooperação foi uma das marcas importantes do *Homo sapiens* e lhe deu uma vantagem crucial sobre outras espécies humanas. Às vezes, as relações com os bandos vizinhos eram sólidas o suficiente a ponto de eles constituírem uma única tribo, partilhando a mesma língua, os mesmos mitos, as mesmas normas e os mesmos valores.

Mas não devemos superestimar a importância de tais relações externas. Mesmo que em tempos de crise os bandos vizinhos se aproximassem, e mesmo que se reunissem ocasionalmente para caçar ou comer juntos, eles ainda passavam a maior parte do tempo em completo isolamento e independência. O comércio era basicamente limitado a itens de prestígio como conchas, âmbar e pigmentos. Não há indícios de que as pessoas comercializassem itens essenciais como frutas e carne, ou que a existência de um bando dependesse da importação de alimentos de outro. As relações sociopolíticas também tendiam a ser esporádicas. A tribo não servia como um marco político permanente, e, mesmo que houvesse lugares de reunião sazonais, não havia cidades ou instituições permanentes. Em média, uma pessoa vivia muitos meses sem ver ou ouvir um indivíduo de fora de seu bando e, ao longo de sua vida, encontrava não mais do que algumas centenas de humanos. A população sapiens vivia espalhada por vastos territórios. Antes da Revolução Agrícola, a população humana do planeta inteiro era menor do que a de São Paulo hoje.

A maioria dos bandos sapiens vivia se deslocando, vagando de um lado para outro em busca de alimento. Seus movimentos eram influenciados pela mudança das estações, pela migração anual de animais e pelo ciclo de crescimento das plantas. Eles costumavam viajar de um lado para outro no mesmo território, uma área cuja extensão ficava entre várias dezenas e muitas centenas de quilômetros quadrados.

De vez em quando, bandos saíam de seu território e exploravam novas terras, fosse devido a calamidades climáticas, conflitos violentos, pressões demográficas, fosse por iniciativa de um líder carismático. Essas perambulações foram o motor da expansão humana pelo mundo. Se um bando de caçadores-coletores se dividisse uma vez a cada 40 anos e o novo grupo migrasse para um novo território cem quilômetros para o leste, a distância da África Oriental à China teria sido coberta em aproximadamente 10 mil anos.

Em alguns casos excepcionais, quando as fontes de alimento eram particularmente abundantes, os bandos se assentavam em acampamentos sazonais e até mesmo permanentes. Técnicas para secar, defumar e (nas regiões árticas) congelar alimentos também tornaram possível permanecer em um mesmo lugar por períodos mais longos. Mais importante ainda: em áreas próximas de rios e mares ricos em frutos do mar e aves aquáticas, os humanos fundaram aldeias permanentes de pescadores – os primeiros assentamentos permanentes na história, muito antes da Revolução Agrícola. As aldeias de pescadores podem ter aparecido no litoral das ilhas indonésias já há 45 mil anos. Estas possivelmente foram a base a partir da qual o *Homo sapiens* iniciou seu primeiro empreendimento transoceânico: a invasão da Austrália.

Na maioria dos habitats, os bandos de sapiens se alimentavam de maneira versátil e oportunista. Eles saíam à procura de cupins, coletavam bagas, desenterravam raízes, capturavam coelhos e caçavam bisões e mamutes. Apesar da imagem difundida de "caçador", a coleta era a atividade principal do sapiens e lhe fornecia a maior parte de suas calorias, além de matérias-primas como sílex, madeira e bambu.

Os sapiens não saíam apenas à procura de alimentos e materiais. Também saíam à procura de conhecimento. Para sobreviver, precisavam de um detalhado mapa mental de seu território. Para maximizar a eficiência de sua busca cotidiana por alimento, precisavam de informações sobre os padrões de crescimento de cada planta e os hábitos de cada animal. Precisavam saber quais alimentos eram nutritivos, quais eram nocivos e quais podiam ser usados como remédio e de que forma. Precisavam conhecer o progresso das estações do ano e os sinais de alerta que precediam uma tempestade ou um período de seca. Estudavam cada corrente, nogueira, caverna de urso e depósito de sílex nas redondezas. Cada indivíduo precisava entender como fabricar uma faca de pedra, como remendar um manto rasgado, como preparar uma armadilha para um coelho e como enfrentar avalanches, picadas de cobra ou leões famintos. O domínio de cada uma dessas muitas habilidades requeria anos de aprendizado e prática. Em média, um antigo caçador-coletor era capaz de transformar um pedaço de sílex em uma ponta de lança em minutos. Quando tentamos imitar essa proeza, em geral fracassamos terrivelmente. A maioria de nós carece de conhecimento específico sobre as propriedades cortantes do sílex e do basalto e das habilidades motoras refinadas necessárias para trabalhá-los com precisão.

Em outras palavras, o caçador-coletor médio tinha conhecimentos mais abrangentes, mais profundos e mais variados de seu meio imediato do que a maioria de seus descendentes modernos. Hoje, a maioria das pessoas nas sociedades industriais não precisa saber muito para sobreviver. O que você realmente precisa saber sobre o mundo natural para sobreviver como engenheiro de sistemas, agente de seguros, professor de história ou operário? Você precisa saber muito sobre sua diminuta área de especialização, mas para a grande maioria das necessidades da vida você se apoia cegamente em outros especialistas, cujo conhecimento também é limitado a uma área de especialização minúscula. A coletividade humana conhece, hoje, muito mais do que os bandos antigos. Mas, no nível individual, os antigos caçadores-coletores foram o povo mais conhecedor e habilidoso da história.

Há alguns indícios de que o tamanho médio do cérebro de um sapiens efetivamente *diminuiu* desde a era dos caçadores-coletores.[5] A sobrevivência naquela época requeria de cada indivíduo habilidades mentais sofisticadas. Quando a agricultura e a indústria surgiram, as pessoas puderam contar cada vez mais com as habilidades de outros para sobreviver, e se abriram novos nichos para "ignorantes". Um indivíduo podia sobreviver e transmitir seus genes obtusos para a geração seguinte trabalhando como carregador ou como operário em uma linha de montagem.

Os caçadores-coletores dominaram não só o mundo dos animais, plantas e objetos à sua volta como também o mundo interno de seu próprio corpo e sensações. Eles ouviam o menor movimento na grama para saber se havia uma cobra à espreita. Observavam cuidadosamente a folhagem das árvores para descobrir frutas, colmeias e ninhos de pássaros. Moviam-se com um mínimo de esforço e ruído e sabiam como sentar, caminhar e correr da maneira mais ágil e eficiente. O uso constante e variado do corpo os tornava tão aptos quanto maratonistas. Eles tinham um nível de destreza física que as pessoas hoje são incapazes de alcançar, mesmo após anos de prática de yoga ou de tai chi.

Os hábitos dos antigos caçadores-coletores diferiam significativamente de região para região e de uma estação do ano para outra, mas, em geral, eles pareciam desfrutar de um estilo de vida mais confortável e compensador do que a maioria dos camponeses, pastores, operários e funcionários administrativos que seguiram seus passos.

Enquanto as pessoas nas sociedades afluentes de hoje trabalham, em média, de 40 a 45 horas por semana, e as pessoas nos países em desenvolvimento trabalham 60 ou mesmo 80 horas por semana, os caçadores-coletores que hoje vivem nos habitats mais inóspitos – como o deserto de Kalahari – trabalham, em média, apenas 35-45 horas por semana. Eles caçam apenas uma vez a cada três dias, e a coleta leva não mais do que de três a seis horas diárias. Em épocas normais, isso é suficiente para alimentar o bando. É bem possível que os antigos caçadores-coletores vivendo em zonas mais férteis do que o Kalahari gastassem ainda menos tempo obtendo alimento e matérias-primas. Além disso, eles tinham uma carga mais leve de tarefas domésticas: não tinham pratos para lavar, tapetes para limpar, pisos para polir, fraldas para trocar ou contas para pagar.

A economia dos caçadores-coletores proporcionava à maioria dos indivíduos vidas mais interessantes do que a agricultura ou a indústria. Atualmente, um operário chinês sai de casa por volta das sete da manhã e atravessa ruas poluídas rumo a uma fábrica com condições precárias de trabalho, onde opera a mesma máquina, da mesma maneira, dia após dia, durante dez longas horas, voltando para casa por volta das sete da noite para lavar a louça e a roupa. Há 30 mil anos, um caçador-coletor chinês possivelmente saía do acampamento com seus companheiros às oito da manhã. Eles perambulavam pelas florestas e savanas das redondezas, colhendo cogumelos, desenterrando raízes comestíveis, capturando rãs e às vezes fugindo de tigres. No começo da tarde, estavam de volta ao acampamento para almoçar. Isso lhes deixava tempo suficiente para fofocar, contar histórias, brincar com os filhos ou simplesmente descansar na companhia uns dos outros. É claro que às vezes alguém era pego por um tigre, ou picado por uma cobra, mas por outro lado eles não precisavam lidar com acidentes de automóvel ou poluição industrial.

Em quase todos os lugares e em quase todas as épocas, a atividade caçadora-coletora fornecia a nutrição ideal. Isso dificilmente surpreende – essa foi a dieta humana durante centenas de milhares de anos, e o corpo humano estava bem adaptado a ela. Evidências de esqueletos fossilizados indicam que os antigos caçadores-coletores tinham menos tendência a passar fome ou sofrer desnutrição e em geral eram mais altos e mais saudáveis do que seus descendentes camponeses. Ao que parece, a expectativa de vida era de apenas 30 a 40 anos, mas isso se devia, em grande parte, à incidência elevada de mortalidade infantil. As crianças que sobreviviam aos perigosos primeiros anos tinham boas chances de chegar aos 60, e algumas chegavam aos 80. Entre os caçadores-coletores modernos, as mulheres de 45 anos podem esperar viver outros 20, e cerca de 5 a 8% da população tem mais de 60 anos.[6]

O segredo do sucesso dos caçadores-coletores, que os protegia da fome e da desnutrição, era sua dieta variada. Os agricultores tendem a ingerir uma dieta muito limitada e desequilibrada. Especialmente nos tempos pré-modernos, a maior parte das calorias que alimentam uma população agrícola vinha de uma única colheita – como trigo, batata ou arroz – que carece de algumas das vitaminas, sais minerais e outros nutrientes de que os humanos necessitam. Já os antigos caçadores-coletores comiam regularmente dezenas de alimentos distintos. O camponês chinês típico comia arroz no café da manhã, arroz no almoço e arroz no jantar. Se tivesse sorte, podia esperar comer o mesmo no dia seguinte. Diferentemente, os antigos caçadores-coletores comiam dúzias de tipos diferentes de comida. Ancestral do camponês, o caçador-coletor talvez comesse bagas e cogumelos no café da manhã; algumas frutas e tartaruga no almoço; e carne de coelho com cebola selvagem no jantar. É bem provável que o menu do dia seguinte fosse completamente diferente. Essa variedade garantia que os antigos caçadores-coletores recebessem todos os nutrientes necessários.

Além disso, ao não depender de um único tipo de comida, eles eram menos propensos a sofrer na ausência de uma fonte específica de alimento. As sociedades agrícolas são arruinadas pela fome quando uma seca, um incêndio ou um terremoto devastam a colheita anual de arroz ou de batata. As sociedades caçadoras-coletoras não estavam imunes a desastres naturais e sofriam períodos de fome e privação, mas em geral eram capazes de lidar com tais calamidades mais facilmente. Se perdiam alguns de seus alimentos essenciais, podiam coletar ou caçar outras espécies, ou migrar para uma área menos afetada.

Os antigos caçadores-coletores também eram menos afetados por doenças infecciosas. A maioria das doenças infecciosas que acometeram as sociedades agrícolas e industriais (como varíola, sarampo e tuberculose) se originou em animais domésticos e passou para os humanos somente após a Revolução Industrial. Os antigos caçadores-coletores, que domesticaram apenas cachorros, estavam livres desses males. Além disso, a maioria das pessoas nas sociedades agrícolas e industriais vivia em assentamentos permanentes que eram populosos e pouco higiênicos – uma incubadora ideal para doenças. Os antigos caçadores-coletores percorriam a terra em pequenos bandos, o que não alimentava epidemias.

A dieta completa e variada, a semana de trabalho relativamente curta e a raridade de doenças infecciosas levaram muitos especialistas a definir as sociedades caçadoras-coletoras pré-agrícolas como "as sociedades afluentes originais". Seria um erro, no entanto, idealizar a vida desses povos antigos. Embora eles tivessem uma vida melhor do que a maioria das pessoas nas sociedades agrícolas e industriais, seu mundo ainda podia ser cruel e implacável. Períodos de dificuldade e privação não eram raros, a mortalidade infantil era alta e um acidente que hoje seria pouco significativo podia facilmente se tornar uma sentença de morte. A maioria das pessoas provavelmente desfrutava da intimidade do bando, mas os desafortunados que eram alvo de hostilidade ou de zombaria dos colegas de bando decerto padeciam terrivelmente. Os caçadores-coletores modernos ocasionalmente abandonam e até matam pessoas idosas ou deficientes que não conseguem acompanhar o bando. Bebês e crianças indesejados podem ser assassinados, e há inclusive casos de religiosidade inspirados em sacrifício humano.

Os achés, caçadores-coletores que viveram nas selvas do Paraguai até os anos 1960, dão uma ideia do lado negro do sistema de caça e coleta. Quando um membro valorizado do bando morria, os achés costumavam matar uma garotinha e enterrar os dois juntos. Os antropólogos que entrevistaram os achés registraram um caso em que um bando abandonou um homem de meia-idade que adoeceu e não conseguia acompanhar os demais. Ele foi deixado sob uma árvore. Abutres se empoleiraram sobre ela, à espera de uma refeição substanciosa. Mas o homem se recuperou e, caminhando depressa, conseguiu se juntar ao grupo novamente. Seu corpo estava coberto de fezes de pássaros, e por isso ele foi apelidado de "Excremento de Abutre".

Quando uma mulher aché idosa se tornava um fardo para o resto do bando, um dos homens mais jovens se esgueirava atrás dela e a matava com um golpe de machado na cabeça. Um homem aché contou aos antropólogos histórias sobre seus primeiros anos na selva. "Eu costumava matar mulheres idosas. Matei minhas tias [...] As mulheres tinham medo de mim [...] Agora, aqui com os brancos, eu me tornei fraco." Bebês nascidos sem cabelo, considerados subdesenvolvidos, eram mortos imediatamente. Uma mulher lembrou que sua primeira bebê foi morta porque os homens não queriam mais uma menina no bando. Em certa ocasião, um homem matou um garotinho porque ele estava "de mau humor e a criança estava chorando". Outra criança foi enterrada viva porque "tinha uma aparência engraçada e as outras crianças riam dela".[7]

No entanto, devemos ter cuidado para não julgar os achés depressa demais. Os antropólogos que viveram com eles durante anos relatam que a violência entre adultos era muito rara. Mulheres e homens eram livres para escolher seus parceiros à vontade. Eles sorriam e riam constantemente, não tinham hierarquia e geralmente esquivavam-se de povos dominadores. Eram extremamente generosos com suas poucas posses e não eram obcecados com sucesso nem com riqueza. As coisas que mais valorizavam na vida eram boas interações sociais e boas amizades.[8] Eles viam a morte de crianças, pessoas doentes e idosos como muitas pessoas hoje veem o aborto e a eutanásia. Também deve ser observado que os achés eram caçados e mortos sem piedade pelos fazendeiros paraguaios. É bem provável que a necessidade de escapar de seus inimigos os levasse a adotar uma atitude atipicamente cruel para com qualquer um que pudesse se tornar um fardo para o bando.

A verdade é que a sociedade aché, como toda sociedade humana, era muito complexa. Devemos tomar cuidado para não os demonizar nem idealizá-los com base em um conhecimento superficial. Os achés não eram anjos nem demônios – eram humanos. Como também eram os antigos caçadores-coletores.

Espíritos falantes

O que podemos dizer sobre a vida mental e espiritual dos antigos caçadores-coletores? A base da economia caçadora-coletora pode ser reconstruída com certa segurança segundo fatores objetivos e quantificáveis. Por exemplo, podemos calcular quantas calorias por dia uma pessoa precisava para sobreviver, quantas calorias eram obtidas de um quilograma de nozes e quantas nozes podiam ser colhidas em um quilômetro quadrado de floresta. Com esses dados, podemos fazer uma estimativa fundamentada da importância relativa das nozes em sua dieta.

Mas eles consideravam as nozes uma iguaria ou um alimento trivial? Acreditavam que as nogueiras eram habitadas por espíritos? Consideravam bonitas as folhas da nogueira? Se um rapaz quisesse levar uma garota para um lugar romântico, a sombra da nogueira era conveniente? O mundo do pensamento, da crença e do sentimento é, por definição, muito mais difícil de decifrar.

A maioria dos acadêmicos concorda que as crenças animistas eram comuns entre os antigos caçadores-coletores. O animismo (de "anima", *alma* ou *espírito* em latim) é a crença de que praticamente todo lugar, todo animal, toda planta e todo fenômeno natural tem consciência e sentimentos, e que pode se comunicar diretamente com os humanos. Desse modo, os animistas podem acreditar que a grande rocha no alto da colina tem desejos e necessidades. A rocha pode se irritar com alguma coisa que as pessoas fizerem e se alegrar com alguma outra ação. Pode advertir as pessoas ou pedir favores. Os humanos, por sua vez, podem se dirigir à rocha, para acalmá-la ou ameaçá-la. Não só a rocha, mas também o carvalho ao pé da colina são seres animados, e também o rio que corre abaixo da colina, a nascente na clareira da floresta, os arbustos que crescem à sua volta, o caminho para a clareira e os camundongos, lobos e corvos que bebem ali. No mundo animista, objetos e coisas vivas não são os únicos seres animados. Há também entidades imateriais – os espíritos dos mortos, e seres benévolos e malévolos, do tipo que hoje chamamos de demônios, fadas e anjos.

Os animistas acreditam que não existe barreira entre os humanos e outros seres. Eles podem se comunicar diretamente por meio da fala, da música, da dança e de cerimônias. Um caçador pode se dirigir a um rebanho de cervos e pedir que um deles se sacrifique. Se a caçada tiver sucesso, o caçador pode pedir perdão ao animal morto. Quando alguém fica doente, um xamã pode contatar o espírito que causou a doença e tentar pacificá-lo ou afugentá-lo. Se necessário, o xamã pode pedir a ajuda de outros espíritos. O que caracteriza todos esses atos de comunicação é que as entidades sendo abordadas são seres locais. Não são deuses universais, e sim um cervo em particular, uma árvore em particular, um rio em particular, um espírito em particular.

Assim como não existe barreira entre os humanos e outros seres, tampouco existe uma hierarquia rígida. As entidades não humanas não existem meramente para atender às necessidades humanas. Tampouco são deuses todo-poderosos que governam o mundo a seu bel-prazer. O mundo não gira em torno dos humanos ou de qualquer grupo de seres em particular.

O animismo não é uma religião específica. É um nome genérico para milhares de religiões, cultos e crenças muito diferentes. O que torna todos eles "animistas" é sua maneira de encarar o mundo e o lugar que atribuem ao homem nesse mundo. Dizer que os antigos caçadores-coletores provavelmente eram animistas é como dizer que os agricultores pré-modernos eram quase todos teístas. O teísmo (de "theos", *deus* em grego) é a visão de que a ordem universal se baseia em uma relação hierárquica entre humanos e um pequeno grupo de entidades etéreas chamadas deuses. É com certeza correto afirmar que os agricultores pré-modernos tendiam a ser teístas, mas isso não nos diz muito sobre suas particularidades. A rubrica genérica "teístas" abrange rabinos judeus da Polônia do século XVIII, puritanos queimadores de bruxas do

Massachusetts do século XVII, padres astecas do México do século XV, místicos sufistas do Irã do século XII, guerreiros vikings do século X, legionários romanos do século II e burocratas chineses do século I. As diferenças entre as crenças e práticas de grupos de caçadores-coletores "animistas" provavelmente eram tão grandes quanto. Sua experiência religiosa pode ter sido turbulenta e cheia de controvérsias, reformas e revoluções.

Porém, essas generalizações cautelosas são o mais longe a que podemos chegar. Qualquer tentativa de descrever as especificidades da espiritualidade arcaica é mera especulação, já que quase não existem indícios para nos guiar e os poucos indícios que temos – um punhado de

7. Uma pintura da caverna de Lascaux, *c.* 15 mil-20 mil anos atrás. O que vemos exatamente, e qual é o significado dessa pintura? Alguns afirmam que vemos um homem com a cabeça de um pássaro e um pênis ereto sendo morto por um bisão. Sob o homem há outro pássaro que possivelmente simboliza a alma, libertada do corpo no momento da morte. Se for assim, a pintura retrata não um prosaico acidente de caçada, mas a passagem deste mundo para o seguinte. Mas não temos como saber se essas especulações são corretas. É como um teste de Rorschach: revela muito sobre as ideias preconcebidas dos acadêmicos modernos e pouco sobre as crenças dos antigos caçadores-coletores.

artefatos e pinturas em cavernas – podem ser interpretados de muitíssimas formas. As teorias dos acadêmicos que afirmam saber o que os caçadores-coletores sentiam dizem muito mais sobre os preconceitos de seus autores do que sobre as religiões da Idade da Pedra.

8. Caçadores-coletores fizeram essas impressões de mãos há cerca de 9 mil anos na "Cova das Mãos", na Argentina. É como se essas mãos mortas há muito tempo estivessem saindo da rocha e tentando nos alcançar. É uma das relíquias mais tocantes do mundo dos antigos caçadores-coletores – mas ninguém sabe o que significa.

Em vez de elaborar um sem-número de teorias com base em um punhado de relíquias, pinturas rupestres e estatuetas de ossos, é melhor sermos francos e admitirmos que temos apenas noções muito vagas sobre as religiões dos antigos caçadores-coletores. Presumimos que eles foram animistas, mas isso não é muito informativo. Não sabemos para quais espíritos eles rezavam, que festivais celebravam ou a que tabus obedeciam. O que é mais importante: não sabemos que histórias eles contavam. Essa é uma das maiores lacunas em nossa compreensão da história humana.

O mundo sociopolítico dos caçadores-coletores é outra área sobre a qual não sabemos quase nada. Conforme explicado anteriormente, os acadêmicos não conseguem sequer chegar a um acordo quanto ao básico, como a existência de propriedade privada, famílias nucleares e relações monogâmicas. É provável que bandos diferentes tivessem estruturas diferentes. Alguns podem ter sido tão hierarquizados, tensos e violentos como o mais virulento bando de chimpanzés, ao passo que outros podem ter sido tão tranquilos, pacíficos e lascivos quanto um bando de bonobos.

Em Sungir, na Rússia, arqueólogos descobriram em 1955 um cemitério de 30 mil anos pertencente a uma cultura de caçadores de mamutes. Em um túmulo, encontraram o esqueleto de um homem de 50 anos coberto com colares de contas de marfim de mamute, contendo cerca de 3 mil contas no total. Na cabeça do homem morto havia um chapéu decorado com dentes de raposa, e nos punhos, 25 braceletes de marfim. Outros túmulos do mesmo cemitério continham muito menos objetos. Os acadêmicos deduziram que os caçadores de mamutes de Sungir viviam em uma sociedade hierárquica e que o homem morto talvez fosse o líder de um bando ou de uma tribo inteira compreendendo vários bandos. É improvável que algumas dezenas de membros de um único bando pudessem ter produzido tantos objetos funerários.

Os arqueólogos, então, descobriram um túmulo ainda mais interessante. Continha dois esqueletos enterrados lado a lado. Um era de um garoto de 12 ou 13 anos de idade e o outro, de uma garota de 9 ou 10 anos. O garoto estava coberto com 5 mil contas de marfim. Ele usava um chapéu com dentes de raposa e um cinto com 250 dentes desse animal (pelo menos 60 raposas precisaram ter seus dentes removidos para se obter essa quantia). A garota estava adornada com 5,25 mil contas de marfim. Ambas as crianças estavam cercadas por estatuetas e vários objetos de marfim. Um artesão (ou artesã) habilidoso provavelmente precisaria de uns 45 minutos para preparar uma única conta de marfim. Em outras palavras, para fabricar as 10 mil contas de marfim que cobriam as duas crianças, sem mencionar os outros objetos, seriam necessárias aproximadamente 7,5 mil horas de trabalho delicado, bem mais de três anos de trabalho de um artesão experiente!

É extremamente improvável que, em uma idade tão jovem, as crianças de Sungir tivessem se consolidado como líderes ou caçadoras de mamutes. Somente crenças culturais podem explicar por que receberam um enterro tão extravagante. Uma teoria é que deviam sua posição hierárquica aos pais. Talvez fossem filhos do líder, em uma cultura que acreditava em carisma familiar ou em regras estritas de sucessão. De acordo com uma segunda teoria, as crianças foram identificadas ao nascer como encarnações de espíritos mortos há muito tempo. Uma terceira teoria afirma que o enterro das crianças reflete o modo como morreram, e não seu status em vida. Foram sacrificadas em um ritual – talvez como parte dos ritos funerários do líder – e então enterradas com pompa e circunstância.[9]

Qualquer que seja a resposta correta, as crianças de Sungir estão entre as evidências mais sólidas de que há 30 mil anos os sapiens eram capazes de inventar códigos sociopolíticos que iam muito além dos ditames do nosso DNA e dos padrões de comportamento de outras espécies de humanos e de animais.

Paz ou guerra?

Finalmente, há a questão delicada do papel da guerra nas sociedades de caçadores-coletores. Alguns acadêmicos imaginam as antigas sociedades de caçadores-coletores e argumentam que a guerra e a violência só surgiram com a Revolução Agrícola, quando as pessoas começaram a acumular propriedade privada. Outros estudiosos sustentam que o mundo dos antigos caçadores-coletores era excepcionalmente cruel e violento. Ambas as escolas de pensamento são castelos no ar, conectados à terra pelo fio tênue de restos arqueológicos escassos e observações antropológicas dos caçadores-coletores de nossos dias.

As evidências arqueológicas são intrigantes, mas muito problemáticas. Os caçadores-coletores de hoje vivem principalmente em áreas isoladas e inóspitas, como o Ártico ou o Kalahari, onde a densidade populacional é muito baixa e as oportunidades de lutar com outras pessoas são limitadas. Além disso, nas gerações recentes, os caçadores-coletores têm sido cada vez mais submetidos à autoridade dos Estados modernos, que evitam a eclosão de conflitos em grande escala. Estudiosos europeus tiveram apenas duas oportunidades de observar populações grandes e relativamente densas de caçadores-coletores independentes: no noroeste da América do Norte no século XIX e no norte da Austrália durante o século XIX e no início do século XX. Tanto as culturas ameríndias quanto as aborígenes australianas testemunharam frequentes conflitos armados. É discutível, porém, se isso representa uma condição atemporal ou o impacto do imperialismo europeu.

As descobertas arqueológicas são escassas e opacas. Que pistas reveladoras poderiam restar de qualquer guerra acontecida há dezenas de milhares de anos? Não havia muros nem fortificações na época, nem bombas de artilharia ou mesmo espadas e escudos. Uma ponta de lança antiga pode ter sido usada na guerra, mas também pode ter sido usada para caçar. Ossos humanos fossilizados são igualmente difíceis de interpretar. Uma fratura poderia indicar uma ferida de guerra ou um acidente. A ausência de fraturas e cortes em um esqueleto antigo tampouco é prova conclusiva de que a pessoa a quem o esqueleto pertenceu não sofreu uma morte violenta. A morte pode ter sido causada por trauma em tecidos moles, que não deixa marcas nos ossos. O que é ainda mais importante: durante as guerras pré-industriais, mais de 90% das mortes ocorriam por fome, frio e doença, e não por armas. Imagine que há 30 mil anos uma tribo derrotou a tribo vizinha e a expulsou dos cobiçados terrenos propícios para caça e coleta. Na batalha decisiva, dez membros da tribo derrotada foram mortos. No ano seguinte, outra centena de membros da tribo perdedora morreu de fome, frio e doença. Os arqueólogos que se deparassem com esses 110 esqueletos poderiam concluir facilmente que a maioria foi vítima de algum desastre natural. Como poderíamos afirmar que todos eles foram vítimas de uma guerra impiedosa?

Devidamente alertados, podemos agora nos voltar para as descobertas arqueológicas. Em Portugal, realizou-se um levantamento de 400 esqueletos do período imediatamente anterior à Revolução Agrícola. Apenas dois esqueletos apresentaram marcas nítidas de violência. Um levantamento similar de 400 esqueletos do mesmo período em Israel revelou uma única fratura em um único crânio que poderia ser atribuída a violência humana.

Um terceiro levantamento de 400 esqueletos de vários sítios pré-agrícolas no vale do Danúbio encontrou indícios de violência em 18 esqueletos. Dezoito em 400 pode não parecer muito, mas na verdade é um percentual muito alto. Se todos os 18 realmente foram mortos de forma violenta, significa que cerca de 4,5% das mortes no antigo vale do Danúbio foram causadas por violência humana. Hoje, a média global é de apenas 1,5%, considerando guerras e crimes. Durante o século XX, apenas 5% das mortes humanas resultaram de violência humana – e isso em um século que viu as guerras mais sangrentas e os maiores genocídios da história. Se essa descoberta for representativa, o antigo vale do Danúbio foi tão violento quanto o século XX.*

As descobertas deprimentes sobre o vale do Danúbio são corroboradas por uma sequência de descobertas igualmente deprimentes em outras regiões. Em Jabel Sahaba, no Sudão, descobriu-se um cemitério de 12 mil anos contendo 59 esqueletos. Pontas de flecha e de lança foram encontradas incrustadas ou caídas perto de ossos de 24 esqueletos, 40% dos encontrados. O esqueleto de uma mulher revelou doze ferimentos. Na caverna de Ofnet, na Baviera, os arqueólogos descobriram os restos de 38 caçadores-coletores, em sua maioria mulheres e crianças, que foram atirados em duas valas. Metade dos esqueletos, incluindo alguns de crianças e de bebês, apresentava claros sinais de ferimentos por armas humanas, como porretes e facas. Os poucos esqueletos pertencentes a homens mais maduros tinham as piores marcas de violência. É muito provável que um bando inteiro de caçadores-coletores tenha sido massacrado em Ofnet.

O que representa melhor o mundo dos antigos caçadores-coletores: os esqueletos pacíficos de Israel e de Portugal ou os matadouros de Jabel Sahaba e Ofnet? A resposta é: nem um, nem outro. Assim como os caçadores-coletores apresentavam uma ampla gama de religiões e estruturas sociais, também provavelmente apresentavam diferentes índices de violência. Enquanto algumas áreas e alguns períodos podem ter desfrutado de paz e tranquilidade, outros possivelmente foram dilacerados por conflitos violentos.[10]

A cortina de silêncio

Se é difícil reconstruir o panorama geral da vida dos antigos caçadores-coletores, os eventos particulares são quase irrecuperáveis. Quando

* Pode-se argumentar que decerto nem todos os dezoito caçadores-coletores do vale do Danúbio realmente morreram da violência cujas marcas podem ser observadas em seus restos. Alguns podem ter sido meramente feridos. No entanto, isso provavelmente é contrabalançado por mortes decorrentes de traumas em tecidos moles e das privações invisíveis que acompanham a guerra.

um bando de sapiens adentrou pela primeira vez um vale habitado por neandertais, os anos seguintes talvez tenham testemunhado um drama histórico de tirar o fôlego. Infelizmente, nada teria sobrevivido de tal encontro, exceto, quando muito, uns poucos ossos fossilizados e um punhado de ferramentas de pedra que permanecem mudos diante das mais intensas investigações acadêmicas. Podemos extrair deles informações sobre anatomia humana, tecnologia humana, dieta humana e talvez até mesmo estrutura social humana. Mas eles não revelam nada sobre a aliança política formada entre bandos de sapiens vizinhos, sobre os espíritos dos mortos que abençoavam essa aliança ou sobre as contas de marfim secretamente ofertadas ao curandeiro local a fim de garantir a bênção dos espíritos.

Essa cortina de silêncio encobre dezenas de milhares de anos de história. Esses longos milênios podem muito bem ter testemunhado guerras e revoluções, movimentos religiosos arrebatadores, teorias filosóficas elaboradas, obras artísticas incomparáveis. Os caçadores-coletores podem ter tido seus Napoleões governando impérios da metade do tamanho de Luxemburgo; Beethovens dotados, carentes de orquestras sinfônicas, mas capazes de levar as pessoas às lágrimas com o som de suas flautas de bambu; e profetas carismáticos que revelavam as palavras de um carvalho da região em vez das de um deus criador universal. Mas isso tudo não passa de conjectura. A cortina de silêncio é tão espessa que não podemos nem mesmo ter certeza de que tais coisas ocorreram – que dirá descrevê-las em detalhe.

Os acadêmicos tendem a fazer apenas as perguntas que podem esperar responder de modo razoável. A não ser que um dia tenhamos acesso a novas ferramentas de pesquisa, provavelmente nunca saberemos em que acreditavam os antigos caçadores-coletores ou que dramas viveram. Mas é vital fazer perguntas para as quais não há respostas, do contrário poderíamos ser tentados a descartar 60 mil dos 70 mil anos de história humana com a desculpa de que "as pessoas que viveram naquela época não fizeram nada de importante".

A verdade é que fizeram muitas coisas importantes. Especificamente, moldaram o mundo à nossa volta de forma mais profunda do que a maior parte das pessoas se dá conta. Os peregrinos que visitam a tundra siberiana, os desertos da Austrália central e a floresta tropical amazônica acreditam que adentraram paisagens inexploradas, praticamente intocadas por mãos humanas. Mas isso é uma ilusão. Os antigos caçadores-coletores estiveram lá antes de nós e provocaram mudanças drásticas, mesmo nas florestas mais densas e nos desertos mais desolados. O próximo capítulo explica como os antigos caçadores-coletores remodelaram completamente a ecologia do nosso planeta muito antes de a primeira aldeia agrícola ser construída. Os bandos errantes de sapiens contadores de histórias foram a força mais importante e mais destrutiva que o reino animal já produziu.

4

A inundação

Antes da Revolução Cognitiva, humanos de todas as espécies viviam exclusivamente no continente afro-asiático. É verdade, eles povoaram algumas ilhas atravessando curtas distâncias de água a nado ou em jangadas improvisadas. A ilha de Flores, por exemplo, foi colonizada há 850 mil anos. Mas esses humanos eram incapazes de se aventurar no mar aberto, e nenhum deles chegou à América, à Austrália ou a ilhas remotas como Madagascar, Nova Zelândia ou Havaí.

A barreira marítima impediu não só os humanos como também muitos outros animais afro-asiáticos de chegarem a esse "Mundo Exterior". Em consequência, os organismos de terras distantes como Austrália e Madagascar evoluíram em isolamento por milhões e milhões de anos, assumindo formas e características muito diferentes das de seus distantes parentes afro-asiáticos. O planeta Terra era dividido em vários ecossistemas distintos, cada um deles composto de um conjunto singular de animais e de plantas. O *Homo sapiens* esteve prestes a pôr um fim a essa exuberância biológica.

Após a Revolução Cognitiva, os sapiens adquiriram a tecnologia, as habilidades organizacionais e, talvez, até mesmo a visão necessária para sair do continente afro-asiático e povoar o Mundo Exterior. Sua primeira conquista foi a colonização da Austrália há cerca de 45 mil anos. Os especialistas são pressionados a explicar esse feito. Para chegar à Austrália, os humanos precisaram atravessar uma série de canais marítimos, alguns com mais de cem quilômetros de largura, e em seguida se adaptar praticamente da noite para o dia a um ecossistema completamente novo.

A teoria mais razoável afirma que, há cerca de 45 mil anos, os sapiens que habitavam o arquipélago indonésio (um grupo de ilhas separadas da Ásia e umas das outras por estreitos) desenvolveram as primeiras sociedades de marinheiros. Eles aprenderam a construir e a manobrar navios transoceânicos e se tornaram pescadores, comerciantes e exploradores de longa distância. Isso teria acarretado uma transformação sem precedentes nas habilidades e no estilo de vida humanos. Um em cada dois mamíferos que foram para o mar – focas, peixes-boi, golfinhos – teve de evoluir por um longo período para desenvolver órgãos especializados e um corpo hidrodinâmico. Os sapiens na Indonésia, descendentes dos macacos que viveram na savana africana, se tornaram marinheiros do Pacífico sem o desenvolvimento de nadadeiras e sem ter de esperar que seu nariz migrasse para o alto da cabeça como fizeram as baleias. Em vez disso, construíram barcos e aprenderam a navegá-los. E tais habilidades lhes permitiram chegar à Austrália e lá se estabelecer.

É verdade que os arqueólogos ainda não encontraram jangadas, remos ou aldeias de pescadores de 45 mil anos atrás (seria difícil descobri-los, porque o nível do mar, cada vez mais elevado, enterrou a antiga costa indonésia sob cem metros de oceano). Entretanto, há sólidas evidências circunstanciais para corroborar essa teoria, especialmente o fato de que, nos milhares de anos que se seguiram ao povoamento da Austrália, os sapiens colonizaram uma série de ilhas isoladas ao norte. Algumas, como Buka e Manus, eram separadas da terra mais próxima por 200 quilômetros de mar aberto. É difícil acreditar que alguém poderia ter chegado a Manus e a colonizado sem contar com navios e habilidades de navegação sofisticados. Conforme mencionado anteriormente, também há sólidas evidências de um comércio marítimo regular entre algumas dessas ilhas, como a Nova Irlanda e a Nova Bretanha.[1]

A jornada dos primeiros humanos à Austrália é um dos acontecimentos mais importantes da história, pelo menos tão importante quanto a viagem de Colombo à América ou a expedição da *Apollo 11* à Lua. Foi a primeira vez que um humano conseguiu deixar o sistema ecológico afro-asiático – na verdade, a primeira vez que um grande mamífero terrestre conseguiu ir desse continente à Austrália. Ainda mais importante foi o que os pioneiros humanos fizeram nesse novo mundo. O momento em que o primeiro caçador-coletor pôs os pés no litoral australiano foi o momento em que o *Homo sapiens* subiu ao topo da cadeia alimentar num território específico e a partir daí se tornou a espécie mais mortífera do planeta Terra.

Até então os humanos haviam apresentado alguns comportamentos e adaptações inovadores, mas seu efeito sobre o ambiente fora insignificante. Eles haviam demonstrado sucesso notável ao se adaptar em vários habitats, mas o fizeram sem mudar drasticamente esses habitats. Os povoadores da Austrália, ou, mais precisamente, seus conquistadores, não simplesmente se adaptaram; eles transformaram o ecossistema australiano de tal forma que já não seria possível reconhecê-lo.

A primeira pegada humana nas areias de uma praia australiana foi imediatamente apagada pelas ondas. Mas ao penetrar o continente, os invasores deixavam para trás uma pegada diferente, que jamais seria apagada. À medida que prosseguiram, encontraram um universo estranho de criaturas desconhecidas que incluía um canguru de 200 quilos e 2 metros de altura e um leão-marsupial, grande como um tigre moderno, que foi o maior predador do continente. Coalas grandes demais para serem fofinhos e mimosos farfalhavam nas árvores, e aves com o dobro do tamanho de avestruzes corriam pelas planícies. Lagartos similares a dragões e cobras com 5 metros de comprimento se arrastavam pela terra. O diprotodonte, um vombate de 2,5 toneladas, vagava pelas florestas. Com a exceção das aves e dos répteis, todos esses animais eram marsupiais – como os cangurus, davam à luz bebês minúsculos e indefesos com aparência de fetos, que então eles nutriam com leite em suas bolsas abdominais. Os mamíferos marsupiais eram praticamente desconhecidos na África e na Ásia, mas na Austrália reinavam absolutos.

Em alguns milhares de anos, virtualmente todos esses gigantes desapareceram. Das 24 espécies animais australianas pesando 50 quilos ou mais, 23 foram extintas.[2] Um grande número de espécies menores também desapareceu. Cadeias alimentares em todo o ecossistema australiano foram quebradas e reorganizadas. Foi a transformação mais importante do ecossistema australiano em milhões de anos. Foi tudo culpa do *Homo sapiens*?

Declarados culpados

Alguns acadêmicos tentam exonerar nossa espécie, colocando a culpa nas excentricidades do clima (o bode expiatório usual em casos como esse). Mas é difícil acreditar que o *Homo sapiens* tenha sido completamente inocente. Há três evidências que enfraquecem o álibi climático e implicam nossos ancestrais na extinção da megafauna australiana.

Em primeiro lugar, embora o clima australiano tenha mudado há cerca de 45 mil anos, não foi uma reviravolta muito marcante. É difícil conceber como os novos padrões climáticos, por si sós, poderiam ter causado uma extinção tão generalizada. Hoje, é comum explicar tudo como consequência de mudanças climáticas, mas a verdade é que o clima da Terra nunca para. Está em fluxo constante. Todo acontecimento na história teve como pano de fundo alguma mudança climática.

Em particular, nosso planeta passou por vários ciclos de resfriamento e aquecimento. Durante o último milhão de anos, houve uma era glacial aproximadamente a cada 100 mil anos. A última durou mais ou menos de 75 mil a 15 mil anos atrás. De maneira não atipicamente severa para uma era glacial, teve dois picos, o primeiro há cerca de 70 mil anos e o segundo há cerca de 20 mil anos. O diprotodonte apareceu na Austrália há mais de 1,5 milhão de anos e tinha conseguido resistir a pelo menos dez outras eras glaciais. Também sobreviveu ao primeiro pico da última era glacial, há cerca de 70 mil anos. Por que, então, desapareceu há 45 mil anos? É claro, se os diprotodontes fossem os únicos animais grandes a terem desaparecido nessa época, poderia ter sido apenas um acaso. No entanto, mais de 90% da megafauna australiana desapareceu junto com o diprotodonte. As evidências são circunstanciais, mas é difícil imaginar que os sapiens, por mera coincidência, tenham chegado à Austrália no momento exato em que todos esses animais estavam morrendo de frio.[3]

Em segundo lugar, quando a mudança climática causa extinções em massa, as criaturas marinhas normalmente são tão atingidas quanto as terrestres. Mas não há indícios de um desaparecimento significativo da fauna oceânica há 45 mil anos. O envolvimento humano pode explicar facilmente por que a onda de extinção destruiu a megafauna terrestre da Austrália ao mesmo tempo em que poupou a dos oceanos à sua volta. Apesar de suas habilidades de navegação, o *Homo sapiens* ainda era predominantemente uma ameaça terrestre.

Em terceiro lugar, extinções em massa similares a essa dizimação australiana arquetípica ocorreram repetidas vezes nos milênios seguintes – onde quer que as pessoas se estabelecessem em outra parte do Mundo Exterior. Nesses casos, a culpa dos sapiens é irrefutável. Por exemplo, a megafauna da Nova Zelândia – que sobrevivera à suposta "mudança climática" de cerca de 45 mil anos atrás sem um único arranhão – sofreu golpes devastadores imediatamente depois que os primeiros humanos puseram os pés nas ilhas. Os maoris, os primeiros colonizadores sapiens da Nova Zelândia, chegaram às ilhas há cerca de 800 anos. Em poucos séculos, a maior parte da megafauna local foi extinta, junto com 60% de todas as espécies de pássaros.

Um destino similar acometeu a população de mamutes da ilha de Wrangel, no oceano Ártico (200 quilômetros ao norte da costa siberiana). Os mamutes prosperaram por milhões de anos na maior parte do hemisfério norte, mas, quando o *Homo sapiens* se espalhou – primeiro pela Eurásia e depois pela América do Norte –, eles recuaram. Há 10 mil anos, não havia um único mamute a ser encontrado no mundo, exceto em algumas poucas ilhas remotas no Ártico, mais notadamente na de Wrangel. Os mamutes de Wrangel continuaram a prosperar por mais alguns milênios e então desapareceram de maneira abrupta há cerca de 4 mil anos, justo quando os primeiros humanos chegaram à ilha.

Se a extinção australiana fosse um acontecimento isolado, poderíamos conceder aos humanos o benefício da dúvida. Mas o registro histórico faz o *Homo sapiens* parecer um assassino em série da ecologia.

Tudo o que os povoadores da Austrália tinham à sua disposição era a tecnologia da Idade da Pedra. Como poderiam causar um desastre ecológico? Há três explicações que se complementam.

Os animais grandes – as principais vítimas da extinção australiana – procriam devagar. A gestação é longa, a quantidade de filhotes por gestação é pequena e há longos intervalos entre uma gestação e outra. Em consequência, mesmo se os humanos abatessem um único diprotodonte a cada poucos meses, seria suficiente para fazer com que o número de mortes de diprotodonte fosse superior ao número de nascimentos. Em alguns milhares de anos, o último diprotodonte solitário morreria e, com ele, a espécie inteira.[4]

De fato, apesar do seu tamanho, os diprotodontes e outros animais gigantes da Austrália provavelmente não eram muito difíceis de se caçar, porque devem ter sido pegos totalmente de surpresa por seus assaltantes bípedes. Várias espécies humanas estiveram perambulando e evoluindo no continente afro-asiático por 2 milhões de anos. Elas aperfeiçoaram lentamente suas habilidades de caça e começaram a perseguir animais grandes por volta de 400 mil anos atrás. Os maiores animais da África e da Ásia aprenderam a evitar os humanos, de forma que, quando o novo megapredador – *Homo sapiens* – surgiu na cena afro-asiática, os animais grandes já sabiam como manter distância de criaturas semelhantes a ele. Já os gigantes australianos não tiveram tempo de aprender a fugir. Os humanos não aparentam ser particularmente perigosos. Eles não têm dentes longos e afiados nem corpo ágil e musculoso. Assim, quando um diprotodonte, o maior marsupial a caminhar pela Terra, pela primeira vez pôs os olhos nesse primata de aparência frágil, ele provavelmente logo virou as costas e continuou mastigando suas folhas. Esses animais ainda precisavam desenvolver medo dos seres humanos, mas foram extintos antes que pudessem fazê-lo.

A segunda explicação é que, quando os sapiens chegaram à Austrália, já tinham dominado a técnica da queimada. Diante de um ambiente estranho e hostil, deliberadamente queimaram grandes áreas de florestas densas e bosques impenetráveis a fim de criar campos abertos, que atraíam animais mais fáceis de se caçar e eram mais adequados às suas necessidades. Desse modo, em poucos milênios eles mudaram totalmente a ecologia de grandes regiões da Austrália.

Um conjunto de evidências que corroboram essa visão é o registro fóssil de plantas. Árvores de eucalipto eram raras na Austrália há 45 mil anos. Mas a chegada do *Homo sapiens* inaugurou uma era de ouro para essa espécie. Como são especialmente resistentes ao fogo, os eucaliptos se espalharam por toda parte, enquanto outras árvores e arbustos desapareceram.

Essas mudanças na vegetação influenciaram os animais que comiam as plantas e os carnívoros que comiam os herbívoros. Os coalas, que subsistiam exclusivamente de folhas de eucalipto, prosperaram nos novos territórios. A maioria dos outros animais foi muitíssimo afetada. Muitas cadeias alimentares australianas foram destruídas, levando os elos mais frágeis à extinção.[5]

Uma terceira explicação admite que a caça e a queimada exerceram um papel significativo na extinção, mas enfatiza que não podemos ignorar completamente o papel do clima. As mudanças climáticas que atingiram a Austrália por volta de 45 mil anos atrás desestabilizaram o ecossistema e o tornaram particularmente vulnerável. Em circunstâncias normais, o sistema provavelmente teria se recuperado, como acontecera muitas vezes antes. No entanto, os humanos entraram em cena exatamente nesse momento crítico e empurraram o frágil ecossistema para o abismo. A combinação de mudança climática e caça humana é especialmente devastadora para animais grandes, já que os ataca por diferentes ângulos. É difícil encontrar uma boa estratégia de sobrevivência que funcione simultaneamente diante de múltiplas ameaças.

Sem dispor de mais evidências, não há como decidir entre os três cenários. Mas certamente há boas razões para acreditar que, se o *Homo sapiens* nunca tivesse pisado na Austrália, esta ainda seria o lar de leões-marsupiais, diprotodontes e cangurus-gigantes.

O fim da preguiça

A extinção da megafauna australiana foi provavelmente a primeira marca significativa que o *Homo sapiens* deixou em nosso planeta. Foi seguida de um desastre ecológico ainda maior, desta vez na América. O *Homo sapiens* foi a primeira e única espécie humana a chegar ao continente no hemisfério ocidental, há cerca de 16 mil anos, ou seja, por volta de 14000 a.C. Os primeiros americanos chegaram a pé, o que foi possível porque, na época, o nível do mar era baixo o suficiente para que uma ponte de terra conectasse o nordeste da Sibéria com o noroeste do Alasca. Não que tenha sido fácil – a jornada foi árdua, talvez ainda mais difícil do que a travessia marítima para a Austrália. Para empreendê-la, os sapiens primeiro precisaram aprender a suportar as condições climáticas extremas do norte da Sibéria, uma área em que o sol nunca aparece no inverno e onde a temperatura pode cair para -50ºC.

Nenhuma espécie humana anterior havia conseguido penetrar em lugares como o norte da Sibéria. Mesmo os neandertais, adaptados ao frio, se restringiram a regiões de clima relativamente mais brando, mais ao sul. Mas o *Homo sapiens*, cujo corpo estava adaptado para viver na savana africana, e não em terras de neve e gelo, concebeu soluções engenhosas. Quando bandos de sapiens caçadores-coletores migraram para climas cada vez mais frios, eles aprenderam a fazer sapatos para neve e roupas térmicas eficazes compostas de camadas de pele de animal, costuradas firmemente com a ajuda de agulhas. Eles desenvolveram novas armas e técnicas de caça sofisticadas que lhes permitiram perseguir e abater mamutes e os outros grandes animais de caça do extremo norte. À medida que suas roupas térmicas e suas técnicas de caça foram aprimoradas, os sapiens ousaram se embrenhar cada vez mais nas regiões glaciais. E, conforme avançavam para o norte, suas roupas, estratégias de caça e outras técnicas de sobrevivência continuaram a se aperfeiçoar.

Mas por que eles se deram ao trabalho? Por que se autoexilar na Sibéria? Talvez alguns bandos tenham sido impelidos para o norte em decorrência de guerras, pressões demográficas ou desastres naturais. Outros talvez tenham sido atraídos para as regiões setentrionais por razões mais prementes, como a proteína animal. As terras do Ártico estavam cheias de animais grandes e carnudos, como renas e mamutes. Cada mamute era fonte de uma vasta quantidade de carne (que, considerando-se as temperaturas glaciais, podia inclusive ser congelada para mais tarde), gordura saborosa, pele quente e marfim valioso. Como atestam as descobertas em Sungir, os caçadores de mamute não apenas sobreviveram no norte glacial – eles prosperaram. Com o passar do tempo, os bandos se espalharam, perseguindo mamutes, mastodontes, rinocerontes e renas. Por volta de 14000 a.C., a perseguição levou alguns deles do nordeste da Sibéria ao Alasca. É claro que eles não sabiam que estavam descobrindo um novo mundo. Tanto para os mamutes como para os homens, o Alasca era uma mera extensão da Sibéria.

No início, as geleiras bloquearam o caminho do Alasca para o resto da América, possibilitando que não mais do que alguns poucos pioneiros isolados explorassem as terras mais ao sul. No entanto, por volta de 12000 a.C., o aquecimento global derreteu o gelo e abriu uma passagem mais fácil. Fazendo uso do novo corredor, as pessoas migraram em massa para o sul, espalhando-se por todo o continente. Embora originalmente adaptadas para caçar animais grandes no Ártico, logo se ajustaram a uma incrível variedade de climas e ecossistemas. Os descendentes dos siberianos povoaram as florestas densas do leste dos Estados Unidos, os pântanos do delta do Mississippi, os desertos do México e as florestas escaldantes da América Central. Alguns se instalaram no mundo fluvial da bacia do rio Amazonas, outros criaram raízes nos vales das montanhas andinas ou nos pampas abertos da Argentina. E tudo isso aconteceu em apenas um ou dois milênios! Em 10000 a.C., os humanos já habitavam o ponto mais meridional da América, a ilha da Terra do Fogo, no extremo sul do continente. O ataque-relâmpago dos humanos à América atesta a engenhosidade incomparável e a adaptabilidade insuperável do *Homo sapiens*. Nenhum outro animal migrou tão depressa para uma variedade tão grande de habitats diferentes, usando, em toda parte, praticamente os mesmos genes.[6]

O povoamento da América não ocorreu sem derramamento de sangue. Deixou para trás um longo rastro de vítimas. A fauna americana há 14 mil anos era muito mais rica do que hoje. Quando os primeiros americanos marcharam rumo ao sul, do Alasca para as planícies do Canadá e o oeste dos Estados Unidos, encontraram mamutes e mastodontes, roedores do tamanho de ursos, rebanhos de cavalos e de camelos, leões gigantes e dezenas de espécies grandes que são completamente desconhecidas em nossos dias, entre as quais os temíveis tigres-dentes-de-sabre e as preguiças-gigantes, que chegavam a pesar 8 toneladas e podiam ter até 6 metros de altura. A América do Sul abrigava uma coleção ainda mais exótica de grandes mamíferos, répteis e aves. As Américas eram um grande laboratório de experimentação evolutiva, um lugar em que animais e plantas desconhecidos na África e na Ásia haviam evoluído e prosperado.

Mas não mais. Dois mil anos após a chegada dos sapiens, a maioria dessas espécies singulares havia desaparecido. De acordo com as estimativas atuais, nesse curto intervalo a América do Norte perdeu 34 de seus 47 gêneros de grandes mamíferos. A América do Sul perdeu 50 de 60. Os tigres-dentes-de-sabre, depois de florescer por mais de 30 milhões de anos, desapareceram, tal como as preguiças-gigantes, os leões-americanos, os cavalos e camelos nativos do continente, os roedores gigantes e os mamutes. Milhares de espécies de mamíferos menores, répteis, aves e até mesmo insetos e parasitas também se extinguiram (quando os mamutes morreram, todas as espécies de carrapatos de mamute tiveram o mesmo destino).

Há décadas, paleontólogos e zooarqueólogos – pessoas que procuram e estudam restos de animais – vasculham as planícies e montanhas das Américas em busca de ossos fossilizados de camelos antigos e de fezes petrificadas de preguiças-gigantes. Quando encontram o que procuram, os tesouros são cuidadosamente embalados e enviados para laboratórios, onde cada osso e cada coprólito (o nome técnico para as fezes fossilizadas) é meticulosamente estudado e datado. De tempos em tempos, essas análises produzem os mesmos resultados: os coprólitos mais novos e os ossos de camelo mais recentes datam do mesmo período em que os humanos inundaram a América, isto é, entre aproximadamente 12000 e 9000 a.C. Somente em uma região os cientistas descobriram coprólitos mais novos: em várias ilhas do Caribe, em particular Cuba e Hispaniola, eles encontraram excrementos petrificados de preguiça-gigante datando de cerca de 5000 a.C. Foi exatamente nessa época em que os primeiros humanos conseguiram atravessar o mar do Caribe e povoar as duas grandes ilhas.

Mais uma vez, alguns acadêmicos tentam exonerar o *Homo sapiens* e culpar as mudanças climáticas (para isso é necessário postular que, por alguma razão misteriosa, o clima nas ilhas caribenhas permaneceu inalterado por 7 mil anos, enquanto o resto do hemisfério ocidental se aqueceu). Mas, na América, as fezes fossilizadas não podem ser ignoradas. Somos os culpados. Não há como escapar a essa verdade. Mesmo que mudanças climáticas tenham nos ajudado, a contribuição humana foi decisiva.[7]

A arca de Noé

Se juntarmos as extinções em massa na Austrália e na América e acrescentarmos as extinções em menor escala que aconteceram enquanto o *Homo sapiens* se espalhava pela África e pela Ásia – tais como a extinção de todas as outras espécies humanas – e as que ocorreram quando os antigos caçadores-coletores povoaram ilhas remotas como Cuba, a conclusão inevitável é que a primeira onda de colonização dos sapiens foi um dos maiores e mais rápidos desastres ecológicos a acometer o reino animal. Mais duramente atingidos foram as grandes criaturas peludas. Na época da Revolução Cognitiva, o planeta abrigava cerca de 200 gêneros de grandes mamíferos terrestres pesando mais de 50 quilos. Na época da Revolução Agrícola, restavam apenas cem. O *Homo sapiens* levou à extinção cerca de metade dos grandes animais do planeta muito antes de os humanos inventarem a roda, a escrita ou ferramentas de ferro.

Essa tragédia ecológica foi reencenada em miniatura inúmeras vezes depois da Revolução Agrícola. O registro arqueológico de ilha após ilha conta a mesma história triste. A tragédia começa com uma cena mostrando uma população rica e variada de grandes animais, sem vestígio algum de humanos. Na cena dois, os sapiens aparecem, evidenciados por um osso humano, uma ponta de lança ou, talvez, um pedaço de um utensílio de cerâmica. Logo vem a cena três, em que homens e mulheres ocupam o centro do palco e a maioria dos animais grandes, junto com muitos dos menores, desapareceu.

A grande ilha de Madagascar, a uns 400 quilômetros a leste do continente africano, oferece um exemplo famoso. Ao longo de milhões de anos de isolamento, desenvolveu-se ali uma coleção singular de animais. Entre eles encontravam-se o pássaro-elefante, uma criatura incapaz de voar, com 3 metros de altura e pesando quase meia tonelada – a maior ave do mundo – e os lêmures-gigantes, os maiores primatas do globo. Os pássaros-elefantes e os lêmures-gigantes, junto com a maioria dos outros grandes animais de Madagascar, desapareceram de maneira abrupta há cerca de 1,5 mil anos – precisamente quando os primeiros humanos puseram os pés na ilha.

No oceano Pacífico, a principal onda de extinção começou por volta de 1500 a.C., quando agricultores polinésios se estabeleceram nas ilhas Salomão, Fiji e Nova Caledônia. Eles exterminaram, direta ou indiretamente, centenas de espécies de aves, insetos, caracóis e outros habitantes locais. Dali, a onda de extinção avançou gradativamente para o leste, o sul e o norte, até o coração do oceano Pacífico, eliminando, no caminho, a fauna peculiar de Samoa e Tonga (1200 a.C.); as ilhas Marquesas (1); a ilha de Páscoa, as ilhas Cook e o Havaí (500); e por fim a Nova Zelândia (1200).

Desastres ecológicos similares ocorreram em praticamente cada uma das milhares de ilhas que pontilham o oceano Atlântico, o oceano Índico, o oceano Ártico e o mar Mediterrâneo. Os arqueólogos descobriram, até mesmo nas ilhas menores, indícios da existência de aves, insetos e caracóis que viveram lá por inúmeras gerações e só desapareceram quando os primeiros agricultores humanos chegaram. Apenas algumas poucas ilhas extremamente remotas escaparam do olhar do homem até a idade moderna, e essas ilhas mantiveram sua fauna intacta. As ilhas Galápagos, para dar um exemplo famoso, permaneceram inabitadas por humanos até o século XIX, preservando assim sua coleção única, incluindo suas tartarugas-gigantes, que, como os antigos diprotodontes, não têm medo de humanos.

A Primeira Onda de Extinção, que acompanhou a disseminação dos caçadores-coletores, foi seguida pela Segunda Onda de Extinção, que acompanhou a disseminação dos agricultores e nos dá uma perspectiva importante sobre a Terceira Onda de Extinção, que a atividade industrial está causando hoje. Não acredite nos abraçadores de árvores que afirmam que nossos ancestrais viveram em harmonia com a natureza. Muito antes da Revolução Industrial, o *Homo sapiens* já era o recordista, entre todos os organismos, em levar as espécies de plantas e animais mais importantes à extinção. Temos a honra duvidosa de ser a espécie mais mortífera nos anais da biologia.

Talvez se mais pessoas estivessem cientes da Primeira e da Segunda Onda de Extinção, seriam menos indiferentes à Terceira Onda, da qual fazem parte. Se soubéssemos quantas espécies já erradicamos, poderíamos ser mais motivados a proteger as que ainda sobrevivem. Isso é especialmente relevante para os grandes animais dos oceanos. Ao contrário de seus equivalentes terrestres, os grandes animais marinhos sofreram relativamente pouco com a Revolução Cognitiva e a Revolução Agrícola. Mas hoje muitos deles estão prestes a se extinguirem em consequência da poluição industrial e do uso excessivo dos recursos oceânicos por parte dos humanos. Se as coisas prosseguirem no ritmo atual, é provável que baleias, tubarões, atuns e golfinhos sigam os diprotodontes, as preguiças-gigantes e os mamutes rumo ao desaparecimento. De todas as grandes criaturas do mundo, os únicos sobreviventes da inundação humana serão os próprios humanos e os animais domésticos que servem como escravos nas galés da Arca de Noé.

Parte dois

A Revolução Agrícola

9. Pintura rupestre de um túmulo egípcio, datada de aproximadamente 3,5 mil anos atrás, retratando cenas agrícolas típicas.

5

A maior fraude da história

DURANTE 2,5 MILHÕES DE ANOS, OS HUMANOS SE ALIMENTARAM COLETANDO plantas e caçando animais que viviam e procriavam sem sua intervenção. O *Homo erectus*, o *Homo ergaster* e os neandertais colhiam figos silvestres e caçavam ovelhas selvagens sem decidir onde as figueiras criariam raízes, em que campina um rebanho de ovelhas deveria pastar ou que bode inseminaria que cabra. O *Homo sapiens* se espalhou do leste da África para o Oriente Médio, a Europa e a Ásia e finalmente para a Austrália e a América – mas, a todo lugar que ia, também continuava a viver coletando plantas silvestres e caçando animais selvagens. Por que fazer outra coisa se seu estilo de vida fornece alimento abundante e sustenta um mundo repleto de estruturas sociais, crenças religiosas e dinâmica política?

Tudo isso mudou há cerca de 10 mil anos, quando os sapiens começaram a dedicar quase todo seu tempo e esforço a manipular a vida de algumas espécies de plantas e de animais. Do amanhecer ao entardecer, os humanos espalhavam sementes, aguavam plantas, arrancavam ervas daninhas do solo e conduziam ovelhas a pastos escolhidos. Esse trabalho, pensavam, forneceria mais frutas, grãos e carne. Foi uma revolução na maneira como os humanos viviam – a Revolução Agrícola.

A transição para a agricultura começou por volta de 9500-8500 a.C. no interior montanhoso do sudeste da Turquia, no oeste do Irã e no Levante. Começou devagar em uma área geográfica restrita. Trigo e bodes foram domesticados por volta de 9000 a.C.; ervilhas e lentilhas, em torno de 8000 a.C.; oliveiras, cerca de 5000 a.C.; cavalos, por volta de 4000 a.C.; e videiras, em 3500 a.C. Alguns animais e sementes, como camelos e castanhas-de-caju, foram domesticados ainda mais tarde, mas em 3500 a.C. a principal onda de domesticação havia chegado ao fim. Mesmo hoje, com toda a nossa tecnologia avançada, mais de 90% das calorias que alimentam a humanidade vêm do punhado de plantas que nossos ancestrais domesticaram entre 9500 e 3500 a.C. – trigo, arroz, milho, batata, painço e cevada. Nenhuma planta ou animal importante foi domesticado nos últimos 2 mil anos. Se nossa mente é a dos caçadores-coletores, nossa culinária é a dos antigos agricultores.

Os acadêmicos um dia acreditaram que a agricultura se espalhou de um único ponto de origem no Oriente Médio para os quatro cantos do mundo. Hoje, os estudiosos concordam que a agricultura surgiu em outras partes do mundo não pela ação dos agricultores do Oriente Médio exportando sua revolução, e sim de modo totalmente independente. Povos na América Central domesticaram milho e feijão sem saber nada a respeito do cultivo de trigo e ervilha no Oriente Médio. Os sul-americanos aprenderam a domesticar batata e lhamas sem saber o que estava acontecendo no México nem no Levante. Os primeiros revolucionários da China domesticaram arroz, painço e porcos. Os primeiros agricultores da América do Norte foram os que se cansaram de vasculhar o subsolo à procura de abóboras comestíveis e decidiram cultivar abóbora. Os habitantes da Nova Guiné domesticaram a cana-de-açúcar e a banana, ao passo que os primeiros fazendeiros da África Ocidental produziam painço africano, arroz africano, sorgo e trigo conforme suas necessidades. Desses pontos iniciais, a agricultura se espalhou para o mundo inteiro. No século I da era cristã, a grande maioria dos povos na maior parte do mundo era de agricultores.

Por que irromperam revoluções agrícolas no Oriente Médio, na China e na América Central, mas não na Austrália, no Alasca ou na África do Sul? A razão é simples: a maioria das espécies de plantas e de animais não pode ser domesticada. Os sapiens podiam desenterrar trufas deliciosas e caçar mamutes lanudos, mas domesticar qualquer uma dessas espécies estava fora de questão. Os fungos eram esquivos demais, os animais gigantes eram ferozes demais. Dos milhares de espécies que nossos ancestrais caçaram e coletaram, apenas algumas eram candidatas adequadas para a agricultura e o pastoreio. Essas poucas espécies se situavam em lugares específicos, e esses são os lugares onde as revoluções agrícolas ocorreram.

Acadêmicos um dia declararam que a Revolução Agrícola foi um grande salto para a humanidade. Eles contaram uma história de progresso alimentado pela capacidade intelectual humana. A evolução, pouco

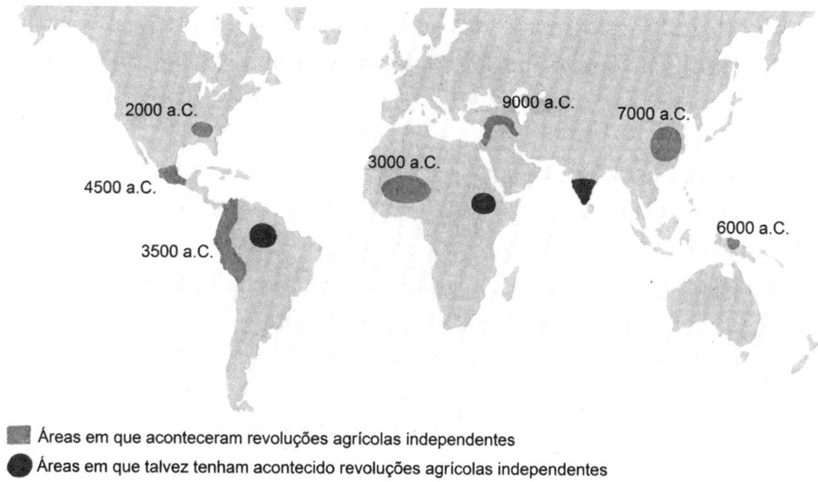

Mapa 2. Locais e datas das revoluções agrícolas. A data é controversa, e o mapa está sendo redesenhado constantemente para incorporar as últimas descobertas arqueológicas.[1]

a pouco, produziu pessoas cada vez mais inteligentes. As pessoas acabaram por se tornar tão inteligentes que foram capazes de decifrar os segredos da natureza, o que lhes permitiu domar ovelhas e cultivar trigo. Assim que isso ocorreu, elas abandonaram alegremente a vida espartana, perigosa e muitas vezes parca dos caçadores-coletores, estabelecendo-se em uma região para aproveitar a vida farta e agradável dos agricultores.

Essa história é uma fantasia. Não há indícios de que as pessoas tenham se tornado mais inteligentes com o tempo. Os caçadores-coletores conheciam os segredos da natureza muito antes da Revolução Agrícola, já que sua sobrevivência dependia de um conhecimento íntimo dos animais que eles caçavam e das plantas que coletavam. Em vez de prenunciar uma nova era de vida tranquila, a Revolução Agrícola proporcionou aos agricultores uma vida em geral mais difícil e menos gratificante que a dos caçadores-coletores. Estes passavam o tempo com atividades mais variadas e estimulantes e estavam menos expostos à ameaça de fome e doença. A Revolução Agrícola certamente aumentou o total de alimentos à disposição da humanidade, mas os alimentos extras não se traduziram em uma dieta melhor ou em mais lazer. Em vez disso, se traduziram em explosões populacionais e elites favorecidas. Em média, um agricultor trabalhava mais que um caçador-coletor e obtinha em troca uma dieta pior. A Revolução Agrícola foi a maior fraude da história.[2]

Quem foi responsável? Nem reis, nem padres, nem mercadores. Os culpados foram um punhado de espécies vegetais, entre as quais o trigo, o arroz e a batata. As plantas domesticaram o *Homo sapiens*, e não o contrário.

Pense por um instante na Revolução Agrícola do ponto de vista do trigo. Há dez mil anos, o trigo era apenas uma gramínea silvestre, uma de muitas, confinada a uma pequena região do Oriente Médio. De repente, em apenas alguns milênios, estava crescendo no mundo inteiro. De acordo com os critérios evolutivos elementares de sobrevivência e reprodução, o trigo se tornou uma das plantas mais prósperas na história do planeta. Em áreas como as Grandes Planícies da América do Norte, onde há 10 mil anos não crescia um único pé de trigo, hoje podemos caminhar por centenas e centenas de quilômetros sem encontrar nenhuma outra planta. No mundo inteiro, o trigo cobre cerca de 2,25 milhões de quilômetros quadrados da superfície do globo, quase dez vezes o tamanho da Grã-Bretanha. Como essas gramíneas passaram de insignificantes a onipresentes?

O trigo fez isso manipulando o *Homo sapiens* a seu bel-prazer. Esse primata vivia uma vida confortável como caçador-coletor até por volta de 10 mil anos atrás, quando começou a dedicar cada vez mais esforços ao cultivo do trigo. Em poucos milênios, os humanos em muitas partes do mundo estavam fazendo não muito mais do que cuidar de plantas de trigo do amanhecer ao entardecer.

Não foi fácil. O trigo demandou muito deles. O trigo não gostava de rochas nem pedregulhos, e por isso os sapiens deram duro para limpar os campos. O trigo não gostava de dividir espaço, água e nutrientes com outras plantas, e assim homens e mulheres trabalharam longas jornadas sob o sol abrasador eliminando ervas daninhas. O trigo ficava doente, e por isso os sapiens tinham de ficar de olho em vermes e pragas. O trigo era atacado por coelhos e nuvens de gafanhotos, então os agricultores construíram cercas e passaram a vigiar os campos. O trigo tinha sede, então os humanos cavaram canais de irrigação ou passaram a carregar baldes pesados de poços para regá-lo. Os sapiens até mesmo passaram a coletar fezes de animais para nutrir o solo em que ele crescia.

O corpo do *Homo sapiens* não havia evoluído para tais tarefas. Estava adaptado para subir em macieiras e correr atrás de gazelas, não para remover rochas e carregar baldes de água. A coluna, os joelhos, o pescoço e os arcos plantares dos humanos pagaram o preço. Estudos de esqueletos antigos indicam que a transição para a agricultura causou uma série de males, como deslocamento de disco, artrite e hérnia. Além disso, as novas tarefas agrícolas demandavam tanto tempo que as pessoas eram forçadas a se instalar permanentemente ao lado de seus campos de trigo. Isso mudou por completo seu estilo de vida. Nós não domesticamos o trigo; o trigo nos domesticou. A palavra "domesticar" vem do latim *domus*, que significa "casa". Quem é que estava vivendo em uma casa? Não o trigo. Os sapiens.

Como o trigo convenceu o *Homo sapiens* a trocar uma vida boa por uma existência mais miserável? O que ofereceu em troca? Não ofereceu uma dieta melhor. Lembre-se, os humanos são primatas onívoros, que prosperam com uma grande variedade de alimentos. Antes da Revolução Agrícola, os grãos compunham apenas uma pequena parte da dieta humana. Uma dieta baseada em cereais é pobre em vitaminas e sais minerais, difícil de digerir e péssima para os dentes e as gengivas.

O trigo não deu às pessoas segurança econômica. A vida de um camponês é menos segura que a de um caçador-coletor. Os caçadores-coletores contavam com dezenas de espécies para sobreviver e, portanto, conseguiam resistir a anos difíceis mesmo quando não tinham estoques de alimentos em conserva. Se uma espécie se tornava menos disponível, eles podiam caçar e coletar mais de outra espécie. As sociedades agrícolas, até bem recentemente, dependiam de uma pequena variedade de plantas domesticadas para a maior parte das calorias que ingeriam. Em muitas regiões, elas dependiam de um único alimento, como trigo, batata ou arroz. Se não chovia, ou se as plantações eram atacadas por uma nuvem de gafanhotos ou infectadas por um fungo, os camponeses morriam aos milhares e aos milhões.

O trigo tampouco podia oferecer segurança contra a violência humana. Os primeiros agricultores eram pelo menos tão violentos quanto seus ancestrais caçadores-coletores, se não mais. Os agricultores tinham mais posses e necessitavam de terra para plantar. A perda de pasto para vizinhos inimigos podia significar a diferença entre a subsistência e a fome, e por isso havia muito menos possibilidade de acordos. Quando um bando de caçadores-coletores era ameaçado por um rival mais forte, geralmente podia ir embora. Era difícil e perigoso, mas viável. Quando um inimigo forte ameaçava um vilarejo agrícola, recuar significava abrir mão de campos, casas e celeiros. Em muitos casos, isso condenou os refugiados à fome. Os agricultores, portanto, tendiam a ficar e lutar até o fim.

Muitos estudos antropológicos e arqueológicos indicam que em sociedades agrícolas simples, sem estruturas políticas além da aldeia e da tribo, a violência humana era responsável por cerca de 15% das mortes, incluindo 25% das mortes masculinas. Na Nova Guiné de hoje, a violência responde por 30% das mortes masculinas em uma sociedade tribal agrícola, os danis, e 35% em outra, os engas. No Equador, possivelmente 50% dos waoranis adultos encontram uma morte violenta nas mãos de outro humano![3] Com o tempo, a violência humana foi controlada por meio do desenvolvimento de estruturas sociais maiores – cidades, reinos e estados. Mas levou milhares de anos para que se construíssem tais estruturas políticas grandes e eficazes.

A vida em comunidade certamente trouxe alguns benefícios imediatos aos primeiros fazendeiros, tal como uma melhor proteção contra animais ferozes, chuva e frio. Porém, para o indivíduo médio, as desvantagens provavelmente eram mais significativas que as vantagens. É difícil as pessoas nas sociedades prósperas de hoje compreendê-lo. Como temos abundância e segurança, e como nossa abundância e segurança foram construídas sobre as bases assentadas pela Revolução Agrícola, presumimos que a Revolução Agrícola foi uma melhoria incrível. Mas é errado julgar milhares de anos de história da perspectiva de hoje. Um ponto de vista muito mais representativo é o da garotinha de três anos de idade morrendo de desnutrição na China do século I porque a lavoura de seu pai não vingou. Ela diria "estou morrendo de desnutrição, mas em 2 mil anos as pessoas terão comida em abundância e viverão em casas grandes com ar-condicionado, então meu sofrimento é um sacrifício válido"?

Então, o que o trigo ofereceu aos agricultores, incluindo essa garotinha chinesa subnutrida? Não ofereceu nada para as pessoas enquanto indivíduos, mas concedeu algo ao *Homo sapiens* enquanto espécie. O cultivo de trigo proporcionou muito mais alimento por unidade de território e, com isso, permitiu que o *Homo sapiens* se multiplicasse exponencialmente. Por volta de 13000 a.C., quando as pessoas se alimentavam coletando plantas silvestres e caçando animais selvagens, a área em torno do oásis de Jericó, na Palestina, podia sustentar no máximo um bando nômade de cerca de cem indivíduos relativamente saudáveis e bem nutridos. Por volta de 8500 a.C., quando as plantas silvestres deram lugar aos campos de trigo, o oásis sustentava uma aldeia grande mas abarrotada de mil pessoas que padeciam muito mais de doenças e má nutrição.

A moeda da evolução não é fome nem dor, e sim cópias de hélices de DNA. Assim como o sucesso econômico de uma empresa é medido apenas pelo número de dólares em sua conta bancária, não pela felicidade de seus empregados, o sucesso evolutivo de uma espécie é medido pelo número de cópias de seu DNA. Se não restam mais cópias de DNA, a espécie está extinta, assim como a empresa sem dinheiro está falida. Se uma espécie ostenta muitas cópias de DNA, é um sucesso, e a espécie prospera. Em tal perspectiva, mil cópias é sempre melhor do que cem cópias. Essa é a essência da Revolução Agrícola: a capacidade de manter mais pessoas vivas em condições piores.

Mas por que os indivíduos deveriam se importar com esse cálculo evolutivo? Por que uma pessoa em sã consciência reduziria seu padrão de vida só para multiplicar o número de cópias do genoma do *Homo sapiens*? Ninguém concordou com isso: a Revolução Agrícola foi uma armadilha.

A armadilha do luxo

A ascensão da agricultura ocorreu de maneira muito gradativa ao longo de séculos e milênios. Um bando de *Homo sapiens* coletando cogumelos e nozes e caçando cervos e coelhos não se instalou de súbito em um assentamento permanente, arando campos, colhendo trigo e carregando água do rio. A mudança aconteceu em etapas, cada uma das quais envolvendo apenas uma pequena alteração na vida cotidiana.

O *Homo sapiens* chegou ao Oriente Médio há cerca de 70 mil anos. Durante os 50 mil anos seguintes, nossos ancestrais prosperaram na região sem se dedicar à agricultura. Os recursos naturais eram suficientes para sustentar sua população humana. Em períodos de fartura, as pessoas tinham mais filhos e, em períodos de escassez, um pouco menos. Os humanos, como muitos mamíferos, têm mecanismos genéticos e hormonais que ajudam a controlar a procriação. Em épocas boas, as fêmeas chegam à puberdade mais cedo, e suas chances de engravidar são um pouco maiores. Em épocas ruins, a puberdade é tardia e a fertilidade diminui.

A esses controles populacionais naturais somavam-se mecanismos culturais. Bebês e crianças pequenas, que se locomovem devagar e demandam muita atenção, eram um fardo para caçadores-coletores nômades. As pessoas tentavam ter filhos a cada três ou quatro anos. As mulheres faziam isso amamentando seus filhos o dia todo e por mais anos (a amamentação constante diminui significativamente as chances de engravidar). Outros métodos incluíam abstinência sexual total ou parcial (apoiada, talvez, por tabus culturais), abortos e, ocasionalmente, infanticídio.[4]

Durante esses longos milênios, as pessoas comiam grãos de trigo de vez em quando, mas estes eram parte secundária de sua dieta. Há cerca de 18 mil anos, a última era glacial deu lugar a um período de aquecimento global. Com o aumento das temperaturas, aumentaram também as chuvas. O novo clima era ideal para o trigo e outros cereais do Oriente Médio, que se multiplicaram e se espalharam. As pessoas começaram a comer mais trigo e, sem querer, favoreceram seu crescimento e difusão. Como era impossível comer grãos silvestres sem antes escolhê-los, moê-los e cozinhá-los, as pessoas que coletavam esses grãos os carregavam a seus acampamentos temporários para processá-los. Os grãos de trigo são pequenos e numerosos, e alguns deles inevitavelmente caíam a caminho do acampamento e se perdiam. Com o tempo, cada vez mais trigo cresceu perto dos acampamentos e dos caminhos preferidos pelos humanos.

Ao promover queimadas em florestas e matagais, os humanos também ajudavam o trigo. O fogo limpava árvores e arbustos, permitindo que o trigo e outras gramíneas monopolizassem a luz do sol, a água e os nutrientes. Onde o trigo se tornava particularmente abundante, e a carne de caça e outras fontes de alimento também eram abundantes, os bandos humanos puderam, pouco a pouco, abandonar seu estilo de vida nômade e se assentar em acampamentos onde se estabeleciam por uma estação inteira, ou mesmo em caráter permanente.

No começo, talvez eles acampassem por quatro semanas durante a colheita. Na geração seguinte, com a multiplicação e o alastramento do trigo, o acampamento da colheita talvez durasse cinco semanas, depois seis, até que se tornou um assentamento permanente. Evidências de tais acampamentos foram encontradas em todo o Oriente Médio, sobretudo no Levante, onde a cultura natufiana floresceu de 12500 a.C. a 9500 a.C. Os natufianos eram caçadores-coletores que subsistiam à base de dezenas de espécies silvestres, mas viviam em assentamentos permanentes e dedicavam grande parte de seu tempo à coleta intensiva e ao processamento de cereais silvestres. Eles construíam casas e celeiros de pedra e armazenavam grãos para épocas de necessidade. Inventaram novas ferramentas, como foices de pedra para colher trigo silvestre e pilões de pedra para moê-lo.

No período que se seguiu a 9500 a.C., os descendentes dos natufianos continuaram a coletar e processar cereais, mas também começaram a cultivá-los de formas cada vez mais elaboradas. Ao coletar grãos silvestres, eles tomavam o cuidado de reservar parte da colheita para semear os campos na estação seguinte. Descobriram que poderiam obter resultados muito melhores semeando os grãos em camadas mais profundas do solo do que espalhando-os de maneira aleatória pela superfície. Então, começaram a capinar e arar. Aos poucos, também começaram a arrancar as ervas daninhas dos campos para protegê-los contra parasitas e a regá-los e fertilizá-los. À medida que dedicavam mais esforços ao cultivo de cereais, havia menos tempo para coletar e caçar espécies silvestres. Os caçadores-coletores se tornaram agricultores.

Não houve uma única etapa separando as mulheres que coletavam trigo silvestre das que cultivavam trigo domesticado, por isso, é difícil dizer exatamente quando aconteceu a transição decisiva para a agricultura. Mas, em 8500 a.C., o Oriente Médio estava repleto de assentamentos permanentes como Jericó, cujos habitantes passavam a maior parte do tempo cultivando algumas poucas espécies domesticadas.

Com a mudança para assentamentos permanentes e o aumento na oferta de alimentos, a população começou a crescer. Ao abandonar o estilo de vida nômade, as mulheres puderam ter um filho por ano. Os bebês eram desmamados em uma idade mais precoce – podiam ser alimentados com mingaus e papinhas. As mãos extras eram extremamente necessárias nos campos. Mas as bocas extras logo acabaram com o excedente de alimento, e ainda mais campos precisaram ser cultivados. Quando as pessoas começaram a viver em assentamentos infestados de doenças, à medida que as crianças passaram a se alimentar mais de cereais e menos do leite materno e cada uma teve de dividir seu mingau com mais e mais irmãos, a mortalidade infantil disparou. Na maioria das sociedades agrícolas, pelo menos uma em cada três crianças morria antes de chegar aos 20 anos.[5] Mas o aumento no número de nascimentos ainda superava o aumento no número de mortes; os humanos continuavam tendo mais e mais filhos.

Com o tempo, a "barganha do trigo" se tornou cada vez mais onerosa. As crianças morriam aos montes, e os adultos comiam pão com o suor da fronte. Em média, um indivíduo na Jericó de 8500 a.C. tinha uma vida mais difícil do que um indivíduo na Jericó de 9500 a.C. ou de 13000 a.C. Mas ninguém percebeu o que estava acontecendo. Cada geração continuou a viver como a geração anterior, realizando apenas pequenas melhorias aqui e ali no modo como as coisas eram feitas. Paradoxalmente, uma série de "melhorias", cada uma das quais concebida para tornar a vida mais fácil, sobrecarregaram ainda mais esses agricultores.

Por que as pessoas cometeram um erro de cálculo tão fatídico? Pela mesma razão pela qual as pessoas cometeram erros de cálculo ao longo de toda a história. As pessoas foram incapazes de compreender todas as consequências de suas decisões. Sempre que decidiam fazer um pouco de trabalho extra – por exemplo, capinar os campos em vez de espalhar sementes na superfície –, pensavam: "Sim, vamos precisar trabalhar mais. Mas a colheita será tão abundante! Não precisaremos mais nos preocupar com anos magros. Nossos filhos jamais dormirão com fome". Fazia sentido. Se trabalhassem mais, teriam uma vida melhor. Esse era o plano.

A primeira parte do plano correu bem. As pessoas de fato trabalharam mais. Mas não previram que o número de crianças aumentaria, o que significava que o trigo extra teria de ser partilhado entre mais filhos. Os primeiros agricultores também não perceberam que alimentar crianças com mais mingau e menos leite materno debilitaria seu sistema imunológico e que os assentamentos permanentes seriam incubadoras para doenças infecciosas. Eles não previram que, ao se tornar mais dependentes de uma única fonte de alimento, estavam, na verdade, expondo-se ainda mais às desolações da seca. Os agricultores também não previram que, em anos bons, seus celeiros abarrotados atrairiam ladrões e inimigos, o que os levaria a construir muros e a ficar de guarda.

Então por que os humanos não abandonaram a agricultura quando o plano saiu pela culatra? Em parte, porque demorou gerações até que pequenas mudanças se acumulassem e transformassem a sociedade, e, a essa altura, ninguém se lembrava de que algum dia vivera de modo diferente. E, em parte, porque o crescimento populacional não deixou outra alternativa aos humanos. Se a adoção do arado aumentou a população de um vilarejo de 100 para 110, que dez pessoas teriam se voluntariado para passar fome enquanto as demais poderiam voltar aos bons velhos tempos? Não havia volta. A armadilha fora acionada.

A busca de uma vida mais fácil resultou em muitas dificuldades, e não pela última vez. Acontece conosco hoje. Quantos jovens universitários recém-formados aceitam empregos exigentes em empresas importantes, prometendo que darão duro para ganhar dinheiro que lhes permitirá se aposentarem e irem atrás de seus verdadeiros interesses quando chegarem aos 35? Mas, quando chegam a essa idade, eles têm grandes hipotecas para quitar, filhos para educar, casas em zonas residenciais que necessitam pelo menos de dois carros por família e uma sensação de que a vida não vale a pena sem um bom vinho e férias caras no exterior. O que se espera que façam, voltem a arrancar raízes? Não, eles redobram seus esforços e continuam se escravizando.

Uma das poucas leis férreas da história é que os luxos tendem a se tornar necessidades e a gerar novas obrigações. Uma vez que as pessoas se acostumam a um certo luxo, elas o dão como garantido. Passam a contar com ele. Acabam por chegar a um ponto em que não podem viver sem. Tomemos outro exemplo familiar de nosso tempo. Nas últimas décadas, inventamos inúmeros instrumentos que supostamente economizam tempo e tornam a vida mais fácil – lavadoras de roupa e de louça, aspiradores de pó, telefones, aparelhos celulares, computadores, e-mail. Antes, dava muito trabalho escrever uma carta, endereçar e selar um envelope e levá-lo até o correio. Levava-se dias ou semanas, talvez até meses, para obter uma resposta. Hoje em dia eu posso escrever um e-mail às pressas, enviá-lo para o outro lado do mundo e (se meu destinatário estiver on-line) receber uma resposta um minuto depois. Economizei todo aquele trabalho e tempo, mas tenho uma vida mais tranquila?

Infelizmente, não. Antes, as pessoas só escreviam cartas quando tinham algo importante para relatar. Em vez de escrever a primeira coisa que lhes vinha à cabeça, consideravam cuidadosamente o que queriam dizer e como expressá-lo. Esperavam receber uma resposta igualmente atenciosa. A maioria das pessoas escrevia e recebia não mais de um punhado de cartas por mês e raramente se sentia compelida a responder de imediato. Hoje recebo dezenas de e-mails todos os dias, todos de pessoas que esperam uma resposta imediata. Pensamos que estávamos economizando tempo; em vez disso, colocamos a roda da vida para girar a dez vezes sua velocidade anterior e tornamos nossos dias mais ansiosos e agitados.

Aqui e ali, um luddista, avesso aos avanços tecnológicos, se recusa a abrir uma conta de e-mail, assim como há milhares de anos, alguns bandos de humanos se recusaram a adotar a agricultura e assim escaparam da armadilha do luxo. Mas a Revolução Agrícola não precisava da adesão de todo e qualquer bando em determinada região. Quando um bando se instalava e começava a cultivar a terra, fosse no Oriente Médio ou na América Central, já não se podia resistir à agricultura. Como esta criava as condições para um rápido crescimento demográfico, os agricultores quase sempre superavam os caçadores-coletores por estarem em maior número. Os caçadores-coletores podiam ir embora, abandonando seus terrenos de caça para os campos e pastos, ou pegar o arado eles mesmos. De um jeito ou de outro, o estilo de vida antigo estava condenado.

A história da armadilha do luxo traz uma lição importante. A busca da humanidade por uma vida mais fácil desencadeou forças imensas de mudança que transformaram o mundo de uma maneira que ninguém havia imaginado ou desejado. Ninguém planejou a Revolução Agrícola ou quis que os humanos dependessem do cultivo de cereais. Uma série de decisões triviais que quase sempre tinha por objetivo alimentar algumas bocas e obter um pouco de segurança teve o efeito cumulativo de forçar os antigos caçadores-coletores a passarem seus dias carregando baldes de água sob um sol abrasador.

Intervenção divina

O cenário acima descrito explica a Revolução Agrícola como um erro de cálculo. É muito plausível. A história é repleta de erros de cálculo muito mais grosseiros. Mas há outra possibilidade. E se não foi a busca por uma vida mais fácil o que provocou a transformação? E se os sapiens tinham outras aspirações e estavam conscientemente dispostos a tornar sua vida mais difícil a fim de alcançá-las?

Os cientistas normalmente procuram atribuir os desdobramentos históricos a fatores econômicos e demográficos objetivos. Isso casa melhor com seus métodos matemáticos e racionais. No caso da história moderna, os acadêmicos não podem evitar levar em consideração fatores não materiais, como ideologia e cultura. As evidências escritas os obrigam a isso. Temos documentos, cartas e memórias suficientes para provar que a Segunda Guerra Mundial não foi causada por escassez de alimentos ou pressões demográficas. Mas não temos documentos da cultura natufiana e, sendo assim, ao lidar com períodos antigos a escola materialista reina absoluta. É difícil provar que os povos pré-letrados fossem motivados por fé, e não por necessidade econômica.

Mas, em alguns casos raros, temos a sorte de encontrar pistas reveladoras. Em 1995, os arqueólogos começaram a escavar um sítio no sudeste da Turquia chamado Göbekli Tepe. No estrato mais antigo, eles não descobriram nenhum indício de assentamento, casas ou atividades cotidianas. No entanto, encontraram estruturas monumentais sustentadas por pilares e decoradas com gravuras espetaculares. Cada pilar de pedra pesava até 7 toneladas e chegava a 5 metros de altura. Em uma pedreira nas proximidades, encontraram um pilar semiesculpido pesando

10. Esquerda: as ruínas de uma estrutura monumental de Göbekli Tepe. Direita: um dos pilares de pedra decorados (com cerca de 5 metros de altura).

50 toneladas. Ao todo, descobriram mais de dez estruturas monumentais, a maior delas com quase 30 metros de largura.

Os arqueólogos estão familiarizados com estruturas monumentais desse tipo encontradas em sítios em todo o mundo – o exemplo mais conhecido é Stonehenge, na Inglaterra. Mas, ao estudarem Göbekli Tepe, descobriram um fato incrível. Stonehenge data de 2500 a.C. e foi construída por uma sociedade agrícola desenvolvida. As estruturas em Göbekli Tepe datam de cerca de 9500 a.C., e todas as evidências disponíveis indicam que foram construídas por caçadores-coletores! No início, a comunidade arqueológica considerou difícil acreditar nessas descobertas, mas uma análise após outra confirmou a data precoce das estruturas e a sociedade pré-agrícola daqueles que as construíram. As habilidades dos antigos caçadores-coletores, e a complexidade de suas culturas, parecem ser muito mais impressionantes do que suspeitávamos.

Por que uma sociedade de caçadores-coletores construiria tais estruturas? Elas não tinham nenhuma finalidade utilitária evidente. Não eram abatedouros de mamutes nem lugares para se abrigar da chuva ou se esconder de leões. Isso nos deixa com a teoria de que foram construídas para algum propósito cultural misterioso que os cientistas têm dificuldade de decifrar. Qualquer que tenha sido esse propósito, os caçadores-coletores consideravam que valia todo o esforço e tempo dedicados. A única maneira de construir Göbekli Tepe era que milhares de caçadores-coletores pertencentes a diferentes tribos e bandos cooperassem por um longo período. Apenas um sistema ideológico ou religioso sofisticado poderia sustentar tais esforços.

Göbekli Tepe guardava mais um segredo sensacional. Por muitos anos, os geneticistas vinham buscando as origens do trigo domesticado. As descobertas recentes indicam que pelo menos uma variante domesticada – o trigo einkorn – se originou nas colinas de Karaca Dag, a cerca de 30 quilômetros de Göbekli Tepe.[6]

Isso dificilmente é uma coincidência. É provável que o centro cultural de Göbekli Tepe esteja, de alguma forma, conectado à domesticação inicial do trigo pela humanidade e da humanidade pelo trigo. Para alimentar as pessoas que construíram e usaram as estruturas monumentais, eram necessárias quantidades particularmente grandes de alimento. Pode ser que os caçadores-coletores tenham passado da coleta de trigo silvestre para o cultivo intensivo de trigo não para aumentar a oferta normal de alimento, mas para sustentar a construção e a manutenção de um templo. No cenário convencional, primeiro os pioneiros fundavam um vilarejo e, quando este prosperava, construíam um templo no meio. Mas Göbekli Tepe indica que o templo pode ter sido construído primeiro e que mais tarde um vilarejo cresceu à sua volta.

Vítimas da revolução

A barganha faustiana entre humanos e grãos não foi o único pacto feito por nossa espécie. Descobriu-se outro pacto com relação ao destino de animais como ovelhas, cabras, porcos e galinhas. Os bandos nômades que caçavam ovelhas selvagens pouco a pouco alteraram a composição dos rebanhos capturados. Esse processo provavelmente teve início com a caça seletiva. Os humanos aprenderam que era vantajoso para eles caçar apenas carneiros adultos e ovelhas velhas ou doentes. Eles poupavam as fêmeas férteis e os cordeiros jovens para proteger a vitalidade do rebanho a longo prazo. O segundo passo talvez tenha sido defender ativamente o rebanho de predadores, afastando leões, lobos e bandos humanos rivais. Depois, o bando talvez tenha encurralado o rebanho em um desfiladeiro para controlá-lo e defendê-lo melhor. As pessoas começaram a fazer uma seleção mais cuidadosa das ovelhas para adaptá-las às necessidades humanas. Os carneiros mais agressivos, aqueles que mostravam mais resistência ao controle humano, eram abatidos primeiro, como também as fêmeas mais curiosas e mais magras. (Os pastores não gostam de ovelhas cuja curiosidade as leva para longe do rebanho.) A cada geração, as ovelhas se tornaram mais gordas, mais submissas e menos curiosas. *Voilà*! Mary tinha um carneirinho e a todo lugar que ela ia, ele ia também.

Outra possibilidade é que os caçadores capturassem e "adotassem" um cordeiro, engordando-o durante os meses de fartura e abatendo-o em época de escassez. Em algum momento, eles começaram a manter um número maior de tais cordeiros. Alguns deles chegavam à puberdade e começavam a procriar. Os mais agressivos e rebeldes eram abatidos primeiro. Os mais submissos e atraentes tinham a chance de viver mais tempo e procriar. O resultado foi um rebanho de ovelhas domesticadas e submissas.

Tais animais domesticados – ovelhas, galinhas, jumentos e outros – forneciam comida (carne, leite, ovos), matérias-primas (pele, lã) e força muscular. O transporte, o arado, a moenda e outras tarefas, até então realizados por força humana, foram progressivamente executados por animais. Na maioria das sociedades agrícolas, as pessoas priorizavam o cultivo de espécies vegetais; criar animais era uma atividade secundária. Mas um novo tipo de sociedade também apareceu em alguns lugares, tendo por base primordialmente a exploração de animais: tribos de pastores.

À medida que os humanos se espalharam pelo mundo, os animais domesticados também o fizeram. Há dezenas de milhares de anos, não mais de alguns milhões de ovelhas, vacas, cabras, javalis e galinhas viviam em nichos seletos na África e na Ásia. Hoje o mundo tem cerca de um bilhão de ovelhas, um bilhão de porcos, mais de um bilhão de cabeças de gado e mais de 25 bilhões de galinhas. E eles estão pelo mundo todo. As galinhas domesticadas são as aves mais disseminadas até hoje. Depois do *Homo sapiens*, o gado, o porco e a ovelha são, nessa ordem, os grandes mamíferos mais difundidos no mundo. De uma perspectiva estritamente evolutiva, que mede o sucesso de uma espécie pelo número de cópias de DNA, a Revolução Agrícola foi uma grande vantagem para galinhas, vacas, porcos e ovelhas.

Infelizmente, a perspectiva evolutiva é um parâmetro de sucesso relativo. Julga tudo segundo os critérios de sobrevivência e reprodução, sem considerar o sofrimento e a felicidade individuais. As galinhas e as vacas domesticadas podem ser uma história de sucesso evolutivo, mas também estão entre as criaturas mais miseráveis que já existiram. A domesticação de animais se baseou em uma série de práticas brutais que só se tornaram cada vez mais cruéis com o passar dos séculos.

A expectativa de vida natural de galinhas selvagens é de 7 a 12 anos, e de bovinos é de 20 a 25 anos. Na natureza, a maioria das galinhas e das vacas morria muito antes disso, mas ainda tinha uma boa chance de viver por um número respeitável de anos. Já a grande maioria das galinhas e vacas domesticadas é abatida com algumas semanas ou no máximo alguns meses de vida, porque essa sempre foi a idade ideal para abatê-las de uma perspectiva econômica. (Por que continuar alimentando um galo por três anos se ele já chegou a seu peso máximo depois de três meses?)

Galinhas chocadeiras, vacas leiteiras e animais de carga às vezes têm a chance de viver por muitos anos. Mas o preço é a sujeição a um estilo de vida completamente alheio a suas necessidades e desejos. É razoável supor, por exemplo, que os bois preferem passar seus dias vagando por pradarias abertas na companhia de outros bois e vacas do que puxando carroças e arados sob o jugo de um primata com chicote.

A fim de transformar bois, cavalos, jumentos e camelos em animais de carga obedientes, seus instintos naturais e laços sociais tiveram de ser destruídos, sua agressão e sexualidade, contidas e sua liberdade de movimento, restringida. Os criadores desenvolveram técnicas como trancar animais em jaulas e currais, contê-los com rédeas e arreios, treiná-los com chicotes e aguilhadas e mutilá-los. O processo de domesticar quase sempre envolve a castração dos machos. Isso restringe sua agressividade e permite que os humanos controlem seletivamente a procriação do rebanho.

11. Pintura de um túmulo egípcio, por volta de 1200 a.C.: um par de bois arando um campo. Na natureza, o gado perambulava livremente em bandos com uma estrutura social complexa. Os bois castrados e domesticados desperdiçavam a vida sob chicotadas e num curral apertado, trabalhando sozinhos ou em pares de uma maneira que não satisfazia suas necessidades físicas, emocionais ou sociais. Quando um boi já não era capaz de puxar o arado, era abatido. (Observe a postura arqueada do agricultor egípcio que, como o boi, passava a vida realizando trabalho duro e opressivo para seu corpo, sua mente e suas relações sociais.)

Em muitas sociedades da Nova Guiné, a riqueza de uma pessoa é tradicionalmente determinada pelo número de porcos que ela possui. Para garantir que os porcos não fujam, os criadores no norte da Nova Guiné cortam um pedaço do focinho do animal. Isso causa dor intensa sempre que o porco tenta cheirar. Como os porcos não conseguem encontrar comida ou mesmo se orientar no espaço sem cheirar, essa mutilação os torna completamente dependentes de seus proprietários humanos. Em outra região da Nova Guiné, é costume arrancar os olhos dos porcos, para que eles não possam nem mesmo ver para onde estão indo.[7]

A indústria de laticínios tem suas próprias maneiras de forçar os animais a fazerem sua vontade. Vacas, cabras e ovelhas produzem leite só depois de parir bezerros, cabritos e cordeiros e apenas enquanto seus filhotes mamam. Para ter uma oferta contínua de leite animal, um fazendeiro precisa ter bezerros, cabritos ou cordeiros para amamentar, mas deve impedi-los de monopolizar o leite. Um método comum ao longo da história foi simplesmente abater os filhotes logo após o nascimento, extrair todo o leite da mãe e então fazer que ela fique prenha novamente. Essa é, ainda hoje, uma técnica muito usual. Em várias fazendas de laticínios modernas, uma vaca leiteira vive cerca de cinco anos antes de ser abatida. Durante esses cinco anos, ela está prenha constantemente e é fertilizada entre 60 e 120 dias depois de parir, a fim de preservar a máxima produção de leite. Seus bezerros são separados dela logo após o nascimento. As fêmeas são criadas para se tornar a próxima geração de vacas leiteiras, ao passo que os machos são entregues aos cuidados da indústria da carne.[8]

Outro método é manter os bezerros e os cabritos perto da mãe, mas evitar, por meio de vários estratagemas, que eles suguem muito leite. A maneira mais simples de fazer isso é permitir que o filhote comece a mamar, mas afastá-lo assim que o leite começa a fluir. Esse método geralmente encontra resistência do filhote e da mãe. Algumas tribos de pastores costumavam matar o filhote, comer sua carne e empalhá-lo. O filhote empalhado era então presenteado à mãe para que sua presença encorajasse a produção de leite. A tribo dos núeres, no Sudão, chegava ao ponto de espalhar urina da mãe nos animais empalhados, para que tivessem um odor vivo e familiar. Outra técnica dos núeres era atar uma coroa de espinhos ao redor da boca do bezerro, para que ele furasse a mãe e fizesse com que ela resistisse à amamentação.[9] Os tuaregues, povo criador de camelos no deserto do Saara, costumavam perfurar ou cortar partes do focinho e do lábio superior de filhotes de camelo para tornar a alimentação dolorosa, evitando, assim, que consumissem muito leite.[10]

Nem todas as sociedades agrícolas foram tão cruéis com seus animais. A vida de alguns animais domesticados podia ser muito boa. Ovelhas criadas para lã, cachorros e gatos de estimação, cavalos de guerra e cavalos de corrida muitas vezes desfrutavam de condições confortáveis. O imperador romano Calígula supostamente planejou nomear seu cavalo favorito, Incitatus, ao posto de cônsul. Pastores e agricultores ao longo da história mostraram afeição por seus animais e cuidaram muito bem deles, assim como muitos senhores sentiram afeição e preocupação por seus escravos. Não foi nenhum acaso reis e profetas se apresentarem como pastores e compararem o modo como eles e seus deuses cuidavam de seu povo com o cuidado de um pastor com seu rebanho.

Mas do ponto de vista do rebanho, e não do pastor, é difícil evitar a impressão de que para a grande maioria dos animais domesticados a Revolução Agrícola foi uma catástrofe terrível. Seu "sucesso" evolutivo não significa nada. Um raro rinoceronte selvagem à beira da extinção provavelmente é mais feliz do que um boi que passa sua breve vida dentro de uma jaula minúscula, alimentado para produzir carnes suculentas. O rinoceronte não é menos contente por estar os últimos de sua espécie. O sucesso numérico da espécie bovina é pouco consolo para o sofrimento que o indivíduo padece.

Essa discrepância entre sucesso evolutivo e sofrimento individual é, talvez, a lição mais importante que podemos tirar da Revolução Agrícola. Quando estudamos a história de plantas como trigo e milho, talvez a perspectiva puramente evolutiva faça sentido. Mas no caso de animais como bois, ovelhas e sapiens, cada um com um mundo complexo de sensações e emoções, temos de considerar em que medida o sucesso evolutivo se traduz em experiência individual. Nos capítulos seguintes, veremos mais uma vez como um aumento drástico no poder coletivo e o visível sucesso de nossa espécie andaram de mãos dadas com muito sofrimento individual.

12. Um bezerro em uma fazenda industrial. Imediatamente após o nascimento, o bezerro é separado da mãe e trancado em uma jaula minúscula, não muito maior do que seu próprio corpo. Lá, o bezerro passa o resto da vida – em média, cerca de quatro meses. Nunca sai da jaula, nem pode brincar com outros bezerros ou mesmo caminhar, de modo que seus músculos não se desenvolvem. Músculos fracos significam uma carne macia e suculenta. A primeira vez que o bezerro tem uma chance de caminhar, esticar os músculos e tocar outros bezerros é a caminho do matadouro. Em termos evolutivos, o boi representa uma das espécies de animal mais prósperas que já existiram. Ao mesmo tempo, está entre os animais mais sofridos do planeta.

6

Construindo pirâmides

A Revolução Agrícola é um dos acontecimentos mais controversos da história. Alguns defensores afirmam que ela colocou a humanidade no caminho da prosperidade e do progresso; outros insistem que a levou à perdição. Esse foi o ponto decisivo, afirmam, em que os sapiens abandonaram sua íntima simbiose com a natureza e correram rumo à ganância e à alienação. Qualquer que fosse a direção dessa estrada, não havia retorno. A agricultura permitiu que as populações aumentassem de maneira tão rápida e radical que nenhuma sociedade agrícola complexa poderia se sustentar novamente se voltasse a se dedicar à caça e à coleta. Por volta de 10000 a.C., antes da transição para a agricultura, a Terra era o lar de 5 a 8 milhões de caçadores-coletores nômades. No século I, restavam apenas de 1 a 2 milhões de caçadores-coletores (principalmente na Austrália, na América e na África), mas os 250 milhões de agricultores no mundo fizeram com que esse número continuasse diminuindo.[1]

A grande maioria dos agricultores vivia em assentamentos permanentes; apenas alguns eram pastores nômades. Os assentamentos permanentes faziam com que o terreno da maioria dos povos fosse drasticamente reduzido. Os antigos caçadores-coletores geralmente viviam em territórios com muitas dezenas e até centenas de quilômetros quadrados. "Lar" era o território inteiro, com suas colinas, rios, florestas e céu aberto. Os camponeses, por sua vez, passavam a maior parte de seus dias trabalhando um pequeno campo ou pomar, e sua vida doméstica se centrava em uma estrutura apertada de madeira, pedra ou barro, medindo não mais do que algumas dezenas de metros: a casa. O camponês típico desenvolveu um vínculo muito forte com essa estrutura. Essa foi uma revolução de longo alcance, cujo impacto foi psicológico, tanto quanto arquitetônico. Daí em diante, o vínculo com a "minha casa" e a separação dos vizinhos se tornaram o paradigma psicológico de uma criatura muito mais autocentrada.

Os novos territórios agrícolas eram não só muito menores que os dos antigos caçadores-coletores como também muito mais artificiais. Com a exceção do uso do fogo, os caçadores-coletores faziam poucas modificações deliberadas nas terras por onde perambulavam. Os agricultores, por outro lado, viviam em ilhas humanas artificiais que eles talhavam laboriosamente a partir da natureza ao redor. Eles derrubavam florestas, cavavam canais, limpavam campos, construíam casas, sulcavam a terra e plantavam árvores frutíferas em fileiras ordenadas. O habitat artificial resultante era destinado apenas aos humanos e "suas" plantas e animais, sendo muitas vezes delimitado por muros e cercas. As famílias de agricultores faziam tudo o que estava a seu alcance para manter distância de animais selvagens e ervas daninhas impertinentes. Se tais intrusos conseguiam entrar, eram expulsos. Se persistiam, seus adversários humanos procuravam maneiras de exterminá-los. Erguiam-se defesas particularmente fortes ao redor da casa. Do início da agricultura até nossos dias, bilhões de humanos armados com galhos, mata-moscas, sapatos e pulverizadores de veneno têm travado guerras incansáveis contra formigas diligentes, baratas furtivas, aranhas aventureiras e besouros desorientados que se infiltram constantemente no domicílio humano.

Durante a maior parte da história, esses enclaves feitos pelo homem permaneceram muito pequenos, cercados por extensões de natureza selvagem. A superfície do planeta mede cerca de 510 milhões de quilômetros quadrados, dos quais 155 milhões são terra. Em 1400, a grande maioria dos agricultores, junto com suas plantas e animais, se reunia em uma área de apenas 11 milhões de quilômetros quadrados – 2% da superfície da Terra.[2] Todos os outros lugares eram frios demais, quentes demais, secos demais, úmidos demais ou de alguma outra forma inadequados para o cultivo. Esses minúsculos 2% da superfície do planeta constituíam o palco em que a história se desenrolou.

As pessoas tinham dificuldade de abandonar suas ilhas artificiais. Elas não podiam abandonar suas casas, campos e celeiros sem um grave risco de perdê-los. Além disso, com o passar do tempo elas acumularam cada vez mais coisas – objetos, não facilmente transportáveis, que as prendiam ao local. Os antigos agricultores podem nos parecer miseráveis, mas uma família típica tinha mais artefatos que uma tribo inteira de caçadores-coletores.

A chegada do futuro

Enquanto o espaço agrícola se reduziu, o tempo agrícola se expandiu. Os caçadores-coletores normalmente não perdiam muito tempo pensando no mês ou no verão seguinte. Os agricultores viajavam, em sua imaginação, anos e décadas no futuro.

Os caçadores-coletores desconsideravam o futuro porque viviam do que havia disponível e somente com dificuldade conseguiam conservar alimentos ou acumular bens. É claro que eles faziam alguns planos. Os criadores da arte rupestre de Chauvet, Lascaux e Altamira quase certamente pretendiam que sua obra durasse gerações. As alianças sociais e as rivalidades políticas eram negócios de longo prazo. Muitas vezes se levava anos para retribuir um favor ou vingar uma ofensa. No entanto, na economia de subsistência da caça e da coleta, havia um limite óbvio a tal planejamento de longo prazo. Paradoxalmente, isso poupava os caçadores-coletores de muitas ansiedades. Não fazia sentido se preocupar com coisas que eles não podiam controlar.

A Revolução Agrícola tornou o futuro muito mais importante do que havia sido até então. Os agricultores sempre precisam ter o futuro em mente e trabalhar em função dele. A economia agrícola se baseava em um ciclo sazonal de produção, compreendendo longos meses de cultivo seguidos de breves períodos de colheita. Na noite após o fim de uma colheita farta, os camponeses podiam celebrar tudo o que tinham obtido, mas dali a uma semana estavam novamente se levantando ao amanhecer para uma longa jornada de trabalho no campo. Embora houvesse comida suficiente para o dia seguinte, a semana seguinte e até mesmo o mês seguinte, eles precisavam se preocupar com os anos seguintes.

A preocupação com o futuro tinha origem não só nos ciclos sazonais de produção como também na incerteza fundamental da agricultura. Uma vez que a maioria dos vilarejos vivia do cultivo de uma variedade limitada de plantas e animais domesticados, eles estavam à mercê de secas, inundações e pestes. Os camponeses eram obrigados a produzir mais do que consumiam para que pudessem acumular reservas. Sem grãos no silo, frascos de azeite no porão, queijo na despensa e linguiças pendendo das vigas no telhado, eles passariam fome em anos ruins. E eles estavam fadados a se deparar com anos ruins, mais cedo ou mais tarde. Um camponês vivendo com base na suposição de que não haveria anos ruins não vivia por muito tempo.

Em consequência, desde o advento da agricultura as preocupações com o futuro se tornaram atores importantes no teatro da mente humana. Onde os agricultores dependiam da chuva para regar seus campos, o início da estação chuvosa significava que todas as manhãs eles olhavam para o horizonte, cheirando o vento e apertando os olhos. Aquilo era uma nuvem? As chuvas viriam em tempo? Choveria o suficiente? Tempestades violentas varreriam as sementes dos campos e destruiriam as mudas? Enquanto isso, nos vales dos rios Eufrates, Indo e Amarelo, outros camponeses monitoravam, com não menos apreensão, o nível da água. Eles precisavam que os rios subissem a fim de espalhar a camada superior de solo fértil trazida das terras altas, e enchessem de água seus vastos sistemas de irrigação. Mas as cheias fora de hora ou abundantes demais podiam destruir os campos tanto quanto uma seca.

Os camponeses se preocupavam com o futuro não só porque tinham mais motivos para se preocupar, mas também porque podiam fazer algo a respeito. Podiam limpar outro campo, cavar outro canal de irrigação, diversificar os tipos de cultivo. O camponês ansioso era tão frenético e trabalhador quanto uma formiga-cortadeira no verão, suando para plantar oliveiras cujo azeite seria prensado por seus filhos e netos, protelando até o inverno ou até o ano seguinte o consumo do alimento desejado no presente.

O estresse representado pela agricultura teve consequências importantes. Foi a base dos sistemas políticos e sociais de grande escala. Infelizmente, mesmo trabalhando duro, os camponeses quase nunca alcançaram a segurança econômica futura que tanto ansiavam. Em toda parte, brotaram governantes e elites, vivendo do excedente dos camponeses e deixando-os com o mínimo para a subsistência.

Esses excedentes de alimento confiscados alimentaram a política, a guerra, a arte e a filosofia. Construíram palácios, fortes, monumentos e templos. Até o fim da era moderna, mais de 90% dos humanos eram camponeses que se levantavam todas as manhãs para trabalhar a terra com o suor da fronte. Os excedentes que produziam alimentavam a ínfima minoria das elites – reis, oficiais do governo, soldados, padres, artistas e pensadores –, que enchem os livros de história. A história é o que algumas poucas pessoas fizeram enquanto todas as outras estavam arando campos e carregando baldes de água.

Uma ordem imaginada

Os excedentes de comida produzidos por camponeses, aliados à nova tecnologia de transportes, acabaram por permitir que cada vez mais pessoas se apinhassem primeiro em aldeias maiores, depois em vilarejos e enfim em cidades, todas as reunidas sob novos reinos e redes de comércio.

Mas, para tirar vantagem dessas novas oportunidades, os excedentes de alimento e a melhoria no transporte não eram suficientes. O mero fato de que se pode alimentar mil pessoas na mesma cidade ou um milhão de pessoas no mesmo reino não garante que elas concordem sobre como dividir a terra e a água, como resolver disputas e conflitos e como agir em tempos de seca ou de guerra. E, se não se chega a um acordo, a discórdia corre solta, mesmo se os armazéns estiverem transbordando. Não foi a escassez de alimentos que causou a maior parte das guerras e revoluções da história. A Revolução Francesa foi liderada por importantes advogados, e não por camponeses famintos. A República Romana chegou ao auge de seu poder no século I, quando navios de tesouro de todo o Mediterrâneo enriqueciam os romanos em tal nível que seus ancestrais jamais sonharam. Mas foi nesse momento de máxima afluência que a ordem política romana ruiu em uma série de guerras civis sanguinárias. A Iugoslávia em 1991 tinha recursos mais do que suficientes para alimentar todos os seus habitantes e ainda assim se desintegrou em um terrível banho de sangue.

O problema na raiz de tais calamidades é que os humanos evoluíram por milhões de anos em pequenos bandos de algumas dezenas de indivíduos. O punhado de milênios separando a Revolução Agrícola do surgimento de cidades, reinos e impérios não foi tempo suficiente para possibilitar o desenvolvimento de um instinto de cooperação em massa.

Apesar da ausência de tais instintos biológicos, durante a era dos caçadores-coletores centenas de estranhos foram capazes de cooperar graças a seus mitos partilhados. No entanto, essa cooperação era frouxa e limitada. Todos os bandos de sapiens continuavam a tocar a vida de maneira independente e a satisfazer a maior parte de suas próprias necessidades. Um sociólogo arcaico vivendo há 20 mil anos, sem conhecimento do que aconteceria após a Revolução Agrícola, poderia muito bem ter concluído que a mitologia tem um escopo um tanto limitado. Histórias sobre espíritos ancestrais e totens tribais tinham influência suficiente para fazer com que 500 pessoas usassem conchas como moeda, celebrassem uma festividade ocasional e unissem forças para exterminar um bando de neandertais – mas não mais do que isso. A mitologia, o antigo sociólogo teria pensado, não teria como convencer milhões de estranhos a cooperarem diariamente.

Mas isso se mostrou um engano. Os mitos, como se veio a saber, são mais influentes do que qualquer um poderia ter imaginado. Quando a Revolução Agrícola criou oportunidades para a criação de cidades populosas e impérios poderosos, as pessoas inventaram histórias sobre grandes deuses, pátrias-mães e empresas de capital aberto para fornecer os elos sociais necessários. Enquanto a evolução humana estava rastejando no seu usual ritmo de tartaruga, a imaginação humana estava construindo redes impressionantes de cooperação em massa, diferentes de qualquer outra já vista.

Por volta de 8500 a.C., os maiores assentamentos do mundo eram vilarejos como Jericó, que continha algumas centenas de indivíduos. Em 7000 a.C., a cidade de Çatal Hüyük, na Anatólia, tinha entre 5 mil e 10 mil indivíduos. É bem possível que fosse o maior assentamento do mundo na época. Durante o quinto e o quarto milênio antes de Cristo, cidades com dezenas de milhares de habitantes floresceram no Crescente Fértil, e cada uma delas tinha influência sobre muitos vilarejos nas proximidades. Em 3100 a.C., todo o vale do baixo Nilo estava unido no primeiro reino egípcio. Seus faraós governavam milhares de quilômetros quadrados e centenas de milhares de pessoas. Por volta de 2250 a.C., Sargão, o Grande, construiu o primeiro império, o Acadiano. Ostentava mais de um milhão de súditos e um exército permanente de 5,4 mil soldados.

Entre 1000 a.C. e 500 a.C., apareceram os primeiros megaimpérios no Oriente Médio: o Império Assírio, o Império Babilônico e o Império Persa. Eles governavam muitos milhões de súditos e comandavam dezenas de milhares de soldados.

Em 221 a.C., a dinastia Qin unificou a China, e logo depois Roma unificou a bacia do Mediterrâneo. Os impostos cobrados dos 40 milhões de súditos Qin financiavam um exército permanente de centenas de milhares de soldados e uma burocracia complexa que empregava mais de 100 mil oficiais. O Império Romano, em seu auge, arrecadava impostos de até 100 milhões de súditos. Essa receita financiava um exército permanente de 250 mil a 500 mil soldados, uma rede rodoviária ainda em uso quinze séculos depois e teatros e anfiteatros que abrigam espetáculos ainda hoje.

Impressionante, sem dúvida, mas não devemos alimentar ilusões otimistas sobre "redes de cooperação em massa" do Egito faraônico ou do Império Romano. "Cooperação" soa muito altruísta, mas nem sempre é voluntária e raramente é igualitária. A maior parte das redes de cooperação humana foi concebida para a opressão e a exploração. Os camponeses pagavam por tais redes de cooperação com seus preciosos excedentes de alimento, caindo em desespero quando o cobrador de impostos confiscava um ano inteiro de trabalho pesado com um único rabisco de sua pena. Os famosos anfiteatros romanos foram quase todos construídos por escravos para que romanos ricos e ociosos pudessem assistir outros escravos se enfrentarem nos odiosos combates de gladiadores. Até mesmo as prisões e os campos de concentração são redes de cooperação e só podem funcionar porque milhares de estranhos conseguem, de algum modo, coordenar suas ações.

Todas essas redes de cooperação – das cidades da antiga Mesopotâmia aos impérios Qin e Romano – foram "ordens imaginadas". As normas sociais que as sustentavam não se baseavam em instintos arraigados nem em relações pessoais, e sim na crença em mitos partilhados.

Como os mitos podem sustentar impérios inteiros? Já discutimos um desses exemplos: a Peugeot. Examinemos dois dos mitos mais conhecidos da história: o Código de Hamurabi, de aproximadamente 1776 a.C., que serviu como um manual de cooperação para centenas de milhares de babilônios na Antiguidade; e a Declaração de Independência dos Estados Unidos, de 1776, que ainda hoje serve como um manual de cooperação para centenas de milhões de norte-americanos.

Em 1776 a.C., a Babilônia era a maior cidade do mundo. O Império Babilônico era provavelmente o maior do mundo, com mais de um milhão de súditos. Governava a maior parte da Mesopotâmia, incluindo quase todo o território do atual Iraque e partes da Síria e do Irã. O mais famoso rei babilônico foi Hamurabi. Sua fama se deve principalmente ao texto que recebe seu nome, o Código de Hamurabi. Este foi uma coleção de leis e decisões judiciais cujo objetivo era apresentar Hamurabi como modelo de um rei justo, servir como base para um sistema jurídico mais uniforme em todo o Império Babilônico e ensinar às gerações futuras o que é justiça e como age um rei justo.

As gerações futuras prestaram atenção. A elite intelectual e burocrática da antiga Mesopotâmia canonizou o texto, e escribas aprendizes continuaram a copiá-lo muito depois de Hamurabi morrer e de seu império cair em ruína. O Código de Hamurabi é, portanto, uma boa fonte para entender o antigo ideal de ordem social dos mesopotâmios.[3]

O texto começa afirmando que os deuses Anu, Enlil e Marduk – as principais deidades do panteão mesopotâmico – nomearam Hamurabi para "fazer a justiça prevalecer na terra, abominar o que é mau e perverso, impedir que os fortes oprimam os fracos".[4] Então, lista cerca de trezentos julgamentos, de acordo com a seguinte fórmula estabelecida: "Se tal e tal coisa acontecer, tal é o julgamento". Por exemplo, os julgamentos 196-199 e 209-214 afirmam:

196. Se um homem superior arrancar o olho de outro homem superior, deverá ter seu olho arrancado.
197. Se ele quebrar o osso de outro homem superior, deverá ter seu osso quebrado.
198. Se ele arrancar o olho de um homem comum, ou quebrar o osso de um homem comum, deverá pagar 60 siclos de prata.
199. Se ele arrancar o olho do escravo de um homem superior, ou quebrar o osso do escravo de um homem superior, deve pagar metade do valor do escravo (em prata).[5]
209. Se um homem superior bater em uma mulher superior e a fizer abortar, deverá pagar 10 siclos de prata pelo feto.
210. Se essa mulher morrer, a filha dele deverá ser morta.
211. Se ele bater em uma mulher comum e a fizer abortar, deverá pagar 5 siclos de prata.

212. Se essa mulher morrer, ele deverá pagar 30 siclos de prata.
213. Se ele bater em uma escrava e a fizer abortar, deverá pagar 2 siclos de prata.
214. Se essa escrava morrer, ele deverá pagar 20 siclos de prata.[6]

Depois de listar seus julgamentos, Hamurabi declara novamente que

> Essas são as justas leis que Hamurabi, o rei sábio, estabeleceu e, por meio delas, conduziu a terra no caminho da verdade e da retidão [...] eu sou Hamurabi, rei nobre. Não me eximi da minha responsabilidade para com a humanidade, entregue a meus cuidados pelo rei Enlil, e de cuja condução deus Marduk me encarregou.[7]

O Código de Hamurabi afirma que a ordem social babilônica tem origem em princípios universais e eternos de justiça ditados pelos deuses. O princípio de hierarquia é de suma importância. De acordo com o código, as pessoas estão divididas em dois gêneros e três classes: os superiores, os comuns e os escravos. Os membros de cada gênero e classe têm valores diferentes. A vida de uma mulher comum vale 30 siclos de prata e a de uma escrava, 20 siclos de prata, ao passo que o olho de um homem comum vale 60 siclos de prata.

O código também estabelece uma hierarquia estrita no interior das famílias, de acordo com a qual as crianças não são pessoas independentes, e sim propriedade de seus pais. Portanto, se um homem superior matar a filha de outro homem superior, a filha do assassino deve ser executada em punição! Para nós, pode parecer estranho que o assassino permaneça incólume enquanto sua filha inocente é morta, mas para Hamurabi e os babilônios isso parecia perfeitamente justo. O Código de Hamurabi se baseava na premissa de que, se todos os súditos do rei aceitassem sua posição na hierarquia e agissem de acordo com ela, o milhão de habitantes do império seria capaz de cooperar de maneira eficaz. Sua sociedade poderia, então, produzir alimentos suficientes para seus membros, distribuí-los de forma eficaz, se proteger dos inimigos e expandir seu território a fim de obter mais riqueza e segurança.

Aproximadamente 3,5 mil anos após a morte de Hamurabi, os habitantes de 13 colônias britânicas na América do Norte consideraram que o rei da Inglaterra os estava tratando de maneira injusta. Seus representantes se reuniram na cidade de Filadélfia e, em 4 de julho de 1776, as colônias declararam que seus habitantes já não eram súditos da Coroa britânica. Sua Declaração de Independência proclamou princípios universais e eternos de justiça que, como os de Hamurabi, foram inspirados por um poder divino. No entanto, o princípio mais importante ditado pelo deus americano era bem diferente do princípio ditado pelos deuses da Babilônia. A Declaração de Independência dos Estados Unidos afirma o seguinte:

> Consideramos estas verdades evidentes por si mesmas, que todos os homens são criados iguais, que são dotados por seu Criador de certos direitos inalienáveis, que entre estes estão a vida, a liberdade e a procura de felicidade.

Como o Código de Hamurabi, o documento fundacional norte-americano promete que, se os humanos agirem de acordo com seus princípios sagrados, milhões deles serão capazes de cooperar de maneira eficaz, vivendo em paz e segurança em uma sociedade justa e próspera. Como o Código de Hamurabi, a Declaração de Independência dos Estados Unidos foi não só um documento de seu tempo e lugar – também foi aceita por gerações futuras. Há mais de 200 anos, as crianças nas escolas norte-americanas a copiam e aprendem de cor.

Os dois textos nos apresentam um dilema óbvio. Tanto o Código de Hamurabi quanto a Declaração de Independência dos Estados Unidos afirmam definir princípios universais e eternos de justiça, mas de acordo com os norte-americanos todas as pessoas são iguais e conforme os babilônios as pessoas são decididamente desiguais. Os norte-americanos diriam, é claro, que eles estão certos e que Hamurabi está errado. Hamurabi, naturalmente, retorquiria que ele está certo e que os norte-americanos estão errados. Na verdade, ambos estão errados. Tanto Hamurabi quanto os pais fundadores dos Estados Unidos imaginaram uma realidade governada por princípios universais e imutáveis de justiça, como igualdade ou hierarquia. Mas o único lugar em que tais princípios universais existem é na imaginação fértil dos sapiens e nos mitos que eles inventam e contam uns aos outros. Esses princípios não têm nenhuma validade objetiva.

É fácil para nós aceitar que a divisão das pessoas em "superiores" e "comuns" é produto da imaginação. Mas a ideia de que todos os humanos são iguais também é um mito. Em que sentido todos os humanos são iguais uns aos outros? Existe alguma realidade objetiva, fora da imaginação humana, em que somos verdadeiramente iguais? Todos os humanos são iguais do ponto de vista biológico? Tentemos traduzir a frase mais famosa da Declaração de Independência dos Estados Unidos em termos biológicos:

> Consideramos estas verdades evidentes por si mesmas, que todos os homens são **criados iguais**, que são **dotados** por seu **Criador** de certos **direitos inalienáveis**, que entre estes estão a vida, **a liberdade** e a procura de **felicidade**.

De acordo com a ciência da biologia, as pessoas não foram "criadas"; elas evoluíram. E certamente não evoluíram para ser "iguais". A ideia de igualdade está intrinsecamente ligada à ideia de criação. Os norte-americanos tiraram a ideia de igualdade do cristianismo, que afirma que todo indivíduo tem uma alma de origem divina e que todas as almas são iguais diante de Deus. No entanto, se não acreditamos nos mitos cristãos sobre Deus, criação e almas, o que significa dizer que todas as pessoas são "iguais"? A evolução se baseia na diferença, e não na igualdade. Cada pessoa carrega um código genético um pouco diferente e é exposta, desde o nascimento, a diferentes influências ambientais. Isso leva ao desenvolvimento de diferentes qualidades que carregam consigo diferentes chances de sobrevivência. Portanto, "são criados iguais" deveria ser traduzido como "evoluíram de forma diferente".

Assim como as pessoas nunca foram criadas, tampouco, de acordo com a ciência da biologia, existe um "Criador" que as tenha "dotado" de alguma coisa. Há apenas um processo evolutivo cego, destituído de propósito, levando ao nascimento de indivíduos. "São dotados por seu Criador" deveria ser traduzido simplesmente como "nasceram".

Igualmente, não existem direitos na biologia. Há apenas órgãos, habilidades e características. Os pássaros voam não porque têm o direito de voar, mas porque têm asas. E não é verdade que esses órgãos, habilidades e características são "inalienáveis". Muitos deles passam por mutações constantes e podem muito bem se perder completamente com o tempo. O avestruz é uma ave que perdeu a capacidade de voar. Portanto, "direitos inalienáveis" deveria ser traduzido como "características mutáveis".

E quais são as características que evoluíram nos humanos? "Vida", certamente. Mas "liberdade"? Isso não existe na biologia. Assim como igualdade, direitos e empresas de responsabilidade limitada, a liberdade é algo que as pessoas inventaram e que só existe em nossa imaginação. De uma perspectiva biológica, não faz sentido dizer que os humanos em sociedades democráticas são livres, ao passo que os humanos em sociedades ditatoriais não o são. E quanto a "felicidade"? Até o momento as pesquisas biológicas foram incapazes de propor uma definição clara de felicidade ou uma maneira de medi-la objetivamente. A maioria dos estudos biológicos reconhece apenas a existência de prazer, que é mais facilmente definido e medido. Portanto, "a vida, a liberdade e a procura da felicidade" deveria ser traduzido como "a vida e a procura do prazer".

Então, aqui está a frase da Declaração de Independência dos Estados Unidos traduzida em termos biológicos:

> Consideramos estas verdades evidentes por si mesmas, que todos os homens evoluíram de forma diferente, que nasceram com certas características mutáveis, que entre estas estão a vida e a procura do prazer.

Os defensores da igualdade e dos direitos humanos talvez fiquem escandalizados com essa linha de raciocínio. Sua reação provavelmente será: "Nós sabemos que as pessoas não são iguais biologicamente! Mas se acreditarmos que somos todos iguais em essência, isso nos permitirá criar uma sociedade estável e próspera". Eu não tenho nenhum argumento contra isso. É exatamente o que quero dizer com "ordem imaginada". Acreditamos em uma ordem em particular não porque seja objetivamente verdadeira, mas porque acreditar nela nos permite cooperar de maneira eficaz e construir uma sociedade melhor. Ordens imaginadas não são conspirações malignas ou miragens inúteis. Ao contrário, são a única forma pela qual grandes números de seres humanos podem cooperar efetivamente. Lembre-se, no entanto, que Hamurabi pode ter defendido seu princípio de hierarquia usando a mesma lógica: "Eu sei que homens superiores, comuns e escravos não são tipos de pessoas inerentemente diferentes. Mas se acreditarmos que são, isso nos permitirá criar uma sociedade estável e próspera".

Os que realmente acreditam

É provável que alguns leitores tenham se contorcido na cadeira ao ler os parágrafos anteriores. A maioria de nós é educada para reagir dessa forma. É fácil aceitar o Código de Hamurabi como um mito, mas não queremos ouvir que os direitos humanos também são um mito. Se as pessoas perceberem que os direitos humanos só existem na imaginação, nossa sociedade não corre o risco de desmoronar? Voltaire afirmou, a respeito de Deus: "Deus não existe, mas não conte isso ao meu servo, para que ele não me mate durante a noite". Hamurabi teria dito o mesmo sobre seu princípio de hierarquia, e Thomas Jefferson, sobre os direitos humanos. O *Homo sapiens* não tem direitos naturais, assim como aranhas, hienas e chimpanzés não têm direitos naturais. Mas não conte isso aos nossos servos, para que eles não nos matem durante a noite.

Tais temores são justificados. Uma ordem natural é uma ordem estável. Não existe a menor chance de que a gravidade deixe de funcionar amanhã, mesmo que as pessoas deixem de acreditar nela. Por sua vez, uma ordem imaginada está sempre sob ameaça de colapso, porque depende de mitos, e os mitos desaparecem quando as pessoas deixam de acreditar neles. Para salvaguardar uma ordem imaginada, são necessários esforços árduos e contínuos. Alguns desses esforços assumem a forma de violência e coerção. Exércitos, forças policiais, tribunais e prisões estão o tempo todo em ação, forçando as pessoas a agirem de acordo com a ordem imaginada. Se um antigo babilônio cegasse seu vizinho, normalmente era necessária certa dose de violência para que se cumprisse a lei do "olho por olho". Quando, em 1860, uma maioria de cidadãos norte-americanos concluiu que os escravos africanos são seres humanos e devem, portanto, gozar do direito de liberdade, foi necessária uma guerra civil sanguinária para que os estados do Sul concordassem.

No entanto, uma ordem imaginada não pode se sustentar apenas por meio da violência. Requer também que algumas pessoas realmente acreditem nela. O príncipe Talleyrand, que começou sua carreira camaleônica sob Luís XVI, para posteriormente servir o regime revolucionário e o napoleônico e enfim trocar sua lealdade a tempo de terminar seus dias trabalhando para a monarquia restaurada, resumiu décadas de experiência governamental afirmando que "podemos fazer muitas coisas com baionetas, mas é muito desconfortável sentar sobre elas". Um único padre muitas vezes faz o trabalho de uma centena de soldados – só que é muito mais barato e eficaz. Além do mais, não importa quão eficientes sejam as baionetas, alguém precisa empunhá-las. Por que os soldados, carcereiros, juízes e policiais manteriam uma ordem imaginada em que não acreditassem? De todas as atividades humanas coletivas, a mais difícil de organizar é a violência. Dizer que uma ordem social é mantida por força militar imediatamente levanta a pergunta: o que mantém a ordem militar? É impossível organizar um exército unicamente por meio de coerção. Pelo menos alguns dos comandantes e soldados precisam acreditar realmente em alguma coisa, seja Deus, honra, pátria, coragem ou dinheiro.

Uma questão ainda mais interessante diz respeito àqueles que se situam no topo da pirâmide social. Por que eles desejariam impor uma ordem imaginada se eles mesmos não acreditam nela? É muito comum argumentar que a elite pode fazer isso por ganância cínica. Mas um cínico que não acredita em nada dificilmente é ganancioso. Não é preciso muito para satisfazer as necessidades biológicas objetivas do *Homo sapiens*. Depois que tais necessidades são satisfeitas, mais dinheiro pode ser gasto na construção de pirâmides, sair de férias pelo mundo, financiar campanhas eleitorais, bancar uma organização terrorista ou investir na bolsa de valores e ganhar mais dinheiro – todas as quais são atividades que um cínico de verdade consideraria absolutamente sem sentido. Diógenes, o filósofo grego que fundou a escola cínica, vivia em um barril. Quando Alexandre Magno certa vez visitou Diógenes enquanto ele descansava ao sol e perguntou se havia alguma coisa que pudesse fazer por ele, o cínico respondeu ao conquistador todo-poderoso: "Sim, há algo que possa fazer. Por favor, vá um pouco para o lado. Você está tapando o sol".

É por isso que os cínicos não constroem impérios e que uma ordem imaginada só pode ser mantida se grandes segmentos da população – e, em particular, grandes segmentos da elite e das forças de segurança – realmente acreditarem nela. O cristianismo não teria durado 2 mil anos se a maioria dos bispos e padres não acreditasse em Cristo. A democracia norte-americana não teria durado 250 anos se a maioria dos presidentes e congressistas não acreditasse nos direitos humanos. O sistema econômico moderno não teria durado um único dia se a maioria dos investidores e banqueiros não acreditasse no capitalismo.

Os muros da prisão

Como você faz as pessoas acreditarem em uma ordem imaginada como o cristianismo, a democracia ou o capitalismo? Primeiro, você nunca admite que a ordem é imaginada. Você sempre insiste que a ordem que sustenta a sociedade é uma realidade objetiva criada pelos grandes deuses ou pelas leis da natureza. As pessoas são diferentes não porque Hamurabi disse isso, mas porque Enlil e Marduk decretaram isso. As pessoas são iguais não porque Thomas Jefferson disse isso, mas porque Deus as criou dessa maneira. Os livres mercados são o melhor sistema econômico nao porque Adam Smith disse isso, mas porque essas são as leis imutáveis da natureza.

Você também educa as pessoas o tempo todo. Do momento em que nascem, você as lembra constantemente dos princípios da ordem imaginada, que estão presentes em tudo. Estão presentes nos contos de fada, nos dramas, nas pinturas, nas canções, na etiqueta, na propaganda política, na arquitetura, nas receitas e na moda. Por exemplo, hoje as pessoas acreditam em igualdade, então é moda as crianças ricas usarem jeans, que originalmente eram vestimenta da classe trabalhadora. Na Idade Média as pessoas acreditavam em divisões de classe, então nenhum jovem da nobreza usaria um traje de camponês. Na época, ser chamado de "senhor" ou "senhora" era um privilégio raro reservado para a nobreza e muitas vezes adquirido com sangue. Hoje, todas as correspondências formais, independente do destinatário, começam com "Prezado(a) senhor(a)".

As humanidades e as ciências sociais dedicam a maior parte de suas energias a explicar exatamente como a ordem imaginada é tecida na trama da vida. No espaço limitado à nossa disposição, só podemos arranhar a superfície. Três fatores principais impedem as pessoas de perceberem que a ordem que organiza nossa vida só existe em nossa imaginação:

a. A ordem imaginada está incrustada no mundo material. Embora só exista em nossa mente, a ordem imaginada pode se entremear na realidade à nossa volta, e até mesmo ser gravada em pedra. Atualmente, a maioria dos ocidentais acredita no individualismo. Eles acreditam que todo ser humano é um indivíduo, cujo valor não depende do que outras pessoas pensam a seu respeito. Cada um de nós tem dentro de si um raio de luz brilhante que dá valor e significado à vida. Nas escolas ocidentais de hoje, os professores e os pais dizem às crianças que, se os colegas zombarem delas, elas devem ignorar. Somente elas mesmas, e não os outros, conhecem seu verdadeiro valor.

Na arquitetura moderna, esse mito sai da imaginação e toma forma em tijolo e argamassa. A casa moderna ideal é dividida em muitos aposentos pequenos para que cada criança possa ter um espaço privado, ocultado da vista, proporcionando o máximo de autonomia. Esse espaço privado quase sempre tem uma porta, e em muitos lares é uma prática aceita que a criança feche ou inclusive tranque a porta. Mesmo os pais são proibidos de entrar sem bater e pedir permissão. O quarto é decorado como o filho quiser, com pôsteres de astros do rock na parede e meias sujas no chão. Alguém crescendo em tal espaço não pode deixar de se imaginar como “um indivíduo”, seu verdadeiro valor emanando de dentro, e não de fora.

Os homens nobres na Europa medieval não acreditavam no individualismo. O valor de uma pessoa era determinado por seu lugar na hierarquia social e por aquilo que outras pessoas diziam a seu respeito. Ser alvo de zombarias era uma indignidade terrível. Os nobres ensinavam seus filhos a protegerem seu nome a qualquer preço. Como o individualismo moderno, o sistema de valores medieval deixou a imaginação e se manifestou na pedra dos castelos medievais. O castelo raramente tinha aposentos privativos para as crianças (ou, aliás, para qualquer pessoa). O filho adolescente de um barão medieval não tinha um quarto só seu no segundo andar do castelo, com pôsteres de Ricardo Coração de Leão e do rei Artur nas paredes e uma porta trancada que seus pais não tinham permissão para abrir. Ele dormia ao lado de muitos outros jovens em um grande salão. Estava sempre à vista e sempre tinha que levar em consideração o que os outros viam e diziam. Alguém crescendo em tais condições naturalmente concluía que o verdadeiro valor de um homem era determinado por seu lugar na hierarquia social e por aquilo que outras pessoas diziam a seu respeito.[8]

b. A ordem imaginada define nossos desejos. A maioria das pessoas não quer aceitar que a ordem que governa sua vida é imaginária, mas na verdade cada pessoa nasce em uma ordem imaginada preexistente, e seus desejos são moldados desde o nascimento pelos mitos dominantes. Nossos desejos pessoais, portanto, se tornam as defesas mais importantes da ordem imaginada.

Por exemplo, os desejos mais valorizados dos ocidentais de hoje são definidos por mitos românticos, nacionalistas, capitalistas e humanistas que estão aí há séculos. Amigos dando conselhos muitas vezes dizem uns aos outros: "Siga seu coração". Mas o coração é um agente duplo que geralmente recebe instruções dos mitos dominantes do momento, e a própria recomendação de "seguir seu coração" era implantada em nossa mente por uma combinação de mitos românticos do século XIX e mitos consumistas do século XX. A Coca-Cola Company, por exemplo, promoveu a Diet Coke pelo mundo sob o slogan "Diet Coke. Do what feels good" ["Coca-Cola Diet. Faça o que lhe faz bem"].

Mesmo aqueles que as pessoas imaginam serem seus desejos mais pessoais geralmente são programados pela ordem imaginada. Consideremos, por exemplo, o desejo popular de passar férias no exterior. Não há nada de natural ou óbvio nisso. Um chimpanzé macho alfa jamais pensaria em usar seu poder para passar férias no território de um bando de chimpanzés vizinho. A elite do Egito antigo gastou sua fortuna construindo pirâmides e mumificando seus cadáveres, mas quase ninguém pensou em ir fazer compras na Babilônia ou ir esquiar na Fenícia. As pessoas hoje gastam grandes somas de dinheiro com férias no exterior porque realmente acreditam nos mitos do consumismo romântico.

O romantismo nos diz que para aproveitar ao máximo nosso potencial humano devemos ter tantas experiências diferentes quanto possível. Devemos nos abrir a um amplo leque de emoções; experimentar vários tipos de relacionamento; provar culinárias diferentes; aprender a apreciar diferentes estilos de música. Uma das melhores maneiras de fazer tudo isso é escapar da nossa rotina diária, deixar para trás nosso cenário familiar e viajar para terras distantes, onde podemos "vivenciar" a cultura, os aromas, os sabores e as normas de outros povos. Ouvimos repetidas vezes os mitos românticos sobre "como uma nova experiência abriu meus olhos e mudou minha vida".

O consumismo nos diz que para sermos felizes precisamos consumir tantos produtos e serviços quanto possível. Se sentimos que algo está faltando ou fora de lugar, provavelmente precisamos comprar um produto (um carro, roupas novas, comida orgânica) ou um serviço (limpeza doméstica, terapia de casais, aulas de yoga). Todo comercial de televisão é mais uma pequena lenda sobre como consumir algum produto ou serviço tornará a vida melhor.

O romantismo, que encoraja a variedade, casa perfeitamente com o consumismo. Esse casamento deu à luz o infinito "mercado de experiências" sobre o qual se ergueu a indústria de turismo moderna. A indústria de turismo não vende passagens aéreas e quartos de hotel; vende experiências. Paris não é uma cidade, nem a Índia é um país – são ambos experiências cuja realização supostamente expande nossos horizontes, satisfaz nosso potencial humano e nos torna mais felizes. Consequentemente, quando a relação entre um milionário e sua esposa está passando por um período difícil, ele a leva para uma viagem cara a Paris. A viagem não é um reflexo de algum desejo independente, mas antes uma crença fervorosa nos mitos do consumismo romântico. Um homem rico no Egito antigo jamais teria sonhado em resolver uma crise de relacionamento levando a esposa para uma viagem à Babilônia. Em vez disso, ele talvez construísse para ela a tumba suntuosa que ela sempre quis.

Como a elite do Egito antigo, a maioria das pessoas na maioria das culturas dedica a vida a construir pirâmides. Só os nomes, as formas e os tamanhos dessas pirâmides mudam de uma cultura para outra. Elas podem assumir a forma, por exemplo, de uma casa de campo com piscina e grama sempre verde, ou uma bela cobertura com uma vista invejável. Poucas questionam os mitos que nos levam a desejar a pirâmide.

c. A ordem imaginada é intersubjetiva. Mesmo que, por um esforço sobre-humano, eu consiga livrar meus desejos pessoais das garras da ordem imaginada, sou só uma pessoa. Para mudar a ordem imaginada, preciso convencer milhões de estranhos a cooperarem comigo, pois a ordem imaginada não é uma ordem subjetiva que só existe na minha imaginação – é, antes, uma ordem intersubjetiva, que existe na imaginação partilhada de milhares e milhões de pessoas.

Para entender isso, precisamos compreender a diferença entre "objetivo", "subjetivo" e "intersubjetivo".

Um fenômeno **objetivo** existe independentemente da consciência humana e das crenças humanas. A radioatividade, por exemplo, não é um mito. Emissões radioativas ocorriam muito antes de serem descobertas e são perigosas ainda que as pessoas não acreditem nelas. Marie Curie, uma das pessoas que descobriram a radioatividade, não sabia, durante seus longos anos estudando materiais radioativos, que eles pudessem causar danos a seu corpo. Embora não acreditasse que a radioatividade pudesse matá-la, ainda assim morreu de anemia aplástica, uma doença causada pela exposição excessiva a materiais radioativos.

Subjetivo é algo que existe dependendo da consciência e das crenças de um único indivíduo. Desaparece ou muda se aquele indivíduo em particular mudar suas crenças. Muitos, quando crianças, acreditam na existência de um amigo imaginário que é invisível e inaudível para o resto do mundo. O amigo imaginário existe unicamente na consciência subjetiva da criança e, quando a criança cresce e deixa de acreditar nele, ele desaparece.

Intersubjetivo é algo que existe na rede de comunicação ligando a consciência subjetiva de muitos indivíduos. Se um único indivíduo mudar suas crenças, ou mesmo morrer, será de pouca importância. No entanto, se a maioria dos indivíduos na rede morrer ou mudar suas crenças, o fenômeno intersubjetivo se transformará ou desaparecerá. Fenômenos intersubjetivos não são fraudes malévolas nem charadas insignificantes. Eles existem de uma maneira diferente de fenômenos físicos como a radioatividade, mas seu impacto no mundo ainda pode ser gigantesco. Muitas das forças mais importantes da história são intersubjetivas: leis, dinheiro, deuses, nações.

A Peugeot, por exemplo, não é o amigo imaginário do CEO da Peugeot. A empresa existe na imaginação partilhada de milhões de pessoas. O CEO acredita na existência da empresa porque os diretores também acreditam nisso, bem como os advogados da empresa, as secretárias no escritório ao lado, os caixas no banco, os corretores na bolsa de valores e os revendedores de automóveis da França à Austrália. Se o CEO sozinho de repente deixasse de acreditar na existência da Peugeot, ele seria levado imediatamente ao hospital psiquiátrico mais próximo e outra pessoa ocuparia seu cargo.

De maneira similar, o dólar, os direitos humanos e os Estados Unidos da América existem na imaginação partilhada de bilhões de pessoas, e um indivíduo sozinho não pode ameaçar sua existência. Se eu, sozinho, deixasse de acreditar no dólar, nos direitos humanos ou nos Estados Unidos, não faria muita diferença. Essas ordens imaginadas são intersubjetivas, de modo que para mudá-las precisamos mudar simultaneamente a consciência de bilhões de pessoas, o que não é fácil. Uma mudança de tal magnitude só pode ser alcançada com a ajuda de uma organização complexa, como um partido político, um movimento ideológico ou um culto religioso. No entanto, para construir tais organizações complexas, é necessário convencer muitos estranhos a cooperarem uns com os outros. E isso só acontecerá se esses estranhos acreditarem em alguns mitos partilhados. Daí decorre que para mudar uma ordem imaginada existente precisamos primeiro acreditar em uma ordem imaginada alternativa.

Para desmantelar a Peugeot, por exemplo, precisamos imaginar algo mais poderoso, como o sistema jurídico francês. Para desmantelar o sistema jurídico francês, precisamos imaginar algo ainda mais poderoso, como o Estado francês. E, se desejarmos desmantelar isso também, teremos de imaginar algo ainda mais poderoso.

Não há como escapar à ordem imaginada. Quando derrubamos os muros da nossa prisão e corremos para a liberdade, estamos, na verdade, correndo para o pátio mais espaçoso de uma prisão maior.

7

Sobrecarga de memória

A EVOLUÇÃO NÃO DOTOU OS HUMANOS COM A CAPACIDADE DE JOGAR FUTEBOL. É verdade, produziu pernas para chutar, cotovelos para cometer faltas e bocas para xingar, mas tudo o que isso nos permite fazer é, talvez, praticar chutes de pênalti sozinhos. Para participar de um jogo com estranhos que encontramos no pátio da escola em uma tarde qualquer, precisamos não só trabalhar em conjunto com dez companheiros de equipe que possivelmente nunca encontramos antes como também saber que os onze jogadores do time oposto estão jogando conforme as mesmas regras. Outros animais que se envolvem em agressão ritualizada com estranhos o fazem em grande parte por instinto – cachorrinhos do mundo inteiro têm as regras da brincadeira de luta gravadas em seus genes. Mas os adolescentes humanos não têm genes para o futebol. E, no entanto, podem jogar com completos estranhos porque todos aprenderam um conjunto idêntico de ideias sobre futebol. Essas ideias são totalmente imaginárias, mas, se todos as conhecem, podemos jogar.

O mesmo se aplica, em uma escala maior, a reinos, igrejas e redes de comércio, com uma diferença importante. As regras do futebol são relativamente simples e concisas, como as que são necessárias para a cooperação em um bando de caçadores-coletores ou em uma pequena aldeia. Cada jogador pode armazená-las facilmente no cérebro e ainda ter espaço para canções, imagens e listas de compras. Mas grandes sistemas de cooperação que envolvem não 22, mas milhares ou mesmo milhões de seres humanos requerem o manuseio e o armazenamento de quantidades enormes de informação, muito mais do que um único cérebro humano pode conter e processar.

As grandes sociedades encontradas em algumas outras espécies, como formigas e abelhas, são estáveis e resilientes porque a maior parte das informações de que necessitam para se sustentar está codificada no genoma. A larva de uma abelha melífera pode, por exemplo, crescer para se tornar rainha ou operária, dependendo de com que é alimentada. Seu DNA programa os comportamentos necessários para qualquer papel que ela possa vir a desempenhar na vida. As colmeias podem ser estruturas sociais muito complexas, contendo muitos tipos diferentes de abelhas-operárias – tais como campeiras, nutrizes e faxineiras. Mas, até agora, os pesquisadores não conseguiram identificar abelhas advogadas. As abelhas não precisam de advogados, porque não existe o risco de elas esquecerem ou tentarem violar a constituição da colmeia. As rainhas não roubam das abelhas-faxineiras seu alimento e nunca entram em greve exigindo melhores salários.

Mas os humanos fazem coisas desse tipo o tempo todo. Uma vez que a ordem social dos sapiens é imaginada, os humanos não conseguem preservar as informações cruciais para administrá-la simplesmente fazendo cópias de seu DNA e transmitindo estas a seus descendentes. É preciso fazer um esforço consciente para sustentar leis, costumes, procedimentos e maneiras, do contrário, a ordem social rapidamente entraria em colapso. Por exemplo, o rei Hamurabi decretou que as pessoas são divididas em superiores, comuns e escravos. Diferentemente do sistema de classes da colmeia, essa não é uma divisão natural – não existe nenhum vestígio disso no genoma humano. Se os babilônios não se lembrassem dessa "verdade", sua sociedade teria deixado de funcionar. De maneira similar, quando Hamurabi transmitiu seu DNA a seus descendentes, não deixou codificada a regra de que, se um homem superior matasse uma mulher comum, deveria pagar 30 siclos de prata. Hamurabi teve de instruir seus filhos nas leis do império, e seus filhos e netos tiveram de fazer o mesmo.

Os impérios geram quantidades enormes de informação. Além das leis, os impérios precisam manter registro de transações e impostos, inventários de suprimentos militares e navios mercantes e calendários de festividades e vitórias. Durante milhões de anos, as pessoas armazenaram informações em um único lugar: o cérebro. Infelizmente, o cérebro humano não é um bom dispositivo de armazenamento para bancos de dados do tamanho de impérios por três razões principais.

A primeira razão é que sua capacidade é limitada. É verdade que algumas pessoas têm memória impressionante, e em tempos antigos havia profissionais da memória que podiam guardar na cabeça a topografia de províncias inteiras e os códigos jurídicos de Estados inteiros. No entanto, há um limite que nem mesmo os mestres da mnemônica conseguem transcender. Um advogado poderia saber de memória todo o código jurídico do estado de Massachusetts, mas não os detalhes de cada procedimento jurídico que aconteceu em Massachusetts dos julgamentos das bruxas de Salém em diante.

A segunda razão é que os humanos morrem, e seu cérebro morre com eles. Toda informação armazenada em um cérebro será apagada em menos de um século. É possível, é claro, transmitir memórias de um cérebro para outro, mas, depois de algumas transmissões, a informação tende a ser deturpada ou se perder.

A terceira razão, e a mais importante, é que o cérebro humano foi adaptado para armazenar e processar apenas determinados tipos de informação. Para sobreviver, os antigos caçadores-coletores tinham de lembrar as formas, as características e os padrões de comportamento de milhares de espécies de plantas e de animais. Eles tinham de lembrar que um cogumelo amarelo enrugado crescendo no outono debaixo de um olmeiro é, muito provavelmente, venenoso, ao passo que um cogumelo de aspecto similar crescendo no inverno debaixo de um carvalho é um bom remédio para dor de estômago. Os caçadores-coletores também precisavam ter em mente as opiniões e as relações das várias dezenas de membros do bando. Se Lucy precisasse da ajuda de um membro do bando para fazer John parar de molestá-la, era importante que se lembrasse que na semana anterior John brigou com Mary, que, portanto, seria uma aliada provável e entusiasta. Consequentemente, as pressões evolutivas adaptaram o cérebro humano para armazenar quantidades imensas de informações botânicas, zoológicas, topográficas e sociais.

Mas quando, depois da Revolução Agrícola, começaram a aparecer sociedades particularmente complexas, um novo tipo de informação se tornou vital: os números. Os caçadores-coletores nunca precisaram lidar com grandes quantidades de dados matemáticos. Nenhum caçador-coletor precisava lembrar, por exemplo, a quantidade de frutas em cada árvore na floresta, de modo que o cérebro humano não se adaptou para armazenar e processar números. Mas, para manter um reino grande, dados matemáticos eram fundamentais. Nunca foi suficiente criar leis e contar histórias sobre deuses guardiães. Também era preciso cobrar impostos. Para arrecadar impostos de centenas de milhares de pessoas, era fundamental recolher dados sobre a renda e as posses das pessoas; dados sobre os pagamentos realizados; dados sobre atrasos, dívidas e multas; dados sobre descontos e isenções. Isso somava milhões de dados, que tinham de ser armazenados e processados. Sem essa capacidade, o Estado jamais saberia de que recursos dispunha e que recursos adicionais poderia obter. Quando confrontado com a necessidade de memorizar, lembrar e manipular todos esses números, o cérebro da maioria dos humanos se sobrecarregava ou ficava letárgico.

Essa limitação mental restringia severamente o tamanho e a complexidade dos coletivos humanos. Quando a quantidade de pessoas e propriedades em determinada sociedade ultrapassava um limite crítico, passava a ser necessário armazenar e processar grandes quantidades de dados matemáticos. Como o cérebro humano não era capaz de fazer isso, o sistema ruía. Durante milhares de anos após a Revolução Agrícola, as redes sociais humanas permaneceram relativamente pequenas e simples.

Os primeiros a superar o problema foram os antigos sumérios, que viviam no sul da Mesopotâmia. Lá, um sol abrasador banhando planícies lamacentas e férteis produziu colheitas fartas e cidades prósperas. Conforme o número de habitantes cresceu, também aumentou a quantidade de informações requeridas para coordenar seus assuntos. Entre os anos 3500 e 3000 a.C., alguns gênios sumérios desconhecidos inventaram um sistema para armazenar e processar informações fora do cérebro concebido especialmente para lidar com grandes quantidades de dados matemáticos. Com isso, os sumérios libertaram sua ordem social das limitações do cérebro humano, abrindo caminho para o surgimento de cidades, reinos e impérios. O sistema de processamento de dados inventado pelos sumérios é chamado "escrita".

Assinado, Kushim

A escrita é um método para armazenar informações por meio de símbolos materiais. O sistema de escrita sumério fez isso combinando dois tipos de símbolos, que eram gravados em pequenas tábuas de argila. Um tipo de símbolo representava os números. Havia símbolos para 1, 10, 60, 600, 3600 e 36000 (os sumérios usavam uma combinação de sistemas numéricos de base 6 e de base 10. Seu sistema de base 6 nos deixou vários legados importantes, como a divisão do dia em 24 horas e do círculo em 360 graus). O outro tipo de símbolo representava pessoas, animais, mercadorias, territórios, datas e assim por diante. Ao combinar ambos os tipos de símbolos, os sumérios foram capazes de preservar muito mais dados do que qualquer cérebro humano poderia se lembrar ou qualquer cadeia de DNA poderia codificar.

Nesse estágio inicial, a escrita era limitada a fatos e números. O grande romance sumério, se é que existiu algum, nunca foi gravado em tábuas de argila. A escrita consumia tempo, e o público leitor era diminuto, de modo que ninguém via razão alguma para usá-la para outro

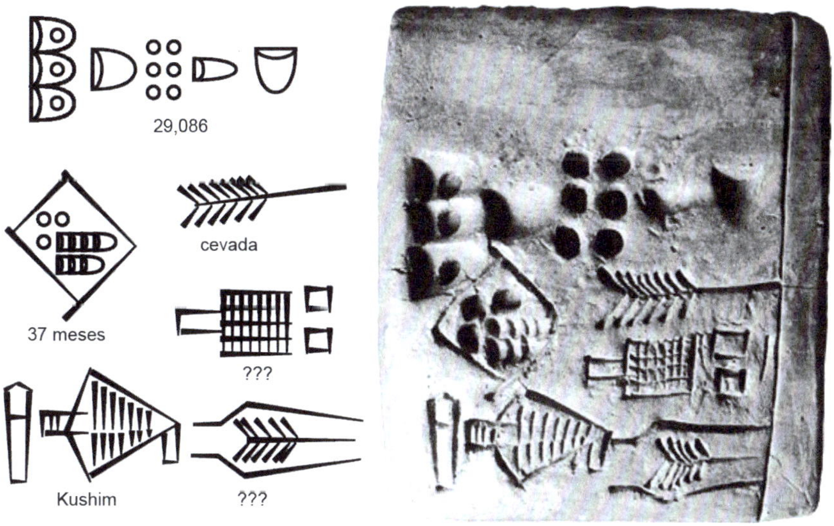

13. Tábua de argila com um texto administrativo da cidade de Uruk, *c.* 3400-3000 a.C. A tábua aparentemente registra um total de 29.086 medidas de cevada recebido por Kushim ao longo de 37 meses. "Kushim" pode ser o título genérico de um funcionário público ou o nome de um indivíduo em particular. Se Kushim foi mesmo uma pessoa, talvez seja o primeiro indivíduo na história cujo nome conhecemos! Todos os nomes usados nos estágios antigos da história humana – os neandertais, os natufianos, a caverna de Chauvet, Göbekli Tepe – são invenções modernas. Não temos ideia de como os construtores de Göbekli Tepe batizaram o lugar. Com o surgimento da escrita, começamos a ouvir a história da boca de seus protagonistas. Ao designá-lo, os vizinhos de Kushim podem ter na verdade gritado "Kushim!". É revelador que o primeiro nome registrado na história pertença a um contador, e não a um profeta, poeta ou grande conquistador.[1]

propósito que não o registro de informações essenciais. Se procuramos as primeiras palavras de sabedoria vindas de nossos ancestrais, há 5 mil anos, é melhor nos prepararmos para uma grande decepção. As primeiras mensagens que nossos ancestrais deixaram foram do tipo: "29.086 medidas cevada 37 meses Kushim". A leitura mais provável dessa frase é a seguinte: "Um total de 29.086 medidas de cevada foram recebidas no decurso de 37 meses. Assinado, Kushim". Infelizmente, os primeiros textos de história não contêm reflexões filosóficas, poesias, lendas, leis ou triunfos reais. São documentos econômicos monótonos, registrando o pagamento de impostos, a acumulação de dívidas e títulos de propriedades.

Apenas um outro tipo de texto sobreviveu desses dias antigos, e é ainda menos empolgante: listas de palavras, copiadas repetidas vezes por escribas aprendizes como exercício. Mesmo que um estudante entediado quisesse escrever alguns de seus poemas em vez de uma cópia de um recibo de compra e venda, ele não poderia fazer isso. Em seus primórdios, o sistema de escrita sumério era parcial, e não completo. Um sistema de escrita completo é um sistema de símbolos materiais que pode representar de maneira mais ou menos fiel a linguagem falada. Pode, portanto, expressar tudo que as pessoas podem dizer, inclusive poesia. Um sistema de escrita parcial, por outro lado, é um sistema de símbolos materiais que só pode representar determinados tipos de informação, pertencentes a um campo de atividade limitado. O latim, os hieróglifos do antigo Egito e o braile são sistemas de escrita completos. Pode-se usá-los para escrever registros de impostos, poemas de amor, livros de história, receitas de culinária e leis empresariais. Já o primeiro sistema de escrita sumério, assim como as notações musicais e os símbolos matemáticos modernos, é um sistema de escrita parcial. Você pode usar símbolos matemáticos para fazer cálculos, mas não pode usá-los para escrever poemas de amor.

Não incomodava os sumérios o fato de que seu sistema de escrita não era apropriado para escrever poesia. Eles não o inventaram para copiar a língua falada, e sim para fazer coisas que a língua falada não conseguia fazer. Houve algumas culturas, como as dos Andes pré-colombianos, que usaram apenas sistemas de escrita parciais durante toda a sua história, sem se deixar abalar pelas limitações de seus sistemas de escrita e sem sentir necessidade alguma de uma versão completa. O sistema de escrita andino era muito diferente de seu equivalente sumério. De

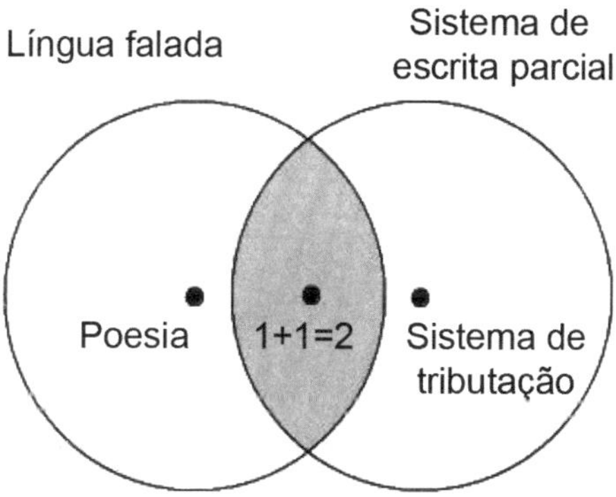

O sistema de escrita parcial não pode expressar todo o espectro de uma língua falada, mas pode expressar coisas que estão fora do escopo da língua falada. Sistemas de escrita parciais como as notações matemáticas e sumérias não podem ser usados para escrever poesia, mas podem manter registros contábeis de maneira muito eficaz.

fato, era tão diferente que muitas pessoas afirmariam que nem sequer era um sistema de escrita. Não era registrado em tábuas de argila ou pedaços de papel. Em vez disso, era registrado por meio de nós atados em cordas coloridas chamadas quipos. Cada quipo consistia de muitas cordas de cores distintas, feitas de lã ou de algodão. Em cada corda, atavam-se vários nós em diferentes lugares. Um único quipo podia conter centenas de cordas e milhares de nós. Ao combinar diferentes nós em diferentes cordas com diferentes cores, era possível registrar grandes quantidades de dados matemáticos referentes, por exemplo, à arrecadação de impostos e ao registro de propriedades.[2]

Durante centenas, talvez milhares de anos, os quipos foram essenciais para o negócio de cidades, reinos e impérios.[3] Eles alcançaram todo seu potencial sob o Império Inca, que governou 10-12 milhões de pessoas e abarcou toda a área do Peru, Equador e Bolívia, bem como pedaços do Chile, da Argentina e da Colômbia. Graças aos quipos, os incas puderam salvar e processar grandes quantidades de dados, sem os quais não teriam sido capazes de manter o complexo maquinário administrativo que um império desse tamanho requer.

De fato, os quipos eram tão eficazes e precisos que, nos primeiros anos após a conquista espanhola da América do Sul, os próprios

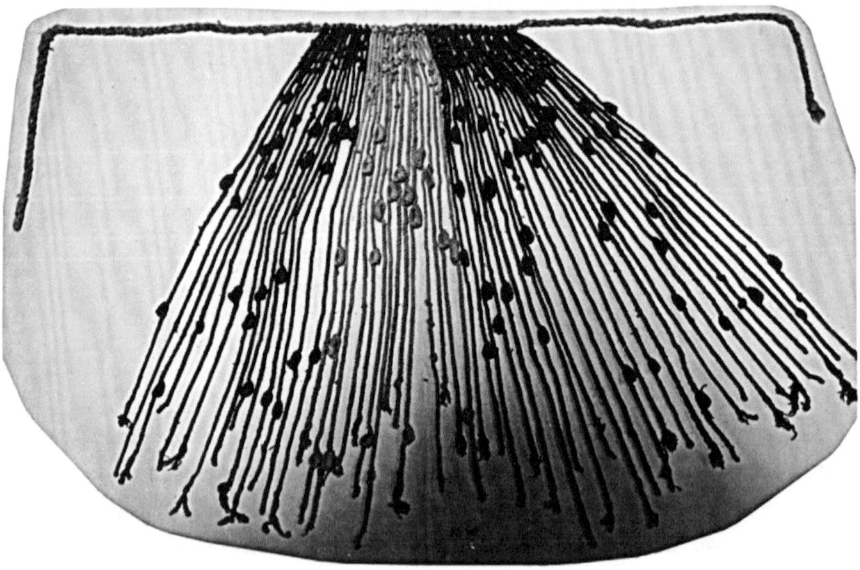

14. Um quipo andino datando do século XII.

espanhóis empregaram esse sistema no trabalho de administrar seu novo império. O problema era que os espanhóis não sabiam como registrar e ler quipos, o que os tornava dependentes dos profissionais locais. Os novos governantes do continente perceberam que isso os colocava em uma posição difícil – os nativos especialistas em quipos poderiam facilmente enganar seus senhores. Por isso, uma vez que o domínio da Espanha estava mais consolidado, os quipos foram desativados e os registros do novo império foram mantidos totalmente em latim e numerais. Pouquíssimos quipos sobreviveram à ocupação espanhola, e a maioria dos que restaram são indecifráveis, já que, infelizmente, a arte de ler quipos se perdeu.

As maravilhas da burocracia

Os habitantes da Mesopotâmia passaram a querer registrar coisas que não apenas os monótonos dados matemáticos. Entre 3000 e 2500 a.C., mais e mais símbolos foram acrescentados ao sistema sumério, transformando-o progressivamente em um sistema de escrita completo que hoje chamamos de cuneiforme. Em 2500 a.C., reis usavam a escrita cuneiforme para emitir decretos, sacerdotes a usavam para registrar oráculos e cidadãos menos elevados a usavam para escrever cartas pessoais. Aproximadamente na mesma época, os egípcios desenvolveram um sistema completo chamado escrita hieroglífica. Outros sistemas de escrita completos foram desenvolvidos na China por volta de 1200 a.C. e na América Central por volta de 1000-500 a.C.

Desses centros iniciais, os sistemas de escrita completos se espalharam por toda parte, assumindo várias novas formas e novas tarefas. As pessoas começaram a escrever poesia, livros de história, romances, dramas, profecias e livros de culinária. Mas a tarefa mais importante da escrita continuou sendo o armazenamento de pacotes de dados matemáticos, e essa tarefa continuou sendo prerrogativa dos sistemas de escrita parciais. A Bíblia hebraica, a Ilíada grega, o Mahabharata hindu e o Tipitaka budista, todos começaram como obras orais. Por muitas gerações, foram transmitidos oralmente, e teriam continuado assim se a escrita jamais tivesse sido inventada. Mas os registros de impostos e burocracias complexas nasceram junto com o sistema de escrita parcial e permanecem inexoravelmente unidos, como gêmeos siameses, até os dias de hoje – pense nas entradas crípticas em planilhas e bases de dados computadorizadas.

A medida que cada vez mais coisas eram escritas e, em especial, que os arquivos administrativos cresciam, atingindo enormes proporções, novos problemas surgiam. As informações armazenadas no cérebro de uma pessoa são fáceis de acessar. Meu cérebro armazena bilhões de dados, mas eu posso rapidamente, quase instantaneamente lembrar o nome da capital da Itália, em seguida lembrar o que fiz em 11 de setembro de 2001 e então reconstruir o caminho que vai da minha casa à Universidade Hebraica em Jerusalém. Exatamente como o cérebro faz isso continua sendo um mistério, mas todos sabemos que o sistema cerebral de acesso de informações é incrivelmente eficaz, a não ser quando você está tentando lembrar onde colocou as chaves do carro.

Mas como encontrar e recuperar informações armazenadas em cordas de quipos ou em tábuas de argila? Se você tiver apenas dez tábuas ou uma centena de tábuas, isso não é um problema. Mas e se tiver acumulado milhares delas, como fez um dos contemporâneos de Hamurabi, o rei Zimri-Lim, de Mari?

Imagine por um instante que estamos em 1776 a.C. Dois habitantes de Mari estão brigando pela posse de um campo de trigo. Jacó insiste que comprou o campo de Esaú há 30 anos. Esaú retorque que, na verdade, ele alugou o campo de Jacó por um período de 30 anos e que agora, findo o prazo, o quer de volta. Eles gritam e discutem e começam a empurrar um ao outro antes de perceber que podem resolver a disputa indo ao arquivo real, onde estão guardados as escrituras e os recibos de compra e venda que se aplicam a todas as propriedades do reino. Ao chegar ao arquivo, eles são transferidos de um oficial a outro. Esperam, tomam vários chás, são orientados a voltar no dia seguinte e acabam sendo conduzidos por um funcionário queixoso para procurar a tábua de argila em questão. O funcionário abre uma porta e os leva a uma sala enorme, forrada do chão ao teto com milhares de tábuas de argila. Não é de admirar que o funcionário está de cara feia. Como se espera que ele localize a escritura do campo de trigo disputado registrada há 30 anos? Mesmo que a encontre, como será capaz de verificar a informação para garantir que o documento de 30 anos atrás é o último relacionado ao campo em questão? Se não puder encontrá-la, isso prova que Esaú nunca vendeu nem alugou o campo? Ou simplesmente que o documento se perdeu, ou foi danificado quando uma chuva gotejou no arquivo?

Claramente, o mero ato de gravar um documento em argila não é suficiente para garantir um processamento de dados eficaz, preciso e conveniente. Isso requer métodos de organização como catálogos, métodos de reprodução como fotocopiadoras, métodos de acesso rápido e preciso como algoritmos de computador, e bibliotecários pedantes (mas, com sorte, solícitos) que saibam usar essas ferramentas.

Inventar tais métodos se mostrou muito mais difícil do que inventar a escrita. Muitos sistemas de escrita se desenvolveram de maneira independente em culturas distantes umas das outras no tempo e no espaço. A cada década os arqueólogos descobrem mais alguns sistemas de escrita esquecidos. Alguns deles podem se revelar ainda mais antigos do que os arranhões sumérios em argila. Mas a maioria não passa de curiosidades, porque quem os inventou não conseguiu criar maneiras eficientes de catalogar e acessar dados. O que distingue a Suméria, bem como o Egito faraônico, a China antiga e o Império Inca, é que essas culturas desenvolveram boas técnicas de arquivamento, catalogação e consulta de registros escritos. Elas também investiram em escolas para escribas, escriturários, bibliotecários e contadores.

Um exercício de escrita de uma escola na antiga Mesopotâmia que foi descoberto por arqueólogos modernos nos dá uma ideia da vida desses estudantes, por volta de 4 mil anos atrás:

> Eu entrei e me sentei, e meu professor leu minha tábua.
> Ele falou: "Tem algo faltando!".
> E me castigou com a vara.
> Uma das pessoas responsáveis falou: "Por que você abriu a boca sem minha permissão?".
> E me castigou com a vara.
> O responsável pelas regras falou: "Por que você se levantou sem minha permissão?".
> E me castigou com a vara.
> O porteiro falou: "Por que você está saindo sem minha permissão?".
> E me castigou com a vara.
> O guardião do caneco de cerveja falou: "Por que você se serviu sem minha permissão?".
> E me castigou com a vara.
> O professor sumério falou: "Por que você falou em acadiano?".*
> E me castigou com a vara.
> Meu professor falou: "Sua caligrafia não é boa!".
> E me castigou com a vara.[4]

Os antigos escribas aprendiam não só a ler e escrever como também a usar catálogos, dicionários, calendários, formulários e tabelas. Eles estudavam e internalizavam técnicas de catalogação, acesso e processamento de informações que eram muito diferentes das usadas pelo cérebro. No cérebro, todos os dados são associados livremente. Quando vou com minha esposa contratar um financiamento imobiliário para nossa casa nova, eu me lembro do primeiro lugar em que moramos juntos, que me faz lembrar da nossa lua de mel em Nova Orleans, que me faz lembrar de crocodilos, que me fazem lembrar de dragões, que me fazem lembrar de *O anel dos Nibelungos*, e, de repente, antes que eu perceba, lá estou eu cantarolando o tema de Siegfried para um bancário

* Mesmo depois que o acadiano se tornou a língua falada, o sumério continuou sendo a língua da administração e, portanto, a língua escrita. Sendo assim, os aspirantes a escriba tinham de falar sumério.

perplexo. Na burocracia, as coisas precisam ser mantidas separadas. Há uma gaveta para financiamentos imobiliários, outra para certidões de casamento, uma terceira para registros de impostos e uma quarta para ações judiciais. Do contrário, como podemos encontrar alguma coisa? As coisas que pertencem a mais de uma gaveta, como os dramas musicais wagnerianos (devo arquivá-los em "música", "teatro", ou inventar uma categoria totalmente nova?) são uma dor de cabeça terrível. Assim, estamos sempre acrescentando, eliminando e reordenando gavetas.

Para funcionar, as pessoas que operam tal sistema de gavetas devem ser reprogramadas para parar de pensar como humanos e começar a pensar como escriturários e contadores. Como todo mundo sabe, dos tempos antigos até hoje, escriturários e contadores pensam de uma maneira não humana. Eles pensam como armários de arquivo. Não é culpa deles. Se não pensarem dessa maneira, suas gavetas ficarão todas misturadas, e eles não serão capazes de fornecer os serviços de que seu governo, sua empresa ou sua organização necessita. O impacto mais importante do sistema de escrita na história humana é precisamente este: pouco a pouco, mudou a forma como os humanos pensam e concebem o mundo. A livre associação e o pensamento holístico deram lugar à compartimentalização e à burocracia.

A linguagem dos números

Com o passar dos séculos, métodos burocráticos de processamento de dados ficaram cada vez mais diferentes do modo como os humanos pensam naturalmente – e cada vez mais importantes. Um passo crucial foi dado um pouco antes do século IX, quando se inventou um novo sistema de escrita parcial, que podia armazenar e processar dados matemáticos com eficiência sem precedentes. Esse sistema de escrita parcial era composto de dez símbolos representando os números de 0 a 9. Confusamente, esses símbolos são conhecidos como algarismos arábicos, embora tenham sido inventados pelos hindus (ainda mais confusamente, os árabes de hoje usam um conjunto de dígitos com aspecto bem diferente dos usados pelos ocidentais). Mas os árabes receberam o crédito porque, quando invadiram a Índia, encontraram o sistema, entenderam sua utilidade, o aperfeiçoaram e o espalharam pelo Oriente

Médio e então pela Europa. Quando vários outros símbolos foram posteriormente acrescentados aos algarismos arábicos (como os símbolos para adição, subtração e multiplicação), surgiu a base da notação matemática moderna.

$$
\begin{aligned}
\ddot{\mathbf{r}}_i = \sum_{j\neq i}\frac{\mu_j(\mathbf{r}_j-\mathbf{r}_i)}{r_{ij}^3}\Bigg\{1 &- \frac{2(\beta+\gamma)}{c^2}\sum_{l\neq i}\frac{\mu_l}{r_{il}} \\
&- \frac{2\beta-1}{c^2}\sum_{k\neq j}\frac{\mu_k}{r_{jk}} + \gamma\left(\frac{\dot{s}_i}{c}\right)^2 \\
&+ (1+\gamma)\left(\frac{\dot{s}_j}{c}\right)^2 - \frac{2(1+\gamma)}{c^2}\dot{\mathbf{r}}_i\cdot\dot{\mathbf{r}}_j \\
&- \frac{3}{2c^2}\left[\frac{(\mathbf{r}_i-\mathbf{r}_j)\cdot\mathbf{r}_j}{r_{ij}}\right]^2 + \frac{1}{2c^2}(\mathbf{r}_j-\mathbf{r}_i) \\
&\cdot\ddot{\mathbf{r}}_j\Bigg\} \\
&+ \frac{1}{c^2}\sum_{j\neq i}\frac{\mu_i}{r_{ij}^{\,3}}\{[\mathbf{r}_i-\mathbf{r}_j] \\
&\cdot[(2+2\gamma)\dot{r}_i-(1+2\gamma)\dot{\mathbf{r}}_j]\}(\dot{\mathbf{r}}_i-\dot{\mathbf{r}}_j) \\
&+ \frac{3+4\gamma}{2c^2}\sum_{j\neq i}\frac{\mu_j\ddot{\mathbf{r}}_j}{r_{ij}}
\end{aligned}
$$

Equação para calcular a aceleração da massa i sob a influência da gravidade, de acordo com a Teoria da Relatividade. Quando a maioria das pessoas leigas vê uma equação como essa, geralmente entra em pânico e fica paralisada, como um cervo surpreendido pelos faróis de um veículo em alta velocidade. A reação é absolutamente natural e não denuncia falta de inteligência ou de curiosidade. Com raras exceções, o cérebro humano é simplesmente incapaz de pensar em conceitos como relatividade e mecânica quântica. Os físicos, entretanto, conseguem, porque deixam de lado a maneira de pensar tradicional dos humanos e aprendem a pensar novamente com a ajuda de sistemas externos de processamento de dados. Partes cruciais de seu processo de pensamento acontecem não na cabeça, mas dentro de computadores ou em uma lousa escolar.

Embora esse sistema de escrita continue sendo parcial, se tornou a linguagem dominante no mundo. Quase todos os Estados, empresas, organizações e instituições – quer falem árabe, híndi, inglês ou norueguês – usam notação matemática para registrar e processar dados. Cada informação que possa ser traduzida em notação matemática é armazenada, disseminada e processada com velocidade e eficiência impressionantes.

Uma pessoa que deseja influenciar as decisões de governos, organizações e empresas deve, portanto, aprender a falar em números. Os especialistas fazem o que podem para traduzir até mesmo ideias como "pobreza", "felicidade" e "honestidade" em números ("a linha de pobreza", "níveis de bem-estar subjetivos", "índice de credibilidade"). Campos inteiros do conhecimento, como a física e a engenharia, já perderam quase todo o contato com a linguagem humana falada e são mantidos unicamente por notação matemática.

Mais recentemente, a notação matemática deu origem a um sistema de escrita ainda mais revolucionário, um sistema binário computadorizado de apenas dois símbolos: 0 e 1. As palavras que estou escrevendo agora em meu teclado são escritas no interior do meu computador por diferentes combinações de 0 e 1.

A escrita nasceu como uma serva da consciência humana, mas pouco a pouco se tornou sua senhora. Nossos computadores têm dificuldade para entender como o *Homo sapiens* fala, sente e sonha. Portanto, estamos ensinando o *Homo sapiens* a falar, sentir e sonhar na linguagem dos números, que pode ser entendida por computadores.

E esse não é o fim da história. O campo da inteligência artificial está procurando criar um novo tipo de inteligência baseado unicamente no sistema binário de computadores. Filmes de ficção científica como *Matrix* e *O exterminador do futuro* falam de um dia em que o sistema binário se livra da opressão da humanidade. Quando os humanos tentam reobter o controle do sistema rebelde, ele reage tentando eliminar a raça humana.

8

Não existe justiça na história

Entender a história humana nos milênios que sucederam à Revolução Agrícola se resume a uma única questão: como os humanos se organizavam em redes de cooperação em massa, uma vez que careciam de instintos biológicos para sustentar tais redes? A resposta sucinta é que os humanos criaram ordens imaginadas e desenvolveram sistemas de escrita. Essas duas invenções preencheram as lacunas deixadas por nossa herança biológica.

No entanto, o aparecimento de tais redes foi, para muitos, uma vantagem duvidosa. As ordens imaginadas que sustentavam essas redes nunca foram neutras nem justas. Elas dividiram as pessoas em pretensos grupos, dispostos em uma hierarquia. Os níveis superiores desfrutavam de privilégios e poder, enquanto os inferiores sofriam discriminação e opressão. O Código de Hamurabi, por exemplo, estabelecia uma ordem hierárquica formada por homens superiores, homens comuns e escravos. Os superiores ficavam com todas as coisas boas da vida. Os homens comuns ficavam com o que sobrava. Os escravos ficavam com uma surra, se reclamassem.

Apesar de sua proclamação da igualdade entre todos os homens, a ordem imaginada constituída pelos norte-americanos em 1776 também estabeleceu uma divisão. Criou uma hierarquia entre homens, que se beneficiavam dela, e mulheres, que ficaram desprovidas de autoridade. Criou uma hierarquia entre brancos, que desfrutavam de liberdade, e negros e indígenas, considerados humanos de uma espécie inferior, não compartilhando, assim, dos direitos igualitários dos homens. Muitos dos que assinaram a Declaração da Independência eram senhores de escravos. Eles não libertaram escravos depois que assinaram a Declaração nem se consideraram hipócritas. Em sua visão, os direitos dos *homens* pouco tinham a ver com os negros.

A ordem norte-americana também consagrou a hierarquia entre ricos e pobres. A maioria dos norte-americanos da época quase não tinha problemas com a desigualdade causada por pais ricos que passavam seu dinheiro e negócios para os filhos. Na visão deles, igualdade significava apenas que as mesmas leis se aplicavam a ricos e pobres. Não tinha nada a ver com seguro-desemprego, educação integrada ou seguro-saúde. A liberdade também tinha conotações muito diferentes das que tem hoje. Em 1776, não significava que os desprivilegiados (pelo menos não negros, índios e, muito menos, mulheres) podiam conquistar e exercer o poder. Significava simplesmente que o Estado não podia, exceto em circunstâncias incomuns, confiscar a propriedade privada de um cidadão nem dizer a ele o que fazer com ela. A ordem norte-americana, com isso, endossou a hierarquia da riqueza, que alguns pensavam ter sido ordenada por Deus e outros viam como a representação das leis imutáveis da natureza. A natureza, alegava-se, recompensava mérito com riqueza, enquanto penalizava a indolência.

Todas as distinções mencionadas aqui – entre homens livres e escravos, brancos e negros, ricos e pobres – se baseiam em ficções. (A hierarquia entre homens e mulheres será discutida posteriormente.) Ainda assim, é uma lei férrea da história que toda hierarquia imaginada negue suas origens ficcionais e afirme ser natural e inevitável. Por exemplo, muitas pessoas que viam a hierarquia dos homens livres e dos escravos como natural e correta argumentaram que a escravidão não é uma invenção humana. Hamurabi a via como algo ordenado por Deus. Aristóteles afirmou que os escravos tinham uma "natureza escrava", enquanto os homens livres tinham uma natureza "livre". Seu status na sociedade não passava de um reflexo de sua natureza inata.

Pergunte aos defensores da supremacia branca sobre hierarquia racial e prepare-se para ouvir uma palestra pseudocientífica sobre as diferenças biológicas entre as raças. É provável que digam que há algo no sangue ou nos genes caucasianos que torna os brancos naturalmente mais inteligentes, trabalhadores e virtuosos. Pergunte a um capitalista obstinado sobre a hierarquia da riqueza e provavelmente ouvirá que se trata do resultado inevitável de diferenças objetivas na capacidade dos indivíduos. Segundo essa visão, os ricos têm mais dinheiro porque são mais capazes e aplicados. Portanto, ninguém deveria se incomodar se os ricos têm melhor serviço de saúde, melhor educação e melhor nutrição. Eles são merecedores de todos os benefícios de que desfrutam.

Os hindus que aderem a um sistema de castas acreditam que forças cósmicas fizeram uma casta superior a outra. De acordo com um famoso mito de criação hindu, os deuses criaram o mundo a partir do corpo de um ser primitivo, Purusha. O Sol foi criado dos olhos de Purusha; a Lua, do cérebro de Purusha; os brâmanes (sacerdotes), de sua boca; os xátrias (guerreiros), de seus braços; os vaixás (camponeses e mercadores), de suas coxas; os sudras (criados), de suas pernas. Aceite essa explicação, e as diferenças sociopolíticas entre brâmanes e sudras passam a ser tão naturais e eternas quanto as diferenças entre o Sol e a Lua.[1] Os antigos chineses acreditavam que, quando sua deusa Nu Kua criou os humanos a partir da terra, ela fez os aristocratas com uma bela argila amarela, enquanto os homens comuns foram moldados com barro marrom.[2]

Ainda assim, até onde sabemos, essas hierarquias são produto da imaginação humana. Brâmanes e sudras não foram realmente criados por deuses a partir de diferentes partes do corpo de um ser primitivo. Em vez disso, a distinção entre as duas castas foi criada por leis e normas inventadas por humanos no norte da Índia, há cerca de 3 mil anos. Ao contrário do que dizia Aristóteles, não se conhece nenhuma diferença biológica entre escravos e homens livres. Leis e normas humanas transformaram algumas pessoas em escravos e outras em senhores. Entre negros e brancos existem algumas diferenças biológicas objetivas, como cor da pele e tipo de cabelo, mas não há nenhuma evidência de que essas diferenças se estendam à inteligência ou à moral.

A maioria das pessoas afirma que sua hierarquia social é natural e justa, enquanto as de outras sociedades são baseadas em critérios falsos e ridículos. Os ocidentais modernos são ensinados a desprezar a ideia de hierarquia racial. Eles ficam chocados com as leis que proíbem os negros de viver em bairros de brancos, ou estudar em escolas de brancos, ou ser tratados em hospitais de brancos. Mas a hierarquia de ricos e pobres, que autoriza os ricos a viver em bairros distintos e mais luxuosos, estudar em escolas distintas e de mais prestígio e receber tratamento médico em instalações distintas e bem equipadas, parece perfeitamente sensata para muitos norte-americanos e europeus. Mas é um fato comprovado que a maior parte dos ricos são ricos pelo simples motivo de terem nascido em uma família rica, enquanto a maior parte dos pobres continuarão pobres no decorrer da vida simplesmente por terem nascido em uma família pobre.

Infelizmente, sociedades humanas complexas parecem exigir hierarquias imaginadas e discriminação injusta. É claro que nem todas as hierarquias são moralmente idênticas, e algumas sociedades sofreram tipos mais extremos de discriminação do que outras. Apesar disso, os estudiosos não têm conhecimento de nenhuma grande sociedade que tenha sido capaz de prescindir totalmente da discriminação. Repetidas vezes, as pessoas estabeleceram a ordem em sua sociedade classificando a população em categorias imaginadas, como homens superiores, homens comuns e escravos; brancos e negros; patrícios e plebeus; brâmanes e sudras; ricos e pobres. Essas categorias regulamentaram as relações entre milhões de seres humanos ao tornar algumas pessoas superiores a outras em termos jurídicos, políticos ou sociais.

As hierarquias têm uma função importante. Elas permitem que estranhos saibam como tratar uns aos outros sem desperdiçar o tempo e a energia necessários para se tornarem pessoalmente familiarizados. Em *Pigmaleão*, de Bernard Shaw, Henry Higgins não precisa se tornar íntimo de Eliza Doolittle para entender como deve se relacionar com ela. Só de ouvi-la falar, ele deduz que se trata de um membro de classe baixa com quem pode fazer o que quiser – por exemplo, usá-la como títere em sua aposta de fazer uma vendedora de flores ambulante se passar por duquesa. Uma Eliza dos tempos modernos trabalhando em uma floricultura precisa saber quanto esforço dedicar à venda de rosas e gladíolos para as pessoas que entram na loja todos os dias. Não pode fazer uma indagação detalhada dos gostos e bolsos de cada indivíduo. Em vez disso, usa algumas pistas – o modo como a pessoa está vestida, sua idade e, se não for politicamente correta, a cor da pele. É assim que ela imediatamente faz a distinção entre o sócio da firma de contabilidade que tem grande probabilidade de comprar um buquê de rosas caro e o mensageiro que só tem um dólar para gastar num punhado de margaridas.

Obviamente, as diferenças nas habilidades naturais também desempenham seu papel na formação de distinções sociais, mas tais diversidades de aptidão e caráter costumam ser mediadas por hierarquias imaginadas. Isso acontece de duas formas importantes. A primeira e a principal delas é que a maioria das habilidades precisa ser cultivada e desenvolvida. Mesmo que alguém nasça com um talento em particular, esse talento normalmente permanecerá latente se não for estimulado, lapidado e exercitado. Nem todas as pessoas têm a mesma chance de nutrir e aperfeiçoar suas habilidades. Ter ou não essa oportunidade costuma depender de sua posição na hierarquia imaginada pela sociedade em que estão inseridas. Harry Potter é um bom exemplo. Tirado de sua família notável de bruxos e criado por *trouxas* ignorantes, ele chega a Hogwarts sem nenhuma experiência em magia. São necessários sete livros até que ele aprenda a dominar plenamente seus poderes e conheça suas habilidades excepcionais.

A segunda é que, mesmo que pessoas pertencentes a classes diferentes desenvolvam exatamente as mesmas habilidades, é improvável que tenham o mesmo sucesso, porque terão que jogar segundo regras diferentes. Se, na Índia governada pela Inglaterra, um intocável, um brâmane, um irlandês católico e um inglês protestante tivessem, de alguma forma, desenvolvido exatamente o mesmo tino para os negócios, ainda assim não teriam as mesmas chances de enriquecer. O jogo econômico era manipulado por restrições jurídicas e barreiras invisíveis não oficiais.

O círculo vicioso

Todas as sociedades são baseadas em hierarquias imaginadas, mas não necessariamente nas mesmas hierarquias. O que explica essas diferenças? Por que as pessoas são classificadas na sociedade indiana tradicional de acordo com castas, na sociedade otomana de acordo com a religião e na sociedade norte-americana de acordo com a raça? Na maioria dos casos, a hierarquia surgiu em consequência de um conjunto de circunstâncias históricas acidentais e foi, então, perpetuada e refinada durante muitas gerações, à medida que diferentes grupos passaram a ter interesses pessoais em tal hierarquia.

Por exemplo, muitos estudiosos supõem que o sistema de castas hindu tomou forma quando o povo indo-ariano invadiu o subcontinente indiano há cerca de 3 mil anos, subjugando a população local. Os invasores estabeleceram uma sociedade estratificada, em que – é claro – ocuparam as posições principais (sacerdotes e guerreiros), deixando aos nativos a condição de criados e escravos. Os invasores, em menor número, temiam perder seu status privilegiado e identidade singular. Para evitar esse risco, dividiram a população em castas, exigindo que cada uma delas se dedicasse a uma ocupação específica ou desempenhasse um determinado papel na sociedade. Cada uma tinha status legal, privilégios e deveres diferentes. A mistura de castas – interação social, casamento e até mesmo o compartilhamento de refeições – era proibida. E as distinções não eram apenas legais: se tornaram uma parte inerente da mitologia e da prática religiosa.

Os governantes argumentavam que o sistema de castas refletia uma realidade cósmica eterna, e não um processo histórico casual. Conceitos de pureza e impureza eram elementos essenciais no hinduísmo, e eram utilizados para sustentar a pirâmide social. Os hindus devotos aprendiam que o contato com membros de uma casta diferente podia contaminá-los não apenas pessoalmente, mas também a sociedade como um todo e, portanto, devia ser abominado. Essas ideias não são exclusividade dos hindus. No decorrer da história, e em praticamente todas as sociedades, conceitos de contaminação e pureza tiveram um papel fundamental na imposição de divisões políticas e sociais e foram explorados por muitas classes dominantes a fim de estas manterem seus privilégios. No entanto, o medo da contaminação não foi totalmente inventado por sacerdotes e príncipes. Provavelmente tem suas origens em mecanismos de sobrevivência que fazem os humanos sentirem uma repulsa instintiva por portadores de doenças em potencial, como pessoas enfermas e cadáveres. Se você quiser manter qualquer grupo humano isolado – mulheres, judeus, ciganos, gays, negros –, a melhor forma é convencer todos de que essas pessoas são fonte de contaminação.

O sistema de castas hindu e as leis de pureza que o acompanham ficaram profundamente arraigados na cultura indiana. Bem depois que a invasão indo-ariana foi esquecida, os indianos continuaram a acreditar nesse sistema e a abominar a contaminação causada pela mistura de castas. As castas não são imunes a mudanças. De fato, com o passar do tempo, grandes castas foram divididas em subcastas. As quatro castas originais acabaram por se transformar em 3 mil agrupamentos diferentes chamados *jati* (literalmente, "nascimento"). Mas essa proliferação de castas não mudou o princípio básico do sistema, segundo o qual cada pessoa nasce em um determinado nível, e qualquer transgressão de suas regras contamina a pessoa e a sociedade como um todo. A *jati* de uma pessoa determina sua profissão, o alimento que pode comer, seu local de residência e os possíveis parceiros para casamento. Normalmente, uma pessoa só pode se casar com alguém de sua casta, e os filhos gerados herdam esse status.

Sempre que surgia uma nova profissão ou entrava em cena um novo grupo de pessoas, eles tinham de ser reconhecidos como casta para receber um lugar legítimo dentro da sociedade hindu. Grupos que não conseguiam obter reconhecimento como casta eram, literalmente, párias – nessa sociedade estratificada, não ocupavam sequer o patamar mais baixo. Eles ficaram conhecidos como intocáveis. Tinham de viver separados dos outros e tentar sobreviver de formas humilhantes e repulsivas, revirando latas de lixo em busca de sucata, por exemplo. Até mesmo membros das castas mais baixas evitavam se misturar com eles, comer com eles, tocá-los e, é claro, se casar com eles. Na Índia atual, questões de casamento e trabalho ainda são fortemente influenciadas pelo sistema de castas, apesar de todas as tentativas do governo democrático para acabar com tais distinções e convencer os hindus de que não há nenhuma contaminação na mistura de castas.[3]

Pureza na América

Um círculo vicioso similar perpetuou a hierarquia racial na América moderna. Do século XVI ao XVIII, os conquistadores europeus importaram milhões de escravos africanos para trabalhar em minas e plantações do continente americano. Optaram por importar escravos da África e não da Europa ou do leste da Ásia devido a três fatores circunstanciais. Primeiro, a África era mais perto, então era mais barato importar escravos do Senegal que do Vietnã.

Em segundo lugar, na África já existia um comércio de escravos bem desenvolvido (exportando principalmente para o Oriente Médio), enquanto na Europa a escravidão era muito rara. Era obviamente muito mais fácil comprar escravos em um mercado existente do que criar um do zero.

O terceiro fator, e o mais importante, era que as fazendas em locais como a Virgínia, o Haiti e o Brasil estavam tomadas por malária e febre amarela, originárias da África. Os africanos haviam adquirido, durante gerações, uma imunidade genética parcial a essas doenças, enquanto os europeus eram totalmente indefesos e morriam aos montes. Portanto, era mais prudente para um dono de latifúndio investir seu dinheiro em um escravo africano do que em um escravo ou criado europeu. Paradoxalmente, a superioridade genética (em termos de imunidade) se traduziu em inferioridade social: precisamente por estarem mais adaptados a climas tropicais do que os escravos provenientes da Europa, os africanos terminaram como escravos de senhores europeus! Devido a esses fatores circunstanciais, as novas sociedades em desenvolvimento no continente americano foram divididas em uma casta dominante de europeus brancos e uma casta subjugada de negros africanos.

Mas as pessoas não gostam de dizer que mantêm escravos de uma certa raça ou origem simplesmente porque é conveniente em termos econômicos. Como os conquistadores arianos na Índia, os europeus brancos nas Américas não queriam ser vistos apenas como bem-sucedidos economicamente, mas também como piedosos, justos e objetivos. Mitos religiosos e científicos foram utilizados para ajudar a justificar essa divisão. Teólogos afirmaram que os africanos descendiam de Cam, filho de Noé amaldiçoado por seu pai, que disse que seus filhos seriam escravos. Biólogos afirmaram que os negros eram menos inteligentes que os brancos e que tinham senso moral menos desenvolvido. Médicos afirmaram que os negros viviam na sujeira e disseminavam doenças – em outras palavras, eram fonte de contaminação.

Esses mitos repercutiram na cultura americana, e na cultura ocidental de modo geral. Continuaram a exercer influência bem depois que as condições que criaram a escravidão haviam desaparecido. No início do século XIX, o Império Britânico declarou a escravidão ilegal e interrompeu o comércio de escravos no Atlântico, e, nas décadas seguintes, a escravidão foi pouco a pouco sendo proibida em todo o continente americano. É digno de nota que essa foi a primeira e única vez na história que as sociedades escravocratas aboliram a escravidão voluntariamente. Mas, mesmo que os escravos tenham sido libertados, os mitos racistas que justificaram a escravidão persistiram. A separação das raças foi mantida por legislações e normas sociais racistas.

O resultado foi um ciclo retroalimentado de causa e efeito, um círculo vicioso. Considere, por exemplo, o sul dos Estados Unidos imediatamente após a guerra civil. Em 1865, a 13ª emenda à Constituição dos Estados Unidos aboliu a escravatura, e a 14ª impôs que não se podiam negar, com base na raça, cidadania e proteção igualitária perante a lei. No entanto, depois de dois séculos de escravidão, a maioria das famílias negras era muito mais pobre e menos instruída do que a maioria das famílias brancas. Assim, um negro nascido no Alabama em 1865 tinha muito menos chance de obter boa educação e um emprego bem pago do que seus vizinhos brancos. Seus filhos, nascidos nas décadas de 1880 e 1890, iniciaram a vida com a mesma desvantagem – eles também nasceram em uma família pobre e pouco instruída.

Mas a desvantagem econômica não era tudo. O Alabama também era lar de muitos brancos pobres que não tinham acesso às oportunidades disponíveis a seus irmãos de raça com melhores condições financeiras. Além disso, a Revolução Industrial e as ondas de imigração transformaram os Estados Unidos em uma sociedade extremamente fluida, em que se podia subir na vida rapidamente. Se o dinheiro fosse tudo o que importava, a rígida divisão entre as raças logo teria desaparecido, inclusive por meio do casamento inter-racial.

Mas isso não aconteceu. Em 1865, os brancos, e também muitos negros, assumiam como certo o fato de que os negros eram menos inteligentes, mais violentos e sexualmente libertinos, mais preguiçosos e menos preocupados com higiene pessoal do que os brancos. Eram, dessa forma, agentes de violência, roubos, estupros e doenças – em outras palavras, contaminação. Se, em 1895, um negro residente do Alabama miraculosamente conseguisse obter uma boa educação e se candidatasse a um emprego respeitável – como caixa de banco, por exemplo –, as chances de ser aceito seriam muito menores do que as de um candidato branco com as mesmas qualificações. O estigma que rotulava os negros como, por natureza, pouco confiáveis, preguiçosos e menos inteligentes conspiraria contra ele.

Pode-se pensar que as pessoas pouco a pouco entenderiam que esses estigmas eram mitos, e não fatos, e que, com o tempo, os negros seriam capazes de provar que são tão competentes, limpos e corretos quanto os brancos. Na verdade, aconteceu o oposto: esses preconceitos ficaram cada vez mais arraigados conforme o tempo foi passando. Como todos os melhores empregos eram dos brancos, ficou mais fácil acreditar que os negros eram realmente inferiores. "Veja", dizia o cidadão branco médio, "os negros são livres há gerações e ainda assim quase não existem professores, advogados, médicos ou mesmo caixas de banco negros.

Não é uma prova de que os negros são simplesmente menos inteligentes e trabalhadores?" Nesse círculo vicioso, negros não eram contratados para empregos administrativos porque eram considerados pouco inteligentes, e a escassez de negros em empregos administrativos era prova de sua inferioridade.

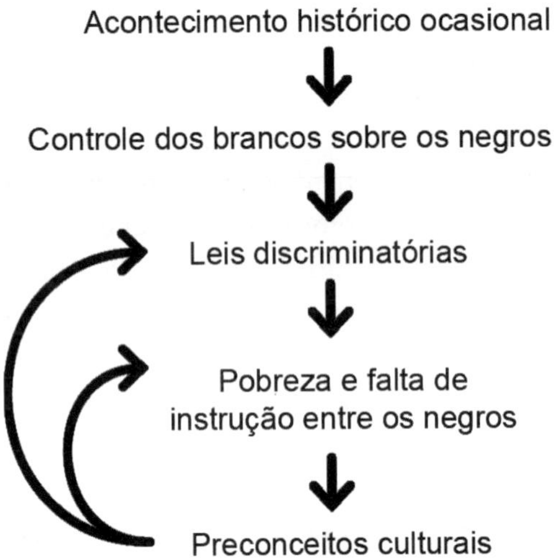

O círculo vicioso: uma situação histórica fortuita se traduz em um rígido sistema social.

O círculo vicioso não acaba aí. À medida que os estigmas contra os negros se fortaleceram, foram traduzidos em um sistema de leis e normas chamadas "leis Jim Crow", criado para proteger a ordem racial. Os negros eram proibidos de votar em eleições, estudar em escolas de brancos, comprar em lojas de brancos, comer em restaurantes de brancos, dormir em hotéis de brancos. A justificativa para tudo isso era que os negros eram sujos, indolentes e maldosos, de modo que os brancos tinham que se proteger deles. Os brancos não queriam dormir no mesmo hotel que os negros, ou comer no mesmo restaurante, por medo de doenças. Eles não queriam que seus filhos estudassem na mesma escola que crianças negras, por medo de brutalidade e más influências. Não queriam que os negros votassem nas eleições, já que os negros eram ignorantes e imorais. Esses temores eram confirmados por estudos científicos que "provavam" que os negros eram, de fato, menos instruídos, que várias doenças eram mais comuns entre eles e que seus índices de criminalidade eram ainda mais altos (os estudos ignoravam o fato de que esses "fatos" *resultavam* da discriminação contra os negros).

Em meados do século XX, a segregação nos antigos Estados confederados provavelmente era pior do que no fim do século XIX. Clennon King, um estudante negro que se candidatou à Universidade do Mississippi em 1958, foi forçado a ir para uma instituição psiquiátrica. O juiz responsável julgou que um negro só podia ser insano ao pensar que poderia ser admitido na Universidade do Mississippi.

Nada era tão revoltante para os sulistas (e muitos nortistas) norte-americanos como relações sexuais e casamento entre homens negros e mulheres brancas. O sexo interracial se tornou um grande tabu, e qualquer violação, ou suspeita de violação, era vista como merecedora de punição imediata e sumária na forma de linchamento. A Ku Klux Klan, sociedade secreta dos defensores da supremacia branca, perpetrou muitas dessas matanças. Eles poderiam ensinar algumas coisinhas aos brâmanes hindus sobre leis de pureza.

Com o tempo, o racismo se espalhou para cada vez mais esferas culturais. A cultura estética norte-americana foi construída sobre padroes brancos de beleza. Os atributos físicos da raça branca – por exemplo, pele branca e cabelos claros e lisos, nariz pequeno e arrebitado – começaram a ser identificados como belos. Traços tipicamente negros – pele escura, cabelos pretos e crespos, nariz achatado – eram considerados feios. Esses preconceitos impregnaram a hierarquia imaginada em um nível ainda mais profundo da consciência humana.

Tais círculos viciosos podem continuar por séculos e até mesmo milênios, perpetuando uma hierarquia imaginada que surgiu de um acontecimento histórico ocasional. Com frequência, a discriminação tende a piorar com o tempo, e não a melhorar. Dinheiro gera dinheiro, e pobreza gera pobreza. Educação gera educação, e ignorância gera ignorância. Os que foram vítimas da história uma vez tendem a ser vitimados novamente. E aqueles que a história privilegiou tendem a ser privilegiados novamente.

A maioria das hierarquias sociopolíticas carece de base lógica ou biológica – elas não passam da perpetuação de eventos ocasionais sustentados por mitos. Esse é um bom motivo para se estudar história. Se a divisão entre negros e brancos, ou entre brâmanes e sudras, fosse fundada em realidades biológicas – ou seja, se os brâmanes realmente tivessem cérebro mais desenvolvido que os sudras –, a biologia seria suficiente para entender a sociedade humana. Como as distinções biológicas entre diferentes grupos de *Homo sapiens* são, na verdade, desprezíveis, a biologia não é capaz de explicar as complexidades da sociedade indiana ou a dinâmica racial norte-americana. Só podemos entender esses fenômenos estudando os acontecimentos, as circunstâncias e as relações de poder que transformaram produtos da imaginação em estruturas sociais cruéis – e muito reais.

Ele e ela

Diferentes sociedades adotam diferentes tipos de hierarquias imaginadas. A raça é muito importante para os norte-americanos modernos, mas era relativamente insignificante para os muçulmanos medievais. A casta era uma questão de vida e morte na Índia medieval, ao passo que na Europa moderna é algo que praticamente inexiste. Uma hierarquia específica, no entanto, foi de extrema importância em todas as sociedades humanas conhecidas: a hierarquia do gênero. Todos os povos se dividiram entre homens e mulheres. E em quase todos os lugares os homens foram privilegiados, pelo menos desde a Revolução Agrícola.

Alguns dos textos chineses mais antigos são ossos oraculares que datam de 1200 a.C., utilizados para adivinhar o futuro. Em um deles estava entalhada a pergunta: "A gestação da sra. Hao será afortunada?". Para a qual foi escrita a resposta: "Se a criança nascer em um dia *ding*, será afortunada; se nascer em um dia *geng*, terá um futuro promissor". No entanto, a sra. Hao daria à luz em uma dia *jiayin*. O texto termina com a impertinente observação: "Três semanas e um dia depois, em um dia *jiayin*, nasceu a criança. Não foi afortunada. Era uma menina".[4] Mais de 3 mil anos depois, quando a China comunista decretou a política do "filho único", muitas famílias chinesas continuavam considerando o nascimento de uma menina uma desgraça. Os pais muitas vezes abandonavam ou matavam meninas recém-nascidas para ter mais uma chance de ter um menino.

Em muitas sociedades, as mulheres eram mera propriedade dos homens, principalmente do pai, marido ou irmão. O estupro, em muitos sistemas jurídicos, era tratado como violação de propriedade – em outras palavras, a vítima não era a mulher estuprada, mas o homem a quem ela pertencia. Nesse caso, a sentença era a transferência de propriedade – o estuprador era obrigado a pagar o valor de uma noiva ao pai ou ao irmão da mulher, e a partir de então ela se tornava propriedade do estuprador. A Bíblia diz que "Se um homem se encontrar com uma moça sem compromisso de casamento e a violentar, e eles forem descobertos, ele pagará ao pai da moça cinquenta peças de prata. Terá que casar-se com a moça" (Deuteronômio, 22:28-29). Os antigos hebreus consideravam esse acordo razoável.

Estuprar uma mulher que não pertencia a nenhum homem não era considerado crime algum, assim como pegar uma moeda perdida em uma rua movimentada não é considerado roubo. E se um marido estuprava a própria mulher, ele não cometia nenhum crime. Na verdade, a ideia de que um marido pudesse estuprar a esposa era um oximoro. Ser marido era ter controle absoluto da sexualidade da esposa. Dizer que um marido "estuprou" a própria esposa era tão ilógico quanto dizer que um homem roubou a própria carteira. Tal pensamento não se limitava ao antigo Oriente Médio. Em 2006, ainda havia 53 países em que um marido não podia ser processado por estuprar a esposa. Até mesmo na Alemanha, as leis de estupro foram modificadas apenas em 1997, criando-se uma categoria jurídica para o estupro conjugal.[5]

A divisão entre homens e mulheres é produto da imaginação, como o sistema de castas na Índia ou o sistema racial nos Estados Unidos, ou é uma divisão natural com raízes biológicas mais profundas? E, se houver, de fato, uma divisão natural, existem também explicações biológicas para a primazia dos homens sobre as mulheres?

Algumas das disparidades culturais, jurídicas e políticas entre homens e mulheres refletem as diferenças biológicas óbvias entre os sexos. Gerar uma criança sempre foi trabalho das mulheres, porque os homens não têm útero. Ainda assim, sobre essa verdade universal, todas as sociedades acumularam diversas camadas de ideias e normas culturais que pouco têm a ver com biologia. As sociedades associam masculinidade e feminilidade com uma série de atributos que, em sua maioria, não têm base biológica.

Por exemplo, na Atenas democrática do século V a.C., um indivíduo provido de um útero não tinha status jurídico independente e era proibido de participar de assembleias populares ou ser juiz. Com poucas exceções, tal indivíduo não podia se beneficiar de uma boa educação nem se envolver em negócios ou discursos filosóficos. Nenhum dos líderes políticos de Atenas, nenhum de seus grandes filósofos, oradores, artistas ou mercadores tinha útero. O fato de ter útero faz com que uma pessoa seja biologicamente inadequada para essas profissões? Os atenienses da Antiguidade acreditavam que sim. Os atenienses dos dias de hoje discordam. Na Atenas atual, as mulheres votam, são eleitas para cargos públicos, fazem discursos, projetam de tudo, de joias a edifícios e softwares, e frequentam universidades. O útero não as impede de fazer nenhuma dessas coisas com o mesmo sucesso que os homens. É verdade que ainda são pouco representadas na política e nos negócios – apenas cerca de 12% dos membros do parlamento grego são mulheres. Mas não existe nenhuma barreira jurídica à sua participação na política, e grande parte dos gregos dos dias de hoje considera perfeitamente normal que uma mulher ocupe um cargo público.

Muitos gregos da atualidade também pensam que uma parte integral de ser homem é se sentir sexualmente atraído apenas por mulheres e ter relações sexuais exclusivamente com o sexo oposto. Eles não enxergam isso como um preconceito cultural, mas sim como uma realidade biológica – relações entre duas pessoas do sexo oposto são algo natural, e entre duas pessoas do mesmo sexo, não. Na realidade, a Mãe Natureza não se importa se os homens se sentem sexualmente atraídos uns pelos outros. Apenas mães humanas inseridas em determinadas culturas fazem escândalo ao saber que seu filho tem um caso com o vizinho. A explosão de raiva da mãe não tem base biológica. Um número significativo de culturas humanas vê as relações homossexuais como algo não apenas legítimo como até mesmo socialmente construtivo, sendo a Grécia antiga o exemplo mais notável. A *Ilíada* não menciona que Tétis tivesse qualquer objeção às relações entre seu filho Aquiles e Pátroclo. A rainha Olímpia, da Macedônia, foi uma das mulheres mais temperamentais e poderosas da Antiguidade e até mesmo mandou matar seu próprio marido, o rei Felipe. Mas ela não teve um ataque quando seu filho, Alexandre, o Grande, levou seu amante, Heféstion, para jantar em casa.

Como podemos diferenciar aquilo que é biologicamente determinado daquilo que as pessoas apenas tentam justificar por meio de mitos biológicos? Um bom princípio básico é "a biologia permite, a cultura proíbe". A biologia está disposta a tolerar um leque muito amplo de possibilidades. É a cultura que obriga as pessoas a concretizar algumas possibilidades e proíbe outras. A biologia permite que as mulheres tenham filhos – algumas culturas obrigam as mulheres a concretizar essa possibilidade. A biologia permite que homens pratiquem sexo uns com os outros – algumas culturas os proíbem de concretizar essa possibilidade.

A cultura tende a argumentar que proíbe apenas o que não é natural. Mas, de uma perspectiva biológica, não existe nada que não seja natural. Tudo o que é possível é, por definição, também natural. Um comportamento verdadeiramente não natural, que vá contra as leis da natureza, simplesmente não teria como existir e, portanto, não necessitaria de proibição. Nenhuma cultura jamais se deu ao trabalho de proibir que os homens realizassem fotossíntese, que as mulheres corressem mais rápido do que a velocidade da luz, ou que elétrons com carga negativa atraíssem uns aos outros.

Na verdade, nossos conceitos de "natural" e "não natural" não são tirados da biologia, mas da teologia cristã. O sentido teológico de "natural" é "de acordo com as intenções de Deus, que criou a natureza". Os teólogos cristãos afirmam que Deus criou o corpo humano com a intenção de que cada membro e órgão servisse a um propósito em particular. Se usamos nossos membros e órgãos para o propósito previsto por Deus, trata-se de uma atividade natural. Usá-los de maneira diferente da intenção de Deus não é natural. Mas a evolução não tem propósito. Os órgãos não evoluíram com um propósito, e o modo como são usados está em constante mudança. Não existe um único órgão no corpo humano que execute apenas o trabalho que seu protótipo executava quando apareceu pela primeira vez, há centenas de milhões de anos. Os órgãos evoluem para executar uma função específica, mas, depois que existem, podem ser adaptados para outros usos também. A boca, por exemplo, surgiu porque os primeiros organismos multicelulares precisavam de uma forma de levar nutrientes para o corpo. Ainda usamos a boca para isso, mas também a usamos para beijar, falar e, se formos o Rambo, para puxar o pino de nossas granadas de mão. Algum desses usos não é natural simplesmente porque nossos ancestrais vermiformes não faziam essas coisas com a boca há 600 milhões de anos?

Da mesma forma, as asas não apareceram de repente com toda a sua maravilhosa aerodinâmica. Elas se desenvolveram a partir de órgãos que serviam a outro propósito. De acordo com uma teoria, as asas dos insetos evoluíram há milhões de anos a partir de protuberâncias no corpo de insetos não voadores. Insetos com calombos tinham uma área de superfície maior do que aqueles sem calombos, e isso permitiu que absorvessem mais luz do sol e, assim, ficassem mais aquecidos. Em um lento processo evolutivo, esses aquecedores solares ficaram maiores. A mesma estrutura que era boa para a máxima absorção da luz do sol – muita área de superfície, pouco peso – também, por coincidência, dava aos insetos um certo impulso quando saltavam e pulavam. Aqueles com protuberâncias maiores podiam saltar e pular mais longe. Alguns insetos começaram a usá-las para planar, e daí bastou um pequeno passo para chegar às asas capazes de realmente propulsar o inseto no ar. Da próxima vez em que um mosquito zumbir em seu ouvido, acuse-o de comportamento não natural. Se ele fosse bem-comportado e estivesse satisfeito com o que Deus lhe deu, usaria suas asas apenas como painéis solares.

O mesmo conceito de multitarefas se aplica a nossos órgãos e comportamentos sexuais. O sexo evoluiu, a princípio, para procriação e rituais de galanteio, como uma forma de avaliar a adequação de um possível parceiro. Mas muitos animais atualmente fazem uso delas para uma série de propósitos sociais que pouco tem a ver com a criação de pequenas cópias de si mesmos. Os chimpanzés, por exemplo, utilizam o sexo para firmar alianças políticas, criar intimidade e neutralizar tensões. Isso é antinatural?

Sexo e gênero

Faz pouco sentido, então, afirmar que a função natural da mulher é dar à luz, ou que a homossexualidade não é natural. A maior parte das leis, normas, direitos e obrigações que definem masculinidade e feminilidade refletem mais a imaginação humana do que a realidade biológica.

Biologicamente, os humanos estão divididos entre os sexos masculino e feminino. O *Homo sapiens* do sexo masculino tem um cromossomo X e um cromossomo Y; um indivíduo do sexo feminino tem dois cromossomos X. Mas “homem” e “mulher” são categoriais sociais, não biológicas. Embora na grande maioria dos casos, na maior parte das sociedades humanas, homens sejam do sexo masculino e mulheres sejam do sexo feminino, os termos sociais carregam muita bagagem que tem uma relação apenas tênue, se é que tem alguma, com os termos biológicos. Um homem não é um sapiens com características biológicas específicas, como cromossomos XY, testículos e muita testosterona. Em vez disso, ele se enquadra em um compartimento específico da ordem humana imaginada da qual faz parte. Os mitos de sua cultura lhe designam papéis (como participar da política), direitos (como votar) e deveres (como serviço militar) masculinos específicos. Da mesma forma, uma mulher não é um sapiens com dois cromossomos X, um útero e muito estrogênio. Em vez disso, é um membro do sexo feminino de uma ordem humana imaginada. Os mitos de sua sociedade lhe atribuem papéis (criar filhos), direitos (proteção contra violência) e deveres (obediência ao marido) femininos específicos. Já que mitos, e não a biologia, definem os papéis, direitos e deveres de homens e mulheres, o significado de "masculinidade" e "feminilidade" varia imensamente de uma sociedade para outra.

Para tornar as coisas menos confusas, os estudiosos costumam distinguir entre "sexo", que é uma categoria biológica, e "gênero", uma categoria cultural. O sexo se divide em masculino e feminino, e as características dessa divisão são objetivas e permaneceram constantes ao longo da história. O gênero se divide em homem e mulher (e algumas culturas reconhecem outras categorias). As chamadas características "masculinas" e "femininas" são intersubjetivas e passam por constantes mudanças. Por exemplo, existem muitas diferenças no comportamento, nos desejos, na vestimenta e até mesmo na postura corporal esperados das mulheres da Atenas clássica e da Atenas moderna.[6]

Indivíduo do sexo feminino = categoria biológica		Mulher = categoria cultural	
Atenas clássica	**Atenas moderna**	**Atenas clássica**	**Atenas moderna**
Cromossomos XX	Cromossomos XX	Não pode votar	Pode votar
Útero	Útero	Não pode ser juíza	Pode ser juíza
Ovários	Ovários	Não pode ter cargo público	Pode ter cargo público

Pouca testosterona	Pouca testosterona	Não pode escolher com quem se casar	Pode escolher com quem se casar
Muito estrogênio	Muito estrogênio	Tipicamente analfabeta	Tipicamente alfabetizada
Capaz de produzir leite	Capaz de produzir leite	É, legalmente, propriedade do pai ou do marido	É legalmente independente
Exatamente a mesma coisa		Coisas bem diferentes	

O sexo é brincadeira de criança, mas o gênero é coisa séria. Conseguir ser um membro do sexo masculino é a coisa mais simples do mundo. Basta nascer com um cromossomo X e um Y. Ser um indivíduo do sexo feminino é igualmente simples. Um par de cromossomos X resolve o assunto. Por outro lado, ser homem ou mulher é uma tarefa muito complicada e exigente. Como a maior parte das qualidades masculinas e femininas são culturais, e não biológicas, nenhuma sociedade coroa automaticamente cada pessoa do sexo masculino como homem e cada pessoa do sexo feminino como mulher. Tampouco cada um desses títulos são louros sobre os quais descansar assim que adquiridos. Os indivíduos do sexo masculino precisam provar sua masculinidade constantemente durante toda a vida, do berço ao túmulo, em uma série interminável de ritos e performances. E o trabalho de uma mulher nunca tem fim – ela deve, continuamente, convencer a si mesma e aos demais de que é feminina o bastante.

O sucesso não é garantido. Os indivíduos do sexo masculino, em particular, vivem um temor constante de perder sua afirmação de masculinidade. Durante toda a história, estiveram dispostos a arriscar e até mesmo sacrificar a vida, apenas para que as pessoas dissessem: "Ele é um homem de verdade!".

O que há de tão bom nos homens?

Pelo menos desde a Revolução Agrícola, a maior parte das sociedades humanas têm sido sociedades patriarcais que valorizam mais os homens

15. Masculinidade no século XVIII: um retrato oficial do rei Luís XIV, da França. Observe a peruca longa, a meia-calça, os sapatos de salto alto, a postura de bailarina – e a enorme espada. Na América contemporânea, todas essas coisas (com a exceção da espada) seriam consideradas marcas de caráter afeminado. Mas em seu tempo Luís era um paradigma europeu de masculinidade e virilidade.

16. Masculinidade no século XXI: um retrato oficial de Barack Obama. O que aconteceu com a peruca, a meia-calça, os saltos altos – e a espada? Homens dominantes nunca tiveram uma aparência tão tediosa e monótona quanto nos dias de hoje. Durante boa parte da história, os homens dominantes foram coloridos e exibicionistas, como os chefes indígenas americanos, com seus cocares de penas, e os marajás hindus, enfeitados com seda e diamantes. No reino animal, os machos tendem a ser mais coloridos e enfeitados que as fêmeas – como mostram a cauda do pavão e a juba do leão.

do que as mulheres. Independentemente de como a sociedade definia "homem" e "mulher", ser homem sempre foi melhor, sociedades patriarcais educam os homens para pensar e agir de modo masculino e as mulheres para pensar e agir de modo feminino, punindo qualquer um que ouse cruzar essas fronteiras. Apesar disso, não recompensam da mesma forma aqueles que se adaptam. Qualidades consideradas masculinas são mais valorizadas do que aquelas que são consideradas qualidades femininas, e membros de uma sociedade que personificam o ideal feminino recebem menos do que aqueles que exemplificam o ideal masculino. Menos recursos são investidos na saúde e na educação das mulheres; elas têm menos oportunidades econômicas, menos poder político e menos liberdade de movimento. O gênero é uma corrida em que os corredores competem apenas pela medalha de bronze.

Certamente, um punhado de mulheres chegou à posição alfa, como Cleópatra, do Egito, a imperatriz Wu Zetian, da China (*c.* 700), e Elizabeth I, da Inglaterra. Mas elas são as exceções que confirmam a regra. Durante o reinado de 45 anos de Elizabeth, todos os membros do parlamento eram homens, todos os oficiais da marinha e do exército real eram homens, todos os juízes e advogados eram homens, todos os bispos e arcebispos eram homens, todos os teólogos e sacerdotes eram homens, todos os médicos e cirurgiões eram homens, todos os estudantes e professores de todas as universidades e faculdades eram homens, todos os prefeitos e xerifes eram homens, e quase todos os escritores, arquitetos, poetas, filósofos, pintores, músicos e cientistas eram homens.

O patriarcado tem sido a norma em quase todas as sociedades agrícolas e industriais. Resistiu teimosamente a levantes políticos, revoluções sociais e transformações econômicas. O Egito, por exemplo, foi conquistado inúmeras vezes no decorrer dos séculos. Assírios, persas, macedônios, romanos, árabes, mamelucos, turcos e britânicos o ocuparam – e sua sociedade sempre permaneceu patriarcal. O Egito foi governado pela lei faraônica, grega, romana, muçulmana, otomana e britânica – e todas discriminavam pessoas que não eram consideradas "homens de verdade".

Como o patriarcado é tão universal, não pode ser produto de algum círculo vicioso que teve início por um acontecimento ao acaso. É particularmente digno de nota que, mesmo antes de 1492, a maior parte das sociedades tanto das Américas quanto da África e da Ásia eram patriarcais, embora não tenham tido contato durante milhares de anos. Se o patriarcado na África e na Ásia resultou de algum acontecimento fortuito, por que os astecas e incas eram patriarcais? É muito mais provável que, embora o conceito preciso de "homem" e "mulher" varie entre as culturas, exista alguma razão biológica universal para quase todas as culturas valorizarem a masculinidade em detrimento da feminilidade. Não sabemos qual é essa razão. Há muitas teorias, nenhuma delas convincente.

O poder dos músculos

A teoria mais comum aponta para o fato de que os homens são mais fortes que as mulheres e utilizaram sua maior capacidade física para obrigá-las a se submeterem. Uma versão mais sutil dessa afirmação sustenta que sua força permite que eles monopolizem tarefas que demandam trabalho braçal, como arar e colher. Isso lhes dá o controle da produção de alimentos, o que, por sua vez, se traduz em influência política.

Há dois problemas com essa ênfase no poder dos músculos. Primeiro, a declaração de que "os homens são mais fortes que as mulheres" é verdadeira apenas na média, e apenas se considerando certos tipos de força. As mulheres geralmente são mais resistentes a fome, doenças e fadiga que os homens. Há também muitas mulheres capazes de correr mais rápido e levantar mais peso que muitos homens. Além disso, o maior problema dessa teoria é que as mulheres, ao longo da história, foram excluídas sobretudo de empregos que exigiam pouco esforço físico (como o sacerdócio, lei e política), enquanto se dedicavam a trabalho braçal nos campos, no artesanato e nos cuidados com a casa. Se o poder social fosse dividido diretamente com base em vigor ou força física, as mulheres teriam se dado muito melhor.

E, o que é ainda mais importante, simplesmente não existe relação direta entre força física e poder social entre os humanos. Pessoas na casa dos 60 anos de idade costumam exercer poder sobre pessoas de 20 e poucos anos, ainda que os mais novos sejam muito mais fortes. O típico fazendeiro do Alabama de meados do século XIX poderia ser derrotado em segundos por qualquer um dos escravos que trabalhavam nos campos de algodão. Não se usavam lutas de boxe para selecionar faraós egípcios ou papas católicos. Em sociedades de caçadores-coletores, a dominância política costuma residir com quem tem a melhor aptidão social, e não a musculatura mais desenvolvida. No crime organizado, o chefão não é necessariamente o homem mais forte. Quase sempre é um homem mais velho que raramente faz uso de seus punhos; consegue que os mais jovens e com melhor preparo físico façam o trabalho sujo por ele. Um cara que pensa que a forma de dominar o grupo é acabar com o chefe provavelmente não vive o bastante para aprender com seu erro. Até mesmo entre os chimpanzés, o macho alfa conquista sua posição construindo uma coalizão estável com outros machos e fêmeas, e não por meio de violência sem discernimento.

Na verdade, a história humana mostra que costuma haver uma relação inversa entre proeza física e poder social. Na maioria das sociedades, são as classes mais baixas que fazem o trabalho braçal. Isso possivelmente reflete a posição do *Homo sapiens* na cadeia alimentar. Se as habilidades físicas fossem as únicas a serem consideradas, os sapiens estariam em um degrau no meio da escada. Mas suas habilidades mentais e sociais os colocaram no topo. É, portanto, simplesmente natural que a cadeia de poder dentro da espécie também seja determinada mais por habilidades mentais e sociais do que pela força bruta. É, portanto, difícil acreditar que a hierarquia social mais influente e mais estável da história seja fundada sobre a capacidade física dos homens de coagir as mulheres.

A escória da sociedade

Outra teoria explica que a dominância masculina resulta não da força, mas da agressão. Milhões de anos de evolução tornaram os homens muito mais violentos que as mulheres. As mulheres podem se igualar aos homens no que diz respeito a ódio, ambição e violência, mas, quando a situação fica crítica, em tese, os homens estão muito mais dispostos a partir para a violência física. É por isso que, em toda a história, a guerra sempre foi uma prerrogativa masculina.

Em tempos de guerra, o controle dos homens sobre as forças armadas também os transformou nos senhores da sociedade civil. Eles, então, usaram o controle que tinham sobre a sociedade civil para travar cada vez mais guerras, e quanto maior o número de guerras, maior o controle dos homens sobre a sociedade. Esse ciclo retroalimentado explica tanto a onipresença da guerra quanto a onipresença do patriarcado.

Estudos recentes dos sistemas hormonal e cognitivo de homens e mulheres fortalecem a hipótese de que os homens de fato têm tendências mais agressivas e violentas e, portanto, são, no geral, mais adequados para servirem como soldados comuns. Mas, considerando que todos os soldados são homens, devemos concluir que aqueles que gerenciam a guerra e colhem seus frutos também são homens? Isso não faz sentido. É como presumir que, como todos os escravos que cultivam campos de algodão são negros, o dono da plantação também é negro. Assim como uma força de trabalho formada apenas por negros pode ser controlada exclusivamente por brancos, por que um corpo de soldados composto apenas por homens não poderia ser controlado por uma liderança totalmente, ou pelo menos em parte, feminina? De fato, em inúmeras sociedades ao longo da história, os oficiais de mais alto escalão não começaram como soldados. Aristocratas, pessoas ricas e bem instruídas eram automaticamente designadas a patentes mais altas, sem nunca terem servido um único dia como soldados.

Quando o duque de Wellington, inimigo de Napoleão, se alistou no exército britânico aos 18 anos, foi imediatamente nomeado oficial. Ele não tinha muita consideração pelos plebeus sob seu comando. "Temos nas forças armadas a escória da Terra na função de soldados comuns", escreveu a um companheiro aristocrata durante a guerra contra a França. Esses soldados comuns costumavam ser recrutados entre os mais pobres ou entre minorias étnicas (como os católicos irlandeses). A chance de subirem na hierarquia militar era irrisória. Os postos superiores estavam reservados para duques, príncipes e reis. Mas por que só para duques, e não para duquesas?

O império francês na África foi consolidado e defendido pelo suor e pelo sangue de senegaleses, argelinos e franceses da classe trabalhadora. O percentual de franceses bem-nascidos nas linhas de combate era insignificante. Ainda assim, o percentual de franceses bem-nascidos dentro da pequena elite que conduziu o exército francês, comandou o império e colheu seus frutos era muito alto. Por que apenas franceses, e não francesas?

Na China havia uma longa tradição de subjugar o exército à burocracia civil, de modo que mandarins que nunca haviam empunhado uma espada muitas vezes comandavam as guerras. "Não se gasta um bom ferro para produzir pregos", dizia um ditado chinês popular, cujo significado era que as pessoas realmente talentosas faziam parte da burocracia civil, e não do exército. Por que, então, todos esses mandarins eram homens?

Não se pode argumentar racionalmente que fraqueza física ou baixos níveis de testosterona impediam as mulheres de se tornarem mandarinas, generais e políticas. Para gerenciar uma guerra, certamente é preciso vigor, mas não tanto força física ou agressividade. Guerras não são brigas de bar. São projetos muito complexos que exigem um grau extraordinário de organização, cooperação e capacidade de conciliação. A capacidade de manter a paz em casa, fazer aliados no exterior e entender o que passa pela cabeça das outras pessoas (particularmente seus inimigos) costuma ser a chave para a vitória. Por conseguinte, um homem bruto e agressivo muitas vezes é a pior escolha para coordenar uma guerra. Uma opção muito melhor é uma pessoa colaborativa que saiba como apaziguar, como manipular e como ver as coisas de diferentes perspectivas. É disso que são feitos os que constroem impérios. Augusto, militarmente incompetente, foi bem-sucedido na consolidação de um regime imperial estável, conquistando algo que desconcertou Júlio Cesar e Alexandre Magno, que eram generais muito melhores. Tanto seus contemporâneos quanto os historiadores modernos costumam atribuir essa façanha à sua virtude de *clementia* – moderação e clemência.

As mulheres frequentemente são estereotipadas como melhores manipuladoras e apaziguadoras que os homens e são famosas por sua capacidade superior de enxergar as coisas da perspectiva dos outros. Se há alguma verdade nesses estereótipos, então as mulheres teriam sido excelentes políticas e construtoras de impérios, deixando o trabalho sujo nos campos de batalha para os machos carregados de testosterona e desprovidos de sutileza. Apesar dos mitos populares, isso raras vezes aconteceu no mundo real. Não está nem um pouco claro qual seria o motivo.

Genes patriarcais

Um terceiro tipo de explicação de ordem biológica atribui menos importância à força bruta e à violência, e sugere que, em milhões de anos de evolução, homens e mulheres desenvolveram estratégias diferentes de sobrevivência e de reprodução. Como os homens competiam entre si pela oportunidade de engravidar mulheres férteis, a chance de reprodução de um indivíduo dependia, acima de tudo, de sua capacidade de superar em desempenho e derrotar outros homens. Com o decorrer do tempo, os genes masculinos que conseguiam passar para a geração seguinte eram aqueles pertencentes aos homens mais ambiciosos, agressivos e competitivos.

Uma mulher, por outro lado, não tinha dificuldade em encontrar um homem disposto a engravidá-la. No entanto, se quisesse que seus filhos lhe dessem netos, precisava carregá-los no útero durante nove árduos meses e depois cuidar deles durante anos. Durante esse período, tinha poucas oportunidades de obter comida e necessitava de muita ajuda. Precisava de um homem. Para garantir sua própria sobrevivência e a de seus filhos, a mulher não tinha muita escolha além de concordar com quaisquer condições que o homem estipulasse para ficar por perto e dividir o fardo. Com o tempo, os genes femininos que chegaram à geração seguinte pertenciam a mulheres de caráter cuidador e submisso. Mulheres que passavam tempo excessivo em disputas por poder não deixaram nenhum desses genes poderosos para as gerações futuras.

O resultado dessas diferentes estratégias de sobrevivência – segundo esta teoria – é que os homens foram programados para serem ambiciosos e competitivos e se sobressaírem na política e nos negócios, enquanto as mulheres tendiam a se recolherem e a dedicarem a vida a apoiar a carreira do marido e dos filhos.

Mas essa abordagem também parece ser desmentida pelas evidências empíricas. Particularmente problemática é a suposição de que a dependência, por parte das mulheres, de ajuda externa as tornou dependentes dos homens, e não de outras mulheres, e de que a competitividade masculina fez dos homens seres socialmente dominantes. Existem muitas espécies de animais, como os elefantes e os bonobos, em que a dinâmica entre fêmeas dependentes e machos competitivos resulta em uma sociedade *matriarcal*. Como as fêmeas necessitam de ajuda externa, são obrigadas a desenvolver suas habilidades sociais e aprender a cooperar e apaziguar. Elas constroem redes sociais totalmente femininas que ajudam cada um dos membros a criar seus filhos. Os machos, enquanto isso, passam o tempo lutando e competindo. Suas habilidades e laços sociais permanecem subdesenvolvidos. Sociedades de bonobos e elefantes são controladas por fortes redes de fêmeas colaborativas, enquanto os machos egocêntricos e não colaborativos são jogados para escanteio. Embora as fêmeas de bonobo sejam geralmente mais fracas que os machos, elas costumam formar grupos para subjugar os machos que passam dos limites.

Se isso é possível entre bonobos e elefantes, por que não entre *Homo sapiens*? Os sapiens são animais relativamente fracos, cuja vantagem está em sua capacidade de cooperar em grande escala. Nesse caso, deveríamos esperar que mulheres dependentes, mesmo que sejam dependentes de homens, usassem suas habilidade sociais superiores para cooperar a fim de superar estrategicamente e manipular homens agressivos, autônomos e egocêntricos.

Como foi que, em uma espécie cujo sucesso depende sobretudo da cooperação, os indivíduos supostamente menos colaborativos (homens) controlaram os indivíduos supostamente mais colaborativos (mulheres)? Até o momento presente, não temos uma resposta satisfatória. Talvez as suposições comuns estejam simplesmente erradas. Quem sabe os machos da espécie *Homo Sapiens* não são caracterizados por força física, agressividade e competitividade, e sim por habilidades sociais superiores e uma tendência maior a cooperar? Simplesmente não sabemos.

O que sabemos, no entanto, é que durante o último século os papéis sociais de gênero passaram por uma revolução enorme. Hoje, cada vez mais sociedades não só concedem a homens e mulheres status jurídico, direitos políticos e oportunidades econômicas iguais, como também repensam por completo suas concepções mais elementares de gênero e sexualidade. Embora as diferenças entre os gêneros ainda sejam significativas, as coisas vêm avançando rapidamente. Em 1913, a ideia de conceder direito a voto às mulheres era vista, nos Estados Unidos, como ultrajante; a perspectiva de uma ministra ou juíza da Suprema Corte era simplesmente ridícula; e a homossexualidade era um tabu tão grande que não podia sequer ser discutida na sociedade educada. Em 2015, o direito a voto feminino é ponto pacífico; ministras dificilmente são motivo de comentário; e cinco juízes da Suprema Corte dos Estados Unidos, três deles mulheres, decidiram a favor da legalização do casamento entre membros do mesmo sexo (invalidando as objeções de quatro juízes homens).

Essas mudanças drásticas são precisamente o que torna a história do gênero tão desconcertante. Se, como hoje se vem demonstrando de maneira tão clara, o sistema patriarcal se baseou em mitos infundados e não em fatos biológicos, o que explica a universalidade e a estabilidade desse sistema?

Parte três

A unificação da humanidade

17. Peregrinos circundando a Caaba, em Meca.

9

A seta da história

Depois da Revolução Agrícola, as sociedades humanas ficaram ainda maiores e mais complexas, enquanto os constructos imaginados que sustentavam a ordem social também se tornaram mais elaborados. Mitos e ficções habituaram as pessoas, praticamente desde o momento do nascimento, a pensar de determinadas maneiras, a se comportar de acordo com certos padrões, a desejar certas coisas e a seguir certas regras. Dessa forma, criaram instintos artificiais que permitiram que milhões de estranhos cooperassem de maneira efetiva. Essa rede de instintos artificiais é chamada de "cultura".

Durante a primeira metade do século XX, os acadêmicos ensinaram que todas as culturas eram completas e harmoniosas, detentoras de uma essência imutável que as definia por toda a eternidade. Cada grupo humano tinha sua própria visão de mundo e sistema de organização social, jurídica e política que fluíam de maneira tão uniforme quanto os planetas girando em torno do sol. De acordo com essa visão, as culturas relegadas a seus próprios recursos não mudavam. Simplesmente continuavam seguindo no mesmo ritmo e na mesma direção. Apenas uma força externa poderia mudá-las. Assim, antropólogos, historiadores e políticos falavam de "cultura samoana" ou de "cultura tasmaniana" como se as mesmas crenças, normas e valores tivessem caracterizado samoanos e tasmanianos desde o início dos tempos.

Hoje, a maioria dos estudiosos de cultura concluiu que, na verdade, acontece o oposto. Cada cultura tem crenças, normas e valores característicos, mas estes estão em transformação constante. A cultura pode se transformar em resposta a mudanças em seu ambiente ou por meio da interação com culturas vizinhas, mas também passa por transições decorrentes de sua própria dinâmica interna. Nem mesmo uma cultura completamente isolada, existindo em um ambiente ecologicamente estável, pode evitar mudanças. Diferentemente das leis da física, que estão livres de inconsistências, toda ordem criada pelo homem é cheia de contradições internas. As culturas estão o tempo todo tentando conciliar essas contradições, e esse processo alimenta a mudança.

Por exemplo, na Europa medieval, a nobreza acreditava, ao mesmo tempo, no cristianismo e no código de cavalaria. Um nobre típico ia à igreja pela manhã e ouvia o sacerdote dissertar sobre a vida dos santos. "Vaidade das vaidades", dizia o pregador, "tudo é vaidade. Riquezas, luxúria e honra são tentações perigosas. É preciso superá-las e seguir os passos de Cristo. Ser dócil como Ele, evitar violência e extravagâncias e, se atacado, simplesmente oferecer a outra face." Voltando para casa num humor tranquilo e reflexivo, o nobre vestia suas melhores sedas e ia a um banquete no castelo de seu soberano. Lá, o vinho fluía como água, o menestrel entoava canções sobre Lancelot e Guinevere e os convidados compartilhavam piadas sujas e narrativas sangrentas de guerra. "É preferível morrer", declaravam os barões, "a levar uma vida de humilhação. Se alguém questionar sua honra, só o sangue poderá anular o insulto. E o que pode ser melhor do que ver nossos inimigos fugindo e ter suas belas filhas estremecendo a nossos pés?"

A contradição nunca foi totalmente resolvida. Mas à medida que a nobreza, o clero e a plebe europeia tratavam de superá-la, sua cultura mudava. Uma tentativa de solucioná-la resultou nas Cruzadas. Durante a cruzada, os cavaleiros podiam demonstrar, de um só golpe, suas proezas militares e sua devoção religiosa. A mesma contradição gerou ordens militares como os Templários e a Ordem Hospitaleira de São João de Deus, que tentavam combinar ainda mais as ideias do cristianismo e as da cavalaria. Ela também foi responsável por grande parte da arte e da literatura medievais, como as histórias do Rei Artur e o Santo Graal. O que era Camelot senão uma tentativa de provar que um bom cavaleiro podia, e devia, ser um bom cristão e que entre os bons cristãos estavam os melhores cavaleiros?

Outro exemplo é a ordem política moderna. Desde a Revolução Francesa, pessoas do mundo inteiro pouco a pouco passaram a ver a igualdade e a liberdade individual como valores fundamentais. Mas os dois valores são contraditórios. A igualdade só pode ser assegurada se forem diminuídas as liberdades daqueles que estão em melhores condições. Garantir que cada indivíduo seja livre para fazer o que desejar inevitavelmente compromete a igualdade. Toda a história política do mundo desde 1789 pode ser vista como uma série de tentativas de superar essa contradição.

Qualquer um que tenha lido um romance de Charles Dickens sabe que os regimes liberais da Europa do século XIX davam prioridade à liberdade individual, mesmo que isso significasse jogar famílias insolventes na prisão e dar aos órfãos pouca escolha além de se juntar a grupos de batedores de carteiras. Qualquer um que tenha lido um romance de Alexander Soljenítsin sabe que o ideal igualitário do comunismo produziu tiranias cruéis que tentaram controlar todos os aspectos da vida cotidiana.

A política contemporânea dos Estados Unidos também gira em torno dessa contradição. Os democratas querem uma sociedade mais igualitária, mesmo que isso signifique aumentar os impostos para financiar programas para ajudar pobres, idosos e enfermos. Mas isso infringe a liberdade dos indivíduos de gastar seu dinheiro como desejarem. Por que o governo deve me obrigar a pagar por um seguro-saúde se prefiro usar o dinheiro para mandar meus filhos para a faculdade? Os republicanos, por outro lado, querem ampliar a liberdade individual, mesmo que isso signifique que o abismo entre a renda dos ricos e a dos pobres aumentará ainda mais e que um grande número de cidadãos norte-americanos não terá condições de pagar pelo seguro-saúde.

Assim como a cultura europeia medieval não conseguiu conciliar o código de cavalaria e o cristianismo, o mundo moderno não consegue conciliar liberdade e igualdade. Mas isso não é um defeito. Tais contradições são inerentes a toda cultura humana. Na verdade, são aquilo que move a cultura, responsáveis pela criatividade e dinamismo da nossa espécie. Da mesma forma que duas notas musicais discordantes tocadas ao mesmo tempo colocam em movimento uma composição musical, a dissonância em nossos pensamentos, ideias e valores nos compele a pensar, reavaliar e criticar. A consistência é o parque de diversões das mentes entorpecidas.

Se tensões, conflitos e dilemas irremediáveis são o tempero de todas as culturas, um ser humano pertencente a qualquer cultura específica deve ter crenças contraditórias e ser dilacerado por valores incompatíveis. É uma característica tão essencial a qualquer cultura que até recebeu um nome: dissonância cognitiva. A dissonância cognitiva é, com frequência, considerada uma falha da psique humana. Na verdade, trata-se de uma qualidade vital. Se as pessoas não fossem capazes de ter crenças e valores contraditórios, provavelmente seria impossível construir e manter qualquer cultura humana.

Se um cristão, digamos, realmente quiser entender realmente os muçulmanos que frequentam aquela mesquita perto da sua casa, ele não deveria procurar por um conjunto imaculado de valores que todos os muçulmanos prezam. Em vez disso, deveria investigar os impasses da cultura muçulmana, aqueles lugares em que as regras estão sendo combatidas e os padrões estão em disputa. É exatamente no ponto em que os muçulmanos oscilam entre dois fundamentos que é possível entendê-los melhor.

O satélite de espionagem

As culturas humanas estão em constante fluxo. Mas esse fluxo é completamente aleatório ou segue algum padrão geral? Em outras palavras: a história tem uma direção?

A resposta é sim. No decorrer dos milênios, culturas pequenas e simples se aglutinaram gradualmente, formando civilizações maiores e mais complexas, de modo que existem no mundo cada vez mais megaculturas, sendo cada uma delas maior e mais complexa. Trata-se, é claro, de uma generalização grosseira, aplicada apenas em nível macro. Em nível micro, ao que parece, para cada grupo de culturas que se aglutina em uma megacultura, existe uma megacultura que se desmembra. O império mongol se expandiu e dominou uma enorme faixa da Ásia, e até mesmo partes da Europa, e depois se fragmentou. O cristianismo converteu milhões de pessoas, ao mesmo tempo que se ramificou em inúmeras seitas. A língua latina se espalhou pelo oeste e centro da Europa e então se dividiu em dialetos locais que acabaram se transformando em idiomas nacionais. Mas essas rupturas são inversões temporárias em uma tendência inexorável rumo à unidade.

Entender a direção da história é, na verdade, uma questão de perspectiva privilegiada. Quando nos distanciamos e temos uma visão panorâmica da história, examinando desenvolvimentos em termos de décadas ou séculos, é difícil dizer se a história avança rumo à unidade ou à diversidade. No entanto, para entender processos de longo prazo, esse tipo de visão panorâmica é míope demais. Faríamos melhor em adotar, isso sim, a visão de um satélite de espionagem, que analisa milênios em vez de séculos. De um ponto de observação desses, fica nítido que a história está se movimentando incessantemente rumo à unidade. A ramificação do cristianismo e a queda do império mongol são apenas quebra-molas na autoestrada da história.

A melhor forma de avaliar a direção geral da história é contar o número de mundos humanos distintos que coexistiram em um dado momento no planeta Terra. Hoje, estamos acostumados a pensar no planeta inteiro como uma unidade, mas durante a maior parte da história a Terra era uma galáxia inteira de mundos humanos isolados.

Considere a Tasmânia, uma ilha de tamanho médio no sul da Austrália. Ela foi isolada do continente por volta de 10000 a.C., quando o fim da Era do Gelo fez o nível do mar se elevar. Alguns milhares de caçadores-coletores ficaram na ilha sem contato algum com outros humanos até a chegada dos europeus, no século XIX. Durante 12 mil anos, ninguém soube que os tasmanianos existiam, e eles não sabiam da existência de outras pessoas no mundo. Tiveram suas guerras, lutas políticas, oscilações sociais e transformações culturais. Ainda assim, para os imperadores da China ou os governantes da Mesopotâmia, a Tasmânia podia muito bem estar localizada em uma das luas de Júpiter. Os tasmanianos viviam em um mundo próprio.

A América e a Europa também foram mundos separados durante a maior parte de sua história. Em 378, o imperador romano Valente foi derrotado e morto pelos godos na batalha de Adrianópolis. No mesmo ano, o rei Chak Tok Ich'aak, de Tikal, foi derrotado e morto pelo exército de Teotihuacan. (Tikal era uma cidade-Estado maia importante, e Teotihuacan era a maior cidade da América, com quase 250 mil habitantes – da mesma ordem de magnitude de sua contemporânea, Roma). Não houve absolutamente nenhuma ligação entre a queda de Roma e a ascensão de Teotihuacan. Roma podia muito bem se localizar em Marte e Teotihuacan, em Vênus.

Quantos mundos diferentes coexistiram na Terra? Por volta de 10000 a.C., nosso planeta continha milhares deles. Em 2000 a.C., o número diminuiu para centenas, no máximo alguns poucos milhares. Em 1450, o número caiu ainda mais drasticamente. Na época, pouco antes da era das Grandes Navegações, a Terra ainda apresentava um número significativo de mundos diminutos como a Tasmânia, mas cerca de 90% dos humanos viviam em um único megamundo: o mundo da Afro-Ásia. Em sua maior parte, a Ásia, a Europa e a África (incluindo grandes extensões da África subsaariana) já estavam conectadas por laços culturais, políticos e econômicos significativos.

Grande parte dos 10% restantes da população mundial era dividida em quatro mundos de tamanho e complexidade consideráveis:

1. o mundo mesoamericano, que englobava quase toda a América Central e partes da América do Norte;
2. o mundo andino, que abrangia a maior parte do oeste da América do Sul;
3. o mundo australiano, que abarcava o continente da Austrália;
4. o mundo oceânico, que compreendia a maioria das ilhas do sudoeste do Pacífico, do Havaí à Nova Zelândia.

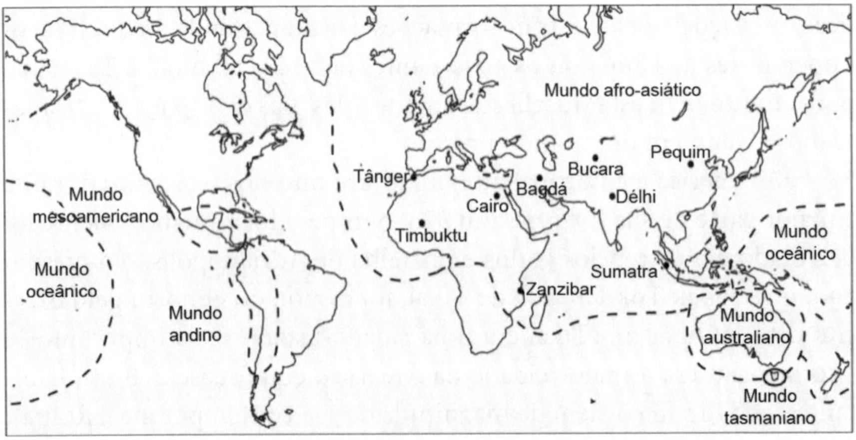

Mapa 3. A Terra em 1450. Os locais denominados dentro do mundo afro-asiático foram lugares visitados pelo viajante muçulmano Ibn Battuta, do século XIV. Nativo de Tânger, no Marrocos, Ibn Battuta visitou Timbuktu, Zanzibar, o sul da Rússia, a Ásia Central, a Índia, a China e a Indonésia. Suas viagens ilustram a unidade da Afro-Ásia às vésperas da era moderna.

Durante os 300 anos seguintes, o gigante afro-asiático engoliu todos os outros mundos. Consumiu o mundo mesoamericano em 1521, quando os espanhóis conquistaram o Império Asteca. Deu a primeira mordida no mundo oceânico no mesmo período, durante a circum-navegação de Fernão de Magalhães pelo globo, e logo depois completou sua conquista. O mundo andino ruiu em 1532, quando conquistadores espanhóis acabaram com o Império Inca. O primeiro europeu desembarcou no continente australiano em 1606, e aquele mundo intocado chegou ao fim quando a colonização britânica realmente teve início, em 1788. Quinze anos depois, os bretões fundaram a primeira colônia na Tasmânia, trazendo, assim, o último mundo humano autônomo para a esfera de influência afro-asiática.

O gigante afro-asiático levou vários séculos para digerir tudo o que havia engolido, mas o processo era irreversível. Hoje, quase todos os humanos partilham do mesmo sistema geopolítico (o planeta inteiro está dividido em Estados reconhecidos internacionalmente), do mesmo sistema econômico (as forças do mercado capitalista moldam até mesmo os rincões mais remotos do globo); do mesmo sistema jurídico (as leis internacionais e os direitos humanos são válidos em todos os lugares, pelo menos em teoria); e do mesmo sistema científico (especialistas no Irã, em Israel, na Austrália e na Argentina partilham dos mesmíssimos conceitos quanto à estrutura dos átomos ou ao tratamento da tuberculose).

A cultura global única não é homogênea. Assim como um corpo orgânico único contém vários tipos diferentes de órgãos e células, nossa cultura global única contém tipos diferentes de povos e estilos de vida, de corretores de ações de Nova York a pastores afegãos. Mas todos estão intimamente relacionados e influenciam uns aos outros de inúmeras maneiras. Ainda discutem e lutam, mas discutem usando os mesmos conceitos e lutam usando as mesmas armas. Um verdadeiro "choque de civilizações" é como o proverbial diálogo entre surdos: ninguém consegue entender o que o outro está dizendo. Hoje em dia, quando o Irã e os Estados Unidos fazem ameaças um ao outro, ambos falam a língua dos Estados-nação, das economias capitalistas, dos direitos internacionais e da física nuclear.

Ainda falamos muito sobre culturas "autênticas", mas se com "autênticas" nos referimos a algo que se desenvolveu de maneira independente e que consiste de tradições locais ancestrais, livres de influências externas, então não restam culturas autênticas na face da Terra. Nos últimos séculos, todas as culturas foram modificadas, a ponto de ficarem quase irreconhecíveis, por uma enxurrada de influências globais.

Um dos exemplos mais interessantes dessa globalização é a cozinha "étnica". Em um restaurante italiano, esperamos encontrar espaguete com molho de tomate; em restaurantes poloneses e irlandeses, muita batata; em um restaurante argentino, podemos escolher entre dezenas de cortes de carne bovina; em um restaurante indiano, pimentas fortes são incorporadas a quase tudo; e o destaque de qualquer cafeteria suíça é o chocolate quente cremoso servido com uma montanha de chantilly. Mas nenhum desses alimentos é originário dessas nações. Tomate, pimenta e cacau são de origem mexicana e chegaram à Europa e à Ásia apenas depois que os espanhóis conquistaram o México. Júlio César e Dante Alighieri nunca enrolaram espaguete coberto de molho de tomate com seus garfos (os garfos nem haviam sido inventados), Guilherme Tell nunca experimentou chocolate, e Buda nunca temperou a comida com pimenta. As batatas chegaram à Polônia e à Irlanda há pouco mais de 400 anos. O único bife que se podia obter na Argentina em 1492 era o de lhama.

Os filmes de Hollywood perpetuaram uma imagem dos índios das planícies como cavaleiros valentes, atacando corajosamente as carroças dos pioneiros europeus para proteger os costumes de seus ancestrais. No entanto, esses cavaleiros nativos norte-americanos não foram defensores de uma cultura autêntica, ancestral. Ao contrário, foram produto de uma grande revolução militar e política que varreu as planícies do oeste da América do Norte nos séculos XVII e XVIII, uma consequência da chegada dos cavalos europeus. Em 1492 não havia cavalos nos Estados Unidos. A cultura sioux e apache do século XIX tem muitas características interessantes, mas foi muito mais uma cultura moderna – resultado de forças globais – do que "autêntica".

A visão global

De uma perspectiva prática, o estágio mais importante do processo de unificação global ocorreu nos últimos séculos, quando os impérios cresceram e o comércio se intensificou. Ligações cada vez mais próximas se formaram entre os povos da Afro-Ásia, América, Austrália e Oceania. Assim, pimentas mexicanas foram parar na comida indiana, e o gado espanhol começou a pastar na Argentina. Mas, de uma perspectiva ideológica, um avanço ainda mais importante ocorreu durante o primeiro milênio a.C., quando a ideia de ordem universal criou raízes. Antes, durante milhares de anos, a história já estava se movendo lentamente rumo à unidade global, mas a ideia de uma ordem universal que governasse o mundo inteiro ainda era estranha para a maioria.

O *Homo sapiens* evoluiu para achar que as pessoas se dividiam entre "nós" e "eles". "Nós" era o grupo imediatamente à sua volta, independentemente de quem você fosse, e "eles" eram todos os outros. Na verdade, nenhum animal social jamais é guiado pelos interesses de toda a espécie à qual pertence. Nenhum chimpanzé se importa com os interesses da espécie chimpanzé, nenhuma lesma levantará um tentáculo em nome da comunidade global de lesmas, nenhum leão macho alfa tem intenção de se tornar o rei de todos os leões, e ninguém encontrará na entrada de uma colmeia o slogan "Abelhas-operárias do mundo, uni-vos!".

Porém, desde a Revolução Cognitiva, o *Homo sapiens* se tornou cada vez mais excepcional a esse respeito. As pessoas começaram a cooperar regularmente com completos estranhos, que elas imaginavam como "irmãos" ou "amigos". Mas essa irmandade não era universal. Em algum lugar no vale vizinho, ou depois de uma cadeia de montanhas, ainda era possível identificar quem eram "eles". Quando o primeiro faraó, Menés, unificou o Egito por volta de 3000 a.C., ficou claro para os egípcios que havia uma fronteira e que, depois dessa fronteira, os "bárbaros" estavam à espreita. Os bárbaros eram forasteiros, ameaçadores e interessantes apenas na medida em que tinham terras ou recursos naturais que os egípcios desejavam. Todas as ordens imaginadas que as pessoas criavam tendiam a ignorar uma parte considerável da humanidade.

O primeiro milênio a.C. testemunhou o aparecimento de três ordens potencialmente universais, cujos devotos, pela primeira vez, podiam imaginar o mundo inteiro, e a raça humana inteira, como uma unidade governada por um único conjunto de leis. Todos eram "nós", pelo menos potencialmente. Não havia mais "eles". A primeira ordem universal a surgir foi econômica: a ordem monetária. A segunda ordem universal foi política: a ordem imperial. A terceira ordem universal foi religiosa: a ordem das religiões universais como o budismo, o cristianismo e o islamismo.

Mercadores, conquistadores e profetas foram os primeiros a conseguir transcender a divisão evolutiva binária entre "nós" e "eles", e a prever a potencial unidade da raça humana. Para os mercadores, o mundo inteiro era um único mercado e todos os humanos eram clientes em potencial. Eles tentaram estabelecer uma ordem econômica que se aplicasse a todos, em todos os lugares. Para os conquistadores, o mundo inteiro era um único império e todos os humanos eram súditos em potencial, e para os profetas, o mundo inteiro carregava uma verdade única, e todos os humanos eram crentes em potencial. Eles também tentaram estabelecer uma ordem que se aplicasse a todos, em todos os lugares.

Durante os últimos milênios, as pessoas fizeram cada vez mais tentativas ambiciosas de concretizar essa visão global. Os três capítulos a seguir discutem como o dinheiro, os impérios e as religiões universais se espalharam e como assentaram as bases do mundo unificado de hoje. Começamos com a história do maior conquistador de todos os tempos, um conquistador imbuído de extrema tolerância e capacidade de adaptação, que transformou, assim, as pessoas em discípulos fervorosos. Esse conquistador é o dinheiro. Pessoas que não acreditam no mesmo deus nem obedecem ao mesmo rei estão mais do que dispostas a utilizar o mesmo dinheiro. Osama bin Laden, apesar de todo o ódio pela cultura, religião e política norte-americanas, adorava dólares. Como o dinheiro teve êxito onde deuses e reis fracassaram?

10

O cheiro do dinheiro

Em 1519, Hernán Cortés e seus conquistadores invadiram o México, até então um mundo humano isolado. Os astecas, como se autodenominavam as pessoas que viviam lá, logo notaram que os forasteiros demonstravam um interesse extraordinário por um certo metal amarelo. Na verdade, pareciam nunca parar de falar nisso. Os nativos estavam familiarizados com o ouro – era bonito e fácil de se trabalhar, e eles o usavam para fazer joias e estátuas e, de vez em quando, usavam pó de ouro como meio de troca. Mas, quando um asteca queria comprar alguma coisa, normalmente pagava em grãos de cacau ou rolos de tecido. A obsessão espanhola por ouro, portanto, parecia inexplicável. O que havia de tão importante em um metal, que não podia ser comido, bebido ou tecido, e que era frágil demais para ser utilizado em ferramentas ou armas? Quando os nativos questionaram Cortés sobre o porquê de os espanhóis terem tanta paixão por ouro, o conquistador respondeu: "Porque eu e meus companheiros sofremos de uma doença do coração que só pode ser curada com ouro".[1]

No mundo afro-asiático de onde vinham os espanhóis, a obsessão por ouro era de fato uma epidemia. Mesmo os inimigos mais ferrenhos cobiçavam o mesmo e inútil metal amarelo. Três séculos antes da conquista do México, os ancestrais de Cortés e seu exército travaram uma guerra religiosa sangrenta contra os reinos muçulmanos na Península Ibérica e na África do Norte. Os seguidores de Cristo e de Alá mataram uns aos outros aos milhares, devastaram campos e pomares e transformaram cidades prósperas em ruínas em chamas – tudo em nome da imensa glória de Cristo ou de Alá.

Conforme os cristãos foram ganhando a supremacia, eles marcaram suas vitórias não apenas destruindo mesquitas e construindo igrejas como também cunhando novas moedas de ouro e prata com o sinal da cruz e agradecimentos a Deus por Sua ajuda no combate aos infiéis. Mas, junto com a nova moeda, os vencedores cunharam outro tipo de moeda, chamada *millares*, que carregava uma mensagem um tanto quanto diferente. Essas moedas quadradas feitas pelos conquistadores cristãos eram adornadas com inscrições em árabe que declaravam: "Não há outro deus além de Alá, e Maomé é o mensageiro de Alá". Até mesmo os bispos católicos de Melgueil e de Agde emitiram essas cópias fiéis de moedas muçulmanas populares, e cristãos tementes a Deus as usaram de bom grado.[2]

A tolerância floresceu também do outro lado da colina. Mercadores muçulmanos da África do Norte conduziram negócios utilizando moedas cristãs como o florim florentino, o ducado veneziano e o gigliato napolitano. Até mesmo os governantes muçulmanos que convocaram o *jihad* contra os cristãos infiéis ficavam satisfeitos em receber impostos em moedas que invocavam Cristo e Sua Virgem Mãe.[3]

Quanto custa?

Os caçadores-coletores não tinham dinheiro. Cada bando caçava, coletava e produzia quase tudo de que necessitava, de carne a medicamentos, de sandálias a necromancia. Diferentes membros do bando podiam se especializar em diferentes tarefas, mas compartilhavam seus bens e serviços em uma economia de favores e obrigações. Um pedaço de carne fornecido de graça levava consigo a suposição de reciprocidade – por exemplo, assistência medicinal gratuita. O bando era economicamente independente; apenas alguns itens raros que não podiam ser encontrados localmente – conchas, pigmentos, obsidianas e coisas do tipo – precisavam ser obtidos com estranhos. Isso podia ser feito por meio de escambo simples: "Nós trocamos belas conchas do mar por sílex de boa qualidade".

Pouca coisa mudou depois do início da Revolução Agrícola. A maioria das pessoas continuou vivendo em comunidades pequenas e íntimas. De maneira similar a um bando de caçadores-coletores, cada aldeia tinha uma unidade econômica autossuficiente, mantida por obrigações e favores mútuos, além de um pouco de escambo com forasteiros. Um aldeão podia ser particularmente apto para fazer sapatos, outro para fornecer cuidados médicos, de modo que seus vizinhos sabiam a quem recorrer quando ficavam descalços ou doentes. Mas os povoados eram pequenos e suas economias eram limitadas, por isso não podia haver sapateiros e médicos em tempo integral.

A ascensão de cidades e reinos e o aprimoramento da infraestrutura de transporte proporcionaram novas oportunidades de especialização. Cidades densamente povoadas ofereciam empregos em tempo integral não só para sapateiros e médicos profissionais como também para carpinteiros, sacerdotes, soldados e advogados. Vilarejos que conquistaram uma reputação por produzir bom vinho, azeite ou cerâmica descobriram que valia a pena se especializarem quase que exclusivamente em um determinado produto e trocá-lo com outros povoados por todos os outros bens de que necessitavam. Isso fazia muito sentido. Climas e solos são diferentes, então por que beber um vinho medíocre produzido em seu quintal quando é possível comprar uma variedade mais refinada de um local cujo solo e clima são muito mais adequados para a plantação de videiras? Se a argila de sua região resulta em recipientes mais resistentes e mais bonitos, é possível realizar uma troca. Além disso, com dedicação em tempo integral, comerciantes de vinho e oleiros, sem mencionar médicos e advogados, podem aperfeiçoar sua qualificação em benefício de todos. Mas a especialização criou um problema: como gerenciar a troca de bens entre os especialistas?

Uma economia baseada em favores e obrigações não funciona quando grandes números de estranhos tentam cooperar. Uma coisa é fornecer assistência gratuita para uma irmã ou um vizinho; outra bem diferente é cuidar de estranhos que podem nunca retribuir o favor. É possível recorrer ao escambo, mas ele só é eficiente quando se troca uma gama limitada de produtos. Não serve para formar a base de uma economia complexa.[4]

Para entender as limitações do escambo, imagine que você tem um pomar nas montanhas que produz as maçãs mais doces e viçosas de toda a província. Você trabalha tanto no pomar que seus sapatos se desgastam. Então prepara uma carroça puxada por um jumento e desce para a cidade-mercado à beira do rio. Seu vizinho havia dito que um sapateiro que fica na extremidade sul do mercado fez para ele um par de botas muito resistentes que durou cinco estações. Você encontra o estabelecimento do sapateiro e oferece algumas de suas maçãs em troca dos sapatos de que necessita.

O sapateiro hesita. Quantas maçãs deve pedir em pagamento? Todos os dias ele encontra dezenas de clientes, alguns dos quais trazem sacos de maçãs, enquanto outros têm trigo, cabras ou tecido – todos de qualidade variável. Outros ainda oferecem sua expertise em fazer requisições ao rei ou curar dores nas costas. A última vez que o sapateiro trocou sapatos por maçãs foi há três meses e na época pediu três sacos da fruta. Ou será que foram quatro? Mas, pensando bem, aquelas eram maçãs ácidas do vale, e não maçãs nobres das montanhas. Por outro lado, na ocasião anterior, as maçãs foram trocadas por sapatos femininos pequenos. Esse sujeito está pedindo botas de tamanho masculino. Além disso, nas últimas semanas uma praga dizimou os rebanhos da cidade e o couro está ficando escasso. Os curtumeiros estão começando a exigir o dobro de sapatos finalizados em troca da mesma quantidade de couro. Isso não deveria ser levado em consideração?

Em uma economia de troca, o sapateiro e o produtor de maçãs terão que reaprender todos os dias os preços relativos de dezenas de mercadorias. Se cem produtos diferentes são trocados no mercado, compradores e vendedores terão que saber 4,95 mil taxas de câmbio diferentes. E, se mil produtos diferentes são trocados, compradores e vendedores terão que lidar com 499,5 mil taxas de câmbio diferentes![5] Como resolver isso?

E fica ainda pior. Mesmo que se possa calcular quantas maçãs equivalem a um par de sapatos, o escambo nem sempre é possível. Afinal, em uma troca, é necessário que ambos os lados queiram o que o outro tem a oferecer. O que acontece se o sapateiro não gosta de maçãs e se, no momento em questão, o que ele realmente quer é um divórcio? É verdade, o fazendeiro até poderia encontrar um advogado que goste de maçãs e fazer um acordo a três. Mas e se o advogado estiver cheio de maçãs e precisar mesmo de um corte de cabelo?

Algumas sociedades tentaram resolver o problema estabelecendo um sistema central de escambo que coletava produtos de cultivadores e manufaturadores especializados e os distribuía àqueles que precisavam. O maior e mais famoso desses experimentos foi conduzido na União Soviética, e foi um fracasso absoluto. "Todo mundo trabalharia conforme suas necessidades" se transformou, na prática, em "todo mundo trabalharia o mínimo possível e receberia o máximo que conseguisse." Experimentos mais moderados e bem-sucedidos foram feitos em outras ocasiões, como, por exemplo, no Império Inca. No entanto, a maioria das sociedades encontrou uma forma mais fácil de conectar um grande número de especialistas – o dinheiro.

Conchas e cigarros

O dinheiro foi criado muitas vezes, em muitos lugares. Seu desenvolvimento não exigiu nenhum progresso tecnológico: foi uma revolução puramente mental. Envolveu a criação de uma nova realidade intersubjetiva que existe apenas na imaginação coletiva das pessoas.

Dinheiro não se resume a moedas e cédulas. Dinheiro é qualquer coisa que as pessoas estejam dispostas a usar para representar sistematicamente o valor de outras coisas com o propósito de trocar bens e serviços. O dinheiro permite que as pessoas comparem de maneira fácil e rápida o valor de diferentes mercadorias (como maçãs, sapatos e divórcios), troquem uma coisa pela outra com facilidade e armazenem riqueza de forma conveniente. Existiram muitos tipos de dinheiro. O mais conhecido é a moeda, que é uma peça padronizada de metal gravado. Mas o dinheiro já existia muito antes da invenção da cunhagem, e várias culturas prosperaram usando outras coisas como unidade monetária, como conchas, gado, couro, sal, grãos, contas, tecido e notas promissórias. Conchas de cauri foram usadas como dinheiro por cerca de 4 mil anos em toda a África, sul da Ásia, leste da Ásia e Oceania. No início do século XX, ainda se podiam pagar impostos em conchas de cauri na Uganda britânica.

Em prisões modernas e campos de prisioneiros de guerra, com frequência se utilizavam cigarros como dinheiro. Até prisioneiros não fumantes aceitavam cigarros como pagamento e calculavam o valor de todos os outros bens e serviços em cigarros. Um sobrevivente de Auschwitz descreveu o uso de cigarros como unidade monetária no campo: "Tínhamos nossa própria moeda, cujo valor ninguém questionava: o cigarro. O preço de cada artigo era declarado em cigarros [...] Em tempos 'normais', ou seja, quando os candidatos às câmaras de gás chegavam em um ritmo regular, um pedaço de pão custava 12 cigarros; uma embalagem com 300 gramas de margarina, 30; um relógio, de 80 a 200; um litro de álcool, 400 cigarros!".[6]

Na verdade, mesmo hoje, moedas e cédulas são uma forma rara de dinheiro. A soma de todo o dinheiro do mundo é de cerca de 60 trilhões de dólares, mas a soma total de moedas e cédulas é de menos de 6 trilhões de dólares.[7] Mais de 90% de todo o dinheiro – mais de 50 trilhões de dólares que aparecem em nossas contas – existem apenas em servidores de computador. Assim, a maior parte das transações é executada por meio da movimentação de dados eletrônicos de um arquivo de computador para outro, sem qualquer troca de dinheiro físico. Só um criminoso compra uma casa, por exemplo, entregando uma maleta cheia de notas. Enquanto as pessoas estiverem dispostas a trocar bens e serviços por dados eletrônicos, será algo ainda melhor do que moedas brilhantes e cédulas amassadas – mais leve, menos volumoso e mais fácil de controlar.

Para sistemas comerciais complexos funcionarem, algum tipo de dinheiro é indispensável. Um sapateiro, em uma economia monetária, precisa saber apenas o preço cobrado por diversos tipos de sapatos – não há necessidade de memorizar as taxas de câmbio entre sapatos e maçãs ou cabras. O dinheiro também livra os produtores de maçãs da obrigação de procurar sapateiros ávidos pela fruta, porque todos sempre querem dinheiro. Essa talvez seja sua qualidade mais básica. Todos sempre querem dinheiro porque todos os outros também sempre querem dinheiro, o que significa que você pode trocá-lo por qualquer coisa que desejar ou precisar. O sapateiro sempre aceitará seu dinheiro de bom grado, porque o que quer que ele deseje realmente – maçãs, cabras ou um divórcio – poderá obter em troca de dinheiro.

O dinheiro é, portanto, um meio universal de troca que permite que as pessoas convertam quase tudo em praticamente qualquer outra coisa. Força física é convertida em intelecto quando um soldado dispensado do exército financia sua faculdade com os benefícios militares recebidos. Terras são convertidas em lealdade quando um barão vende uma propriedade para sustentar seus empregados. Saúde é convertida em justiça quando um médico utiliza o dinheiro que cobra pelas consultas para contratar um advogado – ou subornar um juiz. É possível até mesmo converter sexo em salvação, como faziam prostitutas do século XV ao dormir com homens por dinheiro que, por sua vez, elas usavam para comprar indultos da Igreja Católica.

Tipos ideais de dinheiro permitem que as pessoas não apenas transformem uma coisa em outra como também acumulem riqueza.

Muitas coisas de valor não podem ser guardadas – como tempo ou beleza. Algumas coisas podem ser armazenadas somente por um breve período, como morangos. Outras são mais duráveis, mas ocupam muito espaço e exigem cuidados e instalações custosos. Grãos, por exemplo, podem ser armazenados durante anos, mas para isso é preciso construir depósitos enormes e protegê-los de ratos, bolor, água, fogo e ladrões. O dinheiro, seja papel, bits de computador ou conchas de cauri, resolve o problema. Conchas de cauri não apodrecem, não são agradáveis ao paladar dos ratos, podem sobreviver a incêndios e são compactas o bastante para serem trancadas em um cofre.

Para utilizar a riqueza, não basta armazená-la. Com frequência, é preciso transportá-la de um lugar para outro. Algumas formas de riqueza, como bens imobiliários, não podem ser transportadas de forma alguma. Mercadorias como trigo e arroz são transportados com dificuldade. Imagine um rico fazendeiro que vive em uma terra sem dinheiro e migra para uma província distante. Sua riqueza consiste principalmente de sua casa e de sua plantação de arroz. O fazendeiro não pode levar consigo a casa nem a plantação. Poderia trocá-las por toneladas de arroz, mas seria trabalhoso e caro transportá-las. O dinheiro resolve esses problemas. O fazendeiro pode vender sua propriedade em troca de um saco de conchas de cauri, que pode carregar com facilidade para onde quer que vá.

Por ser capaz de converter, armazenar e transportar riqueza de maneira fácil e barata, o dinheiro fez uma contribuição vital ao surgimento de redes comerciais complexas e mercados dinâmicos. Sem dinheiro, redes comerciais e mercados teriam sido condenados a permanecer muito limitados em tamanho, complexidade e dinamismo.

Como o dinheiro funciona?

Conchas de cauri e dólares só têm valor em nossa imaginação coletiva. Seu valor não é inerente à estrutura química, cor ou forma das conchas e do papel. Em outras palavras, dinheiro não é uma realidade material – é um construto psicológico. Ele funciona convertendo matéria em espírito. Mas por que tem êxito? Por que alguém estaria disposto a trocar um fértil arrozal por um punhado de conchas inúteis? Por que você está disposto a fritar hambúrgueres, vender seguros-saúde ou cuidar de três pestinhas insolentes se tudo o que ganha pelo esforço são alguns pedaços de papel colorido?

As pessoas estão dispostas a fazer essas coisas quando confiam no produto da imaginação coletiva. A confiança é a matéria-prima com que todos os tipos de dinheiro são cunhados. Quando um fazendeiro abastado vendeu suas posses por um saco de conchas de cauri e viajou com elas para outra província, confiou que, ao chegar em seu destino, outras pessoas estariam dispostas a lhe vender arroz, casas e campos em troca de conchas. O dinheiro é, consequentemente, um sistema de confiança mútua, e não só isso: *o dinheiro é o mais universal e mais eficiente sistema de confiança mútua já inventado.*

O que criou essa confiança foi uma complexa rede de relações políticas, sociais e econômicas de longo prazo. Por que eu acredito na concha de cauri, na moeda de ouro ou na nota de dólar? Porque meus vizinhos acreditam nessas coisas. E meus vizinhos acreditam nelas porque eu acredito. E todos acreditamos porque nosso rei acredita e as exige na forma de impostos, e porque nosso sacerdote acredita e as exige na forma de dízimo. Pegue uma nota de um dólar e observe-a com atenção. Você verá que é simplesmente um pedaço colorido de papel com a assinatura do secretário do Tesouro dos Estados Unidos de um lado e o slogan "In God We Trust" do outro. Nós aceitamos o dólar como pagamento porque confiamos em Deus e no secretário do Tesouro dos Estados Unidos. O papel crucial da confiança explica por que nossos sistemas financeiros são tão intimamente relacionados aos sistemas político, social e ideológico, por que crises financeiras com frequência são desencadeadas por processos políticos e por que o mercado de ações pode subir ou cair dependendo de como os executivos se sentem naquela manhã em particular.

Inicialmente, quando as primeiras versões de dinheiro foram criadas, as pessoas não tinham esse tipo de confiança, então era necessário definir como "dinheiro" coisas que tinham valor real intrínseco. A primeira forma de dinheiro conhecida na história – os grãos de cevada sumérios – é um bom exemplo. Apareceu na Suméria por volta de 3000 a.C., no mesmo período e lugar, e sob as mesmas circunstâncias, do aparecimento da escrita. Assim como a escrita se desenvolveu para atender às necessidades de se intensificar as atividades administrativas, o dinheiro de cevada se desenvolveu para atender às necessidades de se intensificar as atividades econômicas.

O dinheiro de cevada era simplesmente cevada – quantidades fixas de grãos utilizadas como medida universal para avaliar e trocar por todos os outros bens e serviços. A medida mais comum era a *sila*, mais ou menos equivalente a um litro. Tigelas padronizadas, cada uma capaz de conter uma sila, eram produzidas em massa de modo que, sempre que as pessoas precisassem comprar ou vender qualquer coisa, fosse fácil medir a quantidade necessária de cevada. Os salários também eram estabelecidos e pagos em silas de cevada. Um trabalhador do sexo masculino ganhava 60 silas por mês, e um do sexo feminino, 30 silas. Um capataz podia ganhar entre 1,2 mil e 5 mil silas. Nem mesmo o mais voraz deles conseguiria consumir 5 mil litros de cevada por mês, mas podia usar as silas que não comesse para comprar todo tipo de mercadoria – óleo, cabras, escravos e outros alimentos, além da cevada.[8]

Embora a cevada tenha um valor intrínseco, não era fácil convencer as pessoas a usá-la como *dinheiro*, e não apenas como mais uma mercadoria. Para entender por que, pense no que aconteceria se você levasse uma saca de cevada até o centro comercial mais próximo e tentasse comprar uma camisa ou uma pizza. Os atendentes provavelmente chamariam os seguranças. Ainda assim, era mais fácil aprender a confiar na cevada como o primeiro tipo de dinheiro, pois os grãos têm um valor biológico inerente. Humanos podem comê-los. Por outro lado, era difícil armazenar e transportar cevada. O verdadeiro avanço na história monetária aconteceu quando as pessoas passaram a confiar em um dinheiro desprovido de valor inerente, mas que era mais fácil de armazenar e transportar. Esse dinheiro apareceu na antiga Mesopotâmia, em meados do terceiro milênio a.C. Era o siclo de prata. O siclo de prata não era uma moeda, e sim 8,33 gramas de prata. Quando o Código de Hamurabi declarou que um homem que matasse uma escrava deveria pagar 20 siclos ao dono dela, isso significava que ele teria de pagar 166 gramas de prata, não 20 moedas. A maioria dos termos monetários do Antigo Testamento são expressos em prata, e não em moedas. Os irmãos de José o venderam aos ismaelitas por 20 siclos, ou 166 gramas de prata (o mesmo preço de uma escrava – afinal, ele era jovem).

Ao contrário da sila de cevada, o siclo de prata não tinha valor inerente. Não é possível comer, beber ou se vestir com prata, e o metal era muito pouco resistente para a fabricação de ferramentas úteis – lâminas de arado ou espadas de prata se amassariam rapidamente, como se fossem feitas de papel de alumínio. Quando utilizados para alguma coisa, prata e ouro são transformados em joias, coroas e outros símbolos de status – produtos de luxo que membros de uma cultura específica identificam com status social elevado. Seu valor é puramente cultural.

Pesos padronizados de metais preciosos acabaram dando origem às moedas. As primeiras moedas da história foram criadas por volta de 640 a.C. pelo rei Aliates da Lídia, no oeste da Anatólia. Essas moedas tinham um peso padronizado de ouro ou prata e eram gravadas com uma marca de identificação. A marca atestava duas coisas. Primeiro, indicava quanto metal precioso havia na moeda. Segundo, identificava a autoridade que emitiu a moeda e que garantia seu conteúdo. Quase todas as moedas em uso hoje são descendentes das moedas lídias.

As moedas apresentavam duas vantagens importantes em relação aos lingotes de metal sem marcas. Primeiro, estes últimos tinham de ser pesados em todas as transações. Segundo, pesar o lingote não é suficiente. Como o sapateiro sabe que o lingote de prata que paguei por minhas botas é realmente feito de prata pura, e não de chumbo coberto por uma fina camada de prata? As moedas ajudam a resolver esses problemas. A marca gravada nelas atesta seu valor exato, de modo que o sapateiro não precisa ter uma balança ao lado da caixa registradora. E, o que é mais importante, a marca na moeda é a assinatura de alguma autoridade política que garante seu valor.

A forma e o tamanho da marca variaram muitíssimo ao longo da história, mas a mensagem era sempre a mesma: "Eu, o grande rei Fulano de Tal, dou minha palavra de que esse disco de metal contém exatamente cinco gramas de ouro. Se alguém ousar falsificar essa moeda, significa que está falsificando minha própria assinatura, o que seria uma mancha em minha reputação. Punirei tal crime com extrema severidade". É por isso que falsificar dinheiro sempre foi considerado um crime muito mais sério do que outros tipos de fraude. Falsificação não é apenas fraude – é uma quebra de soberania, um ato de subversão contra o poder, os privilégios e a pessoa do rei. O termo jurídico é *lèse majesté* (lesa-majestade), e costumava ser punida com tortura e morte. Contanto que as pessoas confiassem no poder e na integridade do rei, confiavam em suas moedas. Completos estranhos podiam concordar facilmente quanto ao valor da moeda de denário romana, porque confiavam no poder e na integridade do imperador romano, cujo nome e imagem a adornavam.

Por sua vez, o poder do imperador se apoiava no denário. Imagine como teria sido difícil manter o Império Romano sem moedas – se o imperador tivesse que recolher impostos e pagar salários com cevada e trigo. Seria impossível recolher impostos em cevada na Síria, transportar os fundos para o tesouro central em Roma e transportá-los novamente para a Britânia para pagar as legiões locais. Teria sido igualmente difícil manter o império se os habitantes de Roma acreditassem em moedas de ouro, mas gauleses, gregos, egípcios e sírios rejeitassem essa crença, depositando sua confiança em conchas de cauri, contas de marfim e rolos de tecido.

O evangelho do ouro

A confiança nas moedas de Roma era tão forte que, mesmo fora das fronteiras do império, as pessoas aceitavam de bom grado pagamento em denários. No século I, as moedas romanas eram um meio de troca aceito nos mercados da Índia, embora a legião romana mais próxima estivesse a milhares de quilômetros de distância. Os indianos tinham tanta confiança no denário e na imagem do imperador que quando os governantes locais cunharam suas próprias moedas, imitaram o denário à risca, até mesmo o retrato do imperador! O nome "denário" se tornou uma denominação genérica para moedas. Califas muçulmanos adaptaram o nome ao árabe e criaram os "dinares". Dinar ainda é o nome oficial da moeda da Jordânia, do Iraque, da Sérvia, da Macedônia, da Tunísia e de vários outros países.

Enquanto a cunhagem em estilo lídio se espalhava do Mediterrâneo para o oceano Índico, a China desenvolvia um sistema monetário um pouco diferente, baseado em moedas de bronze e lingotes de prata e ouro não marcados. Mas os dois sistemas monetários tinham suficientes pontos em comum (em especial o fato de se basearem em ouro e prata) para que se estabelecessem sólidas relações monetárias e comerciais entre as zonas chinesa e lídia. Mercadores e conquistadores muçulmanos e europeus disseminaram gradualmente o sistema lídio e o evangelho do ouro aos quatro cantos do planeta. No fim da era moderna, o mundo inteiro era uma única zona monetária, primeiro baseada em ouro e prata e depois em algumas moedas confiáveis como a libra esterlina e o dólar americano.

O surgimento de uma única zona monetária transnacional e transcultural assentou as bases para a unificação da Afro-Ásia, e, com o tempo, do mundo inteiro, em uma única esfera econômica e política. As pessoas continuaram a falar línguas mutuamente incompreensíveis, obedecer a governantes diferentes e adorar deuses distintos, mas todos acreditavam em ouro e prata e em moedas de ouro e de prata. Sem essa crença partilhada, as redes de comércio mundiais teriam sido praticamente impossíveis. O ouro e a prata que os conquistadores do século XVI encontraram na América permitiram que os mercadores europeus comprassem seda, porcelana e especiarias no leste da Ásia, movendo assim as rodas do crescimento econômico tanto na Europa quanto no leste da Ásia. A maior parte do ouro e da prata extraídos no México e nos Andes escapou por entre os dedos dos europeus e encontrou um bom lar nas bolsas dos produtores de seda e porcelana chineses. O que teria acontecido à economia global se os chineses não tivessem sofrido da mesma "doença do coração" que afligiu Cortés e seus companheiros – e tivessem se recusado a aceitar pagamento em ouro e prata?

Ainda assim, por que chineses, indianos, muçulmanos e espanhóis – que pertenciam a culturas muito diferentes, que não tinham quase nada em comum – partilham da crença no ouro? Por que não aconteceu de os espanhóis acreditarem em ouro, os muçulmanos, em cevada, os indianos, em conchas de cauri e os chineses, em rolos de seda? Os economistas têm uma resposta pronta. Assim que o comércio conecta duas áreas, as forças de oferta e procura tendem a equalizar os preços dos bens transportáveis. Para entender o porquê, considere um caso hipotético. Suponha que, quando teve início o comércio regular entre a Índia e o Mediterrâneo, os indianos não tinham o menor interesse em ouro, de modo que ele praticamente não tinha valor. Mas, no Mediterrâneo, o ouro era um símbolo de status cobiçado e, por conseguinte, seu valor era alto. O que aconteceria depois?

Mercadores que viajavam entre a Índia e o Mediterrâneo notariam a diferença no valor do ouro. Para lucrar, começariam a comprar ouro barato na Índia e vendê-lo por um valor bem mais alto no Mediterrâneo. Logo, a demanda por ouro na Índia dispararia, assim como seu valor. Ao mesmo tempo, o Mediterrâneo experimentaria um influxo de ouro, cujo valor consequentemente cairia. Em um curto período, o valor do ouro na Índia e no Mediterrâneo passaria a ser muito similar. O mero fato de o povo do Mediterrâneo acreditar no ouro faria com que os indianos começassem a acreditar nele também. Mesmo que os indianos ainda não tivessem encontrado uma utilidade real para o ouro, o fato de o povo do Mediterrâneo o desejar seria o suficiente para fazer com que os indianos o valorizassem.

Do mesmo modo, o fato de outra pessoa acreditar em conchas de cauri, dólares ou dados eletrônicos é suficiente para fortalecer nossa própria crença neles, mesmo que essa pessoa seja odiada, desprezada ou ridicularizada por nós. Cristãos e muçulmanos, incapazes de concordar em termos de crença religiosa, concordam quando se trata de uma crença monetária, porque, enquanto a religião nos pede para acreditar em algo, o dinheiro nos pede para acreditar que *outras pessoas acreditam em algo.*

Durante milhares de anos, filósofos, pensadores e profetas demonizaram o dinheiro e o consideraram a raiz de todos os males. Seja como for, o dinheiro é também o apogeu da tolerância humana. O dinheiro é mais tolerante que linguagem, leis estaduais, códigos culturais, crenças religiosas e hábitos sociais. O dinheiro é o único sistema de crenças criado pelos humanos que pode transpor praticamente qualquer abismo cultural e que não discrimina com base em religião, gênero, raça, idade ou orientação sexual. Graças ao dinheiro, até mesmo pessoas que não se conhecem e não confiam umas nas outras são capazes de cooperar de maneira efetiva.

O preço do dinheiro

O dinheiro é baseado em dois princípios universais:

a. convertibilidade universal: com o dinheiro como alquimista, é possível transformar terras em lealdade, justiça em saúde e violência em conhecimento;

b. confiança universal: com o dinheiro como intermediário, quaisquer duas pessoas podem cooperar em qualquer projeto.

Esses princípios permitiram que milhões de estranhos cooperassem no comércio e na indústria de maneira eficaz. Mas tais princípios aparentemente benignos têm um lado obscuro. Quando tudo é conversível, e quando a confiança se baseia em moedas e conchas de cauri anônimas, corroem-se tradições locais, relações íntimas e valores humanos, substituindo-os pelas leis frias da oferta e da procura.

As comunidades humanas e as famílias sempre se basearam na crença em coisas "de valor inestimável", como honra, lealdade, moral e amor. Essas coisas ficam de fora do domínio do mercado e não deveriam ser compradas ou vendidas por dinheiro. Mesmo que o mercado ofereça um bom preço, certas coisas simplesmente não devem ser feitas. Pais não devem vender seus filhos como escravos; um cristão devoto não deve cometer um pecado mortal; um cavaleiro leal não deve trair seu senhor; e terras de tribos ancestrais não devem ser vendidas a estrangeiros.

O dinheiro sempre tentou romper essas barreiras, como água penetrando por rachaduras em uma barragem. Pais se viram obrigados a vender alguns de seus filhos como escravos para poder alimentar os outros. Cristãos devotos assassinaram, roubaram e traíram – e depois usaram seus espólios para comprar o perdão da igreja. Cavaleiros ambiciosos leiloaram sua aliança a quem pagasse mais, enquanto garantiam a lealdade de seus próprios seguidores por meio de pagamentos em dinheiro. Terras tribais foram vendidas para estrangeiros do outro lado do mundo para se comprar um bilhete de entrada para a economia global.

O dinheiro tem um lado ainda mais obscuro. Embora gere confiança universal entre estranhos, essa confiança não é investida em humanos, comunidades ou valores sagrados, mas no próprio dinheiro e nos sistemas impessoais que lhe servem de apoio. Não confiamos no estranho, ou no vizinho – confiamos na moeda que possuem. Se suas moedas acabarem, acaba nossa confiança. Ao mesmo tempo em que o dinheiro derruba as barragens de comunidade, religião e Estado, o mundo corre o risco de se tornar um mercado enorme e um tanto cruel.

Por isso, a história econômica da humanidade é uma dança delicada. As pessoas contam com o dinheiro para facilitar a cooperação com estranhos, mas temem que ele corrompa relações íntimas e valores humanos. Com uma mão, elas destroem voluntariamente as barragens comunais que por tanto tempo contiveram o movimento do dinheiro e do comércio, mas com a outra constroem novas barragens para proteger a sociedade, a religião e o meio ambiente da escravidão das forças do mercado.

Atualmente, é comum acreditar que o mercado sempre prevalece e que as barragens erguidas por reis, sacerdotes e comunidades não são mais capazes de conter o fluxo do dinheiro. Trata-se de uma crença ingênua. Guerreiros cruéis, fanáticos religiosos e cidadãos preocupados conseguiram derrotar repetidas vezes os mercadores calculistas e até mesmo reformular a economia. É, portanto, impossível compreender a unificação da humanidade como um processo puramente econômico. Para entender como milhares de culturas isoladas se uniram ao longo do tempo a fim de formar a aldeia global que existe hoje, devemos levar em consideração o papel do ouro e da prata, mas não podemos ignorar o papel igualmente crucial do aço.

11

Visões imperiais

Os antigos romanos estavam acostumados a ser derrotados. Como os governantes da maioria dos grandes impérios da história, eles podiam perder uma batalha após a outra, mas ainda vencer a guerra. Um império incapaz de receber um golpe e continuar de pé não é um império de verdade. Mas até mesmo os romanos acharam difícil digerir as notícias que chegaram do norte da Península Ibérica em meados do século II a.C. Uma pequena e insignificante cidade montanhosa chamada Numância, habitada por celtas nativos da península, ousou resistir à dominação romana. Roma, na época, era senhora inquestionável de toda a bacia do Mediterrâneo, tendo conquistado os impérios macedônio e selêucida, subjugado as gloriosas cidades-Estado da Grécia e reduzido Cartago a ruínas em chamas. Os numantinos não tinham nada ao seu lado além de um amor brutal pela liberdade e por suas terras inóspitas. Ainda assim, obrigaram diversas legiões a se renderem ou recuarem humilhadas.

Finalmente, em 134 a.C., a paciência de Roma se esgotou. O senado decidiu enviar Cipião Emiliano, principal general de Roma e homem que havia derrubado Cartago, para dar um jeito nos numantinos. Ele recebeu um exército gigantesco de mais de 30 mil soldados. Cipião, que respeitava o espírito de luta e as habilidades marciais dos numantinos, preferiu não desgastar seus soldados em combate desnecessário. Em vez disso, cercou a Numância com uma linha de fortificações, bloqueando o contato da cidade com o mundo exterior. A fome fez o trabalho por ele. Depois de mais de um ano, a provisão de alimentos se esgotou. Quando os numantinos se deram conta de que não havia mais esperança, incendiaram a própria cidade; segundo relatos romanos, a maioria se matou para não se tornar escrava de Roma.

Mais tarde, a Numância se tornou um símbolo da independência e coragem espanholas. Miguel de Cervantes, autor de *Dom Quixote*, escreveu uma tragédia chamada *O cerco de Numância*, que termina com a destruição da cidade, mas também com uma visão da futura grandiosidade da Espanha. Poetas compuseram panegíricos de seus bravos defensores, e pintores retrataram o cerco majestosamente em suas telas. Em 1882, as ruínas foram declaradas "monumento nacional" e se tornaram um local de peregrinação para os patriotas espanhóis. Nas décadas de 1950 e 1960, as histórias em quadrinhos mais populares na Espanha não eram as do Super-Homem ou do Homem-Aranha, e sim as aventuras de El Jabato, um antigo herói ibérico fictício que combatia os opressores romanos. Os antigos numantinos são, até hoje, paradigmas espanhóis do heroísmo e do patriotismo, retratados como modelos para os jovens do país.

Ainda assim, os patriotas exaltam os numantinos em espanhol – língua românica que nasceu do latim de Cipião. Os numantinos falavam uma língua celta que hoje está morta e perdida. Cervantes escreveu *O cerco de Numância* em alfabeto latino, e a peça segue modelos artísticos greco-romanos. Numância não tinha teatros. Os patriotas espanhóis que admiram o heroísmo numantino tendem a ser também leais seguidores da Igreja Católica Romana – não ignore essa última palavra –, uma igreja cujo líder ainda fica em Roma e que se dirige a Deus preferivelmente em latim. Da mesma forma, o direito moderno espanhol deriva da lei romana; a política espanhola se baseia na romana; e a cozinha e a arquitetura espanholas devem muito mais a legados romanos do que celtas ou ibéricos. Não restou nada da Numância além de ruínas. Até mesmo sua história só chegou até nós graças aos escritos de historiadores romanos. Foi feita sob medida para o gosto do público romano, que adorava contos de bárbaros amantes da liberdade. A vitória de Roma sobre a Numância foi tão completa que os vitoriosos se apropriaram até da memória dos derrotados.

Não é o nosso tipo de história. Gostamos de ver os menos favorecidos vencerem. Mas não há justiça na história. A maioria das culturas do passado, mais cedo ou mais tarde, acabou se tornando vítima dos exércitos de algum império implacável, que as relegou ao esquecimento. Os impérios também acabam sucumbindo, mas tendem a deixar para trás legados ricos e duradouros. No século XXI, praticamente todas as pessoas são fruto de algum império.

O que é um império?

Um império é uma ordem política com duas características importantes. Em primeiro lugar, para se qualificar para essa designação é preciso dominar um número significativo de povos distintos, cada um com seu próprio território e identidade cultural. Quantos povos exatamente? Dois ou três não são suficientes. Vinte ou trinta é bastante. O limiar do império fica em algum ponto intermediário.

Em segundo lugar, impérios são caracterizados por fronteiras flexíveis e um apetite potencialmente ilimitado. Eles podem engolir e digerir cada vez mais nações e territórios sem alterar sua estrutura ou identidade básicas. O Estado britânico atual tem fronteiras bastante claras que não podem ser ultrapassadas sem alterar a estrutura e a identidade fundamentais do Estado. Um século atrás, praticamente qualquer lugar da Terra poderia se tornar parte do Império Britânico.

Diversidade cultural e flexibilidade territorial dão aos impérios não só seu caráter singular como também seu papel central na história. Foi graças a essas duas características que os impérios conseguiram unir politicamente diversos grupos étnicos e zonas ecológicas e, desse modo, fundir segmentos cada vez maiores da espécie humana e do planeta Terra.

Deve-se enfatizar que um império é definido unicamente por sua diversidade e fronteiras flexíveis, e não por suas origens, forma de governo, extensão territorial ou tamanho de sua população. Um império não precisa emergir de conquistas militares. O Império Ateniense começou como uma liga voluntária, e o Império de Habsburgo nasceu de um matrimônio, pavimentado por uma série de alianças sagazes por meio de casamentos. Um império também não precisa ser governado por um imperador autocrático. O Império Britânico, o maior da história, foi conduzido por uma democracia. Entre outros impérios democráticos (ou pelo menos republicanos), estiveram incluídos os modernos impérios Holandês, Francês, Belga e Norte-Americano, assim como os impérios pré-modernos de Novgorod, Roma, Cartago e Atenas.

O tamanho também não tem tanta importância. Impérios podem ser pequenos. O Império Ateniense, em seu apogeu, era muito menor em tamanho e população do que a Grécia de hoje. O Império Asteca era menor do que o México atual. No entanto, ambos eram impérios, enquanto a Grécia e o México modernos não são, porque os primeiros subjugaram gradualmente dezenas, e até centenas, de unidades políticas diferentes, e os últimos não. Atenas dominou mais de cem cidades-Estado antes independentes, e o Império Asteca, se pudermos confiar nos registros de impostos cobrados, governou 371 tribos e povos diferentes.[1]

Como foi possível espremer tamanha mistura humana no território de um modesto Estado moderno? Foi possível porque, no passado, havia muito mais povos distintos no mundo, cada um deles com uma população menor e ocupando menos território do que um povo típico dos dias de hoje. As terras entre o Mediterrâneo e o rio Jordão, que hoje lutam para satisfazer as ambições de apenas dois povos, acomodaram facilmente, nos tempos bíblicos, dezenas de nações, tribos, pequenos reinos e cidades-Estado.

Os impérios foram uma das principais razões para a drástica redução da diversidade humana. O rolo compressor imperial pouco a pouco destruiu as características singulares de inúmeros povos (como os numantinos), forjando, a partir deles, grupos novos e muito maiores.

Impérios do mal?

Nos dias de hoje, "imperialista" só fica atrás de "fascista" no léxico de palavrões políticos. A crítica contemporânea aos impérios normalmente assume duas formas:

1. Os impérios não funcionam. No fim das contas, não é possível governar de maneira eficaz um grande número de povos conquistados.
2. Mesmo que seja possível, não deve ser feito, porque os impérios são máquinas do mal, destruidoras e exploradoras. Todo povo tem direito à soberania e nunca deveria ser submetido ao jugo de outro.

De uma perspectiva histórica, o primeiro enunciado não faz o mínimo sentido e o segundo é extremamente problemático.

A verdade é que o império foi a forma mais comum de organização política do mundo nos últimos 2,5 mil anos. A maioria dos humanos, durante esses dois milênios e meio, viveu em impérios. O império também é uma forma muito estável de governo. A maior parte deles tinha uma facilidade imensa para sufocar rebeliões. Em geral, só foram derrubados por invasões externas ou por divisões no interior da elite dominante. Por outro lado, não existe um bom histórico de povos conquistados que tenham conseguido se libertar de seus soberanos imperiais. A maioria desses povos permaneceu subjugada por centenas de anos. Quase sempre, foram lentamente digeridos pelo império conquistador, até que suas culturas singulares desapareceram.

Por exemplo, quando o Império Romano do Ocidente finalmente sucumbiu às tribos germânicas invasoras em 476, os numantinos, arvernos, helvécios, samnitas, lusitanos, umbrianos, etruscos e centenas de outros povos esquecidos que os romanos haviam conquistado séculos antes não emergiram da carcaça estripada do império, como Jonas da barriga do grande peixe. Não restou nenhum deles. Os descendentes biológicos dos povos que haviam se identificado como membros dessas nações, que falavam sua língua, cultuavam seus deuses e disseminavam seus mitos e lendas, agora pensavam, falavam e cultuavam como os romanos.

Em muitos casos, a destruição de um império não significava a independência dos povos dominados. Em vez disso, um novo império ocupava o vácuo criado quando o antigo ruía ou se rendia. Em nenhum outro lugar isso foi tão evidente quanto no Oriente Médio. A atual constelação política na região – um equilíbrio de poder entre muitas entidades políticas independentes com fronteiras mais ou menos estáveis – praticamente não tem paralelos nos últimos milênios. A última vez que o Oriente Médio vivenciou essa situação foi no século VIII a.C. – há quase 3 mil anos! Da ascensão do Império Neoassírio, no século VIII a.C., até o colapso dos impérios britânico e francês, em meados do século XX, o Oriente Médio passou das mãos de um império às de outro, como um bastão em uma corrida de revezamento. E, quando os britânicos e franceses finalmente largaram o bastão, os arameus, os amonitas, os fenícios, os filisteus, os moabitas, os edomitas e os outros povos conquistados pelos assírios já haviam desaparecido há tempos.

É verdade que os judeus, os armênios e os georgianos de hoje afirmam, com certa dose de justiça, que são descendentes dos antigos povos do Oriente Médio. Mas essas são apenas exceções que provam a regra, e mesmo tais afirmações são um tanto quanto exageradas. Não é preciso dizer que as práticas políticas, econômicas e sociais dos judeus modernos, por exemplo, devem muito mais aos impérios sob os quais eles viveram nos últimos dois milênios do que às tradições do antigo reino de Judá. Se o rei Davi aparecesse em uma sinagoga ultraortodoxa nos dias de hoje, ficaria perplexo ao encontrar pessoas vestindo roupas do leste europeu, falando em dialeto germânico (iídiche) e tendo discussões infinitas sobre o significado de um texto babilônico (o Talmude). Não havia sinagogas, volumes do Talmude nem rolos da Torá na antiga Judá.

Construir e manter um império normalmente exigia o massacre cruel de grandes populações e a opressão brutal de todos os que sobravam. O kit padrão de ferramentas imperiais incluía guerras, escravidão, deportação e genocídio. Quando os romanos invadiram a Escócia em 83, encontraram forte resistência das tribos caledônias locais e reagiram devastando o país. Em resposta às ofertas de paz de Roma, o chefe Cálgaco chamou os romanos de "rufiões do mundo" e disse que "à pilhagem, à matança e a roubos deram o nome mentiroso de império; fizeram um deserto e chamaram isso de paz".[2]

Isso não significa, entretanto, que os impérios não deixam nada de valor em seu rastro. Pintar todos os impérios de preto e condenar todos os legados imperiais é rejeitar a maior parte da cultura humana. As elites imperiais usaram os lucros da conquista para financiar não só exércitos e fortificações como também filosofia, arte, justiça e caridade. Uma proporção significativa das grandes realizações culturais da humanidade deve sua existência à exploração das populações conquistadas. Os ganhos e a prosperidade trazidos pelo imperialismo romano propiciaram a Cícero, Sêneca e Santo Agostinho o tempo livre e os recursos necessários para pensar e escrever; o Taj Mahal não poderia ter sido construído sem a riqueza acumulada pela exploração mogol de seus súditos indianos; e os lucros do império de Habsburgo, provenientes do domínio sobre suas províncias falantes de eslavo, húngaro e romeno, pagaram os salários de Haydn e as comissões de Mozart. Nenhum escritor caledônio preservou o discurso de Cálgaco para a posterioridade. Nós o conhecemos graças ao historiador romano Tácito. Na verdade, Tácito provavelmente o inventou. Hoje, muitos estudiosos concordam que Tácito inventou não só o discurso como também a personalidade de Cálgaco, o chefe caledônio, para servir de porta-voz para o que ele e a elite romana pensavam de seu próprio país.

Mesmo se olharmos além da cultura de elite e das artes superiores e focarmos apenas o mundo das pessoas comuns, encontraremos legados imperiais na maioria das culturas modernas. Hoje, a maioria de nós fala, pensa e sonha em línguas imperiais que foram impostas a nossos ancestrais pela espada. A maior parte dos habitantes do leste asiático fala e sonha na língua do Império Han. Independentemente de suas origens, quase todos os habitantes dos dois continentes americanos, da península de Barrow, no Alasca, ao estreito de Magalhães, se comunicam em uma das quatro línguas imperiais: espanhol, português, francês ou inglês. Os egípcios da atualidade falam árabe, concebem a si mesmos como árabes e se identificam totalmente com o Império Árabe que conquistou o Egito no século VII e reprimiu com punho de ferro as repetidas revoltas que irromperam contra seu domínio. Cerca de 10 milhões de zulus na África do Sul remetem à era de glória do século XIX, embora a maior parte deles descenda de tribos que lutaram *contra* o Império Zulu e tenha sido incorporada a ele por meio de campanhas militares sangrentas.

É para o seu próprio bem

O primeiro império sobre o qual temos informações definitivas foi o Império Acádio, de Sargão, o Grande (*c.* 2250 a.C.). Sargão começou sua carreira como rei de Kish, uma pequena cidade-Estado na Mesopotâmia. Em poucas décadas, ele conseguiu conquistar não só todas as outras cidades-Estado mesopotâmicas como também grandes territórios fora do centro da Mesopotâmia. Sargão se gabava de ter conquistado o mundo inteiro. Na realidade, seu domínio ia do Golfo Pérsico ao Mediterrâneo e incluía grande parte do território que hoje corresponde ao Iraque e à Síria, além de algumas partes do Irã e da Turquia.

O Império Acádio não durou muito depois da morte de seu fundador, mas Sargão deixou para trás um trono disputado com frequência. Durante os 17 séculos seguintes, reis assírios, babilônios e hititas adotaram Sargão como modelo, ostentando que eles também haviam conquistado o mundo inteiro. Depois, por volta de 550 a.C., Ciro, o Grande, rei da Pérsia, viria a se vangloriar de algo ainda mais impressionante.

Mapa 4. O Império Acádio e o Império Persa.

Os reis da Assíria sempre continuaram sendo os reis da Assíria. Mesmo quando afirmavam governar o mundo inteiro, era óbvio que o faziam para enaltecer a Assíria, e não sentiam remorso algum por isso. Ciro, por outro lado, não só afirmava governar o mundo inteiro como também alegava fazer isso em nome de todos os povos. “Estamos conquistando vocês pelo seu próprio bem”, diziam os persas. Ciro queria que os povos conquistados o amassem e se considerassem afortunados por serem vassalos da Pérsia. O exemplo mais famoso das tentativas inovadoras de Ciro de conquistar a aprovação de uma nação dominada por seu império foi a ordem de que os judeus exilados na Babilônia tivessem permissão para retornar à sua terra natal e reconstruir seu templo. Ele inclusive lhes ofereceu auxílio financeiro. Ciro não se via como um rei persa que governava os judeus – ele era também o rei dos judeus e, portanto, responsável por seu bem-estar.

A presunção de governar o mundo inteiro para o bem de todos os seus habitantes era impressionante. A evolução fez o *Homo sapiens*, assim como outros mamíferos sociais, uma criatura xenofóbica. Os sapiens dividem a humanidade instintivamente em duas partes, “nós” e “eles”. Nós somos pessoas como você e eu, que partilhamos a mesma língua, a mesma religião e os mesmos costumes. Nós somos todos responsáveis uns pelos outros, mas não por "eles". Nós somos sempre distintos deles, e não devemos nada a eles. Nós não queremos ver nenhum deles em nosso território, e não nos importamos nem um pouco com o que acontece no território deles. Eles mal são humanos. Na língua dos dinkas, do Sudão, "dinka" significa simplesmente "pessoas". Pessoas que não são dinkas não são pessoas. Os piores inimigos dos dinkas são os nuers. O que a palavra "nuer" significa na língua nuer? Significa "pessoas legítimas". A milhares de quilômetros do deserto do Sudão, nas terras geladas do Alasca e no nordeste da Sibéria, vivem os yupiks. O que "yupik" significa na língua deles? Significa "pessoas reais".[3]

Em contraste com essa exclusividade étnica, a ideologia imperial de Ciro em diante tendia a ser inclusiva e universal. Embora, frequentemente, tenha enfatizado diferenças raciais e culturais entre dominadores e dominados, ainda assim reconhecera a unidade fundamental do mundo inteiro, a existência de um único conjunto de princípios governando todos os lugares e épocas, e as responsabilidades mútuas de todos os seres humanos. A humanidade é vista como uma grande família: os privilégios dos pais andam de mãos dadas com a responsabilidade pelo bem-estar dos filhos.

Essa nova visão imperial passou de Ciro e dos persas para Alexandre Magno, e dele para reis helenísticos, imperadores romanos, califas muçulmanos, dinastas indianos e, mais tarde, até mesmo primeiros-ministros soviéticos e presidentes norte-americanos. Essa visão imperial benevolente justificou a existência de impérios e refutou não só as tentativas de revolta dos povos dominados como também as tentativas dos povos independentes de resistir à expansão imperial.

Visões imperiais similares se desenvolveram independentemente do modelo persa em outras partes do mundo, em particular na América Central, na região andina e na China. Segundo uma tradicional teoria política chinesa, o Céu (*Tian*) é a fonte de toda autoridade legítima na Terra. O Céu escolhe a pessoa, ou família, mais merecedora e lhe concede o Mandato do Céu. Essa pessoa, ou família, então, governa Tudo Sob o Céu (*Tianxia*) em benefício de todos os seus habitantes. Assim, uma autoridade legítima é, por definição, universal. Se um governante não tem o Mandato do Céu, então lhe falta legitimidade para governar até mesmo uma única cidade. Se um governante tem o Mandato, ele é obrigado a disseminar justiça e harmonia pelo mundo todo. O Mandato do Céu não podia ser concedido a vários candidatos ao mesmo tempo, e, por conseguinte, não se podia legitimar a existência de mais de um Estado independente.

O primeiro imperador da China unificada, Qín Shi Huángdì, se vangloriava de que "em todas as seis direções [do universo], tudo pertence ao imperador [...] onde quer que exista uma pegada humana, há alguém que se tornou súdito [do imperador] [...] sua bondade chega até mesmo aos bois e cavalos. Não há ninguém que não se beneficie dela. Todos os homens estão em segurança sob o teto dele".[4] Daí em diante, no pensamento político chinês, assim como na memória histórica chinesa, os períodos imperiais foram vistos como eras de ouro da ordem e da justiça. Em contradição com a visão do mundo ocidental moderno de que um mundo justo é composto por Estados-nação distintos, na China os períodos de fragmentação política eram vistos como eras obscuras de caos e injustiça. Essa percepção teve implicações de longo alcance para a história chinesa. Sempre que um império ruía, a teoria política dominante estimulava os detentores do poder a não se contentarem com míseros principados independentes, mas tentar a reunificação. Mais cedo ou mais tarde, essas tentativas sempre acabavam dando certo.

Quando eles se tornam nós

Os impérios desempenharam um papel decisivo em amalgamar muitas pequenas culturas em um número menor de culturas maiores. Ideias, pessoas, mercadorias e tecnologia se disseminam mais facilmente dentro das fronteiras de um império do que em uma região politicamente fragmentada. Com frequência, eram os próprios impérios que disseminavam deliberadamente ideias, instituições, costumes e normas. Uma razão era tornar a vida mais fácil para eles mesmos. É difícil governar um império em que cada pequeno distrito tem seu próprio conjunto de leis, sua própria forma de escrever, sua própria língua e seu próprio dinheiro. A padronização era uma vantagem para os imperadores.

Uma segunda razão, igualmente importante, pela qual os impérios disseminavam ativamente uma cultura comum era obter legitimidade. Pelo menos desde a época de Ciro e de Qín Shǐ Huángdì, os impérios justificaram suas ações – fosse a construção de estradas ou o derramamento de sangue – como necessárias para disseminar uma cultura superior da qual os conquistados se beneficiariam ainda mais que os conquistadores.

Os benefícios às vezes eram notáveis – aplicação de leis, planejamento urbano, padronização de pesos e medidas – e outras vezes, questionáveis – impostos, serviço militar obrigatório, culto ao imperador. Mas a maior parte das elites imperiais acreditava firmemente que estava trabalhando para o bem-estar geral dos habitantes do império. A classe dominante chinesa tratava os vizinhos de seu país e seus súditos estrangeiros como bárbaros miseráveis a quem o império deveria levar os benefícios da cultura. O Mandato do Céu foi concedido ao imperador não para explorar o mundo, mas para educar a humanidade. Os romanos também justificaram seu domínio argumentando que estavam concedendo paz, justiça e refinamento aos bárbaros. Os alemães selvagens e os gauleses pintados viviam na imundície e na ignorância até que os romanos os adestraram com a lei, os lavaram em casas de banho públicas e os aprimoraram com a filosofia. O Império Máuria, no século III a.C., adotou como missão a disseminação dos ensinamentos de Buda a um mundo ignorante. Os califas muçulmanos receberam uma ordem divina para difundir a revelação do Profeta, de forma pacífica, se possível, mas com o uso da espada, se necessário. Os impérios espanhol e português proclamaram que não eram riquezas o que procuravam nas Índias e na América, e sim adeptos para a fé verdadeira. O sol nunca se punha na missão britânica de difundir as mensagens do liberalismo e do livre comércio. Os soviéticos se sentiram obrigados a facilitar a inexorável marcha histórica do capitalismo rumo à utópica ditadura do proletariado. Hoje, muitos norte-americanos sustentam que seu governo tem o dever moral de levar aos países do Terceiro Mundo os benefícios da democracia e dos direitos humanos, mesmo que estes sejam entregues por mísseis de cruzeiro e F-16s.

As ideias culturais disseminadas pelo império raramente eram uma criação exclusiva da elite dominante. Uma vez que a visão imperial tende a ser, por natureza, universal e inclusiva, foi relativamente fácil para as elites imperiais adotar ideias, normas e tradições onde quer que as encontrassem, em vez de se ater com fanatismo a uma única tradição conservadora. Embora alguns imperadores procurassem purificar suas culturas e retornar ao que consideravam suas raízes, a maior parte dos impérios gerou civilizações híbridas que absorveram muito dos povos dominados. A cultura imperial de Roma era grega quase tanto quanto romana. A cultura imperial abássida era parte persa, parte grega e parte árabe. A cultura imperial mongol era uma imitação da chinesa. No império dos Estados Unidos, um presidente norte-americano com sangue queniano pode comer pizza italiana enquanto assiste a seu filme preferido, *Lawrence da Arábia*, um épico britânico sobre a rebelião árabe contra os turcos.

Não que esse caldeirão cultural tenha tornado o processo de assimilação mais fácil para os conquistados. A civilização imperial pode muito bem ter absorvido inúmeras contribuições de diversos povos conquistados, mas o resultado híbrido ainda era estranho à grande maioria. O processo de assimilação era, com frequência, doloroso e traumático. Não é fácil abrir mão da tradição local e familiar, assim como é difícil e estressante entender e adotar uma nova cultura. Pior ainda, mesmo quando os povos dominados adotavam a cultura imperial com sucesso, podia levar décadas, se não séculos, até que a elite os aceitasse como parte de "nós". As gerações que viviam entre a conquista e a aceitação eram deixadas ao relento. Já haviam perdido sua querida cultura local, mas não tinham permissão para participar em condição de igualdade no mundo imperial: pelo contrário, a cultura adotada continuava a vê-las como bárbaros.

Imagine um ibérico de boa ascendência vivendo um século antes da queda da Numância. Ele fala seu dialeto celta nativo com seus pais, mas aprendeu um latim impecável, com um sotaque muito leve, porque é necessário para conduzir seus negócios e lidar com as autoridades. Alimenta a predileção de sua esposa por bugigangas enfeitadas, mas fica um pouco constrangido porque ela, como outras mulheres locais, guarda esse resquício do gosto celta – ele preferiria que ela adotasse a simplicidade das joias usadas pela esposa do governante romano. Ele mesmo usa túnicas romanas e, graças ao sucesso como comerciante de gado, devido em grande parte à sua experiência com o complicado direito romano, conseguiu construir um casarão em estilo romano. Contudo, mesmo sendo capaz de recitar o Livro III das *Geórgicas*, de Virgílio, de memória, os romanos ainda o tratam como um semibárbaro. Ele percebe, com frustração, que nunca receberá uma nomeação para o governo ou terá acesso aos melhores assentos no anfiteatro.

No fim do século XIX, muitos indianos bem instruídos aprenderam a mesma lição com os mestres britânicos. Uma história famosa é a de um indiano ambicioso que dominou as complexidades da língua inglesa, fez aulas de dança ocidental e até se acostumou a comer com garfo e faca. Equipado com seus novos modos, viajou à Inglaterra, estudou direito na University College London e se tornou advogado. Mesmo assim, esse jovem homem das leis, aprumado em seu terno e gravata, foi jogado para fora de um trem na colônia britânica da África do Sul por insistir em viajar na primeira classe em vez de se acomodar na terceira, onde homens "de cor" como ele deviam viajar. Seu nome era Mohandas Karamchand Gandhi.

Em alguns casos, o processo de aculturação e assimilação acabou rompendo as barreiras entre os recém-chegados e a antiga elite. Os conquistados já não viam o império como um sistema estrangeiro de ocupação, e os conquistadores passaram a enxergar seus conquistados como iguais. Dominantes e dominados passaram a ver "eles" como "nós". Todos os súditos de Roma, depois de séculos de dominação imperial, acabaram recebendo a cidadania romana. Não romanos ascenderam e passaram a ocupar os cargos mais altos entre os oficiais das legiões romanas e foram nomeados ao senado. Em 48, o imperador Cláudio admitiu no senado vários gauleses notáveis cujos "costumes, cultura e laços de matrimônio se misturaram com os nossos", conforme observou em um discurso. Senadores arrogantes protestaram contra a inclusão desses ex-inimigos no cerne do sistema político romano. Cláudio os recordou de uma verdade inconveniente. A maioria das famílias senatoriais descendia de tribos italianas que um dia lutaram contra Roma e, mais tarde, obtiveram cidadania romana. Na verdade, conforme recordou o imperador, sua própria família era de ascendência sabina.[5]

Durante o século II, Roma foi governada por uma linhagem de imperadores nascidos na Península Ibérica, em cujas veias provavelmente corriam pelo menos algumas gotas de sangue ibérico. Os reinados de Trajano, Adriano, Antonino Pio e Marco Aurélio geralmente são considerados a era de ouro do império. Depois disso, todas as barreiras étnicas foram derrubadas. O imperador Lúcio Sétimo Severo (193-211) descendia de uma família púnica da Líbia. Heliogábalo (218-222) era sírio. O imperador Filipe (244-249) era conhecido informalmente como "Filipe, o Árabe". Os novos cidadãos do império adotaram a cultura imperial romana com tanto entusiasmo que, durante séculos, e até milênios, depois que o império ruiu, continuaram a falar a língua do império, acreditar no Deus cristão que o império havia adotado de uma de suas províncias levantinas e viver segundo as leis do império.

Um processo similar ocorreu no Império Árabe. Quando foi estabelecido, em meados do século VII, era baseado em uma nítida divisão entre a elite dominante árabe-muçulmana e os subjugados egípcios, sírios, iranianos e berberes, que não eram nem árabes, nem muçulmanos. Muitos dos súditos do império adotaram gradualmente a fé muçulmana, a língua árabe e uma cultura imperial híbrida. A antiga elite árabe via esses arrivistas com profunda hostilidade, temendo perder seu status e identidade singulares. Os convertidos frustrados clamavam por uma parte equivalente no império e no mundo islâmico. Com o tempo, conseguiram. Egípcios, sírios e mesopotâmios começaram a ser cada vez mais vistos como "árabes". Os árabes, por sua vez – fossem os árabes "autênticos" da Arábia ou os recém-cunhados do Egito e da Síria –, passaram a ser cada vez mais dominados por muçulmanos não árabes, em particular iranianos, turcos e berberes. O grande sucesso do projeto imperial árabe foi que a cultura imperial que criou foi adotada entusiasticamente por inúmeros povos não árabes, que continuaram a preservá-la, desenvolvê-la e disseminá-la – mesmo depois que o império original ruiu e os árabes, como grupo étnico, perderam seu domínio.

Na China, o sucesso do projeto imperial foi ainda mais absoluto. Por mais de 2 mil anos, uma série de grupos étnicos e culturais primeiramente considerados bárbaros foram integrados com sucesso à cultura imperial chinesa e se tornaram chineses Han (assim denominados devido ao Império Han, que governou a China de 206 a.C. a 220). A maior conquista do império chinês é continuar firme e forte, apesar de ser difícil enxergá-lo como império, exceto em áreas remotas como o Tibete e Xinjiang. Mais de 90% da população da China se considera Han e é reconhecida como tal.

Podemos entender o processo de descolonização das últimas décadas de forma similar. Durante a era moderna, os europeus conquistaram grande parte do globo com o pretexto de disseminar uma cultura ocidental superior. Foram tão bem-sucedidos que, pouco a pouco, bilhões de pessoas começaram a adotar partes significativas dessa cultura. Indianos, africanos, árabes, chineses e maoris aprenderam francês, inglês e espanhol. Começaram a acreditar em direitos humanos e no princípio da autodeterminação e adotaram ideologias ocidentais como liberalismo, capitalismo, comunismo, feminismo e nacionalismo.

Durante o século XX, grupos locais que haviam adotado valores ocidentais reivindicaram igualdade em relação a seus conquistadores europeus em nome desses mesmos valores. Muitas lutas anticolonialistas foram travadas sob as bandeiras da autodeterminação, do socialismo e dos direitos humanos, todas legados ocidentais. Assim como os egípcios, os iranianos e os turcos adotaram e adaptaram a cultura imperial que herdaram dos conquistadores árabes originais, também os indianos, africanos e chineses da atualidade aceitaram grande parte da cultura imperial de seus antigos soberanos ocidentais, ao mesmo tempo que procuraram moldá-la de acordo com suas necessidades e tradições.

O ciclo imperial

Etapa	Roma	Islã	Imperialismo europeu
Um pequeno grupo estabelece um grande império	Os romanos estabelecem o Império Romano	Os árabes estabelecem o Califado Árabe	Os europeus estabelecem os impérios europeus
Uma cultura imperial é forjada	Cultura greco-romana	Cultura árabe-muçulmana	Cultura ocidental
A cultura imperial é adotada pelos povos dominados	Os povos dominados adotam o latim, o direito romano, as ideias políticas romanas etc.	Os povos dominados adotam a língua árabe, o islamismo etc.	Os povos dominados adotam o inglês, o francês, o socialismo, o nacionalismo, os direitos humanos etc.

Etapa	Roma	Islã	Imperialismo europeu
Os povos dominados exigem status de igualdade em nome dos valores imperiais em comum	Ilírios, gauleses e púnicos exigem status de igualdade com relação aos romanos em nome dos valores romanos em comum	Egípcios, iranianos e berberes exigem status de igualdade com relação aos árabes em nome dos valores muçulmanos em comum	Indianos, chineses e africanos exigem status de igualdade com relação aos europeus em nome de valores ocidentais em comum, como nacionalismo, socialismo e direitos humanos
Os fundadores do império perdem a supremacia	Os romanos deixam de existir como um grupo étnico único; o controle do império passa para uma nova elite multiétnica	Os árabes perdem o controle do mundo muçulmano em prol de uma elite muçulmana multiétnica	Os europeus perdem o controle do mundo global em prol de uma elite multiétnica amplamente comprometida com valores e modos de pensar ocidentais
A cultura imperial continua a florescer e a se desenvolver	Os ilírios, gauleses e púnicos continuam a desenvolver a cultura romana adotada	Os egípcios, iranianos e berberes continuam a desenvolver a cultura muçulmana adotada	Os indianos, chineses e africanos continuam a desenvolver a cultura ocidental adotada

Mocinhos e bandidos na história

É tentador dividir a história entre mocinhos e bandidos, colocando todos os impérios do lado dos bandidos. Afinal, quase todos esses impérios foram edificados sobre sangue e mantiveram seu poder por meio de opressão e guerra. Mas grande parte das culturas de hoje se baseia em legados imperiais. Se os impérios são, por definição, ruins, o que isso diz sobre nós?

Existem escolas de pensamento e movimentos políticos que procuram expurgar a cultura humana do imperialismo, deixando o que afirmam ser uma civilização pura e autêntica, não contaminada pelo pecado. Essas ideologias são, na melhor das hipóteses, ingênuas; na pior, servem como uma camuflagem hipócrita para o nacionalismo bruto e para a intolerância. Talvez seja possível argumentar que algumas das inúmeras culturas que surgiram no início da história registrada fossem puras, intocadas pelo pecado e não adulteradas por outras sociedades. Mas nenhuma cultura desde aquele início pode fazer essa afirmação, pelo menos nenhuma cultura que ainda existe sobre a face da Terra. Todas as culturas humanas são, em parte, legado de impérios e civilizações imperiais, e nenhuma cirurgia acadêmica ou política pode remover esse legado sem matar o paciente.

Pense, por exemplo, na relação de amor e ódio entre a república independente da Índia atual e a Índia britânica. A conquista e ocupação da Índia pelos britânicos custou a vida de milhões de indianos e foi responsável pela humilhação e exploração contínua de outras centenas de milhões. Ainda assim, muitos indianos adotaram, com o entusiasmo dos convertidos, ideias ocidentais, como autodeterminação e direitos humanos, e ficaram consternados quando os britânicos se recusaram a colocar em prática seus próprios valores declarados e conceder aos indianos nativos direitos iguais como súditos britânicos ou independência.

No entanto, o Estado indiano moderno é filho do Império Britânico. Os britânicos mataram, feriram e perseguiram os habitantes do subcontinente, mas também uniram um mosaico desconcertante de reinos, principados e tribos em guerra, criando uma consciência nacional partilhada e um país que funcionava mais ou menos como uma unidade política. Eles assentaram as bases do sistema jurídico indiano, criaram sua estrutura administrativa e construíram a rede de ferrovias que foi fundamental para a integração econômica. A Índia independente adotou a democracia ocidental, em sua encarnação britânica, como forma de governo. O inglês ainda é a língua franca do subcontinente, uma língua neutra que falantes nativos de híndi, tâmil e malaiala podem usar para se comunicar. Os indianos são apaixonados por críquete e chai (chá), e tanto o jogo quanto a bebida são legados britânicos. O cultivo comercial de chá não existia na Índia até meados do século XIX, quando foi introduzido pela Companhia Britânica das Índias Orientais. Foram os esnobes *sahibs* britânicos que disseminaram o costume de tomar chá por todo o subcontinente.

Quantos indianos, hoje em dia, gostariam que houvesse uma votação para destituí-los da democracia, da língua inglesa, da rede de ferrovias, do sistema jurídico, do críquete e do chá, utilizando o argumento de serem legados imperiais? Mesmo que isso acontecesse, o próprio fato de fazerem uma votação para decidir a questão não demostraria sua dívida para com os ex-soberanos?

Mesmo se fôssemos condenar completamente o legado de um império brutal na esperança de reconstruir e salvaguardar as culturas "autênticas" que o precederam, com toda a probabilidade o que estaríamos

18. A estação de trem Chhatrapati Shivaji, em Mumbai. Originalmente, chamava-se Estação Victoria, em Bombaim. Os britânicos a construíram em estilo neogótico, popular na Grã-Bretanha no fim do século XIX. Um governo nacionalista hindu mudou tanto o nome da estação quanto o da cidade, mas não demonstrou nenhum desejo de demolir uma construção tão magnífica, mesmo tendo sido construída por opressores estrangeiros.

defendendo não seria nada além do legado de um império mais antigo e não menos brutal. Aqueles que se ressentem da mutilação da cultura indiana pela Índia britânica santificam inadvertidamente os legados do Império Mogol e do Sultanato de Délhi. E quem quer que tente resgatar a "cultura indiana autêntica" das influências estrangeiras desses impérios muçulmanos está santificando os legados do Império Gupta, do Império Kushana e do Império Máuria. Se um nacionalista extremo hindu fosse destruir todas as construções deixadas pelos conquistadores britânicos, como a principal estação de trem de Mumbai, o que faria com as estruturas deixadas pelos conquistadores muçulmanos, como o Taj Mahal?

Ninguém sabe ao certo como resolver a questão espinhosa da herança cultural. Qualquer que seja o caminho escolhido, o primeiro passo é reconhecer a complexidade do dilema e aceitar que a divisão simplista entre mocinhos e bandidos não leva a lugar nenhum. A menos, é claro, que estejamos dispostos a admitir que costumamos seguir o exemplo dos bandidos.

19. O Taj Mahal. Exemplo de cultura indiana "autêntica" ou criação estrangeira do imperialismo muçulmano?

O novo império global

Desde mais ou menos 200 a.C., a maioria dos humanos viveu em impérios. Parece provável que no futuro também a maioria dos humanos viva em um. Mas, dessa vez, o império será verdadeiramente global. A visão imperial de um único domínio sobre o mundo inteiro pode ser iminente.

À medida que avançamos no século XXI, o nacionalismo perde terreno rapidamente. Cada vez mais pessoas acreditam que toda a humanidade é fonte legítima de autoridade política, e não composta por membros de nações específicas, e que a garantia dos direitos humanos e a proteção dos interesses de toda a espécie humana devem nortear a política. Sendo assim, ter cerca de 200 Estados independentes é um obstáculo, não uma ajuda. Já que suecos, indonésios e nigerianos merecem ter os mesmos direitos humanos, não seria mais simples que um único governo global os protegesse?

O aparecimento de problemas essencialmente globais, como o derretimento das calotas polares, acaba com qualquer legitimidade que reste aos Estados-nação independentes. Nenhum Estado soberano será capaz de superar sozinho o aquecimento global. O Mandato do Céu chinês foi concedido pelo céu para resolver os problemas da humanidade. O Mandato do Céu moderno será concedido pela humanidade para resolver o problema do céu, como o buraco na camada de ozônio e o acúmulo de gases do efeito estufa. A cor do império global pode muito bem ser o verde.

Em pleno 2015, o mundo ainda é politicamente fragmentado, mas os Estados estão perdendo sua independência rapidamente. Nenhum deles é realmente capaz de executar políticas econômicas independentes, declarar e travar guerras quando quiser, ou mesmo conduzir as próprias questões internas como julgar conveniente. Os Estados estão cada vez mais abertos às maquinações dos mercados globais, à interferência de ONGs e empresas globais e à supervisão do público global e do sistema jurídico internacional. Os Estados são obrigados a se adequar aos padrões globais de comportamento financeiro, política ambiental e justiça. Correntes imensamente poderosas de capital, trabalho e informação giram e moldam o mundo, com uma crescente desconsideração pelas fronteiras e opiniões dos Estados.

O império global que está sendo forjado diante de nossos olhos não é governado por nenhum Estado ou grupo étnico em particular. De maneira similar ao Império Romano tardio, é governado por uma elite multiétnica e se mantém unido por cultura e interesses em comum. Em todo o mundo, cada vez mais empresários, engenheiros, especialistas, acadêmicos, advogados e gerentes são chamados para fazer parte do império. Eles devem ponderar se responderão ao chamado imperial ou se permanecerão fiéis a seu Estado e a seu povo. É cada vez maior o número daqueles que escolhem o império.

12

A lei da religião

No mercado medieval em Samarcanda, uma cidade construída em um oásis no centro da Ásia, mercadores sírios acariciavam finas sedas chinesas, membros de tribos ferozes das estepes exibiam o último lote de escravos de cabelo de palha do extremo oeste, e lojistas embolsavam moedas de ouro brilhantes gravadas com letras exóticas e imagens de reis pouco familiares. Ali, na época uma das principais encruzilhadas entre Ocidente e Oriente, Norte e Sul, a unificação da humanidade era um fato cotidiano. O mesmo processo pôde ser observado quando o exército de Kublai Khan se reuniu para invadir o Japão em 1281. Cavaleiros mongóis usando peles de animais lutavam lado a lado com soldados de infantaria chineses que usavam chapéus de bambu, auxiliares coreanos bêbados brigavam com marinheiros tatuados do mar do sul da China, engenheiros da Ásia Central ouviam boquiabertos as histórias fantásticas das aventuras europeias, e todos obedeciam ao comando de um único imperador.

Enquanto isso, em volta da Caaba sagrada em Meca, a unificação humana acontecia por outros meios. Se você fosse um peregrino em Meca, circundando o santuário mais sagrado do Islã no ano 1300, possivelmente se veria na companhia de um grupo da Mesopotâmia, com suas túnicas flutuando ao vento, os olhos brilhando em êxtase e a boca repetindo, um após outro, os 99 nomes de Deus. Logo à frente você poderia ver um patriarca turco castigado pelo clima das estepes asiáticas, andando pesadamente com um cajado e acariciando a barba de modo pensativo. De um lado, com joias de ouro reluzindo sobre a pele cor de azeviche, poderia haver um grupo de muçulmanos do reino africano de Mali. O aroma de cravo, cúrcuma, cardamomo e sal marinho teria sinalizado a presença de irmãos da Índia, ou, talvez, das misteriosas ilhas de especiarias mais ao leste.

Hoje a religião é, muitas vezes, considerada uma fonte de discriminação, desavença e desunião. Mas, na verdade, a religião foi o terceiro maior unificador da humanidade, junto com o dinheiro e os impérios. Uma vez que todas as hierarquias e ordens sociais são imaginadas, elas são todas frágeis, e, quanto maior a sociedade, mais frágil ela é. O papel histórico crucial da religião foi dar legitimidade sobre-humana a essas estruturas frágeis. As religiões afirmam que nossas leis não são resultado de capricho humano, e sim determinadas por uma autoridade suprema e absoluta. Isso ajuda a tornar inquestionáveis pelo menos algumas leis fundamentais, garantindo, desse modo, a estabilidade social.

A religião pode ser definida, portanto, como um sistema de normas e valores humanos que se baseia na crença em uma ordem sobre-humana. Isso envolve dois critérios distintos:

(1) A religião postula a existência de uma ordem sobre-humana, que não é produto de caprichos ou acordos humanos. O futebol profissional não é uma religião, porque, apesar de suas muitas leis, cerimônias e, com frequência, rituais estranhos, todos sabemos que os próprios seres humanos inventaram o futebol, e a FIFA pode, a qualquer momento, aumentar o tamanho da goleira ou anular a regra do impedimento.

(2) Com base nessa ordem sobre-humana, a religião estabelece normas e valores que considera obrigatórios. Hoje, muitos ocidentais acreditam em fantasmas, fadas e reencarnação, mas essas crenças não dão origem a padrões morais e de comportamento. Sendo assim, não constituem uma religião.

Apesar de sua capacidade de legitimar ordens políticas e sociais disseminadas, nem todas as religiões usaram esse potencial. A fim de unir sob sua égide uma grande extensão de território habitado por grupos diferentes de seres humanos, uma religião precisa ter outras duas qualidades. Em primeiro lugar, precisa sustentar uma ordem sobre-humana abrangente que seja verdadeira sempre e em toda parte. Em segundo lugar, precisa insistir em difundir essa crença para todos. Dito de outro modo, precisa ser universal e missionária.

As religiões mais conhecidas da história, como o islamismo e o budismo, são universais e missionárias. Em consequência, as pessoas tendem a acreditar que todas as religiões são como elas. Na verdade, a maioria das religiões antigas eram locais e exclusivas. Seus seguidores acreditavam em espíritos e deidades locais e não tinham interesse algum em converter toda a raça humana. Até onde sabemos, as religiões universais e missionárias só começaram a aparecer no primeiro milênio a.C. Seu surgimento foi uma das revoluções mais importantes da história e fez uma contribuição vital à unificação da humanidade, assim como o surgimento de impérios universais e do dinheiro universal.

Silenciando os inocentes

Quando o animismo era o sistema de crença dominante, as normas e os valores humanos tinham de levar em consideração a perspectiva e os interesses de uma infinidade de outros seres, tais como animais, plantas, fadas e fantasmas. Por exemplo, um bando de caçadores-coletores no vale do Ganges pode ter estabelecido uma lei proibindo as pessoas de cortarem uma figueira particularmente grande, para evitar que o espírito da figueira ficasse furioso e se vingasse. Outro bando de caçadores-coletores vivendo no vale do Indo pode ter proibido as pessoas de caçar raposas de cauda branca, porque uma raposa de cauda branca certa vez revelou a uma velha sábia onde o bando poderia encontrar obsidiana preciosa.

Tais religiões tendiam a ter uma perspectiva muito local e a enfatizar as características singulares de lugares, climas e fenômenos específicos. A maioria dos caçadores-coletores passava a vida inteira em uma área de não mais de mil quilômetros quadrados. Para sobreviver, os habitantes de um determinado vale precisavam entender a ordem sobre-humana que regulava esse vale e adequar seu comportamento a tal ordem. Não fazia sentido tentar convencer os habitantes de um vale distante a seguir as mesmas regras. As pessoas do Indo não se preocupavam em enviar missionários ao Ganges para convencer os locais a não caçarem raposas de cauda branca.

A Revolução Agrícola parece ter sido acompanhada de uma revolução religiosa. Os caçadores-coletores caçavam animais selvagens e coletavam plantas silvestres, que podiam ser vistos como iguais em status ao *Homo sapiens.* O fato de que os homens caçavam ovelhas não tornava as ovelhas inferiores aos homens, assim como o fato de que os tigres caçavam homens não tornava os homens inferiores aos tigres. Os seres se comunicavam diretamente uns com os outros e negociavam as regras que governavam o habitat por eles partilhado. Já os agricultores possuíam e manipulavam plantas e animais e dificilmente se rebaixavam ao negociar suas posses. Portanto, o primeiro efeito religioso da Revolução Agrícola foi transformar as plantas e os animais de membros iguais de uma mesa-redonda espiritual em propriedade.

Isso, no entanto, criou um grande problema. Os agricultores podem ter desejado o controle absoluto de suas ovelhas, mas sabiam perfeitamente bem que seu controle era limitado. Eles podiam trancar as ovelhas em currais, castrar os carneiros e criar ovelhas seletivamente, mas não tinham como garantir que as ovelhas conceberiam e dariam à luz cordeiros saudáveis, tampouco tinham como evitar a erupção de epidemias mortais. Como, então, proteger a fecundidade dos bandos?

Uma teoria bastante aceita sobre a origem dos deuses afirma que estes ganharam importância porque ofereciam uma solução para tal problema. Deuses como a deusa da fertilidade, o deus do céu e o deus da medicina se tornaram protagonistas quando plantas e animais perderam sua capacidade de falar, e a principal função dos deuses era fazer a mediação entre os humanos e as plantas e os animais calados. Grande parte da mitologia antiga é, na verdade, um contrato em que os humanos prometem a devoção eterna aos deuses em troca do domínio de plantas e animais – os primeiros capítulos do livro do Gênesis são um exemplo excelente. Durante milhares de anos após a Revolução Agrícola, a liturgia religiosa consistiu principalmente em humanos sacrificando cordeiros e ofertando-os com pão e vinho aos poderes divinos, que, por sua vez, prometiam colheitas abundantes e rebanhos fecundos.

No início, a Revolução Agrícola teve um impacto muito menor no status de outros membros do sistema animista, como rochas, nascentes, fantasmas e demônios. No entanto, pouco a pouco estes também perderam status em favor dos novos deuses. Enquanto as pessoas passavam a vida toda em territórios limitados de algumas centenas de quilômetros quadrados, a maior parte de suas necessidades podia ser atendida por espíritos locais. Mas, quando os reinos e as redes de comércio se expandiram, as pessoas precisaram contatar entidades cujo poder e autoridade abarcassem um reino inteiro ou uma região comercial inteira.

A tentativa de satisfazer essas necessidades levou ao surgimento de religiões politeístas (do grego *poli* = muitos e *theos* = deuses). Essas religiões entendiam que o mundo era controlado por um grupo de deuses poderosos, como a deusa da fertilidade, o deus da chuva e o deus da guerra. Os humanos podiam rogar a esses deuses, e os deuses podiam, se recebessem devoções e sacrifícios, dignar-se a trazer chuva, vitória e saúde.

O animismo não desapareceu totalmente com o advento do politeísmo. Demônios, fadas, fantasmas, rochas sagradas, nascentes sagradas e árvores sagradas continuaram sendo parte integral de quase todas as religiões politeístas. Esses espíritos eram muito menos importantes que os grandes deuses, mas eram bons o bastante para satisfazer as necessidades mundanas de muitas pessoas comuns. Enquanto o rei em sua capital sacrificava dezenas de carneiros gordos para o grande deus da guerra, rezando para que ele lhe concedesse a vitória sobre os bárbaros, o camponês em sua cabana acendia uma vela para a fada da figueira, rezando para que ela o ajudasse a curar seu filho doente.

Mas o maior impacto da ascensão dos grandes deuses não foi sobre ovelhas ou demônios, e sim sobre o status do *Homo sapiens*. Os animistas acreditavam que os humanos fossem apenas uma das muitas criaturas que habitam o mundo. Os politeístas, por outro lado, cada vez mais viam o mundo como um reflexo da relação entre deuses e humanos. Nossas preces, nossos sacrifícios, nossos pecados e nossas boas ações determinavam o destino de todo o ecossistema. Uma inundação terrível poderia exterminar bilhões de formigas, gafanhotos, tartarugas, antílopes, girafas e elefantes, só porque alguns poucos sapiens estúpidos exasperaram os deuses. O politeísmo, portanto, exaltava não só o status dos deuses como também o da humanidade. Os membros menos afortunados do velho sistema animista perderam sua estatura e se tornaram figurantes ou objetos de cena silenciosos no grande drama da relação do homem com os deuses.

Os benefícios da idolatria

Dois mil anos de lavagem cerebral monoteísta fizeram com que a maioria dos ocidentais veja o politeísmo como uma idolatria ignorante e infantil. Esse é um estereótipo injusto. Para entender a lógica inerente ao politeísmo, é necessário compreender a ideia central por trás da crença em muitos deuses.

O politeísmo não necessariamente contesta a existência de um único poder ou lei que governa o universo inteiro. Na verdade, a maioria das religiões politeístas e mesmo animistas reconhecia tal poder supremo por trás dos diferentes deuses, demônios e rochas sagradas. No politeísmo grego clássico, Zeus, Hera, Apolo e seus colegas estavam sujeitos a um poder onipotente que abarcava tudo – o Destino (*Moira, Ananke*). Os deuses nórdicos também eram servos do destino, que os condenou a perecer no cataclismo de Ragnarök (o Crepúsculo dos Deuses). Na religião politeísta dos iorubás, da África Ocidental, todos os deuses nasciam do deus supremo Olodumare e continuavam sujeitados a ele. No politeísmo hindu, um único princípio, Atman, controla os vários deuses e espíritos, a humanidade e o mundo físico e biológico. Atman é a essência ou alma eterna de todo o universo, bem como de cada indivíduo e de cada fenômeno.

A ideia fundamental do politeísmo, que o distingue do monoteísmo, é que o poder supremo que governa o mundo é destituído de interesses e inclinações e, portanto, não está preocupado com os anseios, os cuidados e os desejos mundanos dos humanos. Não faz sentido pedir a esse poder a vitória na guerra, a saúde ou a chuva, porque de sua perspectiva universal não faz diferença se um reino específico ganha ou perde, se uma cidade específica prospera ou definha, se uma pessoa específica se recupera ou morre. Os gregos não desperdiçavam sacrifícios com o Destino, e os hindus não construíam templos para Atman.

O único motivo para abordar o poder supremo do universo seria para renunciar a todos os desejos e abraçar o mal junto com o bem – abraçar até mesmo a derrota, a pobreza, a doença e a morte. Desse modo, alguns hindus, conhecidos como sadhus ou sannyasis, dedicam a vida a se unir com Atman, atingindo assim a iluminação. Eles se esforçam para ver o mundo do ponto de vista desse princípio fundamental, para perceber que, de sua perspectiva eterna, todos os desejos e temores mundanos são fenômenos efêmeros e sem sentido.

A maioria dos hindus, no entanto, não são sadhus. Eles estão imersos no lamaçal das preocupações mundanas, onde Atman não é de grande ajuda. Para obter auxílio em tais questões, os hindus se dirigem aos deuses com poderes parciais. Precisamente porque seus poderes são parciais em vez de universais, deuses como Ganesha, Lakshmi e Saraswati têm interesses e inclinações. Os humanos podem, portanto, negociar com esses poderes parciais e contar com sua ajuda a fim de vencer guerras e se recuperar de enfermidades.

Há, necessariamente, muitos desses poderes menores, já que, quando começamos a dividir o poder universal de um princípio supremo, inevitavelmente acabamos chegando a mais de uma deidade. Daí a pluralidade de deuses.

A ideia do politeísmo leva a uma tolerância religiosa muito maior. Como os politeístas acreditam, por um lado, em um poder supremo e completamente desinteressado e, por outro lado, em muitos poderes parciais e tendenciosos, não há dificuldade para os devotos de um deus aceitarem a existência e a eficácia de outros deuses. O politeísmo é inerentemente tolerante e raramente persegue "hereges" e "infiéis".

Mesmo quando conquistaram impérios gigantescos, os politeístas não tentaram converter seus súditos. Os egípcios, os romanos e os astecas não enviaram missionários a terras estrangeiras para disseminar o culto a Osíris, Júpiter ou Huitzilopochtli (o principal deus asteca) e certamente não mandaram exércitos com esse propósito. Esperava-se que os súditos em todo o império respeitassem os deuses e os rituais do império, já que esses deuses e rituais protegiam e legitimavam o império. Mas não se exigia que eles abdicassem de seus deuses e rituais locais. No Império Asteca, os súditos eram obrigados a construir templos para Huitzilopochtli, mas esses templos eram construídos junto com os dos deuses locais, e não em substituição a eles. Em muitos casos, a própria elite imperial adotava os deuses e os rituais dos súditos. Os romanos incluíram de bom grado a deusa asiática Cibele e a deusa egípcia Ísis em seu panteão.

O único deus que, durante muito tempo, os romanos se recusaram a tolerar foi o deus monoteísta e evangelizador dos cristãos. O Império Romano não exigia que os cristãos abdicassem de suas crenças e rituais, mas esperavam que eles respeitassem os deuses protetores do Império e a divindade do imperador. Isso era visto como uma declaração de lealdade política. Quando os cristãos se recusaram veementemente a fazer isso, rejeitando todas as tentativas de se chegar a um acordo, os romanos reagiram perseguindo o que entendiam como uma facção politicamente subversiva. Nos 300 anos decorridos desde a crucificação de Cristo até a conversão do imperador Constantino, os imperadores romanos politeístas iniciaram não mais que quatro perseguições gerais aos cristãos. Os administradores e governantes locais também incitaram certa violência contra os cristãos. Ainda assim, se considerarmos todas as vítimas de todas essas perseguições, veremos que, nesses três séculos, os romanos politeístas mataram não mais que alguns milhares de cristãos.[1] Os cristãos, por sua vez, ao longo dos 15 séculos seguintes, assassinaram cristãos aos milhões por defenderem interpretações ligeiramente diferentes da religião do amor e da compaixão.

As guerras religiosas entre católicos e protestantes que varreram a Europa nos séculos XVI e XVII são particularmente conhecidas. Todos os envolvidos aceitavam a divindade de Cristo e Seu evangelho de amor e compaixão. No entanto, eles discordavam quanto à natureza desse amor. Os protestantes acreditavam que o amor divino é tão grande que Deus encarnou e se permitiu ser torturado e crucificado, redimindo, desse modo, o pecado original e abrindo as portas do Céu a todos aqueles que professassem a fé Nele. Os católicos defendiam que a fé, embora essencial, não era suficiente. Para entrar no Céu, os crentes tinham de participar de rituais na igreja e fazer boas ações. Os protestantes se recusavam a aceitar isso, argumentando que essa compensação diminuía a grandeza e o amor de Deus. Quem quer que pense que a entrada no Céu depende de suas boas ações magnifica sua própria importância e insinua que o sofrimento de Cristo na cruz e o amor de Deus pela humanidade não são suficientes.

Essas disputas teológicas ficaram tão violentas que durante os séculos XVI e XVII católicos e protestantes mataram uns aos outros às centenas de milhares. Em 23 de agosto de 1572, católicos franceses, que enfatizavam a importância de boas ações, atacaram comunidades de protestantes franceses, que salientavam o amor de Deus pela humanidade. Nesse ataque, o Dia do Massacre de São Bartolomeu, entre 5 mil e 10 mil protestantes foram assassinados em menos de 24 horas. Quando o papa em Roma ficou sabendo do ocorrido na França, foi tomado de tanta alegria que organizou preces festivas para celebrar a ocasião e encarregou Giorgio Vasari de decorar um dos aposentos do Vaticano com um afresco do massacre (o aposento atualmente está inacessível aos visitantes).[2] Mais cristãos foram mortos por outros cristãos naquelas 24 horas do que pelo Império Romano politeísta durante toda a sua existência.

Deus é um só

Com o tempo alguns seguidores de divindades politeístas apegaram-se tanto a seu deus que acabaram por se afastar da ideia politeísta básica. Eles começaram a acreditar que seu deus era o único Deus, e que Ele era, na verdade, o poder supremo do universo. Porém, ao mesmo tempo, continuaram a vê-Lo como tendo interesses e inclinações, e acreditaram que poderiam chegar a acordos com Ele. Assim nasceram as religiões monoteístas, cujos seguidores rogam ao poder supremo do universo auxílio para se recuperar de uma doença, ganhar na loteria e vencer uma guerra.

A primeira religião monoteísta de que temos notícia apareceu no Egito por volta de 1350 a.C., quando o faraó Aquenáton declarou que uma das deidades menores do panteão egípcio, o deus Aton, era, na verdade, o poder supremo governando o universo. Aquenáton institucionalizou o culto a Aton como religião do Estado e tentou controlar o culto a todos os outros deuses. Sua revolução religiosa, no entanto, não teve êxito. Após sua morte, o culto a Aton foi abandonado em favor do antigo panteão.

Aqui e ali, o politeísmo continuou a dar origem a outras religiões monoteístas, mas elas permaneceram marginais, sobretudo porque foram incapazes de condensar sua própria mensagem universal. O judaísmo, por exemplo, afirmava que o poder supremo do universo tem interesses e inclinações, mas seu principal interesse é na minúscula nação judaica e na obscura terra de Israel. O judaísmo tinha pouco a oferecer a outras nações e durante a maior parte de sua existência não foi uma religião missionária. Esse estágio pode ser chamado de estágio do "monoteísmo local".

O grande avanço veio com o cristianismo. Essa fé começou como uma seita judaica esotérica que procurava convencer os judeus de que Jesus de Nazaré era seu tão esperado messias. No entanto, um dos primeiros líderes da seita, Paulo de Tarso, ponderou que, se o poder supremo do universo tem interesses e inclinações, e se Ele se deu ao trabalho de encarnar e morrer na cruz para a salvação da humanidade, então isso é algo que deve ser comunicado a todos, e não só aos judeus. Portanto, era necessário difundir a boa palavra – o evangelho – sobre Jesus para o mundo inteiro.

Os argumentos de Paulo caíram em solo fértil. Em toda parte, os cristãos começaram a organizar atividades missionárias dirigidas a todos os humanos. Em uma das guinadas mais estranhas da história, essa seita judaica esotérica controlou o poderoso Império Romano.

O sucesso dos cristãos serviu de modelo para outra religião monoteísta que apareceu na Península Arábica no século VII: o islamismo. Como o cristianismo, o islamismo também começou como uma pequena seita em um canto remoto do mundo, mas em uma surpresa histórica ainda mais estranha e mais rápida, conseguiu escapar dos desertos da Arábia e conquistar um império imenso que ia do oceano Atlântico à Índia. Daí em diante, a ideia monoteísta exerceu um papel central na história mundial.

Os monoteístas são no geral muito mais fanáticos e missionários que os politeístas. Uma religião que reconhece a legitimidade de outras crenças implica ou que seu deus não é o deus supremo do universo, ou que ela recebeu de Deus apenas parte da verdade universal. Como os monoteístas costumam acreditar que são detentores de toda a mensagem de um único Deus, são compelidos a descrer de todas as outras religiões. Nos últimos dois milênios, os monoteístas tentaram, repetidas vezes, se fortalecer exterminando de maneira violenta toda concorrência.

Funcionou. No começo do século I, quase não havia monoteístas no mundo. Por volta do ano 500, um dos maiores impérios do mundo – o império romano – era um regime cristão, e os missionários estavam ocupados difundindo o cristianismo para outras partes da Europa, da Ásia e da África. No fim do primeiro milênio da era cristã, a maioria das pessoas na Europa, no oeste da Ásia e na África do Norte eram monoteístas, e impérios do oceano Atlântico ao Himalaia afirmavam ser ordenados pelo único grande Deus. No início do século XVI, o monoteísmo dominou a maior parte da Afro-Ásia, com exceção do leste da Ásia e de partes no sul da África, e começou a estender seus tentáculos para a África do Sul, a América e a Oceania. Hoje, a maioria das pessoas fora do leste da Ásia segue alguma religião monoteísta, e a ordem política global foi erguida sobre bases monoteístas.

Mas, assim como o animismo continuou a sobreviver no interior do politeísmo, o politeísmo também continuou a sobreviver no interior do monoteísmo. Em teoria, quando uma pessoa acredita que o poder supremo do universo tem interesses e inclinações, qual o sentido de cultuar poderes parciais? Quem ia querer conversar com um burocrata inferior quando o gabinete do presidente está à disposição? A teologia monoteísta

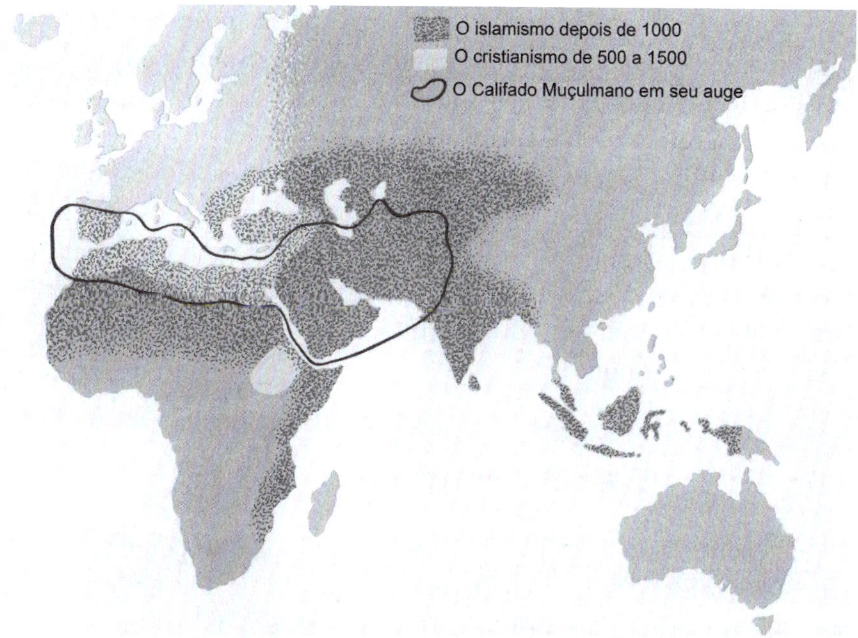

Mapa 5. A disseminação do cristianismo e do islamismo.

tende a negar a existência de todos os deuses exceto o Deus supremo e a condenar ao fogo do inferno qualquer um que ouse cultuá-los.

Mas sempre houve um cisma entre as teorias teológicas e as realidades históricas. A maioria das pessoas considerou difícil assimilar totalmente a ideia monoteísta. Elas continuaram a dividir o mundo em "nós" e "eles" e a ver o poder supremo do universo como estranho e distante demais para suas necessidades mundanas. As religiões monoteístas expulsaram os deuses pela porta da frente com muito barulho, para em seguida aceitá-los de volta pela janela lateral. O cristianismo, por exemplo, desenvolveu seu próprio panteão de santos, cujos cultos pouco diferiam dos cultos aos deuses politeístas.

Assim como o deus Júpiter defendia Roma e Huitzilopochtli protegia o Império Asteca, todo reino cristão tinha seu próprio santo patrono que o ajudava a superar dificuldades e vencer guerras. A Inglaterra era protegida por São Jorge; a Escócia, por Santo André; a Hungria, por Santo Estêvão; e a França, por São Martinho. Cidades e vilas, profissões e até mesmo doenças – cada uma delas tinha seu próprio santo. A cidade de Milão tinha Santo Ambrósio, ao passo que São Marcos protegia

Veneza. São Floriano protegia os limpadores de chaminés, enquanto são Mateus ajudava os cobradores de impostos em desespero. Se você tivesse dor de cabeça, teria de rezar para santo Acácio, mas, se tivesse dor de dente, santa Apolônia era uma plateia melhor.

Os santos cristãos não só lembravam os velhos deuses politeístas como, muitas vezes, eram esses mesmos deuses disfarçados. Por exemplo, a principal deusa da Irlanda celta antes da chegada do cristianismo era Brígida. Quando a Irlanda foi cristianizada, Brígida também foi batizada. Ela se tornou santa Brígida, que até hoje é a santa mais reverenciada na Irlanda católica.

A batalha entre o bem e o mal

O politeísmo deu origem não só a religiões monoteístas como também a religiões dualistas. Estas reconhecem a existência de dois poderes opostos: o bem e o mal. Ao contrário do monoteísmo, o dualismo acredita que o mal é um poder independente, nem criado pelo Deus bom e nem subordinado a ele. O dualismo explica que todo o universo é um campo de batalha entre essas duas forças e que tudo que acontece no mundo é parte dessa batalha.

O dualismo é uma visão de mundo muito atraente, porque tem uma resposta simples e sucinta para o famoso problema do mal, uma das preocupações fundamentais do pensamento humano. "Por que há mal no mundo? Por que há sofrimento? Por que acontecem coisas ruins com pessoas boas?" Os monoteístas têm de praticar uma ginástica intelectual para explicar como um Deus onisciente, todo-poderoso e perfeitamente bom permite tanto sofrimento no mundo. Uma explicação conhecida é que essa é a maneira que Deus encontrou de dotar os humanos de livre-arbítrio. Se não houvesse mal, os humanos não poderiam escolher entre o bem e o mal; por conseguinte, não haveria livre-arbítrio. Isso, no entanto, é uma resposta pouco intuitiva que imediatamente levanta uma série de novas perguntas. O livre-arbítrio permite que os humanos escolham o mal. Com efeito, muitos escolhem o mal, e, de acordo com o relato monoteísta padrão, essa escolha deve ter como consequência a punição divina. Se Deus soubesse de antemão que determinada pessoa usaria seu livre-arbítrio para escolher o mal, e que, em consequência, ela seria punida por isso com torturas eternas no Inferno, por que Deus a criaria? Os teólogos escreveram inúmeros livros para responder a tais perguntas. Alguns consideram as respostas convincentes. Outros não. O que é inegável é que os monoteístas têm dificuldade de lidar com o problema do mal.

Para os dualistas, é fácil explicar o mal. Coisas ruins acontecem até mesmo para pessoas boas porque o mundo não é governado tão-somente por um Deus bom. Há um poder maligno independente à solta no mundo. O poder maligno faz coisas ruins.

O dualismo tem suas próprias desvantagens. Embora ofereça uma solução para o problema do mal, é incomodada pelo problema da ordem. Se o mundo foi criado por um só Deus, fica claro por que razão trata-se de um lugar tão ordeiro, onde tudo segue as mesmas leis. Mas se o Bem e o Mal lutam pelo controle do mundo, quem faz com que se cumpram as leis que governam essa guerra cósmica? Dois Estados rivais podem lutar um com o outro porque ambos obedecem às mesmas leis da física. Um míssil lançado do Paquistão pode acertar alvos na Índia porque a gravidade funciona do mesmo jeito em ambos os países. Quando Deus e o Diabo lutam, a que leis em comum obedecem, e quem decretou essas leis?

Assim, o monoteísmo explica a ordem, mas não o mal. O dualismo oferece uma explicação para o mal, mas não para a questão da ordem. Há uma maneira lógica de resolver essa charada: afirmar que há um único Deus onipotente que criou o universo inteiro – e Ele é um Deus maligno. Mas ninguém, em toda a história, teve estômago para tal crença.

As religiões dualistas floresceram por mais de mil anos. Em algum momento entre 1500 a.C. e 1000 a.C., um profeta chamado Zoroastro (Zaratustra) teve voz ativa em algum lugar no centro da Ásia. Seu credo passou de geração em geração até que se tornou a mais importante das religiões dualistas: o zoroastrismo. Os zoroastristas viam o mundo como uma batalha cósmica entre o deus bom Ahura Mazda e o deus mau Angra Mainyu. Os humanos tinham de ajudar o deus bom nessa batalha. O zoroastrismo foi uma religião importante durante o Império Persa

Aquemênida (550-330 a.C.) e mais tarde se tornou a religião oficial do Império Persa Sassânida (224-651). Ele exerceu grande influência sobre quase todas as religiões subsequentes no Oriente Médio e no centro da Ásia e inspirou uma série de outras religiões dualistas, como o gnosticismo e o maniqueísmo.

Durante os séculos III e IV, o credo maniqueísta se alastrou da China à África do Norte e por um momento pareceu que derrotaria o cristianismo para se tornar a religião predominante no Império Romano. Mas os maniqueístas perderam a alma de Roma para os cristãos, o Império Sassânida zoroastrista foi derrotado por muçulmanos monoteístas, e a onda dualista se acalmou. Hoje, apenas um punhado de comunidades dualistas sobrevive na Índia e no Oriente Médio. No entanto, a onda cada vez maior de monoteísmo não eliminou verdadeiramente o dualismo. O monoteísmo judeu, cristão e muçulmano absorveu inúmeras crenças e práticas dualistas, e algumas das ideias mais elementares do que chamamos "monoteísmo" são, na verdade, dualistas em origem e espírito. Muitos cristãos, muçulmanos e judeus acreditam numa poderosa força do mal – como a que os cristãos chamam de diabo ou satã – que pode agir autonomamente, combater o Deus benévolo e criar destruição sem a permissão de Deus.

Como pode um monoteísta aderir a tal crença dualista (que, aliás, não é encontrada em lugar nenhum no Velho Testamento)? Logicamente, é impossível. Ou você acredita em um único Deus onipotente ou você acredita em duas forças opostas, nenhuma das quais é onipotente. Porém, os humanos têm uma capacidade incrível de acreditar em contradições. Então não deveria nos causar surpresa o fato de milhões de fiéis cristãos, muçulmanos e judeus conseguirem acreditar ao mesmo tempo em um Deus onipotente e em um Diabo autônomo. Muitos cristãos, muçulmanos e judeus chegaram a imaginar que o Deus bom até mesmo precisa da nossa ajuda em sua luta contra o Diabo, o que os inspirou, entre outras coisas, a convocar os *jihads* e as cruzadas.

Outro conceito dualista essencial, em particular no gnosticismo e no maniqueísmo, era a nítida distinção entre corpo e alma, entre matéria e espírito. Os gnósticos e os maniqueístas afirmavam que o deus bom criou o espírito e a alma, ao passo que a matéria e o corpo foram criação do deus mau. O homem, de acordo com essa visão, serve como um campo de batalha entre a alma boa e o corpo mau. De uma perspectiva monoteísta, isso não faz sentido – por que distinguir tão nitidamente entre corpo e alma, ou entre matéria e espírito? E por que argumentar que o corpo e a matéria são maus? Afinal, tudo foi criado pelo mesmo Deus bom. Mas os monoteístas se deixaram cativar por dicotomias dualistas, precisamente porque elas os ajudavam a resolver o problema do mal. Desse modo, tais oposições acabaram por se tornar pilares do pensamento cristão e muçulmano. A crença no Céu (o reino do deus bom) e no Inferno (o reino do deus mau) também tem origem dualista. Não há nenhum vestígio dessa crença no Velho Testamento, que tampouco afirma que a alma das pessoas continua a viver após a morte do corpo.

Na verdade, o monoteísmo, tal como se desenvolveu ao longo da história, é um caleidoscópio de legados monoteístas, dualistas e politeístas que se misturam sob um único conceito divino. O cristão típico acredita no Deus monoteísta, mas também no Diabo dualista, em santos politeístas e em fantasmas animistas. Os estudiosos das religiões têm um nome para essa aceitação simultânea de ideias diferentes e até mesmo contraditórias e a combinação de rituais e práticas tirados de fontes diferentes: sincretismo. O sincretismo talvez seja, de fato, a única grande religião mundial.

A lei da natureza

Todas as religiões que discutimos até agora têm em comum uma característica importante: giram em torno de uma crença em deuses e em outras entidades sobrenaturais. Isso parece óbvio para os ocidentais, que estão familiarizados principalmente com credos monoteístas e politeístas. No entanto, a história religiosa do mundo não se resume à história dos deuses. Durante o primeiro milênio a.C., religiões de um tipo totalmente diferente começaram a se espalhar pela Afro-Ásia. As recém-chegadas, como o jainismo e o budismo na Índia, o taoismo e o confucionismo na China e o estoicismo, o cinismo e o epicurismo na bacia do Mediterrâneo, se caracterizavam por prescindir dos deuses.

Esses credos sustentavam que a ordem sobre-humana que governa o mundo é produto de leis naturais, e não de vontades e caprichos divinos. Parte dessas religiões baseadas em leis naturais continuou a aceitar a existência de deuses, mas seus deuses estavam sujeitos às leis da natureza

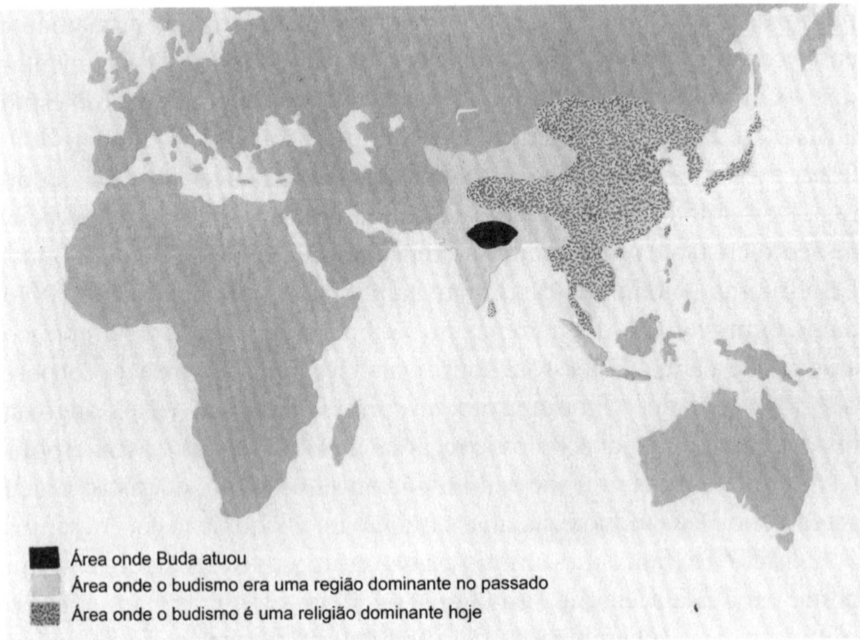

Mapa 6. A disseminação do budismo.

tanto quanto os humanos, os animais e as plantas. Os deuses tinham seu nicho no ecossistema, assim como elefantes e porcos-espinhos tinham os seus, mas, como os elefantes, não podiam mudar as leis da natureza. Um ótimo exemplo é o budismo, a mais importante das antigas religiões baseadas em leis naturais, até hoje um dos credos principais.

A figura central do budismo não é um deus, e sim um ser humano, Sidarta Gautama. De acordo com a tradição budista, Gautama era herdeiro de um pequeno reino no Himalaia, em algum momento por volta de 500 a.C. O jovem príncipe ficou profundamente abalado com o sofrimento que viu à sua volta. Ele viu que homens e mulheres, crianças e velhos; todos sofriam não só de calamidades ocasionais como guerra e praga, mas também de ansiedade, frustração e descontentamento, que pareciam ser parte inseparável da condição humana. As pessoas almejam riqueza e poder, adquirem conhecimento e posses, geram filhos e filhas e constroem casas e palácios, mas, não importa o que conquistem, nunca estão contentes. Os que vivem na pobreza sonham com riquezas. Os que têm 1 milhão querem 2 milhões. Os que têm 2 milhões querem 10. Mesmo os ricos e famosos raramente estão satisfeitos. Eles também são assombrados por preocupações e angústias incessantes, até que a doença, a idade avançada e a morte lhes dão um fim amargo. Tudo o que foi acumulado desaparece como fumaça. A vida é uma corrida desenfreada e sem sentido. Mas como escapar disso?

Com 29 anos, Gautama fugiu de seu palácio no meio da noite, deixando para trás sua família e suas posses. Ele viajou por todo o norte da Índia como um vagabundo sem teto, procurando uma forma de se livrar do sofrimento. Visitou *ashrams* e sentou aos pés de gurus, mas nenhum o libertou totalmente – sempre restava alguma insatisfação. Ele não se desesperou. Resolveu investigar o sofrimento por conta própria, até que descobriu um método para a libertação total. Passou seis anos meditando sobre a essência, as causas e as curas da angústia humana. No fim, chegou à conclusão de que o sofrimento não é causado por má sorte, por injustiças sociais ou por caprichos divinos. Na verdade, o sofrimento é causado pelos padrões de comportamento da nossa própria mente.

O que Gautama compreendeu é que não importa o que a mente experimente, ela geralmente reage com desejo, e o desejo sempre envolve insatisfação. Quando a mente experimenta algo desagradável, deseja se livrar da irritação. Quando experimenta algo agradável, deseja que o prazer permaneça e se intensifique. Desse modo, a mente está sempre insatisfeita e inquieta. Isso fica muito claro quando experimentamos coisas desagradáveis, como dor. Enquanto a dor persiste, estamos insatisfeitos e fazemos tudo que está a nosso alcance para evitá-la. Mas mesmo quando experimentamos coisas agradáveis nunca estamos contentes. Tememos que o prazer desapareça, ou esperamos que se intensifique. As pessoas sonham durante anos em encontrar o amor, mas raramente ficam satisfeitas quando o encontram. Algumas temem que o parceiro as deixe; outras sentem que se contentaram com pouco e que poderiam ter encontrado alguém melhor. E todos conhecemos pessoas que conseguem sentir as duas coisas ao mesmo tempo.

Grandes deuses podem nos enviar chuva, instituições sociais podem proporcionar justiça e um bom serviço de saúde, e coincidências afortunadas podem nos transformar em milionários, mas nada disso pode mudar nossos padrões mentais elementares. Por isso, até mesmo os maiores reis estão condenados a viver em agonia, fugindo constantemente da tristeza e da angústia, o tempo todo indo atrás de prazeres maiores.

Gautama descobriu que havia uma maneira de escapar desse ciclo vicioso. Se, quando sentir algo agradável ou desagradável, a mente simplesmente entender as coisas como são, não haverá sofrimento. Se você vivenciar a tristeza sem desejar que a tristeza desapareça, continuará a sentir tristeza, mas não sofrerá com isso. Com efeito, pode haver riqueza na tristeza. Se você vivenciar a alegria sem desejar que a alegria perdure e se intensifique, continuará a sentir alegria sem perder a paz de espírito.

Mas como fazer com que a mente aceite as coisas como são, sem desejar? Aceitar a tristeza como tristeza, a alegria como alegria, a dor como dor? Gautama desenvolveu um conjunto de técnicas meditativas que treinam a mente para experimentar a realidade tal como é, sem desejos. Essas práticas nos ensinam a focar toda a atenção na pergunta "O que estou sentindo agora?" em vez de "O que eu preferiria estar sentindo?". É difícil alcançar esse estado de espírito, mas não impossível.

Gautama baseou essas técnicas de meditação em um conjunto de regras éticas para ajudar as pessoas a se concentrarem na experiência real e a evitarem cair em desejos e fantasias. Ele instruiu seus seguidores a evitarem o assassinato, o sexo promíscuo e o roubo, já que tais atos necessariamente alimentavam o fogo do desejo (de poder, de prazer sensual, ou de riqueza). Quando as chamas estão completamente extintas, o desejo é substituído por um estado de perfeito contentamento e serenidade, conhecido como nirvana (cujo significado literal é "a extinção do fogo"). Aqueles que alcançaram o nirvana se libertaram totalmente de todo sofrimento. Eles vivenciam a realidade com clareza absoluta, livres de fantasias e ilusões. Embora muito provavelmente ainda encontrem desprazer e dor, essas experiências não lhes causam sofrimento. Uma pessoa que não deseja não sofre.

De acordo com a tradição budista, o próprio Gautama alcançou o nirvana e se libertou totalmente do sofrimento. Daí em diante, ele ficou conhecido como "Buda", que significa "o iluminado". Buda passou o resto da vida explicando suas descobertas para outros, para que todos pudessem se livrar do sofrimento. Ele condensou seus ensinamentos em uma única lei: o sofrimento surge do desejo; a única forma de se livrar totalmente do sofrimento é se livrar totalmente do desejo; e a única forma de se livrar do desejo é ensinar a mente a experimentar a realidade tal como é.

Essa lei, conhecida como *dharma* ou *dhamma*, é vista pelos budistas como uma lei universal da natureza. Que "o sofrimento surge do desejo" é sempre e em toda parte verdadeiro, assim como na física moderna "e" é sempre igual a "mc^2". Os budistas são pessoas que acreditam nessa lei e fazem dela o sustentáculo de todas as suas atividades. A crença em deuses, por outro lado, é de menor importância para eles. O primeiro princípio da religião monoteísta é "Deus existe. O que Ele quer de mim?". O primeiro princípio do budismo é "O sofrimento existe. Como fugir dele?".

O budismo não nega a existência de deuses – eles são descritos como seres poderosos que podem trazer chuvas e vitórias –, mas eles não têm influência alguma na lei segundo a qual o sofrimento deriva do desejo. Se a mente de uma pessoa for livre de todo desejo, nenhum deus poderá torná-la miserável. Por outro lado, quando o desejo surge na mente de uma pessoa, nem todos os deuses do universo reunidos são capazes de salvá-la do sofrimento.

Mas, de maneira muito similar às religiões monoteístas, as religiões pré-modernas baseadas em leis naturais, como o budismo, nunca se livraram totalmente do culto aos deuses. O budismo dizia às pessoas que elas deveriam almejar o objetivo supremo da completa libertação do sofrimento, e não algumas paradas ao longo do caminho, como prosperidade econômica e poder político. No entanto, 99% dos budistas não alcançam o nirvana, e mesmo que esperem alcançá-lo em alguma vida futura, dedicam a maior parte de sua vida presente à busca de realizações mundanas, de modo que continuam a cultuar vários deuses, como os deuses hindus na Índia, os deuses bön no Tibete e os deuses xintoístas no Japão.

Além disso, com o passar do tempo várias seitas budistas criaram panteões de budas e bodisatvas. Estes são seres humanos e não humanos com a capacidade de se livrar totalmente do sofrimento, mas que abriram mão dessa libertação por compaixão, a fim de ajudar os inúmeros seres que continuam presos no ciclo de sofrimento. Em vez de cultuar deuses, muitos budistas começaram a cultuar esses seres iluminados, pedindo ajuda não só para alcançar o nirvana como também para lidar com problemas mundanos. Assim, encontramos muitos budas e bodisatvas em todo o leste da Ásia que se dedicam a trazer chuvas, impedir pragas e até mesmo vencer guerras sanguinárias – em troca de preces, flores coloridas, incensos perfumados e oferendas de arroz e doces.

O culto do homem

Os últimos 300 anos muitas vezes são retratados como uma era de secularismo crescente, em que as religiões perderam cada vez mais sua importância. Se estamos falando de religiões teístas, isso é, em grande parte, correto. Mas, se levarmos em consideração as religiões baseadas em leis naturais, veremos que a modernidade é uma era marcada por intenso fervor religioso, esforços missionários sem paralelos e as guerras religiosas mais sanguinárias da história. A era moderna testemunhou a ascensão de uma série de religiões baseadas em leis naturais, como o liberalismo, o comunismo, o capitalismo, o nacionalismo e o nazismo. Esses credos não gostam de ser chamados de religiões e se referem a si mesmos como ideologias. Mas esse é apenas um exercício semântico. Se uma religião é um sistema de normas e valores humanos que se baseia na crença de uma ordem sobre-humana, então o comunismo soviético é uma religião tanto quanto o islamismo.

O islamismo é, obviamente, diferente do comunismo, porque o islamismo vê a ordem sobre-humana governando o mundo como o decreto de um deus criador onipotente, ao passo que o comunismo soviético não acreditava em deuses. Mas o budismo também dá pouca importância aos deuses, e ainda assim nós o classificamos como uma religião. Como os budistas, os comunistas acreditavam em uma ordem sobre-humana de leis naturais e imutáveis que devem guiar as ações humanas. Enquanto os budistas acreditam que a lei da natureza foi descoberta por Sidarta Gautama, os comunistas acreditavam que a lei da natureza foi descoberta por Karl Marx, Friedrich Engels e Vladimir Ilitch Lenin. A similaridade não termina aí. Como outras religiões, o comunismo também tem seus escritos sagrados e seus livros proféticos, como *O Capital*, de Marx, que previu que a história logo terminaria com a vitória inevitável do proletariado. O comunismo tinha seus feriados e festividades, como o Primeiro de Maio e o aniversário da Revolução de Outubro. Tinha teólogos adeptos da dialética marxista, e cada unidade no exército soviético tinha um capelão, chamado de comissário, que monitorava a devoção de soldados e oficiais. O comunismo teve mártires, guerras santas e heresias, como o trotskismo. O comunismo soviético foi uma religião fanática e missionária. Um comunista devoto não podia ser cristão nem budista, e se esperava que difundisse o evangelho de Marx e Lenin mesmo que isso lhe custasse a própria vida.

A religião é um sistema de normas e valores humanos que se baseia na crença em uma ordem sobre-humana. A teoria da relatividade não é uma religião porque (pelo menos até agora) não há normas e valores humanos baseados nela. O futebol não é uma religião porque ninguém afirma que suas regras refletem decretos sobre-humanos. O islamismo, o budismo e o comunismo são religiões porque são sistemas de normas e valores humanos que se baseiam na crença em uma ordem sobre-humana. (Note a diferença entre "sobre-humano" e "sobrenatural". A lei da natureza budista e as leis da história marxistas são sobre-humanas, já que não foram legisladas por humanos. Mas não sao sobrenaturais.)

Alguns leitores podem se sentir desconfortáveis com essa linha de raciocínio. Se isso o faz se sentir melhor, continue chamando o comunismo de ideologia em vez de religião. Não faz diferença. Podemos dividir os credos em religiões centradas em deus e ideologias sem deus que afirmam se basear em leis naturais. Mas então, para sermos coerentes, precisaríamos catalogar pelo menos algumas seitas budistas, taoistas e estoicas como ideologias em vez de religiões. Por outro lado, devemos notar que a crença em deuses persiste no seio de muitas ideologias modernas e que algumas delas, mais notadamente o liberalismo, têm pouco sentido sem essa crença.

Seria impossível investigar, aqui, a história de todos os credos modernos, especialmente porque não há fronteiras claras entre eles. São tão sincréticos quanto o monoteísmo e o budismo popular. Assim como um budista pode cultuar deidades hindus e um monoteísta pode acreditar na existência de Satã, o norte-americano típico de nossos dias é simultaneamente um nacionalista (acredita na existência de uma nação norte-americana com um papel especial a exercer na história), capitalista de livre mercado (acredita que a competição aberta e a busca dos próprios interesses são as melhores maneiras de criar uma sociedade próspera) e humanista liberal (acredita que os humanos foram dotados pelo criador de certos direitos inalienáveis). O nacionalismo será discutido no capítulo 18. O capitalismo – a mais bem-sucedida das religiões modernas – tem um capítulo inteiro, o capítulo 16, que expõe suas principais crenças e rituais. Nas páginas restantes deste capítulo, abordarei as religiões humanistas.

As religiões teístas focam o culto aos deuses (por isso são chamadas "teístas", da palavra grega para deus, *theos*). As religiões humanistas cultuam a humanidade ou, mais corretamente, o *Homo sapiens.* O humanismo é a crença de que o *Homo sapiens* tem uma natureza única e sagrada, que é fundamentalmente diferente da natureza de todos os outros animais e todos os outros fenômenos. Os humanistas acreditam que a natureza única do *Homo sapiens* é a coisa mais importante do mundo e determina o significado de tudo que acontece no universo. O bem supremo é o bem do *Homo sapiens.* O resto do mundo e todos os outros seres só existem para o benefício dessa espécie.

Todos os humanistas cultuam a humanidade, mas eles não concordam quanto à sua definição. Os humanistas se dividiram em três seitas rivais que disputam a definição exata de "humanidade", assim como seitas cristãs rivais disputaram a definição exata de Deus. Hoje, a seita humanista mais importante é o humanismo liberal, que acredita que "humanidade" é uma qualidade de indivíduos humanos, e que a liberdade de indivíduos é portanto sacrossanta. De acordo com os liberais, a natureza sagrada da humanidade reside em cada *Homo sapiens* individual. A essência dos indivíduos humanos dá significado ao mundo e é a fonte de toda autoridade ética e política. Se nos depararmos com um dilema ético ou político, devemos olhar para dentro e escutar nossa voz interior – a voz da humanidade. Os principais mandamentos do humanismo liberal visam a proteger a liberdade dessa voz interior contra a intrusão ou o dano. Esses mandamentos são coletivamente conhecidos como "direitos humanos".

É por isso, por exemplo, que os liberais se opõem à tortura e à pena de morte. Nos primórdios da Europa moderna, considerava-se que os assassinos violavam e desestabilizavam a ordem cósmica. Para restaurar o equilíbrio cósmico, era necessário torturar e executar publicamente o criminoso, para que todos pudessem ver a ordem restabelecida. Comparecer a execuções horrendas era um dos passatempos favoritos dos habitantes de Londres e de Paris na época de Shakespeare e de Molière. Na Europa de hoje, o assassinato é visto como uma violação da natureza sagrada da humanidade. Para restaurar a ordem, os europeus de hoje não torturam e executam criminosos. Em vez disso, punem um assassino da forma que consideram a mais "humana" possível, de modo a proteger e até mesmo reconstruir sua santidade humana. Ao honrar a natureza humana do assassino, todos são lembrados da santidade da humanidade, e a ordem é restabelecida. Ao defender o assassino, corrigimos o que o assassino estragou.

Embora o humanismo liberal santifique os humanos, não nega a existência de Deus e, com efeito, se baseia em crenças monoteístas. A crença liberal na natureza livre e sagrada de cada indivíduo é um legado direto da crença cristã tradicional em almas individuais livres e eternas. Sem poder recorrer a almas eternas e um Deus Criador, fica embaraçosamente difícil para os liberais explicar o que há de tão especial nos indivíduos sapiens.

Outra seita importante é o humanismo socialista. Os socialistas acreditam que a "humanidade" é coletiva, e não individualista. Eles consideram sagrada não a voz interna de cada indivíduo, mas da espécie *Homo sapiens* como um todo. Enquanto os humanistas liberais buscam tanta liberdade quanto possível para os indivíduos humanos, o humanismo socialista busca a igualdade entre todos os humanos. De acordo com os socialistas, a desigualdade é a pior blasfêmia contra a santidade da humanidade, porque privilegia qualidades periféricas dos humanos em detrimento de sua essência universal. Por exemplo, quando os ricos têm privilégios sobre os pobres, significa que damos mais valor ao dinheiro do que à essência universal de todos os humanos, que é a mesma para ricos e pobres.

Como o humanismo liberal, o humanismo socialista também se baseia no monoteísmo. A ideia de que todos os humanos são iguais é uma versão renovada da convicção monoteísta de que todas as almas são iguais diante de Deus. A única seita humanista que rompeu com o monoteísmo tradicional é o humanismo evolutivo, cujos representantes mais famosos são os nazistas. O que distinguia o nazismo de outras seitas humanistas era uma definição diferente de "humanidade", que era fortemente influenciada pela teoria da evolução. À diferença de outros humanistas, os nazistas acreditavam que a humanidade não é algo eterno e universal, e sim uma espécie mutável que pode evoluir ou se degenerar. O homem pode evoluir e se tornar um super-homem, ou degenerar e se tornar um sub-humano.

Religiões humanistas – Religiões que cultuam a humanidade

<table>
<tr><th>Humanismo liberal</th><th>Humanismo socialista</th><th>Humanismo evolutivo</th></tr>
<tr><td colspan="3">O Homo sapiens tem uma natureza única e sagrada que é fundamentalmente diferente da natureza de todos os outros seres e fenômenos. O bem supremo é o bem da humanidade.</td></tr>
<tr><td>A "humanidade" é individualista e reside em cada Homo sapiens individual</td><td>A "humanidade" é coletiva e reside na espécie Homo sapiens como um todo</td><td>A "humanidade" é uma espécie mutável. Os humanos podem se degenerar em sub-humanos ou evoluir para super-humanos</td></tr>
<tr><td>O mandamento supremo é proteger a essência e a liberdade de cada indivíduo</td><td>O mandamento supremo é proteger a igualdade da espécie Homo sapiens</td><td>O mandamento supremo é proteger a humanidade de se degenerar em sub-humanos e encorajar sua evolução para super-humanos</td></tr>
</table>

A principal ambição dos nazistas era proteger a humanidade da degeneração e encorajar sua evolução progressiva. É por isso que os nazistas afirmavam que a raça ariana, a forma mais avançada de humanidade, tinha de ser protegida e encorajada, ao passo que tipos degenerados de *Homo sapiens*, como judeus, ciganos, homossexuais e doentes mentais, tinham de ser colocados em quarentena e até mesmo exterminados. Os nazistas explicavam que o *Homo sapiens* surgiu quando uma população "superior" de humanos antigos evoluiu, ao passo que populações "inferiores" como os neandertais foram extintas. Essas populações diferentes, no início, eram não mais diferentes do que raças, mas evoluíram de maneira independente por seus próprios caminhos evolutivos. Isso poderia muito bem acontecer novamente. De acordo com os nazistas, o *Homo sapiens* já havia se dividido em várias raças distintas, cada uma delas com suas qualidades únicas. Uma dessas raças, a raça ariana, tinha as melhores qualidades – racionalismo, beleza, integridade, diligência. A raça ariana, portanto, tinha o potencial de transformar o homem em super-homem. Outras raças, como os judeus e os negros, eram os neandertais de hoje, apresentando qualidades inferiores. Se lhes fosse permitido procriar – e, em particular, procriar com arianos –, eles adulterariam todas as populações humanas e condenariam o *Homo sapiens* à extinção.

Desde então, os biólogos têm desmascarado a teoria racial nazista. Em particular, as pesquisas genéticas realizadas após 1945 demonstraram que as diferenças entre as várias linhagens humanas são muito menores do que os nazistas postulavam. Mas essas conclusões são relativamente novas. Dado o estado do conhecimento científico em 1933, as crenças nazistas dificilmente estavam em dissonância com o pensamento da época. A existência de raças humanas diferentes, a superioridade da raça branca e a necessidade de proteger e cultivar essa raça superior foram crenças amplamente aceitas pela maior parte das elites ocidentais. Acadêmicos nas universidades ocidentais mais prestigiosas, usando os métodos científicos ortodoxos da época, publicaram estudos que supostamente comprovavam que membros da raça branca eram mais inteligentes, mais éticos e mais habilidosos que africanos ou indianos. Políticos em Washington, Londres e Camberra davam como certo que era seu dever evitar a adulteração e a degeneração da raça branca ao, por exemplo, restringir a imigração da China ou mesmo da Itália para países "arianos" como os Estados Unidos e a Austrália.

Essas posições não mudaram simplesmente porque novas pesquisas científicas foram publicadas. Os progressos sociológicos e políticos foram agentes muito mais poderosos de mudança. Nesse sentido, Hitler cavou não só o seu próprio túmulo como também o do racismo em geral. Quando iniciou a Segunda Guerra Mundial, ele compeliu seus inimigos a fazerem distinções claras entre "nós" e "eles". Mais tarde, precisamente porque a ideologia nazista era tão racista, o racismo caiu em descrédito no Ocidente. Mas a mudança levou tempo. A supremacia branca continuou sendo uma ideologia dominante na política norte-americana pelo menos até os anos 1960. A política da Austrália branca, que restringia a imigração de povos não brancos ao país, continuou vigente até 1973. Os aborígenes australianos não tinham direitos políticos iguais até os anos 1960, e muitos eram proibidos de votar nas eleições porque eram considerados inaptos para atuarem como cidadãos.

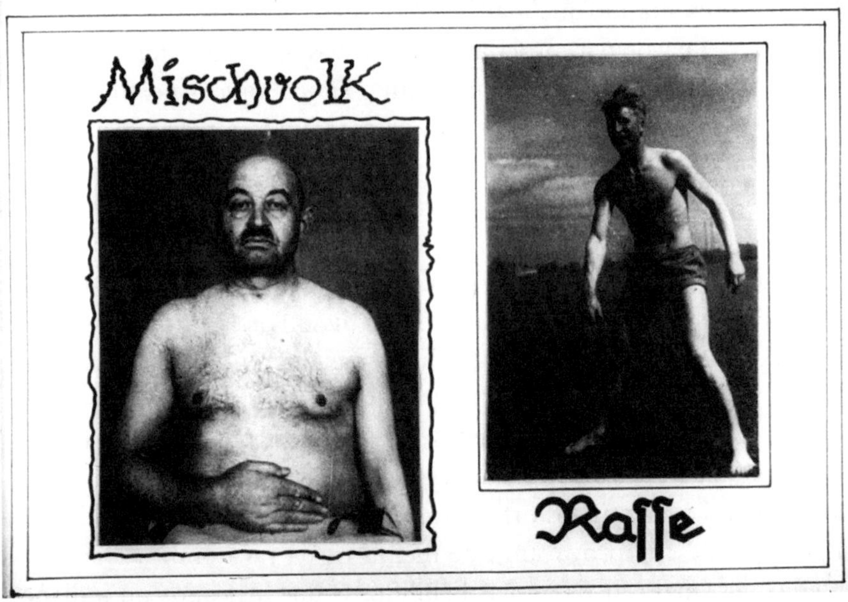

20. Um cartaz de propaganda nazista mostrando, à direita, um "ariano racialmente puro" e, à esquerda, um "mestiço". A admiração nazista pelo corpo humano é evidente, bem como seu temor de que as raças inferiores pudessem contaminar a humanidade e causar sua degeneração.

Os nazistas não detestavam a humanidade. Eles combatiam o humanismo liberal, os direitos humanos e o comunismo precisamente porque admiravam a humanidade e acreditavam no grande potencial da espécie humana. Mas, seguindo a lógica da evolução darwinista, argumentavam que era preciso permitir que a seleção natural eliminasse os indivíduos inaptos e deixasse que apenas os mais aptos sobrevivessem e se reproduzissem. Ao socorrer os fracos, o liberalismo e o comunismo não só permitiam que indivíduos inaptos sobrevivessem como também lhes davam oportunidade de se reproduzir, dessa forma boicotando a seleção natural. Em tal mundo, os humanos mais aptos inevitavelmente afundariam em um mar de degenerados inaptos. A humanidade se tornaria cada vez menos apta com o passar das gerações – o que poderia levar à sua extinção.

Um livro de biologia alemão de 1942 explica, no capítulo "As leis da natureza e a humanidade", que a lei suprema da natureza é que todos os seres estão condenados a uma luta cruel pela sobrevivência. Depois de descrever como as plantas lutam por território, como os besouros lutam para encontrar parceiros para acasalar e assim por diante, o livro conclui que:

> A batalha pela existência é árdua e inclemente, mas é a única maneira de manter a vida. Essa luta elimina tudo que é inapto para a vida e seleciona tudo que é capaz de sobreviver. [...] Essas leis naturais são incontroversas; as criaturas vivas as demonstram com sua própria sobrevivência. Elas são implacáveis. Os que resistem a elas serão exterminados. A biologia não nos fala apenas de animais e de plantas – também nos mostra as leis que devemos seguir em nossa vida e fortalece nossa disposição para viver e lutar de acordo com essas leis. O significado da vida é luta. Ai daquele que transgredir essas leis.

Então, segue-se uma citação de *Mein Kampf*: "A pessoa que tenta lutar contra a lógica férrea da natureza luta contra os princípios aos quais deve agradecer por sua vida como ser humano. Lutar contra a natureza é provocar a própria destruição".[3]

No início do terceiro milênio, o futuro do humanismo evolutivo não está claro. Durante 60 anos após o fim da guerra contra Hitler, foi

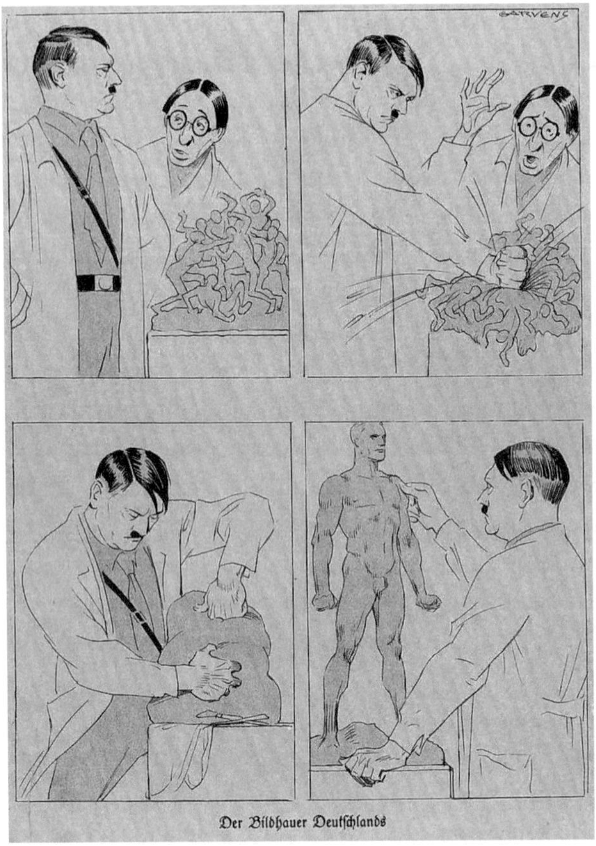

21. Uma charge nazista de 1933. Hitler é apresentado como um escultor que cria o super-homem. Um intelectual liberal de óculos fica chocado diante da violência necessária para criar o super-homem. (Observe também a glorificação erótica do corpo humano.)

um tabu associar humanismo com evolução e defender o uso de métodos biológicos para "aprimorar" o *Homo sapiens*. Mas hoje tais projetos estão em voga novamente. Ninguém fala de exterminar raças ou pessoas inferiores, mas muitos cogitam usar nosso conhecimento cada vez maior da biologia humana para criar super-humanos.

Ao mesmo tempo, uma brecha enorme está se abrindo entre os dogmas do humanismo liberal e as últimas descobertas das ciências da vida, uma brecha que não podemos ignorar por muito tempo. Nossos sistemas jurídicos e políticos liberais se baseiam na crença de que todo indivíduo tem uma natureza interna sagrada, indivisível e imutável, que dá significado ao mundo e que é a fonte de toda autoridade ética e política. Essa é uma reencarnação da crença cristã tradicional em uma alma livre e eterna que reside em cada indivíduo. Mas, nos últimos 200 anos, as ciências da vida minaram totalmente essa crença. Os cientistas que estudam o funcionamento interno do organismo humano não encontraram ali nenhuma alma. Eles argumentam cada vez mais que o comportamento humano é determinado por hormônios, genes e sinapses, e não pelo livre-arbítrio – as mesmas forças que determinam o comportamento de chimpanzés, lobos e formigas. Nossos sistemas jurídicos e políticos tentam varrer tais descobertas inconvenientes para debaixo do tapete. Mas, com toda a franqueza, por quanto tempo poderemos manter o muro que separa o departamento de biologia dos departamentos de direito e ciência política?

13

O segredo do sucesso

O COMÉRCIO, OS IMPÉRIOS E AS RELIGIÕES UNIVERSAIS LEVARAM QUASE TODOS OS sapiens, de todos os continentes, ao mundo globalizado em que vivemos hoje. Não que esse processo de expansão e unificação tenha sido linear ou ininterrupto. Olhando com perspectiva, porém, a transição de muitas culturas pequenas para algumas culturas maiores e, finalmente, para uma única sociedade global foi provavelmente o resultado inevitável da dinâmica da história humana.

Mas dizer que uma sociedade global é inevitável não é o mesmo que dizer que o resultado final tinha de ser exatamente o tipo de sociedade que temos hoje. É possível imaginar outros resultados. Por que o idioma inglês é tão disseminado atualmente, e não o dinamarquês? Por que existem 2 bilhões de cristãos e 1,25 bilhão de muçulmanos, mas apenas 150 mil zoroastristas e nenhum maniqueísta? Se pudéssemos voltar 10 mil anos no tempo e reiniciar o processo repetidas vezes, sempre veríamos a ascensão do monoteísmo e o declínio do dualismo?

Não é possível fazer tal experimento, então não há como saber realmente. Mas uma análise de duas características cruciais da história pode nos fornecer algumas pistas.

1. A falácia da visão retrospectiva

Cada ponto da história é um cruzamento. Uma única estrada percorrida leva do passado ao presente, mas uma série de caminhos se bifurca em direção ao futuro. Alguns desses caminhos são mais largos, mais planos e mais bem sinalizados, e, por isso, há uma chance maior de que sejam seguidos. Mas às vezes a história – ou as pessoas que fazem a história – dão voltas inesperadas.

No início do século IV, o Império Romano se viu diante de um amplo horizonte de possibilidades religiosas. Poderia ter se atido a seu tradicional e diversificado politeísmo. Mas seu imperador, Constantino, rememorando um século de guerras civis incontroláveis, parece ter pensado que uma única religião, com uma doutrina clara, poderia ajudar a unificar seu domínio etnicamente diverso. Ele poderia ter escolhido qualquer um entre vários cultos da época como o credo de sua nação – o maniqueísmo, o mitraísmo, os cultos a Ísis ou Cibele, o zoroastrismo, o judaísmo e até mesmo o budismo eram opções disponíveis. Por que ele optou por Jesus? Havia algo na teologia cristã que o atraía pessoalmente, ou talvez um aspecto da fé que o fez pensar que seria mais facilmente aplicável a seus propósitos? Ele teve uma experiência religiosa, ou algum de seus conselheiros sugeriu que os cristãos estavam ganhando devotos rapidamente e que o melhor seria aproveitar esse embalo? Os historiadores podem especular, mas não podem fornecer uma resposta definitiva. Podem descrever como o cristianismo tomou conta do Império Romano, mas não podem explicar por que essa possibilidade em particular se concretizou.

Qual a diferença entre descrever "como" e explicar o "porquê"? Descrever "como" significa reconstruir a série de acontecimentos específicos que levaram de um ponto a outro. Explicar o "porquê" significa encontrar conexões causais que esclareçam a ocorrência dessa série específica de acontecimentos em detrimento de todas as outras.

Alguns estudiosos fornecem, de fato, explicações deterministas para acontecimentos como a ascensão do cristianismo. Eles tentam reduzir a história humana à ação de forças biológicas, ecológicas e econômicas. Argumentam que havia algo na geografia, na genética ou na economia do Império Romano no Mediterrâneo que tornou inevitável a ascensão de uma religião monoteísta. Mas a maioria dos historiadores tende a ser cética com relação a tais teorias deterministas. Essa é uma das marcas características da história como disciplina acadêmica – quanto melhor se conhece um determinado período histórico, mais difícil se torna explicar por que as coisas aconteceram de um jeito, e não de outro. Aqueles que têm um conhecimento apenas superficial de um certo período tendem a se concentrar apenas na possibilidade que realmente ocorreu. Eles fornecem um relato exato para explicar, em retrospectiva, por que um determinado resultado era inevitável. Aqueles que têm um conhecimento mais profundo do período são muito mais conscientes das estradas não percorridas.

Na verdade, as pessoas que conheciam melhor o período – as que viveram naquela época – eram as mais desavisadas de todas. Para um típico romano da época de Constantino, o futuro era uma névoa. É uma regra implacável da história que o que parece inevitável em retrospectiva está longe de ter sido óbvio na época. Hoje não é diferente. Saímos da crise econômica global ou o pior ainda está por vir? A China continuará crescendo até se tornar a principal superpotência? Os Estados Unidos perderão sua hegemonia? O aumento do fundamentalismo monoteísta é a onda do futuro ou um redemoinho local de pouca importância no longo prazo? Estamos caminhando para um desastre ecológico ou para um paraíso tecnológico? Bons argumentos podem ser apresentados para corroborar qualquer um desses desfechos, mas não há como saber com certeza. Em algumas décadas, as pessoas vão olhar para trás e pensar que as respostas para todas essas perguntas eram óbvias.

É particularmente importante enfatizar que possibilidades que parecem muito improváveis para os contemporâneos muitas vezes se concretizam. Quando Constantino assumiu o trono, em 306, o cristianismo não passava de uma seita oriental esotérica. Se alguém sugerisse que ele viria a ser a religião oficial de Roma, seria expulso da sala às gargalhadas, da mesma forma que aconteceria hoje com alguém que sugerisse que, por volta de 2050, Hare Krishna será a religião oficial dos Estados Unidos. Em outubro de 1913, os bolcheviques eram uma pequena facção radical russa. Nenhuma pessoa racional teria previsto que, em apenas quatro anos, eles dominariam o país. Em 600, a noção de que um bando de árabes que habitavam o deserto logo conquistaria uma extensa faixa do oceano Atlântico até a Índia era ainda mais absurda. De fato, se o exército bizantino tivesse conseguido evitar o ataque inicial, o islamismo provavelmente continuaria sendo um culto obscuro, conhecido apenas por um punhado de iniciados. Os estudiosos teriam, então, a tarefa muito fácil de explicar por que uma fé baseada em uma revelação feita a um mercador de meia-idade de Meca nunca poderia ir para a frente.

Isso não quer dizer que tudo é possível. Forças geográficas, biológicas e econômicas criam restrições. Mas, ainda assim, essas restrições deixam muito espaço para desdobramentos inesperados, que não parecem ter ligação com qualquer lei determinista.

Essa conclusão decepciona muita gente que prefere que a história seja determinista. O determinismo é atraente porque implica que nosso mundo e nossas crenças são um produto natural e inevitável da história. É natural e inevitável que vivamos em Estados-nação, organizemos nossa economia com base em princípios capitalistas e acreditemos fervorosamente em direitos humanos. Reconhecer que a história não é determinista é reconhecer que não passa de uma coincidência o fato de que a maioria das pessoas, hoje em dia, acredita em nacionalismo, capitalismo e direitos humanos.

A história não pode ser explicada de forma determinista e não pode ser prevista porque é caótica. Tantas forças estão em ação, e suas interações são tão complexas, que variações extremamente pequenas na intensidade dessas forças e na maneira com que interagem produzem diferenças gigantescas no resultado. E não é só isso: a história é o que chamamos de sistema caótico "nível 2". Os sistemas caóticos podem ter duas formas. O caos nível 1 é o caos que não reage a previsões a seu respeito. O clima, por exemplo, é um sistema caótico nível 1. Embora seja influenciado por uma série de fatores, é possível criar modelos computadorizados que levem em consideração um número cada vez maior desses fatores e produzam previsões do tempo cada vez melhores.

O caos nível 2 é o caos que reage a previsões a seu respeito e, por isso, nunca pode ser previsto com precisão. Os mercados, por exemplo, são um sistema caótico nível 2. O que vai acontecer se desenvolvermos um programa de computador que preveja com 100% de exatidão o preço do petróleo amanhã? O preço do petróleo vai reagir imediatamente à previsão que, consequentemente, não vai se concretizar. Se o preço atual do petróleo é 90 dólares o barril, e o programa de computador infalível prevê que amanhã será 100 dólares, os comerciantes vão correr para comprar petróleo, de modo que possam lucrar com a alta de preço prevista. Como resultado, o preço vai subir para 100 dólares o barril hoje, e não amanhã. Então, o que vai acontecer amanhã? Ninguém sabe.

A política também é um sistema caótico de segunda ordem. Muitas pessoas criticam os especialistas em assuntos da antiga União Soviética por não terem previsto as revoluções de 1989 e castigam especialistas em Oriente Médio por não terem antecipado as revoluções da Primavera Árabe de 2011. Isso é injusto. Revoluções são, por definição, imprevisíveis. Uma revolução previsível nunca irrompe.

Por que não? Imagine que, em 2010, algum cientista político genial, em conluio com um mago da computação, tivesse desenvolvido um algoritmo infalível que, incorporado a uma interface atraente, pudesse ser comercializado como um indicador de revolução. Eles oferecem seus serviços ao então presidente do Egito, Hosni Mubarak, e, em troca de um generoso pagamento, dizem a ele que, segundo as previsões, uma revolução certamente irromperia no Egito no decurso do ano seguinte. Como Mubarak reagiria? Muito provavelmente, reduziria os impostos de imediato, distribuiria milhões de dólares para os cidadãos – e também reforçaria a polícia secreta, só por via das dúvidas. As medidas preventivas funcionam. O ano passa e, surpresa, não há revolução. Mubarak exige seu dinheiro de volta. "Seu algoritmo é inútil!", ele grita para os cientistas. "No fim, eu poderia ter construído outro palácio em vez de distribuir todo aquele dinheiro!" "Mas a revolução não aconteceu justamente porque a previmos", dizem os cientistas em sua defesa. "Profetas que preveem coisas que não acontecem?", observa Mubarak enquanto faz sinal para que os guardas os prendam. "Eu poderia conseguir uma dezena deles por um preço irrisório no mercado do Cairo."

Sendo assim, por que estudar história? Diferente de física ou economia, a história não é um meio de fazer previsões exatas. Estudamos história não para conhecer o futuro, e sim para ampliar nossos horizontes, entender que nossa situação presente não é natural nem inevitável e que, consequentemente, existem mais possibilidades diante de nós do que imaginamos. Por exemplo, estudar como os europeus dominaram a África nos permite entender que não existe nada de natural ou inevitável na hierarquia racial e que o mundo poderia muito bem ser organizado de outra forma.

2. Clio cega

Não podemos explicar as escolhas que a história faz, mas podemos dizer algo muito importante sobre elas: as escolhas da história não são feitas em prol dos humanos. Não há prova alguma de que o bem-estar humano inevitavelmente se aprimora com o desenrolar da história. Não há prova alguma de que as culturas mais benéficas para os humanos devem inexoravelmente prosperar e se disseminar, enquanto as menos benéficas desaparecem. Não há prova alguma de que o cristianismo tenha sido uma escolha melhor do que o maniqueísmo, ou que o Império Árabe tenha sido mais benéfico que o dos persas sassânidas.

Não há provas de que a história atua em prol dos humanos porque nos falta uma escala objetiva para medir tais benefícios. Culturas diferentes definem o bem de forma diferente, e não existe um parâmetro objetivo pelo qual julgá-las. Os vitoriosos, é claro, sempre acreditam que sua definição está correta. Mas por que devemos acreditar nos vitoriosos? Os cristãos acreditam que a vitória do cristianismo sobre o maniqueísmo foi benéfica para a humanidade, mas, se não aceitamos a visão de mundo cristã, não temos motivo algum para concordar com eles. Os muçulmanos acreditam que a queda do Império Sassânida nas mãos dos muçulmanos foi benéfica para a humanidade. Mas esses benefícios só são evidentes se aceitarmos a visão de mundo muçulmana. É bem possível que estivéssemos em situação melhor se cristianismo e o islamismo tivessem sido esquecidos ou derrotados.

Um número cada vez maior de estudiosos vê as culturas como um tipo de infecção ou parasita mental, sendo os humanos seus hospedeiros involuntários. Os parasitas orgânicos, como os vírus, vivem dentro do corpo de seus hospedeiros. Eles se multiplicam e se espalham de um hospedeiro a outro, alimentando-se deles, enfraquecendo-os e, às vezes, até os matando. Contanto que os hospedeiros vivam o bastante para transmitir o parasita, este pouco se importa com a condição em que seu hospedeiro se encontra. Da mesma forma, as ideias culturais vivem dentro da mente dos humanos. Elas se multiplicam e se disseminam de um hospedeiro a outro, às vezes enfraquecendo os hospedeiros e até mesmo os matando. Uma ideia cultural – tal como a crença no paraíso cristão nos céus ou no paraíso comunista aqui na Terra – pode forçar um ser humano a dedicar sua vida a espalhá-la, às vezes tendo a morte como preço. O humano morre, mas a ideia se espalha. Segundo essa abordagem, as culturas não são conspirações de algumas pessoas para tirar vantagem de outras (como os marxistas tendem a pensar). Ao contrário, as culturas são parasitas mentais que surgem acidentalmente e, depois, tiram vantagem de todas as pessoas infectadas por elas.

Essa abordagem às vezes é chamada de memética. Ela supõe que, assim como a evolução orgânica é baseada na replicação de unidades de informação orgânica chamadas "genes", a evolução cultural é baseada na replicação de unidades de informação cultural chamadas "memes".[1]

Culturas bem-sucedidas são aquelas que se sobressaem ao reproduzir seus memes, independentemente dos custos e benefícios aos hospedeiros humanos.

A maioria dos estudiosos da área de humanidades desdenha da memética, encarando-a como uma tentativa amadora de explicar processos culturais com analogias biológicas tacanhas. Mas muitos desses estudiosos aceitam seu irmão gêmeo – o pós-modernismo. Os pensadores pós-modernistas falam de discursos, em vez de memes, como os blocos construtores de cultura. Porém, eles também veem as culturas como algo que se propaga sozinho, com pouca consideração pelo bem da humanidade. Por exemplo, os pensadores pós-modernistas descrevem o nacionalismo como uma praga mortal que se espalhou pelo mundo nos séculos XIX e XX, originando guerras, opressão, ódio e genocídio. Assim que as pessoas de um país eram infectadas por ele, os habitantes de países vizinhos também tinham propensão a pegar o vírus. O vírus nacionalista se apresentou como benéfico aos seres humanos, embora tenha beneficiado apenas a si mesmo.

Argumentos similares são comuns nas ciências sociais, sob a égide da teoria dos jogos. A teoria dos jogos explica como, em sistemas com vários jogadores, visões e padrões de comportamento que prejudicam *todos os* jogadores ainda conseguem se arraigar e se disseminar. As corridas armamentistas são um exemplo famoso. Muitas levaram à falência todos aqueles que participaram delas, sem modificar realmente o equilíbrio de poder militar. Quando o Paquistão compra aviões modernos, a Índia responde na mesma moeda. Quando a Índia desenvolve bombas nucleares, o Paquistão faz o mesmo. Quando o Paquistão aumenta sua marinha, a Índia reage. No fim do processo, o equilíbrio de poder permanece praticamente igual ao que era, mas, enquanto isso, bilhões de dólares que poderiam ter sido investidos em educação ou saúde são gastos em armas. Ainda assim, é difícil resistir à dinâmica da corrida armamentista. "Corridas armamentistas" são um padrão de comportamento que se espalha como um vírus de um país a outro, prejudicando a todos, mas beneficiando a si mesmo segundo os critérios evolutivos de sobrevivência e reprodução. (Tenha em mente que a corrida armamentista, assim como os genes, não tem consciência – ela não procura sobreviver e se reproduzir conscientemente. Sua disseminação é o resultado involuntário de uma poderosa dinâmica.)

Independentemente do nome – teoria dos jogos, pós-modernismo ou memética –, a dinâmica da história não está voltada para o aprimoramento do bem-estar humano. Não há nenhuma base para se pensar que as culturas mais bem-sucedidas da história sejam necessariamente as melhores para o *Homo sapiens*. Como a evolução, a história não considera a felicidade de organismos individuais. E os indivíduos humanos, por sua vez, costumam ser ignorantes e fracos demais para influenciar o curso da história em benefício próprio.

A história progride de uma bifurcação a outra, escolhendo, por razões misteriosas, seguir primeiro esse caminho, depois outro. Por volta de 1500, a história fez sua escolha mais importante, modificando não só o destino da humanidade como também provavelmente o destino de toda vida na Terra. Nós a chamamos de Revolução Científica. Começou na Europa Ocidental, em uma grande península na extremidade ocidental da Afro-Ásia, que até então não havia desempenhado nenhum papel importante na história. Por que a Revolução Científica começou bem ali, e não na China ou na Índia? Por que começou em meados do segundo milênio da era cristã, e não dois séculos antes, ou três séculos depois? Não sabemos. Os estudiosos propuseram dezenas de teorias, mas nenhuma delas é muito convincente.

A história tem um horizonte muito amplo de possibilidades, e muitas delas nunca se concretizam. É concebível imaginar a história seguindo por gerações e mais gerações sem passar pela Revolução Científica, assim como é igualmente concebível imaginar a história sem o cristianismo, o Império Romano e moedas de ouro.

Parte quatro

A Revolução Científica

22. Alamogordo, 16 de julho de 1945, 5:29:53 da manhã. Oito segundos depois que a bomba atômica foi detonada. O físico nuclear Robert Oppenheimer, ao ver a explosão, citou o Bhagavad Gita: "Agora eu me torno a Morte, a destruidora de mundos".

14

A descoberta da ignorância

Se, por exemplo, um camponês espanhol tivesse adormecido no ano 1000 e despertado quinhentos anos depois, ao som dos marinheiros de Colombo a bordo das caravelas *Niña*, *Pinta* e *Santa Maria*, o mundo lhe pareceria bastante familiar. Apesar das muitas mudanças na tecnologia, nos costumes e nas fronteiras políticas, esse viajante da Idade Média teria se sentido em casa. Mas se um dos marinheiros de Colombo tivesse caído em letargia similar e despertado ao toque de um iPhone do século XXI, ele se encontraria em um mundo estranho, para além de sua compreensão. "Estou no Céu?", ele poderia muito bem se perguntar, "Ou, talvez, no Inferno?"

Os últimos quinhentos anos testemunharam um crescimento fenomenal e sem precedentes no poderio humano. No ano 1500, havia cerca de 500 milhões de *Homo sapiens* em todo o mundo. Hoje, há 7 bilhões.[1] Estima-se que o valor total dos bens e serviços produzidos pela humanidade no ano 1500 era 250 bilhões de dólares.[2] Hoje, o valor de um ano de produção humana é aproximadamente 60 trilhões de dólares.[3] Em 1500, a humanidade consumia por volta de 13 trilhões de calorias de energia por dia. Hoje, consumimos 1,5 quatrilhão de calorias por dia.[4] (Preste atenção nesses números: a população humana aumentou 14 vezes; a produção, 240 vezes; e o consumo de energia, 115 vezes.)

Suponha que um navio de batalha moderno fosse transportado de volta à época de Colombo. Em questão de segundos, poderia destruir a *Niña*, a *Pinta* e a *Santa Maria* e em seguida afundar as esquadras de cada uma das grandes potências mundiais da época sem sofrer um arranhão sequer. Cinco navios de carga modernos poderiam levar a bordo o carregamento das frotas mercantes do mundo inteiro.[5] Um computador moderno poderia facilmente armazenar cada palavra e número em cada códice e pergaminho de cada biblioteca medieval com espaço de sobra.

Qualquer grande banco de hoje tem mais dinheiro do que todos os reinos do mundo pré-moderno reunidos.[6]

Em 1500, poucas cidades tinham mais de 100 mil habitantes. A maioria das edificações eram construídas com barro, madeira e palha; um edifício de três andares era um arranha-céu. As ruas eram caminhos de terra cheios de sulcos, poeirentos no verão e lamacentos no inverno, trilhados por pedestres, cavalos, cabras, galinhas e umas poucas carroças. Os ruídos urbanos mais comuns eram vozes de humanos e de animais, junto com o barulho ocasional de uma serra ou de um martelo. Quando o sol se punha, a cidade ficava um breu, com uma ou outra vela ou tocha tremeluzindo na escuridão. Se um habitante de uma dessas cidades pudesse visitar São Paulo, Nova York ou Mumbai hoje em dia, o que pensaria?

Antes do século XVI, nenhum humano havia circum-navegado a Terra. Isso mudou em 1522, quando a expedição de Magalhães regressou à Espanha após uma viagem de 72 mil quilômetros. Levou três anos e custou a vida de quase todos os membros da tripulação, Magalhães incluído. Em 1873, Júlio Verne imaginou que Phileas Fogg, um rico aventureiro britânico, pudesse dar a volta ao mundo em oitenta dias. Hoje, qualquer pessoa de classe média pode circum-navegar a Terra de maneira fácil e segura em apenas 48 horas.

Em 1500, os humanos estavam confinados à superfície da Terra. Eles podiam construir torres e escalar montanhas, mas o céu era reservado para pássaros, anjos e deidades. Em 20 de julho de 1969, os humanos aterrissaram na Lua. Essa foi não só uma conquista histórica como também um feito evolutivo e até mesmo cósmico. Durante os 4 bilhões de anos anteriores de evolução, nenhum organismo havia conseguido sequer sair da atmosfera terrestre, e certamente nenhum deixou uma pegada ou marca de tentáculo na Lua.

Durante a maior parte da história, os humanos não sabiam nada sobre 99,99% dos organismos do planeta – em especial, os micro-organismos. Não que eles não fossem do nosso interesse. Cada um de nós carrega dentro de si bilhões de criaturas unicelulares, e não só como caronas. Elas são nossas melhores amigas e nossas piores inimigas. Algumas digerem nossos alimentos e limpam nossos intestinos, enquanto outras causam doenças e epidemias. Mas foi só em 1674 que um olho humano viu um micro-organismo pela primeira vez, quando Anton van

Leeuwenhoek deu uma espiada através de seu microscópio caseiro e ficou impressionado ao ver um mundo inteiro de criaturas minúsculas dando voltas em uma gota d'água. Durante os 300 anos seguintes, os humanos se familiarizaram com uma enorme quantidade de espécies microscópicas. Conseguimos vencer a maioria das doenças contagiosas mais fatais que elas causam e usamos micro-organismos a serviço da medicina e da indústria. Hoje, projetamos bactérias para produzir medicamentos, fabricar biocombustível e matar parasitas.

Mas o momento mais notável e definidor dos últimos 500 anos ocorreu às 5h29m45s da manhã de 16 de julho de 1945. Naquele segundo exato, cientistas norte-americanos detonaram a primeira bomba atômica em Alamogordo, Novo México. Daquele ponto em diante, a humanidade teve a capacidade não só de mudar o curso da história como também de colocar um fim nela.

O processo histórico que levou a Alamogordo e à Lua é conhecido como Revolução Científica. Durante essa revolução, a humanidade adquiriu novas capacidades gigantescas, investindo recursos em pesquisa científica. É uma revolução porque, até por volta de 1500, os humanos do mundo inteiro duvidavam de sua aptidão para adquirir novas capacidades médicas, militares e econômicas. Embora o governo e os patrocinadores destinassem fundos à educação e a bolsas de pesquisa, o objetivo era, em geral, preservar as capacidades existentes, em vez de adquirir novas. O típico governante pré-moderno dava dinheiro para padres, filósofos e poetas na esperança de que eles legitimassem seu poder e mantivessem a ordem social. Ele não esperava que eles descobrissem novos medicamentos, inventassem novas armas ou estimulassem o crescimento econômico.

Ao longo dos últimos cinco séculos, os humanos passaram a acreditar que poderiam aumentar suas capacidades se investissem em pesquisa científica. Isso não era uma fé cega – foi, repetidas vezes, comprovado empiricamente. Quanto mais provas surgiam, mais recursos as pessoas ricas e os governos estavam dispostos a destinar à ciência. Jamais teríamos sido capazes de caminhar na Lua, projetar micro-organismos e dividir o átomo sem tais investimentos. O governo dos Estados Unidos, por exemplo, destinou, nas últimas décadas, bilhões de dólares para o estudo da física nuclear. O conhecimento produzido por essas pesquisas tornou possível a construção de usinas nucleares, que fornecem eletricidade barata para as indústrias norte-americanas, que pagam impostos para o governo dos Estados Unidos, que usa parte desses impostos para financiar mais pesquisas em física nuclear.

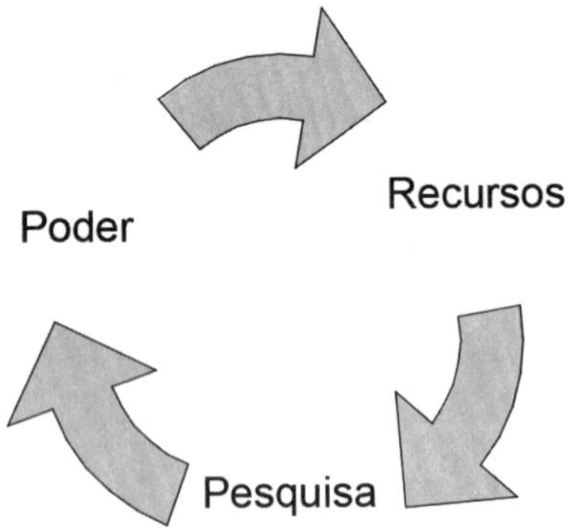

O ciclo de retroalimentação da Revolução Científica. Para progredir, a ciência precisa de mais do que pesquisas. Depende do reforço mútuo de ciência, política e economia. As instituições políticas e econômicas fornecem os recursos sem os quais a pesquisa científica é quase impossível. Em troca, a pesquisa científica fornece novas capacidades que são usadas, entre outras coisas, para obter novos recursos, alguns dos quais são reinvestidos em pesquisa.

Por que os humanos modernos desenvolveram uma crença cada vez maior em sua aptidão para adquirir novas capacidades por meio de pesquisas? O que construiu a relação entre ciência, política e economia? Este capítulo examina a natureza singular da ciência moderna a fim de fornecer parte da resposta. Os dois capítulos seguintes analisam a formação da aliança entre a ciência, os impérios europeus e a economia do capitalismo.

Ignoramus

Os humanos procuram entender o universo pelo menos desde a Revolução Cognitiva. Nossos ancestrais dedicaram muito tempo e esforço a tentar descobrir as regras que governam o mundo natural. Mas a ciência moderna difere de todas as tradições de conhecimento anteriores em três aspectos cruciais:

a. **A disposição para admitir ignorância:** a ciência moderna se baseia na sentença latina *ignoramus* – "nós não sabemos". Presume que não sabemos tudo. O que é ainda mais crucial, aceita que as coisas que achamos que sabemos podem se mostrar equivocadas à medida que adquirimos mais conhecimento. Nenhum conceito, ideia ou teoria é sagrado e inquestionável.
b. **O lugar central da observação e da matemática:** tendo admitido a ignorância, a ciência moderna almeja obter novos conhecimentos e o faz reunindo observações e então usando ferramentas matemáticas para relacionar essas observações em teorias abrangentes.
c. **A aquisição de novas capacidades:** a ciência moderna não se contenta em criar teorias. Usa essas teorias para adquirir novas capacidades e, em particular, para desenvolver novas tecnologias.

A Revolução Científica não foi uma revolução do conhecimento. Foi, acima de tudo, uma revolução da ignorância. A grande descoberta que deu início à Revolução Científica foi a descoberta de que os humanos não têm as respostas para suas perguntas mais importantes.

Tradições de conhecimento pré-modernas como o islamismo, o cristianismo, o budismo e o confucionismo afirmavam que tudo que é importante saber a respeito do mundo já era conhecido. Os grandes deuses, ou o Deus todo-poderoso, ou as pessoas sábias do passado detinham uma sabedoria universal, que revelavam a nós por meio de escrituras e tradições orais. Os meros mortais adquiriam conhecimento ao estudar tais tradições e textos antigos e entendê-los da maneira adequada. Era inconcebível que a Bíblia, o Corão ou os Vedas estivessem omitindo um segredo crucial do universo – um segredo que ainda pode vir a ser descoberto por nós, criaturas de carne e osso.

As antigas tradições de conhecimento só admitiam dois tipos de ignorância. Em primeiro lugar, um *indivíduo* podia ignorar algo importante. Para obter o conhecimento necessário, tudo que ele precisava fazer era perguntar a alguém mais sábio. Não havia necessidade de descobrir algo que qualquer pessoa já não soubesse. Por exemplo, se um camponês em alguma aldeia inglesa do século XIII quisesse saber como a raça humana se originou, ele presumia que a tradição cristã tinha a resposta definitiva. Tudo que precisava fazer era perguntar ao padre local.

Em segundo lugar, uma *tradição inteira* podia ignorar coisas *sem importância.* Por definição, o que quer que os grandes deuses ou os sábios do passado não tenham se dado ao trabalho de nos contar não era importante. Por exemplo, se nosso camponês inglês quisesse saber como as aranhas tecem suas teias, não fazia sentido perguntar ao padre, porque não havia resposta a essa pergunta em nenhuma das escrituras cristãs. Isso não significava, entretanto, que o cristianismo fosse falho. Ao contrário, significava que entender como as aranhas tecem suas teias não era importante. Afinal, Deus sabia perfeitamente bem como as aranhas fazem isso. Se fosse uma informação vital, necessária para a prosperidade e a salvação humana, Deus teria incluído uma explicação detalhada na Bíblia.

O cristianismo não proibia as pessoas de estudarem as aranhas. Mas os estudiosos de aranhas – se é que houve algum na Europa medieval – tinham de aceitar seu papel periférico na sociedade e a irrelevância de suas descobertas para as verdades eternas do cristianismo. Não importa o que um estudioso descobrisse sobre aranhas, borboletas ou tentilhões das Galápagos, esse conhecimento era quase trivial, sem qualquer influência sobre as verdades fundamentais da sociedade, da política e da economia.

Na realidade, as coisas nunca foram assim tão simples. Em todas as épocas, até mesmo nas mais devotas e conservadoras, houve pessoas que afirmaram que havia coisas *importantes* que sua *tradição inteira* ignorava. Mas tais pessoas geralmente eram marginalizadas ou perseguidas – ou então fundavam uma nova tradição e começavam a afirmar que *elas* sabiam tudo o que há para saber. Por exemplo, o profeta Maomé iniciou sua trajetória religiosa condenando seus colegas árabes por viverem na ignorância da verdade divina. Mas logo o próprio Maomé começou a afirmar que *ele* conhecia toda a verdade, e seus seguidores passaram a chamá-lo de "O Último dos Profetas". Daí em diante, não havia necessidade de revelações além daquelas feitas a Maomé.

A ciência de nossos dias é uma tradição de conhecimento peculiar, visto que admite abertamente a ignorância *coletiva* a respeito da *maioria das questões importantes.* Darwin nunca afirmou ser "O Último dos Biólogos" e ter decifrado o enigma da vida de uma vez por todas. Depois de séculos de pesquisas científicas, os biólogos admitem que ainda não têm uma boa explicação para como o cérebro gera consciência. Os físicos admitem que não sabem o que causou o Big Bang, ou como conciliar a mecânica quântica com a Teoria Geral da Relatividade.

Em outros casos, teorias científicas concorrentes são alvo de debate acalorado com base no surgimento constante de novas evidências. Um bom exemplo são os debates sobre como gerenciar melhor a economia. Embora os economistas possam afirmar que seu método é o melhor, a ortodoxia muda a cada crise financeira e a cada bolha na bolsa de valores, e é amplamente aceito que a palavra final em economia ainda está para ser dita.

Em outros casos ainda, teorias específicas estão corroboradas de maneira tão consistente pelas evidências disponíveis que todas as alternativas foram há muito abandonadas. Tais teorias são aceitas como verdades – mas todos concordam que, se surgissem novas evidências contradizendo tais teorias, estas teriam de ser revisadas ou descartadas. Bons exemplos de teorias desse tipo são a teoria das placas tectônicas e a teoria da evolução.

A disposição para admitir ignorância tornou a ciência moderna mais dinâmica, versátil e indagadora do que todas as tradições de conhecimento anteriores. Isso expandiu enormemente nossa capacidade de entender como o mundo funciona e nossa habilidade de inventar novas tecnologias, mas nos coloca diante de um problema sério que a maioria dos nossos ancestrais não precisou enfrentar. Nosso pressuposto atual de que não sabemos tudo e de que até mesmo o conhecimento que temos é provisório se estende aos mitos partilhados que possibilitam que milhões de estranhos cooperem de maneira eficaz. Se as evidências mostrarem que muitos desses mitos são duvidosos, como manter a sociedade unida? Como fazer com que as comunidades, os países e o sistema internacional funcionem?

Todas as tentativas modernas de estabilizar a ordem sociopolítica não tiveram outra escolha senão confiar em um de dois métodos não científicos:

a. tomar uma teoria científica e, em oposição a práticas científicas comuns, *declarar que é uma verdade final e absoluta.* Esse foi o método usado por nazistas (que afirmaram que suas políticas raciais eram corolários de fatos biológicos) e comunistas (que afirmaram que Marx e Lenin haviam revelado verdades econômicas que jamais poderiam ser refutadas);

b. deixar a ciência fora disso e viver de acordo com uma *verdade absoluta não científica*. Essa tem sido a estratégia do humanismo liberal, que se baseia em uma crença dogmática nos direitos e no valor singular dos seres humanos – uma doutrina que tem embaraçosamente pouco em comum com o estudo científico do *Homo sapiens*.

Mas isso não deveria nos surpreender. Até mesmo a própria ciência tem de se apoiar em crenças ideológicas e religiosas para justificar e financiar suas pesquisas.

A cultura atual, entretanto, tem mostrado muito mais disposição para abraçar a ignorância do que qualquer cultura anterior. Uma das coisas que tornaram possível que as ordens sociais modernas se mantenham coesas é a disseminação de uma crença quase religiosa na tecnologia e nos métodos da pesquisa científica, que, em certa medida, substituíram a crença em verdades absolutas.

O dogma científico

A ciência moderna não tem dogma. Mas tem um conjunto de métodos de pesquisa em comum, todos baseados em coletar observações empíricas – aquelas que podemos observar com pelo menos um dos nossos sentidos – e reuni-las com a ajuda de ferramentas matemáticas.

Ao longo da história, as pessoas coletaram observações empíricas, mas a importância dessas observações geralmente era limitada. Por que desperdiçar recursos preciosos fazendo novas observações quando já temos todas as respostas de que necessitamos?

Mas à medida que a pessoas modernas passaram a admitir que não conheciam as respostas para algumas perguntas muito importantes, acharam necessário procurar conhecimentos *completamente novos*. Em consequência, o método de pesquisa predominante na atualidade parte do princípio de que o conhecimento antigo é insuficiente. Em vez de estudar as antigas tradições, hoje se dá ênfase a novas observações e experimentos. Quando as observações atuais se chocam com tradições passadas, damos precedência às observações. É claro, físicos examinando o espectro de galáxias distantes, arqueólogos analisando as descobertas de uma cidade da Era do Bronze e cientistas políticos estudando o surgimento do capitalismo não desconsideram a tradição. Eles começam estudando o que os sábios do passado disseram e escreveram. Mas, desde seu primeiro ano de faculdade, os aspirantes a físicos, arqueólogos e cientistas políticos aprendem que é sua missão ir além do que Einstein, Heinrich Schliemann e Max Weber conheceram.

Meras observações, no entanto, não são conhecimento. Para entender o universo, precisamos relacionar as observações em teorias abrangentes. As tradições anteriores geralmente formulavam suas teorias na forma de histórias. A ciência moderna usa a matemática.

Há muito poucas equações, gráficos e cálculos na Bíblia, no Corão, nos Vedas ou nos clássicos confucionistas. Quando as mitologias e escrituras tradicionais estabeleciam leis gerais, estas eram apresentadas em forma narrativa, em vez de matemática. Desse modo, um princípio fundamental da religião maniqueísta afirmava que o mundo é um campo de batalha entre o bem e o mal. Uma força maligna criou a matéria, ao passo que uma força benigna criou o espírito. Os humanos estão presos entre essas duas forças e devem escolher o bem em detrimento do mal. Contudo, o profeta Mani não fez qualquer tentativa de oferecer uma fórmula matemática que pudesse ser usada para prever escolhas humanas por meio da quantificação da força respectiva dessas duas forças. Ele nunca calculou que "a força atuando sobre um homem é igual à aceleração de seu espírito dividida pela massa de seu corpo".

Isso é exatamente o que os cientistas tentam alcançar. Em 1687, Isaac Newton publicou os *Princípios matemáticos da filosofia natural*, provavelmente o livro mais importante da história moderna. Newton apresentou uma teoria geral do movimento e da mudança. A grandeza da teoria de Newton foi sua capacidade de explicar e prever os movimentos de todos os corpos do universo, de maçãs despencando a estrelas cadentes, usando três leis matemáticas muito simples:

$$(1)\ \sum \vec{F} = 0$$
$$(2)\ \sum \vec{F} = m\vec{a}$$
$$(3)\ \vec{F}_{1,2} = -\vec{F}_{2,1}$$

Daí em diante, qualquer pessoa que quisesse entender e prever o movimento de uma bala de canhão ou de um planeta simplesmente tinha de medir a massa, a direção e a aceleração do objeto e as forças atuando sobre ele. Ao inserir esses números na equação de Newton, podia prever a posição futura do objeto. Funcionava como mágica. Somente por volta do fim do século XIX os cientistas se depararam com algumas observações que não se enquadravam muito bem nas leis de Newton, e estas levaram às revoluções seguintes na física – a teoria da relatividade e a mecânica quântica.

Newton mostrou que o livro da natureza está escrito na linguagem da matemática. Alguns capítulos (por exemplo) se reduzem a uma equação simples; mas estudiosos que tentaram reduzir a biologia, a economia e a psicologia a equações newtonianas precisas descobriram que esses campos têm um nível de complexidade que torna inútil tal aspiração. Mas isso não significa que eles desistiram da matemática. Ao longo dos últimos 200 anos, desenvolveu-se um novo ramo da matemática para lidar com os aspectos mais complexos da realidade: a estatística.

Em 1744, dois clérigos presbiterianos na Escócia, Alexander Webster e Robert Wallace, decidiram criar um fundo de seguro de vida que pagaria pensões a viúvas e órfãos de clérigos falecidos. Eles propuseram que cada um dos pastores de sua igreja dedicasse uma pequena parte de sua renda para o fundo, que investiria o dinheiro. Se um pastor morresse, sua esposa receberia dividendos sobre os lucros do fundo. Isso lhe permitiria viver confortavelmente pelo resto da vida. Porém, para determinar quanto os pastores tinham de pagar a fim de que o fundo tivesse dinheiro suficiente para honrar suas obrigações, Webster e Wallace precisavam ser capazes de prever quantos pastores morreriam a cada ano, quantas viúvas e órfãos eles deixariam e quantos anos as viúvas viveriam a mais do que os maridos.

Observe o que os dois clérigos não fizeram. Eles não rezaram para que Deus lhes revelasse a resposta. Nem procuraram a resposta nas Escrituras Sagradas ou nas obras de teólogos antigos. Tampouco entraram em uma discussão filosófica abstrata. Sendo escoceses, eram sujeitos práticos. Então, contataram um professor de matemática da Universidade de Edimburgo, Colin Maclaurin. Os três reuniram dados sobre a idade em que as pessoas morriam e usaram esses dados para calcular quantos pastores provavelmente morreriam em determinado ano.

Seu trabalho se baseou em vários avanços recentes no campo da estatística e da probabilidade. Um desses avanços foi a Lei dos Grandes Números, de Jacob Bernoulli. Bernoulli havia codificado o princípio de que, embora fosse difícil prever com certeza um acontecimento específico, como a morte de uma pessoa em particular, era possível prever com grande precisão o resultado médio de muitos acontecimentos similares. Isto é, embora Maclaurin não pudesse usar a matemática para prever se Webster e Wallace morreriam no ano seguinte, ele podia, com dados suficientes, dizer a Webster e Wallace quantos pastores presbiterianos na Escócia quase certamente morreriam no ano seguinte. Por sorte, eles já contavam com os dados que poderiam usar. Tábuas atuariais publicadas 50 anos antes por Edmond Halley mostraram-se especialmente úteis. Halley havia analisado registros de 1.238 nascimentos e 1.174 mortes, obtidos da cidade de Breslávia, na Alemanha. As tábuas de Halley permitiram constatar, por exemplo, que uma pessoa de 20 anos de idade tinha uma chance em 100 de morrer em determinado ano, mas uma pessoa de 50 anos de idade tinha uma chance em 39.

Processando esses números, Webster e Wallace concluíram que, em média, haveria 930 pastores presbiterianos escoceses vivendo em um dado momento, e uma média de 27 pastores morria por ano, 18 dos quais deixariam viúvas. Cinco dos que não deixariam viúvas deixariam filhos órfãos, e dois dos que deixariam viúvas deixariam também filhos de casamentos anteriores que ainda não haviam completado 16 anos de idade. Posteriormente, eles calcularam quanto tempo deveria se passar até a viúva morrer ou se casar novamente (em ambos os casos, o pagamento da pensão cessaria). Com esses números, Webster e Wallace puderam determinar quanto dinheiro os pastores que aderissem ao fundo teriam de pagar para garantir o futuro de seus entes queridos. Contribuindo com 2 libras, 12 xelins e 2 pence por ano, um pastor podia garantir que a esposa viúva receberia pelo menos 10 libras por ano – uma soma considerável naqueles dias. Se achasse que isso não era suficiente, podia escolher pagar mais, até o limite de 6 libras, 11 xelins e 3 pence por ano – o que garantiria à viúva a soma ainda mais atraente de 25 libras por ano.

De acordo com seus cálculos, no ano 1765 o Fundo de Pensão para as Viúvas e os Filhos dos Pastores da Igreja da Escócia teria um capital totalizando 58.348 libras. Seus cálculos se mostraram incrivelmente precisos. Quando esse ano chegou, o capital do Fundo era 58.347 libras – apenas uma libra esterlina a menos que o previsto! Isso era ainda melhor do que as profecias de Habacuque, Jeremias ou são João. Hoje, o fundo de Webster e Wallace, conhecido simplesmente como Scottish Widows, é uma das maiores empresas de seguros e pensões do mundo. Com ativos no valor de 100 bilhões de libras, oferece garantias não só a viúvas escocesas, mas a qualquer um disposto a comprar suas apólices.[7]

Cálculos de probabilidade como os usados pelos dois pastores escoceses se tornaram a base não só da ciência atuarial, que é fundamental para o negócio de seguros e pensões, como também da ciência da demografia (fundada por outro clérigo, o anglicano Thomas Malthus). A demografia, por sua vez, foi o pilar sobre o qual Charles Darwin (que quase se tornou pastor anglicano) construiu sua teoria da evolução. Embora não existam equações capazes de prever que tipo de organismo evoluirá sob certas condições específicas, os geneticistas usam cálculos para determinar a probabilidade de uma mutação específica se disseminar em uma população dada. Modelos probabilísticos similares se tornaram centrais para a economia, a sociologia, a psicologia, a ciência política e as outras ciências sociais e naturais. Até mesmo a física acabou por complementar as equações clássicas de Newton com as nuvens de probabilidade da mecânica quântica.

Basta observar a história da educação para perceber a que ponto esse processo nos levou. Durante a maior parte da história, a matemática era um campo hermético que até mesmo as pessoas instruídas raras vezes estudavam seriamente. Na Europa medieval, a lógica, a gramática e a retórica formavam o núcleo educacional, ao passo que o ensino de matemática quase nunca ia além da simples aritmética e geometria. Ninguém estudava estatística. A monarca incontestável de todas as ciências era a teologia.

Hoje, poucos estudam retórica; a lógica está restrita aos departamentos de filosofia, e a teologia, aos seminários. Mas cada vez mais estudantes são motivados – ou forçados – a estudar matemática. Há um movimento irresistível rumo às ciências exatas – definidas como "exatas" por usarem ferramentas matemáticas. Até mesmo áreas de estudo que tradicionalmente faziam parte das humanidades, como o estudo da linguagem humana (linguística) e da psique humana (psicologia), se apoiam cada vez mais na matemática e tentam se apresentar como ciências exatas. Os cursos de estatística hoje são parte dos requisitos básicos não só na física e na biologia como também na psicologia, na sociologia, na economia e na ciência política.

No programa de psicologia da minha própria universidade, o primeiro curso obrigatório no currículo é "Introdução à Estatística e à Metodologia em Pesquisa Psicológica". Estudantes de psicologia do segundo ano cursam "Métodos Estatísticos em Pesquisa Psicológica". Confúcio, Buda, Jesus e Maomé teriam ficado perplexos se lhes contássemos que, para entender a mente humana e a cura de suas doenças, primeiro é preciso estudar estatística.

Conhecimento é poder

A maioria das pessoas tem dificuldade para digerir a ciência moderna porque sua linguagem matemática é de difícil entendimento ao nosso intelecto e suas descobertas muitas vezes contrariam nosso senso comum. Dos 7 bilhões de pessoas no mundo, quantas entendem realmente mecânica quântica, biologia celular ou macroeconomia? A ciência, entretanto, desfruta de enorme prestígio por causa dos novos poderes que nos concede. Presidentes e generais podem não entender física nuclear, mas entendem o que as bombas nucleares são capazes de fazer.

Em 1620, Francis Bacon publicou um manifesto científico intitulado *Novum Organum* [Novo instrumento], no qual afirmou que "conhecimento é poder". A real prova de fogo do "conhecimento" não é se é verdadeiro, mas se nos dá poder. Os cientistas geralmente presumem que nenhuma teoria é 100% correta. Em consequência, a verdade não é um bom parâmetro de teste para o conhecimento. O parâmetro real é sua utilidade. Uma teoria que nos permite fazer novas coisas constitui conhecimento.

Com o passar dos séculos, a ciência nos ofereceu muitas ferramentas novas. Algumas são ferramentas mentais, como aquelas usadas para prever taxas de mortalidade e crescimento econômico. Ainda mais importantes são as ferramentas tecnológicas. A conexão forjada entre ciência e tecnologia é tão forte que hoje as pessoas tendem a confundir as duas. Tendemos a pensar que é impossível desenvolver novas tecnologias sem pesquisas científicas e que as pesquisas têm pouco sentido se não resultarem em novas tecnologias.

Na verdade, a relação entre ciência e tecnologia é um fenômeno muito recente. Antes de 1500, ciência e tecnologia eram campos totalmente separados. Quando Bacon associou os dois no início do século XVII, foi uma ideia revolucionária. Durante os séculos XVII e XVIII, suas relações se estreitaram, mas o nó só foi atado no século XIX. Mesmo em 1800, a maioria dos governantes que quisessem um exército forte e a maioria dos magnatas que quisessem um negócio próspero não se dava ao trabalho de financiar pesquisas em física, biologia ou economia.

Não pretendo afirmar que não exista exceção a essa regra. Um bom historiador pode encontrar precedentes para tudo. Mas um historiador ainda melhor sabe quando esses precedentes não passam de curiosidades que obscurecem o grande cenário. De modo geral, a maioria dos governantes e empresários pré-modernos não financiava pesquisas sobre a natureza do universo a fim de desenvolver novas tecnologias, e a maioria dos pensadores não tentava traduzir suas descobertas em dispositivos tecnológicos. Os governantes financiavam instituições educacionais cuja função era disseminar o conhecimento tradicional com o propósito de sustentar a ordem existente.

Aqui e ali, as pessoas desenvolviam novas tecnologias, mas estas geralmente eram criadas por artesãos não instruídos usando tentativa e erro, e não por estudiosos realizando uma pesquisa científica sistemática.

Os fabricantes de carroças construíam as mesmas carroças, feitas dos mesmos materiais, ano após ano. Eles não reservavam um percentual de seus lucros anuais para pesquisar e desenvolver novos modelos de carroças. Ocasionalmente, o desenho da carroça era aprimorado, mas quase sempre graças à engenhosidade de algum carpinteiro local que nunca havia posto os pés em uma universidade e nem sequer sabia ler.

Era assim no setor público e também no setor privado. Enquanto os Estados modernos convocam seus cientistas para apresentar soluções em quase todas as áreas da política nacional, de energia e saúde a descarte de resíduos, os reinos antigos raramente faziam isso. O contraste entre passado e presente é mais pronunciado na fabricação de armas. Quando, em 1961, o presidente Dwight Eisenhower, prestes a deixar o cargo, alertou sobre o poder crescente do complexo militar-industrial, ele deixou de fora uma parte da equação. Deveria ter alertado seu país sobre o complexo militar-industrial-científico, porque as guerras de hoje são produções científicas. As forças militares do mundo iniciam, financiam e dirigem uma grande parte das pesquisas científicas e do desenvolvimento tecnológico da humanidade.

Quando a Primeira Guerra Mundial se transformou em uma guerra de trincheiras interminável, ambos os lados convocaram cientistas para sair do impasse e salvar a nação. Os homens de branco atenderam o chamado, e dos laboratórios saiu um fluxo constante de novas superarmas: aeronaves de combate, gás venenoso, tanques, submarinos, metralhadoras, peças de artilharia, rifles e bombas cada vez mais eficazes.

A ciência exerceu um papel ainda maior na Segunda Guerra Mundial. No fim de 1944, a Alemanha estava perdendo a guerra, e a derrota era iminente. Um ano antes, os italianos, aliados da Alemanha, haviam derrubado Mussolini e se rendido aos Aliados. Mas a Alemanha continuou lutando, embora os exércitos britânico, norte-americano e soviético estivessem se aproximando. Uma razão pela qual os soldados e civis alemães acharam que nem tudo estava perdido é que eles acreditaram que os cientistas alemães estavam prestes a virar o jogo com as chamadas armas milagrosas, como o foguete V2 e o avião a jato.

Enquanto os alemães estavam trabalhando em foguetes e jatos, nos Estados Unidos o Projeto Manhattan conseguiu desenvolver bombas atômicas. Quando a bomba ficou pronta, no início de agosto de

1945, a Alemanha já havia se rendido, mas o Japão continuava lutando. As forças norte-americanas estavam prontas para invadir suas ilhas. Os japoneses juraram resistir à invasão e lutar até a morte, e havia todas as razões para acreditar que essa não era uma ameaça vazia. Os generais norte-americanos disseram ao presidente Harry S. Truman que uma invasão do Japão custaria a vida de 1 milhão de soldados norte-americanos e estenderia a guerra pelo menos até 1946. Truman decidiu usar a nova bomba. Duas semanas e duas bombas atômicas depois, o Japão se rendeu incondicionalmente, e a guerra chegou ao fim.

Mas a ciência não se resume a armas ofensivas: também exerce um importante papel em nossas defesas. Hoje, muitos norte-americanos acreditam que a solução para o terrorismo é tecnológica, e não política. Bastaria destinar outros milhões à indústria da nanotecnologia, pensam, e os Estados Unidos poderiam enviar moscas-espiãs biônicas a cada caverna afegã, fortificação iemenita e acampamento norte-africano. Com isso, os herdeiros de Osama bin Laden não seriam capazes de preparar uma xícara de café sem que uma mosca-espiã da CIA transmitisse essa informação vital para a sede central em Langley. Bastaria destinar outros milhões à neurociência, e cada aeroporto poderia ser equipado com scanners de ressonância magnética cerebral ultrassofisticados que imediatamente seriam capazes de identificar pensamentos de raiva e de ódio no cérebro das pessoas. Isso funcionaria? Quem sabe. É sábio desenvolver moscas biônicas e scanners capazes de ler pensamentos? Não necessariamente. Seja como for, enquanto você lê estas linhas, o Departamento de Defesa dos Estados Unidos está transferindo milhões de dólares para laboratórios de neurociência e nanotecnologia para trabalhar nessas ideias e em outras similares.

Essa obsessão por tecnologia militar – de tanques e bombas atômicas a moscas-espiãs – é um fenômeno surpreendentemente recente. Até o século XIX, a grande maioria das revoluções militares foi produto de mudanças organizacionais, e não de mudanças tecnológicas. Quando duas civilizações estranhas se encontravam pela primeira vez, as diferenças tecnológicas às vezes exerciam um papel importante. Mas, mesmo em tais casos, poucos pensavam em criar ou acentuar deliberadamente tais diferenças. A maioria dos impérios não se ergueu graças à magia tecnológica, e seus governantes não davam muita atenção a melhorias tecnológicas. Os árabes não derrotaram o Império Sassânida graças a arcos ou espadas superiores, os seljúcidas não tinham qualquer vantagem tecnológica sobre os bizantinos, e os mongóis não conquistaram a China com a ajuda de alguma superarma. Na verdade, em todos esses casos os eliminados desfrutavam de tecnologias civil e militar superiores.

O exército romano é um exemplo particularmente bom. Foi o melhor exército de sua época, mas, em termos tecnológicos, Roma não tinha vantagem alguma sobre Cartago, sobre a Macedônia ou sobre o Império Selêucida. Sua vantagem se apoiava em organização eficiente, disciplina rígida e grandes reservas de força humana. O exército romano nunca instaurou um departamento de pesquisa e desenvolvimento, e suas armas continuaram mais ou menos as mesmas por séculos a fio. Se as legiões de Cipião Emiliano – o general que destruiu Cartago e derrotou os numantinos no século II a.C. – tivessem aparecido de repente 500 anos depois, na época de Constantino, o Grande, Cipião teria tido uma boa chance de derrotar Constantino. Agora imagine o que aconteceria com um general séculos atrás – por exemplo, Napoleão – se ele liderasse seu exército contra um batalhão modernamente armado. Napoleão foi um brilhante estrategista, e seus homens eram profissionais excelentes, mas suas habilidades seriam inúteis diante dos armamentos modernos.

Como em Roma, também na China antiga, a maioria dos generais e filósofos não achava que fosse seu dever desenvolver novas armas. A invenção militar mais importante na história da China foi a pólvora. Mas, até onde sabemos, a pólvora foi inventada por acidente, por alquimistas taoistas à procura do elixir da vida. O destino da pólvora é ainda mais revelador. Alguém poderia pensar que os alquimistas taoistas teriam levado a China a dominar o mundo. Na verdade, os chineses usaram o novo composto principalmente para fabricar fogos de artifício. Mesmo quando o Império Song ruiu diante de uma invasão mongol, nenhum imperador iniciou um Projeto Manhattan medieval para salvar o império inventando uma arma apocalíptica. Foi só no século XV – cerca de 600 anos depois da invenção da pólvora – que os canhões se tornaram um fator decisivo nos campos de batalha da África e da Ásia. Por que levou tanto tempo para que o potencial letal dessa substância fosse usado para fins militares? Porque ela surgiu em uma época em que nem reis, nem estudiosos, nem mercadores pensavam que novas tecnologias militares pudessem salvá-los ou enriquecê-los.

A situação começou a mudar nos séculos XV e XVI, mas outros 200 anos se passaram antes que a maioria dos governantes manifestasse algum interesse em financiar a pesquisa e o desenvolvimento de novas armas. A logística e a estratégia continuaram a ter um impacto muito maior no resultado das guerras do que a tecnologia. A máquina militar napoleônica que esmagou os exércitos das potências europeias em Austerlitz (1805) foi equipada com mais ou menos os mesmos armamentos que o exército de Luís XVI havia usado. O próprio Napoleão, apesar de ser um soldado de artilharia, tinha pouco interesse em novas armas, embora cientistas e inventores tentassem persuadi-lo a financiar o desenvolvimento de máquinas voadoras, submarinos e foguetes.

A ciência, a indústria e a tecnologia militar só se entrelaçaram com o advento do sistema capitalista e da Revolução Industrial. Mas, assim que se consolidou, essa relação transformou o mundo rapidamente.

O ideal de progresso

Até a Revolução Científica, a maioria das culturas humanas não acreditava em progresso. Elas pensavam que a Era de Ouro estava no passado e que o mundo estava estagnado, se não ruindo. A adesão estrita à sabedoria das eras poderia, talvez, trazer de volta os bons velhos tempos, e a engenhosidade humana poderia melhorar esse ou aquele aspecto da vida cotidiana. No entanto, considerava-se impossível que o conhecimento humano fosse capaz de superar os problemas fundamentais do mundo. Se até mesmo Maomé, Jesus, Buda e Confúcio – que sabiam tudo o que há para se saber – foram incapazes de abolir a fome, a doença, a pobreza e a guerra do mundo, como poderíamos esperar fazer isso?

Muitos credos sustentavam que algum dia um messias apareceria e colocaria fim a todas as guerras, à fome e até mesmo à própria morte. Mas a noção de que a humanidade pudesse fazer isso adquirindo novos conhecimentos e inventando novas ferramentas era menos do que risível – era arrogante. A história da Torre de Babel, a história de Ícaro, a história do Golem e incontáveis outros mitos ensinavam as pessoas que qualquer tentativa de ir além das limitações humanas inevitavelmente levaria à frustração e ao desastre.

Quando a cultura moderna admitiu que havia muitas coisas importantes que ainda não sabíamos, e quando a admissão da ignorância se casou com a ideia de que as descobertas científicas poderiam nos dar novas capacidades, as pessoas começaram a suspeitar que o progresso real poderia ser possível, afinal. À medida que a ciência começou a resolver um problema insolúvel atrás de outro, muitos se convenceram de que a humanidade poderia superar todo e cada um dos problemas que a aflige adquirindo e aplicando novos conhecimentos. A pobreza, a doença, as guerras, a fome, a velhice e a própria morte não eram o destino inevitável da humanidade. Eram simplesmente fruto da nossa ignorância.

Um exemplo famoso é o relâmpago. Muitas culturas acreditavam que o relâmpago fosse o martelo de um deus furioso, usado para punir os pecadores. Em meados do século XVIII, em um dos experimentos mais celebrados da história científica, Benjamin Franklin empinou uma pipa durante uma tempestade com relâmpagos para testar a hipótese de que o relâmpago é simplesmente uma corrente elétrica. As observações empíricas de Franklin, somadas ao seu conhecimento sobre as características da energia elétrica, lhe permitiram inventar o para-raios e desarmar os deuses.

A pobreza é outro exemplo. Muitas culturas viam a pobreza como parte inescapável deste mundo imperfeito. De acordo com o Novo Testamento, logo antes da crucificação uma mulher untou Cristo com um bálsamo precioso no valor de 300 denários. Os discípulos de Jesus repreenderam a mulher por gastar uma soma tão grande de dinheiro em vez de dá-la aos pobres, mas Jesus a defendeu, dizendo: "Sempre tendes os pobres convosco, e podeis fazer-lhes bem, quando quiserdes; mas a mim nem sempre me tendes" (Marcos 14:7). Hoje, cada vez menos pessoas, incluindo cada vez menos cristãos, concordam com Jesus nesse aspecto. A pobreza é, cada vez mais, vista como um problema técnico passível de intervenção. É amplamente sabido que políticas baseadas nas últimas descobertas em agronomia, economia, medicina e sociologia podem eliminar a pobreza.

E, de fato, muitas partes do mundo já se livraram das piores formas de privação. Ao longo da história, as sociedades padeceram de dois tipos de pobreza: a pobreza social, que nega a algumas pessoas as oportunidades disponíveis para outras; e a pobreza biológica, que põe em risco a própria vida dos indivíduos por falta de alimento e abrigo. Talvez a pobreza social jamais seja erradicada, mas em muitos países a pobreza biológica é coisa do passado.

Até pouco tempo atrás, a maioria das pessoas estavam muito próximas da linha de pobreza biológica, abaixo da qual um indivíduo carece das calorias necessárias para sobreviver. Até mesmo pequenos infortúnios ou erros de cálculo podiam facilmente empurrá-las para baixo dessa linha, para a morte pela fome. Desastres naturais e calamidades provocadas pelo homem frequentemente precipitavam populações inteiras no abismo, causando a morte de milhões. Hoje, a maior parte das pessoas do mundo tem uma rede de proteção estendida abaixo delas. Os indivíduos são protegidos de infortúnios pessoais por meio de seguro, previdência social financiada pelo Estado e uma série de ONGs locais e internacionais. Quando uma calamidade atinge uma região inteira, os esforços mundiais de ajuda humanitária muitas vezes conseguem evitar o pior. As pessoas ainda sofrem com uma série de degradações, humilhações e doenças associadas à pobreza, mas na maioria dos países ninguém está morrendo de fome. Na verdade, em muitas sociedades há mais pessoas correndo o risco de morrer de obesidade do que de fome.

O projeto Gilgamesh

De todos os problemas visivelmente insolúveis da humanidade, um continuou sendo o mais intrigante, interessante e importante: o problema da morte propriamente dita. Antes do fim da era moderna, a maioria das religiões e ideologias aceitava que a morte era nosso destino inevitável. Além disso, a maioria dos credos fazia da morte a principal fonte de significado em vida. Tente imaginar o islamismo, o cristianismo ou a antiga religião egípcia em um mundo sem morte. Esses credos ensinavam às pessoas que elas deviam acertar as contas com a morte e apostar suas fichas na vida após a morte, em vez de procurar superá-la e viver para sempre aqui na Terra. As mentes mais brilhantes estavam ocupadas dando significado à morte, e não tentando fugir dela.

Esse é o tema do mito mais antigo a chegar até nós – o mito de Gilgamesh, da antiga Suméria. Seu herói é o homem mais forte e mais capaz em todo o mundo, o rei Gilgamesh de Uruk, que poderia vencer qualquer batalha. Um dia, o melhor amigo de Gilgamesh, Enkidu, morreu.

Gilgamesh se sentou ao lado do corpo e o observou por muitos dias, até que viu um verme saindo da narina do amigo. Nesse momento, Gilgamesh foi tomado por um grande horror e decidiu que jamais morreria. De algum modo, ele encontraria uma forma de derrotar a morte. Então Gilgamesh empreendeu uma jornada até o fim do universo, matando leões, enfrentando homens-escorpiões e encontrando seu caminho até o submundo. Lá, ele destruiu as misteriosas "coisas de pedra" de Urshanabi, o balseiro do rio dos mortos, e encontrou Utnapishtim, o último sobrevivente da inundação primordial. Mas Gilgamesh fracassou em sua busca. Ele voltou para casa de mãos vazias, mortal como sempre, mas com um novo conhecimento. Gilgamesh aprendeu que, quando criaram o homem, os deuses estipularam que a morte é seu destino inevitável e que o homem precisa aprender a conviver com isso.

Os discípulos do progresso não partilham dessa atitude derrotista. Para os homens da ciência, a morte não é um destino inevitável, mas meramente um problema técnico. As pessoas morrem não porque os deuses o decretaram, mas em decorrência de uma série de falhas técnicas: um ataque do coração, um câncer, uma infecção. E cada problema técnico tem uma solução técnica. Se o coração palpita, pode ser estimulado por um marca-passo ou substituído por um coração novo. Se o câncer se espalha, pode ser destruído com medicamentos ou radiação. Se bactérias se proliferam, podem ser controladas com antibióticos. É verdade, hoje não somos capazes de resolver todos os problemas técnicos. Mas estamos trabalhando para isso. Nossas mentes mais brilhantes não estão desperdiçando tempo tentando dar significado à morte. Em vez disso, estão ocupadas investigando os sistemas fisiológico, hormonal e genético responsáveis pelas doenças e pela velhice. Estão desenvolvendo novos medicamentos, tratamentos revolucionários e órgãos artificiais que prolongarão nossa vida e, talvez, um dia vencerão a própria Morte.

Até recentemente, você não teria escutado cientistas, ou qualquer outra pessoa, falando de maneira tão direta. "Derrotar a morte?! Que absurdo! Só estamos tentando curar o câncer, a tuberculose e a doença de Alzheimer", insistiam. As pessoas evitavam a questão da morte porque o objetivo parecia demasiado ilusório. Por que criar expectativas pouco razoáveis? Agora, no entanto, estamos em um ponto em que podemos ser francos a esse respeito. O principal projeto da Revolução Científica é dar à humanidade a vida eterna.

Mesmo que derrotar a morte pareça um objetivo distante, já alcançamos coisas que eram inconcebíveis há alguns séculos. Em 1199, o rei Ricardo Coração de Leão foi atingido por uma flecha em seu ombro esquerdo. Hoje diríamos que sofreu um ferimento sem importância. Mas, em 1199, na ausência de antibióticos e métodos de esterilização eficazes, essa pequena ferida se infectou e a gangrena se instalou. No século XII, a única maneira de impedir que a gangrena se instalasse era amputar o membro infectado, algo impossível quando a infecção era em um ombro. A gangrena se espalhou pelo corpo do rei e ninguém pôde ajudá-lo. Ele morreu agonizando duas semanas depois.

Mesmo no século XIX, os melhores médicos ainda não sabiam como evitar a infecção e impedir a putrefação de tecidos. Nos hospitais dos campos de batalha, os médicos rotineiramente amputavam mãos e pernas de soldados que eram vítimas até mesmo de ferimentos menores, temendo a gangrena. Essas amputações, bem como todos os outros procedimentos médicos (como a extração de um dente), eram feitas sem anestesia. A primeira anestesia – éter, clorofórmio e morfina – só passou a ser usada regularmente na medicina ocidental em meados do século XIX. Antes do advento do clorofórmio, era preciso que quatro soldados segurassem um companheiro ferido enquanto o médico amputava o membro atingido. Na manhã após a batalha de Waterloo (1815), viam-se montes de mãos e pernas amputados ao lado dos hospitais nos campos de batalha. Naqueles dias, carpinteiros e açougueiros que se alistavam no exército muitas vezes eram enviados para servir no batalhão médico, porque a cirurgia requeria pouco mais do que saber usar serras e facas.

Nos dois séculos que se passaram desde Waterloo, as coisas mudaram completamente. Comprimidos, injeções e operações sofisticadas nos salvam de uma enxurrada de doenças e ferimentos que um dia significaram uma inevitável sentença de morte. Também nos protegem de inúmeras dores e males cotidianos que os indivíduos pré-modernos simplesmente aceitavam como parte da vida. A expectativa de vida média saltou de 25-40 anos para 67 no mundo inteiro e para cerca de 80 anos nos países desenvolvidos.[8]

A morte sofreu seus piores golpes na arena da mortalidade infantil. Até o século XX, entre um quarto e um terço das crianças das sociedades agrícolas jamais chegavam à vida adulta. A maioria delas sucumbia a doenças infantis como difteria, rubéola e varíola. Na Inglaterra do século XVII, 150 de cada mil recém-nascidos morriam no primeiro ano de vida, e um terço de todas as crianças morriam antes de completar 15 anos.[9] Hoje, apenas cinco de cada mil bebês ingleses morrem no primeiro ano de vida, e apenas sete de cada mil morrem antes de completar 15 anos.[10]

Podemos entender melhor o impacto desses números deixando de lado as estatísticas e contando algumas histórias. Um bom exemplo é a família do rei Eduardo I da Inglaterra (1237-1307) e sua esposa, a rainha Leonor (1241-1290). Seus filhos desfrutavam das melhores condições e viviam no ambiente mais próspero possível da Europa medieval. Viviam em palácios, comiam o quanto quisessem, tinham inúmeras roupas quentes, lareiras bem abastecidas, a água mais pura disponível, um exército de servos e os melhores médicos. As fontes mencionam 16 filhos que a rainha Leonor deu à luz entre 1255 e 1284:

1. uma filha sem nome, nascida em 1255, morreu durante o nascimento;
2. uma filha, Catarina, morreu com 1 ou 3 anos;
3. uma filha, Joana, morreu com 6 meses;
4. um filho, João, morreu com 5 anos;
5. um filho, Henrique, morreu com 6 anos;
6. uma filha, Leonor, morreu com 29 anos;
7. uma filha anônima morreu com 5 meses;
8. uma filha, Joana, morreu com 35 anos;
9. um filho, Afonso, morreu com 10 anos;
10. uma filha, Margarida, morreu com 58 anos;
11. uma filha, Berengária, morreu com 2 anos;
12. uma filha sem nome morreu logo após o nascimento;
13. uma filha, Maria, morreu com 53 anos;
14. um filho sem nome morreu logo após o nascimento;
15. uma filha, Isabel, morreu com 34 anos;
16. um filho, Eduardo.

O mais jovem, Eduardo, foi o primeiro dos garotos a sobreviver aos anos perigosos da infância e, quando seu pai morreu, ele subiu ao trono inglês como rei Eduardo II. Em outras palavras, Leonor fez 16 tentativas até cumprir a missão mais fundamental de uma rainha inglesa:

proporcionar um herdeiro ao marido. A mãe de Eduardo II deve ter sido uma mulher de paciência e fortaleza excepcionais. Já não se pode dizer o mesmo da mulher que Eduardo escolheu como esposa, Isabela da França. Ela mandou assassiná-lo quando ele tinha 43 anos.[11]

Até onde sabemos, Leonor e Eduardo I eram um casal saudável e não transmitiram nenhuma doença hereditária fatal a seus filhos. No entanto, 10 dos 16 – 62% – morreram durante a infância. Apenas 6 conseguiram viver além dos 11 anos, e apenas três – meros 18% – viveram mais de 40. Além desses nascimentos, Leonor provavelmente teve uma série de gestações que terminaram em aborto. Em média, Eduardo e Leonor perderam um filho a cada três anos, dez filhos um após outro. Nos dias de hoje, é quase impossível para um pai conceber tal perda.

Quanto tempo tardará o Projeto Gilgamesh? Cem anos? Quinhentos anos? Mil anos? Quando lembramos o pouco que sabíamos sobre o corpo humano em 1900 e quanto conhecimento adquirimos em um único século, há motivo para otimismo. Engenheiros genéticos recentemente prolongaram em seis vezes a expectativa de vida média dos vermes *Caenorhabditis elegans*.[12] Por que não fazer o mesmo pelo *Homo sapiens*? Especialistas em nanotecnologia estão desenvolvendo um sistema imunológico biônico composto de milhões de nanorobôs, que habitariam nossos corpos, abririam vasos sanguíneos obstruídos, combateriam vírus e bactérias, eliminariam células cancerosas e até mesmo reverteriam processos de envelhecimento.[13] Alguns pesquisadores sérios sugerem que, por volta de 2050, alguns humanos terão se tornados amortais (não imortais, porque ainda poderiam morrer em decorrência de algum acidente, mas amortais, o que significaria que, na ausência de um trauma fatal, suas vidas poderiam ser indefinidamente estendidas).

Independentemente de o Projeto Gilgamesh vir a se concretizar ou não, de uma perspectiva histórica é fascinante ver que a maioria das religiões e ideologias do fim da era moderna já tiraram a morte e a vida após a morte da equação. Até o fim do século XVIII, a maioria das religiões concebia a morte e o que vem depois dela como fundamentais para o significado da vida. Começando no século XVIII, religiões e ideologias como o liberalismo, o socialismo e o feminismo perderam todo o interesse na vida após a morte. O que, exatamente, acontece com um comunista depois que morre? O que acontece com um capitalista? O que acontece com uma feminista? Não faz sentido procurar a resposta nos escritos de Marx, Adam Smith ou Simone de Beauvoir. A única ideologia moderna que ainda reserva um papel central à morte é o nacionalismo. Em seus momentos mais poéticos e desesperados, o nacionalismo promete que os que morrerem pela nação viverão para sempre na memória coletiva. Mas essa promessa é tão difusa que nem mesmo os mais nacionalistas sabem o que pensar dela.

Os padrinhos da ciência

Estamos vivendo em uma era técnica. Muitas pessoas estão convencidas de que a ciência e a tecnologia encerram as respostas para todas as nossas perguntas. Nós apenas deveríamos deixar os cientistas e técnicos prosseguirem com seu trabalho, e eles criarão o céu aqui na terra.

Mas a ciência não é algo que acontece em algum plano moral ou espiritual superior, acima do restante das atividades humanas. Como todas as outras partes da nossa cultura, é definida por interesses econômicos, políticos e religiosos.

A ciência é uma atividade muito cara. Um biólogo que procura entender o sistema imunológico humano necessita de laboratórios, tubos de ensaio, substâncias químicas e microscópios eletrônicos, sem falar de assistentes de laboratório, eletricistas, encanadores e faxineiros. Um economista que pretende criar modelos de mercados de crédito precisa comprar computadores, configurar bancos de dados gigantes e desenvolver programas complexos de processamento de dados. Um arqueólogo que deseja entender o comportamento dos caçadores-coletores antigos precisa viajar a terras distantes, escavar ruinas antigas e datar artefatos e ossos fossilizados. Tudo isso custa dinheiro.

Ao longo dos últimos 500 anos, a ciência moderna alcançou maravilhas graças, em grande parte, à disposição de governos, negócios, fundações e doadores privados para destinar bilhões de dólares à pesquisa científica. Esses bilhões fizeram muito mais do que representar o universo, mapear o planeta e catalogar o reino animal do que Galileu Galilei, Cristóvão Colombo e Charles Darwin. Se esses gênios em particular nunca tivessem nascido, provavelmente outros teriam tido as mesmas ideias que eles. Mas se o financiamento adequado não estivesse disponível, nenhum brilhantismo intelectual poderia compensar isso. Se Darwin nunca tivesse nascido, por exemplo, hoje atribuiríamos a teoria da evolução a Alfred Russel Wallace, que propôs a ideia de evolução via seleção natural independentemente de Darwin poucos anos depois. Mas se as potências europeias não tivessem financiado pesquisas geográficas, zoológicas e botânicas em todo o mundo, nem Darwin nem Wallace teriam tido acesso aos dados empíricos necessários para desenvolver a teoria da evolução. É provável que não tivessem sequer tentado.

Por que bilhões começaram a fluir dos cofres do governo e dos negócios para os laboratórios e as universidades? Nos círculos acadêmicos, muitos são ingênuos o bastante para acreditar na ciência pura. Acreditam que, em uma atitude altruísta, os governos e os negócios lhes dão dinheiro para que eles se dediquem aos projetos de pesquisa que desejarem. Mas isso está longe de descrever a realidade do financiamento científico.

A maioria dos estudos científicos são financiados porque alguém acredita que eles podem ajudar a alcançar algum objetivo político, econômico ou religioso. Por exemplo, no século XVI, os reis e os banqueiros destinaram muitíssimos recursos para financiar expedições geográficas pelo mundo, mas nem um centavo para estudar a psicologia infantil. Isso porque os reis e os banqueiros supunham que a descoberta de novos conhecimentos geográficos lhes permitiria conquistar novas terras e construir impérios comerciais, ao passo que não conseguiam ver nenhuma vantagem em entender a psicologia infantil.

Nos anos 1940, os governos dos Estados Unidos e da União Soviética destinaram recursos consideráveis ao estudo da física nuclear em vez de à arqueologia subaquática. Eles supuseram que estudar física nuclear lhes permitiria desenvolver novas armas nucleares, ao passo que a arqueologia subaquática dificilmente ajudaria a vencer guerras. Os próprios cientistas nem sempre estão cientes dos interesses políticos, econômicos e religiosos que controlam o fluxo do dinheiro; muitos deles na verdade agem por pura curiosidade intelectual. No entanto, muito raramente são os cientistas que determinam a agenda científica.

Mesmo que quiséssemos financiar ciência pura, não afetada por interesses políticos, econômicos ou religiosos, provavelmente seria impossível. Afinal, nossos recursos são limitados. Peça a um congressista dos Estados Unidos para destinar 1 milhão de dólares adicional à Fundação Nacional da Ciência de seu país a fim de financiar pesquisas elementares, e ele, compreensivelmente, perguntará se o dinheiro não seria mais bem utilizado para financiar a capacitação de professores ou para conceder uma necessária isenção de impostos a uma fábrica em seu distrito que vem enfrentando dificuldades. Para destinar recursos limitados, precisamos responder perguntas do tipo "O que é mais importante?" e "O que é bom?". E essas não são perguntas científicas. A ciência pode explicar o que existe no mundo, como as coisas funcionam e o que poderia haver no futuro. Por definição, não tem pretensões de saber o que *deveria* haver no futuro. Somente as religiões e as ideologias procuram responder a essas perguntas.

Considere o seguinte dilema: dois biólogos do mesmo departamento, tendo as mesmas habilidades profissionais, se candidataram a uma bolsa de 1 milhão de dólares para financiar seus projetos de pesquisa atuais. O professor Slughorn quer estudar uma doença que infecta os úberes de vacas, causando uma redução de 10% em sua produção de leite. A professora Sprout quer estudar se as vacas sofrem mentalmente quando são separadas dos bezerros. Presumindo que a quantidade de dinheiro é limitada e que é impossível financiar ambos os projetos de pesquisa, qual dos dois deve ser financiado?

Não há uma resposta científica para essa pergunta. Há apenas respostas políticas, econômicas e religiosas. No mundo de hoje, é óbvio que Slughorn tem maior chance de obter o dinheiro. Não porque as doenças do úbere sejam cientificamente mais interessantes do que a mentalidade bovina, mas porque a indústria leiteira, que está em posição de se beneficiar da pesquisa, tem mais influência política e econômica do que os defensores dos direitos dos animais.

Talvez em uma sociedade hindu estrita, onde as vacas são sagradas, ou em uma sociedade comprometida com os direitos dos animais, a professora Sprout tivesse mais chance. Mas, enquanto viver em uma sociedade que valorize mais o potencial comercial do leite e a saúde de seus cidadãos humanos do que os sentimentos das vacas, faria melhor em redigir sua proposta de pesquisa de modo a torná-la atrativa para tais pressupostos. Por exemplo, ela poderia escrever: "A depressão leva a uma diminuição na produção de leite. Se compreendermos o mundo mental das vacas leiteiras, poderemos desenvolver medicamentos psiquiátricos que melhorarão seu humor, aumentando em até 10% sua produção de leite. Estimo que haja um mercado global anual de 250 milhões de dólares para medicamentos psiquiátricos bovinos".

A ciência é incapaz de estabelecer suas próprias prioridades. Também é incapaz de determinar o que fazer com suas descobertas. Por exemplo, de uma perspectiva puramente científica, não está claro o que devemos fazer com nossa compreensão cada vez maior da genética. Devemos usar esse conhecimento para curar o câncer, para criar uma raça de super-homens geneticamente modificados ou para criar vacas leiteiras com úberes extragrandes? É óbvio que um governo liberal, um governo comunista, um governo nazista e uma corporação capitalista usariam a mesma descoberta científica com objetivos completamente diferentes, e não há nenhuma razão *científica* para preferir um uso em detrimento de outro.

Em suma, a pesquisa científica só pode florescer se aliada a alguma religião ou ideologia. A ideologia justifica os custos da pesquisa. Em troca, a ideologia influencia a agenda científica e determina o que fazer com as descobertas. Daí decorre que para compreender como a humanidade chegou a Alamogordo e à Lua – e não a uma série de destinos alternativos – não é suficiente fazer um levantamento das conquistas de físicos, biólogos e sociólogos. Precisamos levar em consideração as forças ideológicas, políticas e econômicas que definem a física, a biologia e a sociologia, empurrando-as em certas direções e negligenciando outras.

Duas forças em particular merecem nossa atenção: o imperialismo e o capitalismo. O ciclo de retroalimentação entre ciência, império e capital provavelmente foi o principal motor da história nos últimos 500 anos. Os capítulos a seguir analisam seu funcionamento. Primeiro examinaremos como as turbinas gêmeas da ciência e do império foram unidas uma à outra e então estudaremos como ambas foram acopladas à máquina de dinheiro do capitalismo.

15

O casamento entre ciência e império

Qual a distância entre o Sol e a Terra? Essa é uma pergunta que intrigou muitos astrônomos no início da era moderna, em particular depois que Copérnico afirmou que o Sol, e não a Terra, é o centro do universo. Uma série de astrônomos e matemáticos tentaram calcular a distância, mas seus métodos deram resultados muitíssimo variados. Finalmente, em meados do século XVIII, alguém propôs um meio confiável de fazer a medição. A cada poucos anos, o planeta Vênus passa diretamente entre o Sol e a Terra. A duração do trânsito difere quando visto de pontos distantes da superfície da Terra, devido à diferença minúscula no ângulo em que o observador se encontra. Se várias observações do mesmo trânsito fossem feitas de diferentes continentes, a trigonometria simples seria tudo que necessitaríamos para calcular a distância exata entre a Terra e o Sol.

Os astrônomos previram que os próximos trânsitos de Vênus ocorreriam em 1761 e 1769. Então, expedições foram enviadas da Europa aos quatro cantos do mundo a fim de observar o trânsito de tantos pontos distantes quanto possível. Em 1761, os cientistas observaram o trânsito da Sibéria, da América do Norte, de Madagascar e da África do Sul. Quando o trânsito de 1769 se aproximava, a comunidade científica europeia fez um esforço ainda maior e enviou cientistas para o norte do Canadá e a Califórnia (que, na época, era uma região de natureza selvagem). A Sociedade Real de Londres para o Progresso do Conhecimento Natural concluiu que isso não era suficiente. Para obter os resultados mais precisos, era necessário enviar um astrônomo ao sudoeste do oceano Pacífico.

A Sociedade Real resolveu enviar um astrônomo eminente, Charles Green, para o Taiti e não poupou esforços nem dinheiro. Mas, tendo em vista que estava financiando uma expedição tão cara, não fazia muito sentido usá-la para apenas uma única observação astronômica. Por isso, Green foi acompanhado de uma equipe de outros oito cientistas de várias disciplinas, liderados pelos botânicos Joseph Banks e Daniel Solander. A equipe também incluía artistas incumbidos de produzir desenhos das novas terras, plantas, animais e pessoas que os cientistas certamente encontrariam. Equipada com os instrumentos científicos mais avançados que Banks e a Sociedade Real puderam comprar, a expedição foi entregue ao comando do capitão James Cook, um marinheiro experiente, além de geógrafo e etnógrafo tarimbado.

A expedição partiu da Inglaterra em 1768, observou o trânsito de Vênus do Taiti em 1769, fez o reconhecimento de várias ilhas do Pacífico, visitou a Austrália e a Nova Zelândia e regressou à Inglaterra em 1771. Trouxe de volta uma enorme quantidade de dados astronômicos, geográficos, meteorológicos, botânicos, zoológicos e antropológicos. Suas descobertas fizeram importantes contribuições para uma série de disciplinas, instigaram a imaginação dos europeus com histórias impressionantes do Pacífico Sul e inspiraram futuras gerações de naturalistas e astrônomos.

Um dos campos que se beneficiaram da expedição de Cook foi a medicina. Na época, os navios que partiam para terras distantes sabiam que mais da metade dos membros de sua tripulação morreria durante a viagem. O adversário não eram nativos furiosos, navios inimigos ou saudades da terra natal, e sim uma enfermidade misteriosa chamada escorbuto. Os homens acometidos pela doença ficavam letárgicos e deprimidos, e suas gengivas e outros tecidos moles sangravam. À medida que a doença avançava, seus dentes caíam, surgiam feridas abertas, e eles ficavam febris, amarelados e perdiam o controle dos membros. Estima-se que, entre os séculos XVI e XVIII, o escorbuto tenha cobrado a vida de 2 milhões de marinheiros. Ninguém sabia o que o causava e, por mais que se experimentassem vários medicamentos, os marinheiros continuavam morrendo às dezenas. A situação mudou em 1747, quando um médico britânico, James Lind, realizou um experimento controlado em marinheiros que sofriam da doença. Ele os separou em vários grupos e deu a cada grupo um tratamento diferente. Um dos grupos de teste foi instruído a ingerir frutas cítricas, um remédio popular contra o escorbuto. Os pacientes nesse grupo se recuperaram rapidamente. Lind não sabia o que as frutas cítricas continham que faltava nos corpos dos marinheiros, mas hoje sabemos que é vitamina C. Na época, a dieta típica de um navio era notadamente pobre em alimentos que são ricos nesse nutriente essencial. Em viagens longas, os marinheiros geralmente subsistiam à base de biscoitos e carne seca e quase não comiam frutas e legumes.

A Marinha Real não se convenceu com os experimentos de Lind, mas James Cook, sim. Ele resolveu provar que o médico estava certo. Carregou o barco com uma grande quantidade de chucrute e ordenou que seus marinheiros comessem frutas e legumes frescos em abundância sempre que a expedição parasse em terra firme. Cook não perdeu um único marinheiro vítima de escorbuto. Nas décadas seguintes, as marinhas do mundo inteiro adotaram a dieta náutica de Cook, e a vida de inúmeros marinheiros e passageiros foi poupada.[1]

No entanto, a expedição de Cook teve outro resultado, muito menos benigno. Cook era não só um marinheiro e geógrafo experiente como também um oficial da marinha. A Sociedade Real financiou grande parte das despesas da expedição, mas o navio propriamente dito foi fornecido pela Marinha Real. A marinha também disponibilizou 85 navegantes e marinheiros bem armados e equipou o navio com artilharia, mosquetes, pólvora e outros armamentos. Grande parte das informações coletadas pela expedição – em particular, os dados astronômicos, geográficos, meteorológicos e antropológicos – tinha um claro valor político e militar. A descoberta de um tratamento eficaz para o escorbuto contribuiu enormemente para o controle britânico dos oceanos e sua capacidade de enviar exércitos para o outro lado do mundo. Cook reivindicou para a Grã-Bretanha muitas das ilhas e terras que ele "descobriu", mais notadamente a Austrália. E sua expedição assentou as bases para a ocupação britânica no sudoeste do oceano Pacífico, para a conquista da Austrália, da Tasmânia e da Nova Zelândia, para o assentamento de milhões de europeus nas novas colônias e para a exterminação de suas culturas nativas e da maior parte de suas populações nativas.[2]

No século que se seguiu à expedição de Cook, as terras mais férteis da Austrália e da Nova Zelândia foram tomadas de seus antigos habitantes pelos colonizadores europeus. A população nativa foi reduzida em 90%, e os sobreviventes foram submetidos a um regime cruel de opressão racial. Para os aborígenes da Austrália e os maoris da Nova Zelândia, a expedição de Cook foi o começo de uma catástrofe da qual jamais se recuperaram.

Um destino ainda pior acometeu os nativos da Tasmânia. Tendo sobrevivido por 10 mil anos em total isolamento, eles foram completamente exterminados, até o último homem, mulher e criança, um século após a chegada de Cook. Primeiro os colonizadores europeus os expulsaram das partes mais ricas da ilha e depois, cobiçando até mesmo as terras inóspitas que sobraram, os perseguiram e mataram sistematicamente. Os poucos sobreviventes foram acossados para um campo de concentração evangélico, onde missionários bem-intencionados, mas não exatamente tolerantes, tentaram doutriná-los nos costumes do mundo moderno. Os tasmanianos foram instruídos na leitura e na escrita, no cristianismo e em várias "habilidades produtivas", como costurar roupas e trabalhar na lavoura. Mas eles se recusavam a aprender. Foram se tornando cada vez mais melancólicos, deixavam de ter filhos, perdiam todo o interesse pela vida e acabavam por escolher a única forma de escapar do mundo moderno da ciência e do progresso: a morte.

Infelizmente, a ciência e o progresso os perseguiram até mesmo após a morte. Em nome da ciência, antropólogos e curadores se apropriaram dos cadáveres dos últimos tasmanianos, os quais foram dissecados, pesados e medidos, e analisados em artigos especializados. Seus cérebros e esqueletos foram expostos em museus e em coleções antropológicas. Foi só em 1976 que o Museu da Tasmânia permitiu o enterro do esqueleto de Truganini, o último tasmaniano nativo, morto cem anos antes. O Colégio Real de Cirurgiões da Inglaterra manteve amostras de sua pele e de seu cabelo até 2002.

O navio de Cook foi uma expedição científica protegida por uma força militar ou uma expedição militar acompanhada por alguns cientistas? Isso é como perguntar se o copo está meio cheio ou meio vazio. A resposta é: ambos. A Revolução Científica e o imperialismo moderno foram inseparáveis. Pessoas como o capitão James Cook e o botânico Joseph Banks dificilmente conseguiriam distinguir a ciência do império. E o desafortunado Truganini também não.

Por que a Europa?

O fato de que pessoas de uma grande ilha no Atlântico Norte conquistaram uma grande ilha no sul da Austrália é um dos acontecimentos mais estranhos da história. Não muito antes da expedição de Cook, as Ilhas Britânicas e a Europa Ocidental de modo geral não passavam de uma região afastada do mundo mediterrâneo. Pouca coisa de importante havia acontecido ali. Até mesmo o Império Romano – o único império pré-moderno importante – obteve a maior parte de sua riqueza de suas províncias na África do Norte, nos Bálcãs e no Oriente Médio. As províncias romanas na Europa Ocidental eram um pobre Velho Oeste, que contribuiu com pouca coisa além de minerais e escravos. O norte da Europa era tão desolado e bárbaro que nem sequer valia a pena conquistá-lo.

Foi só no fim do século XV que a Europa se tornou uma incubadora de importantes avanços militares, políticos, econômicos e culturais. Entre 1500 e 1750, a Europa Ocidental ganhou ímpeto e se tornou senhora do "Mundo Exterior", ou seja, dos dois continentes americanos e dos oceanos. Mas mesmo então a Europa não era páreo para as grandes potências da Ásia. Os europeus conseguiram conquistar a América e obter a supremacia no mar principalmente porque as potências asiáticas mostraram pouco interesse por eles. O início da era moderna foi uma época de ouro para o Império Otomano no Mediterrâneo, o Império Safávida na Pérsia, o Império Mogol na Índia e as dinastias Ming e Qing na China. Esses impérios expandiram consideravelmente seus territórios e desfrutaram de um crescimento econômico e demográfico sem precedentes. Em 1775, a Ásia era responsável por 80% da economia mundial. A economia combinada da Índia e da China representava dois terços da produção global. Em comparação, a Europa era um anão econômico.[3]

O centro de poder global só passou para a Europa entre 1750 e 1850, quando os europeus humilharam as potências asiáticas em uma série de guerras e conquistaram grandes partes da Ásia. Em 1900, os europeus controlavam firmemente a economia mundial e a maior parte de seu território. Em 1950, a Europa Ocidental e os Estados Unidos, juntos, eram responsáveis por mais da metade da produção global, ao passo que a porção da China havia sido reduzida a 5%.[4] Sob a égide europeia, surgiram uma nova ordem global e uma nova cultura global. Hoje todos os humanos são, muito mais do que em geral estão dispostos a admitir, europeus em suas vestimentas, ideias e gostos. Podem ser ferrenhos opositores dos europeus em sua retórica, mas quase todos no planeta veem a política, a medicina, a guerra e a economia da perspectiva dos europeus e escutam músicas compostas em estilos europeus com palavras em idiomas europeus. Até mesmo a próspera economia chinesa de hoje, que possivelmente logo reconquistará a primazia global, é edificada sobre um modelo europeu de produção e financiamento.

Como as pessoas dessa península gelada da Eurásia conseguiram sair de seu canto remoto do globo e conquistar o mundo inteiro? Com frequência, grande parte do crédito vai para os cientistas da Europa. É inquestionável que de 1850 em diante a dominação europeia se apoiou, em grande medida, no complexo militar-industrial-científico e na magia tecnológica. Todos os impérios prósperos do fim da era moderna cultivaram a pesquisa científica na esperança de colher inovações tecnológicas, e muitos cientistas passaram a maior parte do tempo trabalhando em armamentos, medicamentos e máquinas para seus senhores imperiais. Um ditado comum entre os soldados europeus enfrentando inimigos africanos era "Venha o que vier, nós temos metralhadoras; eles não". As tecnologias civis eram não menos importantes. Comida enlatada alimentava soldados, ferrovias e navios a vapor transportavam soldados e suas provisões, ao passo que um novo arsenal de medicamentos curava soldados, marinheiros e engenheiros de locomotivas. Esses avanços logísticos exerceram um papel muito mais importante na conquista europeia da África do que as metralhadoras.

Mas não era assim antes de 1850. O complexo militar-industrial-científico ainda estava em sua infância; os frutos tecnológicos da Revolução Científica estavam verdes; e a brecha tecnológica entre as potências europeias, asiáticas e africanas era pequena. Em 1770, James Cook certamente tinha uma tecnologia muito melhor do que os aborígenes australianos, mas os chineses e os otomanos também. Sendo assim, por que a Austrália foi explorada e colonizada pelo capitão James Cook, e não pelo capitão Wan Zhengse ou pelo capitão Hussein Pasha? E, o que é mais importante, se em 1770 os europeus não tinham qualquer vantagem tecnológica significativa sobre muçulmanos, indianos e chineses, como eles conseguiram, no século seguinte, abrir tamanha brecha entre si mesmos e o resto do mundo?

Por que o complexo militar-industrial-científico floresceu na Europa, e não na Índia? Quando a Grã-Bretanha saiu na frente, por que a França, a Alemanha e os Estados Unidos logo seguiram seus passos, enquanto a China ficou para trás? Quando a distância entre as nações industriais e não industriais se tornou um fator político e econômico óbvio, por que a Rússia, a Itália e a Áustria conseguiram superá-la, enquanto a Pérsia, o Egito e o Império Otomano não? Afinal, a tecnologia da primeira onda industrial era relativamente simples. Era assim tão difícil para os chineses ou os otomanos projetar motores a vapor, fabricar metralhadoras e construir ferrovias?

A primeira ferrovia comercial do mundo foi inaugurada em 1830, na Grã-Bretanha. Em 1850, as nações ocidentais eram atravessadas por quase 40 mil quilômetros de ferrovias – mas em toda a Ásia, África e América Latina havia apenas 4 mil quilômetros de trilhos. Em 1880, o Ocidente ostentava mais de 350 mil quilômetros de ferrovias, enquanto no resto do mundo havia apenas 35 mil quilômetros de linhas de trem (e a maioria delas foi construída pelos britânicos na Índia).[5] A primeira ferrovia na China só foi inaugurada em 1876. Tinha 25 quilômetros de extensão e foi construída por europeus – o governo chinês a destruiu no ano seguinte. Em 1880, o Império Chinês não operava uma única ferrovia. A primeira ferrovia na Pérsia só foi construída em 1888 e conectava Teerã a um lugar sagrado muçulmano cerca de dez quilômetros ao sul da capital. Foi construída e operada por uma empresa belga. Em 1950, a malha ferroviária total da Pérsia ainda totalizava meros 2,5 mil quilômetros, em um país com sete vezes o tamanho da Grã-Bretanha.[6]

Os chineses e os persas não careciam de invenções tecnológicas como os motores a vapor (que podiam ser comprados ou copiados livremente). Eles careciam dos valores, dos mitos, do aparato jurídico e das estruturas sociopolíticas que levaram séculos para se formar e amadurecer no Ocidente e que não podiam ser copiadas e internalizadas rapidamente. A França e os Estados Unidos logo seguiram os passos da Grã-Bretanha porque os franceses e os norte-americanos já partilhavam das estruturas sociais e dos mitos britânicos mais importantes. Os chineses e os persas não conseguiram acompanhar tão depressa porque pensavam e organizavam suas sociedades de maneira diferente.

Essa explicação lança nova luz sobre o período de 1500 a 1850. Durante essa época, a Europa não desfrutou de nenhuma vantagem tecnológica, política, militar ou econômica óbvia sobre as potências asiáticas, mas o continente desenvolveu um potencial único, cuja importância se tornou clara subitamente por volta de 1850. A aparente igualdade entre a Europa, a China e o mundo muçulmano em 1770 era uma miragem. Imagine dois construtores, cada um deles ocupado construindo torres muito altas. Um construtor usa madeira e tijolos de barro, ao passo que o outro usa aço e concreto. No início, parece que não há grande diferença entre os dois métodos, já que ambas as torres crescem a um ritmo similar e atingem uma altura semelhante. No entanto, assim que um limiar crítico é ultrapassado, a torre de barro e madeira não consegue aguentar a pressão e desaba, enquanto a torre de aço e concreto cresce andar por andar, até onde a vista alcança.

Que potencial a Europa desenvolveu no início da era moderna que lhe permitiu dominar o mundo no fim dessa era? Há duas respostas complementares para essa pergunta: a ciência moderna e o capitalismo. Os europeus estavam acostumados a pensar e se comportar de maneira científica e capitalista muito antes de desfrutarem alguma vantagem tecnológica. Quando a bonança tecnológica começou, eles puderam aproveitá-la muito melhor do que todos os demais. Então, dificilmente é uma coincidência que a ciência e o capitalismo formem o legado mais importante que o imperialismo europeu deixou para o mundo pós-europeu do século XXI. A Europa e os europeus já não dominam o mundo, mas a ciência e o capital estão cada vez mais fortes. As vitórias do capitalismo são examinadas no capítulo seguinte. Este capítulo é dedicado à história de amor entre o imperialismo europeu e a ciência moderna.

A mentalidade da conquista

A ciência moderna floresceu graças aos impérios europeus. Tem, certamente, uma grande dívida para com tradições científicas antigas, como as da Grécia clássica, da China, da Índia e do Islã, mas sua característica singular só começou a tomar forma no início da era moderna, de mãos dadas com a expansão imperial da Espanha, Portugal, Grã-Bretanha, França, Rússia e Holanda. Durante o início do período moderno, chineses, indianos, muçulmanos, polinésios e indígenas americanos continuaram a fazer importantes contribuições à Revolução Científica. As ideias de economistas muçulmanos foram estudadas por Adam Smith e Karl Marx, tratamentos usados pela primeira vez por indígenas americanos foram parar em textos médicos britânicos e dados extraídos de informantes polinésios revolucionaram a antropologia ocidental. Mas até meados do século XX as pessoas que reuniram essas várias descobertas científicas, criando disciplinas científicas, eram as elites governantes e intelectuais dos impérios globais europeus. O Extremo Oriente e o mundo islâmico produziram mentes tão inteligentes e curiosas quanto as da Europa. No entanto, entre 1500 e 1950 eles não produziram nada que chegasse perto da física newtoniana ou da biologia darwiniana.

Isso não significa que os europeus têm um gene inigualável para a ciência, ou que dominarão para sempre o estudo da física e da biologia. Assim como o islamismo começou como um monopólio árabe, mas posteriormente foi adotado por turcos e persas, a ciência moderna também começou como uma especialidade europeia, mas hoje está se tornando uma iniciativa multiétnica.

O que forjou o vínculo histórico entre a ciência moderna e o imperialismo europeu? A tecnologia foi um fator importante nos séculos XIX e XX, mas no início da era moderna sua importância era limitada. O fator fundamental foi que o botânico à procura de plantas e o oficial da marinha à procura de colônias tinham uma mentalidade similar. Ambos, cientista e conquistador, começaram admitindo sua ignorância – ambos disseram: "Eu não sei o que existe lá". Ambos se sentiram compelidos a sair e fazer novas descobertas. E ambos esperaram que o novo conhecimento assim adquirido os tornasse senhores do mundo.

O imperialismo europeu foi totalmente diferente de todos os outros projetos imperiais na história. Antes disso, os que buscavam construir um império tendiam a presumir que já entendiam o mundo. A conquista só utilizava e disseminava *sua* visão do mundo. Os árabes, para citar um exemplo, não conquistaram o Egito, a Espanha ou a Índia a fim de descobrir algo que não soubessem. Os romanos, mongóis e astecas conquistaram vorazmente novas terras em busca de poder e riqueza – não de conhecimento. Já os imperialistas europeus partiam para terras distantes na esperança de obter novos conhecimentos junto com novos territórios.

James Cook não foi o primeiro explorador a pensar dessa maneira. Os viajantes portugueses e espanhóis dos séculos XV e XVI já pensavam assim. O príncipe Henrique, o Navegador, e Vasco da Gama exploraram a costa da África e, ao fazê-lo, assumiram o controle de ilhas e portos.

Cristóvão Colombo "descobriu" a América e imediatamente reivindicou para os reis da Espanha a soberania sobre as novas terras. Fernando de Magalhães conseguiu dar a volta ao mundo e, ao mesmo tempo, assentou as bases para a conquista espanhola das Filipinas.

Com o passar do tempo, a conquista de conhecimento e a conquista de território se tornaram cada vez mais interligadas. Nos séculos XVIII e XIX, praticamente toda expedição militar importante que partia da Europa rumo a terras distantes levava a bordo cientistas incumbidos não de lutar, e sim de fazer descobertas científicas. Quando Napoleão invadiu o Egito em 1798, levou consigo 165 estudiosos. Entre outras coisas, eles fundaram uma disciplina totalmente nova, a egiptologia, e fizeram importantes contribuições para o estudo de religião, linguística e botânica.

Em 1831, a Marinha Real enviou o navio *HMS Beagle* para mapear a costa da América do Sul, das Ilhas Malvinas e das Ilhas Galápagos. A marinha precisava desse conhecimento para fortalecer o jugo imperial sobre a América do Sul. O capitão do navio, que era um cientista amador, decidiu incluir um geólogo na expedição para estudar formações geológicas que poderiam encontrar no caminho. Depois que vários geólogos profissionais recusaram seu convite, o capitão ofereceu o posto a um jovem de 22 anos formado em Cambridge, Charles Darwin. Darwin havia estudado para ser pastor anglicano, mas estava muito mais interessado em geologia e ciências naturais do que na Bíblia. Darwin agarrou a oportunidade, e o resto é história. Durante a viagem, o capitão passou o tempo desenhando mapas militares, enquanto Darwin coletou os dados empíricos e formulou as ideias que se tornariam a teoria da evolução.

Em 20 de julho de 1969, Neil Armstrong e Buzz Aldrin aterrissaram na superfície da Lua. Nos meses que antecederam sua expedição, os astronautas da *Apollo 11* treinaram em um deserto remoto similar ao da Lua, no oeste dos Estados Unidos. A área é o lar de várias comunidades indígenas, e existe uma história – ou lenda – descrevendo um encontro entre os astronautas e um dos habitantes locais.

Um dia, enquanto estavam treinando, os astronautas se depararam com um velho índio. O homem lhes perguntou o que eles estavam fazendo lá. Eles responderam que eram parte de uma expedição de pesquisa que em breve viajaria para explorar a Lua. Quando o velho escutou isso, ficou em silêncio por alguns instantes e então perguntou aos astronautas se eles poderiam lhe fazer um favor.

– O que você quer? – eles perguntaram.

– Bem – disse o velho –, as pessoas da minha tribo acreditam que a Lua é habitada por espíritos sagrados. Eu estava pensando se vocês poderiam transmitir a eles uma mensagem importante do meu povo.

– Qual é a mensagem? – perguntaram os astronautas.

O homem proferiu algo em sua língua tribal e então pediu que os astronautas repetissem de novo e de novo, até memorizarem corretamente.

– O que significa? – os astronautas perguntaram.

– Ah, não posso lhes dizer. É um segredo que só a nossa tribo e os espíritos da Lua podem saber.

Quando voltaram à base, os astronautas procuraram e procuraram até que encontraram alguém que sabia falar a língua tribal e lhe pediram para traduzir a mensagem secreta. Quando repetiram o que haviam memorizado, o tradutor começou a gargalhar. Quando se acalmou, os astronautas perguntaram o que significava. O homem explicou que a frase que eles memorizaram com tanto cuidado queria dizer: "Não acredite em uma única palavra do que essas pessoas estão lhe dizendo. Eles vieram roubar suas terras".

Mapas vazios

A mentalidade moderna de "exploração e conquista" é belamente ilustrada pelo desenvolvimento de mapas-múndi. Muitas culturas desenharam mapas-múndi bem antes da era moderna. É claro que nenhuma delas conhecia realmente o mundo inteiro. Nenhuma cultura africana ou asiática sabia da América, e nenhuma cultura americana sabia da África ou da Ásia. Mas áreas desconhecidas eram simplesmente deixadas de fora, ou preenchidas com maravilhas e monstros imaginários. Esses mapas não tinham espaços vazios. Davam a impressão de uma familiaridade com o mundo inteiro.

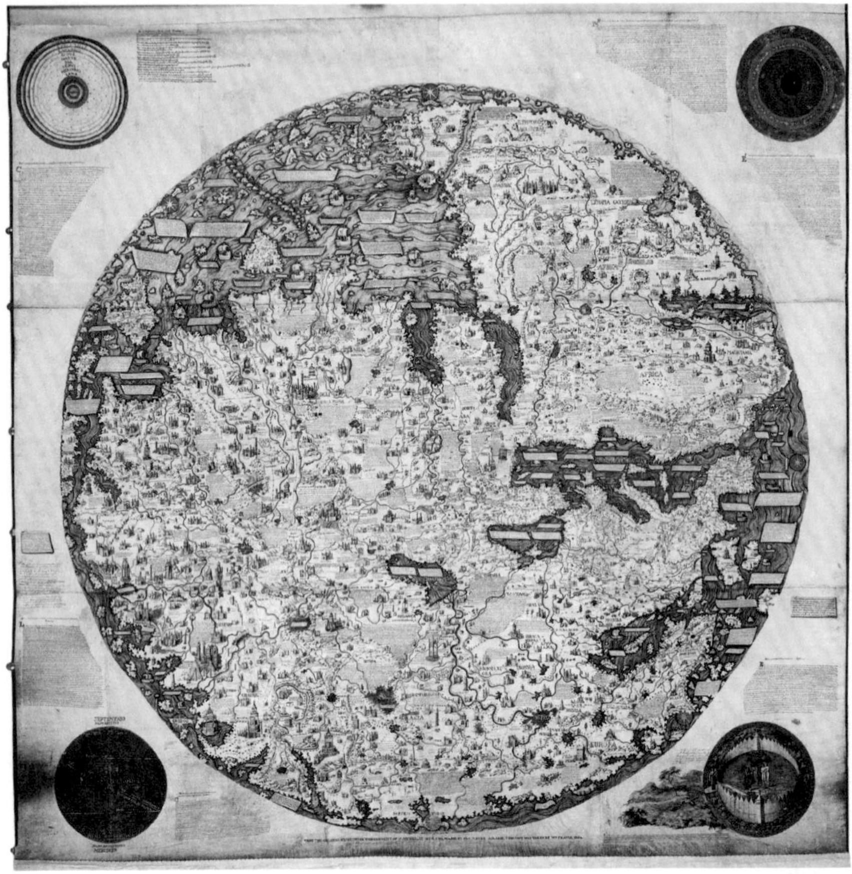

23. Um mapa-múndi europeu de 1459. A Europa se encontra abaixo, à esquerda. O mapa é cheio de detalhes, mesmo ao representar partes do mundo que eram totalmente desconhecidas dos europeus, como a porção sul da África.

Durante os séculos XV e XVI, os europeus começaram a desenhar mapas-múndi com vários espaços vazios – um indício do desenvolvimento de uma mentalidade científica, como também do ímpeto imperial europeu. Os mapas vazios foram um avanço psicológico e ideológico, uma clara admissão de que os europeus ignoravam grandes partes do mundo.

O ponto de virada crucial ocorreu em 1492, quando Cristóvão Colombo navegou da Espanha rumo ao oeste, procurando uma nova rota para chegar ao leste da Ásia. Colombo ainda acreditava nos mapas-múndi "completos". Usando-os, Colombo calculou que o Japão devia estar situado cerca de 7 mil quilômetros a oeste da Espanha. Na verdade, mais de 20 mil quilômetros e todo um continente desconhecido separam o leste da Ásia da Espanha. Em 12 de outubro de 1492, por volta das duas horas da manhã, a expedição de Colombo colidiu com o continente desconhecido. Juan Rodriguez Bermejo, observando do mastro de sua embarcação, Pinta, avistou uma ilha no que hoje chamamos de Bahamas e gritou: "Terra à vista! Terra à vista!".

Colombo acreditou que havia chegado a uma pequena ilha na costa leste da Ásia. Ele chamou as pessoas que encontrou de "índios" porque pensou que havia chegado às Índias – que hoje chamamos de Índias Orientais, ou arquipélago indonésio. Colombo alimentou esse erro pelo resto da vida. A ideia de que havia descoberto um continente completamente desconhecido era inconcebível para ele e para muitos da sua geração. Durante milhares de anos, não só os maiores pensadores e estudiosos como também as infalíveis Escrituras só tinham conhecimento da Europa, da África e da Ásia. Era possível que todos tivessem errado? A Bíblia pode ter ignorado metade do mundo? Seria como se, em 1969, a caminho da Lua, a *Apolo 11* tivesse se chocado com um satélite até então desconhecido circundando a Terra, que todas as observações anteriores de algum modo foram incapazes de avistar. Em sua recusa em admitir ignorância, Colombo ainda era um homem medieval. Ele estava convencido de que conhecia o mundo inteiro, e nem mesmo sua descoberta grandiosa foi capaz de convencê-lo do contrário.

O primeiro homem moderno foi Américo Vespúcio, um marinheiro italiano que participou de várias expedições à América de 1499 a 1504. Entre 1502 e 1504, dois textos descrevendo essas expedições foram publicados na Europa. Eles foram atribuídos a Vespúcio. Os textos afirmavam que as novas terras descobertas por Colombo não eram ilhas na costa leste da Ásia, e sim um continente inteiro desconhecido pelas Escrituras, pelos geógrafos clássicos e pelos europeus da época. Em 1507, convencido por esses argumentos, um respeitado cartógrafo chamado Martin Waldseemüller publicou um mapa-múndi atualizado, o primeiro a mostrar o lugar onde haviam chegado as frotas que partiram da Europa rumo a Oeste como um continente separado. Após desenhá-lo, Waldseemüller precisou batizá-lo. Acreditando erroneamente que

Américo Vespúcio foi a pessoa que o descobriu, Waldseemüller batizou o continente em sua homenagem – América. O mapa de Waldseemüller ficou muito popular e foi copiado por muitos outros cartógrafos, difundindo o nome que ele havia dado à nova terra. Há justiça poética no fato de que um quarto do mundo e dois de seus sete continentes receberam o nome de um italiano pouco conhecido cuja única razão para a fama é que ele teve a coragem de dizer "nós não sabemos".

A descoberta da América foi o acontecimento fundacional da Revolução Científica. Não apenas ensinou os europeus a preferirem observações presentes a tradições passadas, mas o desejo de conquistar a América também obrigou os europeus a buscarem novos conhecimentos o mais rápido possível. Se eles realmente quisessem controlar os vastos novos territórios, precisariam coletar uma enorme quantidade de dados sobre a geografia, o clima, a flora, a fauna, as línguas, as culturas e a história do novo continente. As Escrituras cristãs, os velhos livros de geografia e as antigas tradições orais eram de pouca ajuda.

Daí em diante, não só os geógrafos europeus como também os estudiosos europeus em quase todas as outras áreas de conhecimento começaram a desenhar mapas-múndi com espaços a serem preenchidos.

24. O mapa-múndi de Salviati, 1525. Enquanto o mapa-múndi de 1459 está cheio de continentes, ilhas e explicações detalhadas, o mapa de Salviati está praticamente vazio. O olho percorre a costa americana rumo ao sul, até que desaparece no vazio. Ao observar este mapa, qualquer pessoa minimamente curiosa é tentada a perguntar: "O que há além desse ponto?". O mapa não dá nenhuma resposta. Convida o observador a içar velas e descobrir.

Começaram a admitir que suas teorias não eram perfeitas e que havia coisas importantes que eles ainda não conheciam.

Os europeus foram atraídos para os pontos em branco no mapa como se esses fossem ímãs, e imediatamente começaram a preenchê-los. Durante os séculos XV e XVI, expedições europeias circum-navegaram a África, exploraram a América, atravessaram os oceanos Pacífico e Índico e criaram uma rede de bases e colônias no mundo inteiro. Elas estabeleceram os primeiros impérios verdadeiramente globais e teceram a primeira rede de comércio global. As expedições imperiais europeias transformaram a história do mundo: de uma série de histórias de povos e culturas isoladas, transformou-se na história de uma única sociedade humana integrada.

Essas expedições europeias de exploração e conquista são tão familiares para nós que tendemos a não perceber o quanto foram extraordinárias. Nada parecido havia acontecido antes. Campanhas de conquista de longa distância não são uma atividade natural. Ao longo da história, a maioria das sociedades humanas estava tão ocupada com conflitos locais e brigas entre vizinhos que jamais cogitou explorar e conquistar terras distantes. A maioria dos grandes impérios só estendia seu controle sobre a vizinhança imediata – só chegava a terras distantes porque a vizinhança continuava se expandindo. Assim, os romanos conquistaram a Etrúria a fim de defender Roma (*c.* 350-300 a.C.). Então conquistaram o vale do Pó a fim de defender a Etrúria (*c.* 200 a.C.). Em seguida, conquistaram Provença para defender o vale do Pó (*c.* 120 a.C.), a Gália para defender Provença (*c.* 50 a.C) e a Britânia para defender a Gália (*c.* 50). Eles levaram 400 anos para chegar de Roma a Londres. Em 350 a.C., nenhum romano teria concebido navegar diretamente à Britânia e conquistá-la.

Ocasionalmente, um governante ou aventureiro ambicioso embarcava em uma campanha de conquista de longo alcance, mas tais campanhas costumavam percorrer caminhos imperiais e comerciais conhecidos. As campanhas de Alexandre, o Grande, por exemplo, não resultaram no estabelecimento de um novo império, e sim na usurpação de um império existente – o dos persas. Os precedentes mais próximos dos impérios europeus modernos foram os antigos impérios navais de Atenas e Cartago e o império naval medieval de Majapahit, que dominou grande parte da Indonésia no século XIV. Mas até mesmo esses impérios raramente se aventuraram em mares desconhecidos – suas explorações navais eram iniciativas locais em comparação com os empreendimentos globais dos europeus modernos.

Muitos acadêmicos afirmam que as viagens do almirante Zheng He, da dinastia Ming na China, prenunciaram e eclipsaram as viagens de descoberta dos europeus. Entre 1405 e 1433, Zheng liderou sete grandes armadas da China aos rincões mais distantes do oceano Índico. A maior dessas armadas consistia de quase 300 embarcações e transportou quase 30 mil pessoas.[7] Eles visitaram a Indonésia, o Sri Lanka, a Índia, o Golfo Pérsico, o Mar Vermelho e a África Oriental. Navios chineses ancoraram em Jidá, o principal porto do Hejaz, e em Melinde, na costa queniana. A frota de Colombo de 1492 – que consistia de três embarcações pequenas com uma tripulação de 120 marinheiros – era como um trio de mosquitos se comparada com a viagem de dragões de Zheng He.[8]

Mas havia uma diferença crucial. Zheng He explorou os oceanos e auxiliou governantes pró-chineses, mas ele não tentou conquistar ou colonizar os países que visitou. Além disso, as expedições de Zheng He não estavam arraigadas na política e na cultura chinesa. Quando a facção governante em Pequim mudou durante os anos 1430, os novos soberanos encerraram abruptamente a operação. A grande frota foi desmantelada, perderam-se conhecimentos técnicos e geográficos cruciais e nenhum outro explorador de sua estatura voltou a partir de um porto chinês. Os governantes chineses nos séculos seguintes, como a maioria dos governantes chineses nos séculos anteriores, restringiram seus interesses e ambições aos arredores imediatos do Reino do Meio.

As expedições de Zheng He provam que a Europa não desfrutava de uma vantagem tecnológica excepcional. O que tornou os europeus excepcionais foi sua ambição insaciável e inigualável por explorar e conquistar. Embora talvez tivessem a habilidade necessária, os romanos nunca tentaram conquistar a Índia ou a Escandinávia, os persas nunca tentaram conquistar Madagascar ou a Espanha, e os chineses nunca tentaram conquistar a Indonésia ou a África. A maioria dos governantes chineses deixou até mesmo o vizinho Japão por sua própria conta. Não havia nada de peculiar nisso. A peculiaridade é que os europeus no início da era moderna foram tomados por uma febre que os levou a navegar para terras distantes e totalmente desconhecidas, repletas de culturas estranhas, pisar nas suas areias e imediatamente declarar: "Reivindico todos estes territórios para o meu rei!".

Invasão do espaço sideral

Por volta de 1517, os colonizadores espanhóis nas ilhas do Caribe começaram a ouvir rumores vagos sobre um império poderoso em algum lugar no centro do território mexicano. Meros quatro anos depois, a capital asteca estava praticamente em ruínas, o Império Asteca era coisa do passado, e Hernán Cortés dominava um novo e vasto império espanhol no México.

Os espanhóis não pararam para comemorar nem para tomar fôlego. Eles imediatamente deram início a operações de exploração e conquista em todas as direções. Os governantes anteriores da América Central – os astecas, os toltecas, os maias – mal sabiam que a América do Sul existia e jamais haviam feito qualquer tentativa de subjugá-la, ao longo de 2 mil anos. No entanto, em pouco mais de dez anos, Francisco Pizarro descobriu o Império Inca na América do Sul, e o subjugou em 1532.

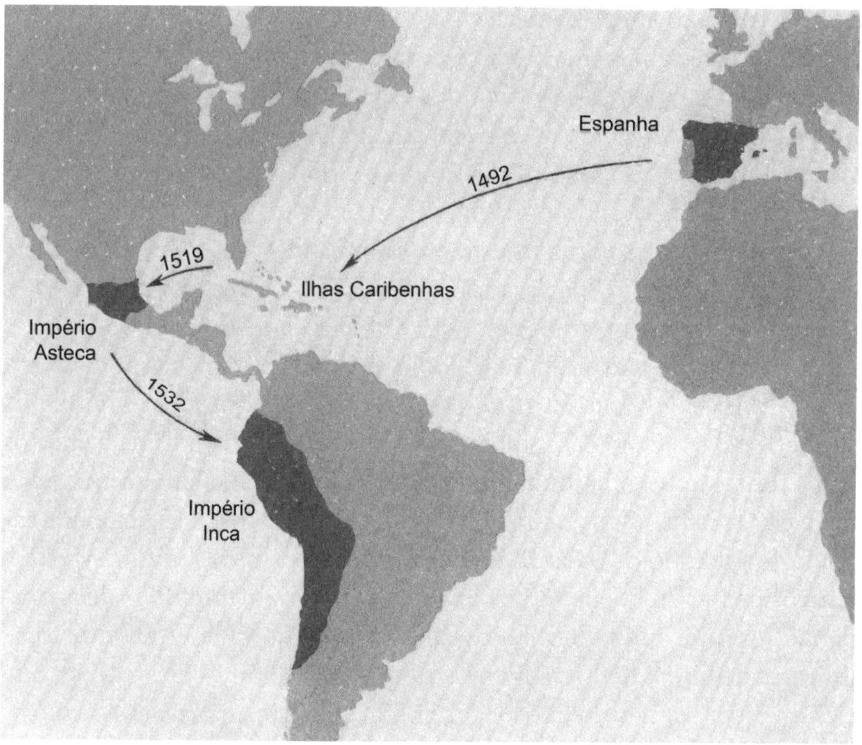

Mapa 7. Os impérios Asteca e Inca na época da conquista espanhola.

Se os astecas e os incas tivessem mostrado um pouco mais de interesse pelo mundo à sua volta – e se soubessem o que os espanhóis haviam feito com seus vizinhos –, poderiam ter resistido melhor à conquista espanhola. Nos anos que separam a primeira viagem de Colombo à América (1492) da chegada de Cortés no México (1519), os espanhóis conquistaram a maior parte das ilhas do Caribe, fundando um conjunto de novas colônias. Para os nativos subjugados, essas colônias eram o inferno na Terra. Eles eram governados com mão de ferro por colonizadores gananciosos e inescrupulosos que os escravizavam e os colocavam para trabalhar em minas e lavouras, matando qualquer um que oferecesse a menor resistência. A maior parte da população nativa morreu logo, por causa das árduas condições de trabalho ou da virulência das doenças que pegaram carona para a América nos navios dos conquistadores. Em 20 anos, quase toda a população nativa do Caribe foi exterminada. Os colonizadores espanhóis começaram a importar escravos africanos para preencher o vácuo.

Esse genocídio aconteceu bem diante do Império Asteca, mas, quando Cortés chegou à costa oriental do império, os astecas não sabiam nada a respeito. A chegada dos espanhóis foi o equivalente a uma invasão alienígena vinda do espaço sideral. Os astecas estavam convencidos de que conheciam o mundo inteiro e de que governavam a maior parte dele. Para eles, era inimaginável que fora de seu domínio pudesse existir alguma coisa como os espanhóis. Quando Cortés e seus homens aportaram nas praias ensolaradas da atual Vera Cruz, foi a primeira vez que os astecas encontraram pessoas completamente desconhecidas.

Os astecas não souberam como reagir. Tiveram dificuldade em decidir o que eram aqueles estranhos. Ao contrário de todos os humanos conhecidos, os alienígenas tinham pele branca. Também tinham muitos pelos no rosto. Alguns tinham cabelo da cor do sol. Tinham um odor terrível. (A higiene dos nativos era muito melhor que a higiene dos espanhóis. Quando os espanhóis chegaram pela primeira vez no México, nativos portando queimadores de incenso foram incumbidos de acompanhá-los onde quer que eles fossem. Os espanhóis pensaram que fosse um sinal de honra divina. Sabemos, com base em fontes dos nativos, que eles consideravam o cheiro dos recém-chegados insuportável.)

A cultura material dos forasteiros era ainda mais impressionante. Eles chegaram em embarcações gigantescas, de um tipo jamais imaginado, muito menos visto pelos astecas. Cavalgavam no dorso de animais enormes e assustadores, rápidos como o vento. Eram capazes de produzir relâmpago e trovão com espetos brilhantes de metal. Tinham espadas compridas e reluzentes e armaduras impenetráveis, contra as quais as espadas de madeira e as lanças de sílex dos nativos eram inúteis.

Alguns astecas pensaram que decerto se tratava de deuses. Outros afirmavam que eram demônios, ou o fantasma dos mortos, ou feiticeiros poderosos. Em vez de concentrar todas as forças disponíveis e exterminar os espanhóis, os astecas deliberaram, perderam tempo e negociaram. Não viram motivo para se apressar. Afinal, Cortés tinha não mais de 550 espanhóis consigo. O que 550 homens poderiam fazer a um império de milhões?

Cortés era igualmente ignorante acerca dos astecas, mas ele e seus homens tinham vantagens significativas sobre os adversários. Enquanto os astecas não tinham experiência alguma em se preparar para a chegada desses forasteiros de aparência estranha e odor repugnante, os espanhóis sabiam que o planeta estava cheio de reinos humanos desconhecidos, e ninguém era mais perito que eles em invadir terras estrangeiras e lidar com situações sobre as quais eram totalmente ignorantes. Para o conquistador europeu moderno, assim como para o cientista europeu moderno, mergulhar no desconhecido era estimulante.

Então, quando ancorou naquela praia ensolarada em julho de 1519, Cortés não hesitou em agir. Como um alienígena de ficção científica saindo de sua espaçonave, ele declarou aos locais boquiabertos: "Nós viemos em paz. Levem-nos ao seu líder". Cortés explicou que era um emissário pacífico do grande rei da Espanha e pediu uma entrevista diplomática com o governante asteca, Montezuma II. (Isso era uma mentira deslavada. Cortés liderou uma expedição independente de aventureiros gananciosos. O rei da Espanha nunca tinha ouvido falar de Cortés nem dos astecas.) Cortés recebeu guias, alimentos e algum auxílio militar de inimigos locais dos astecas. Então, marchou rumo à capital asteca, a grande metrópole de Tenochtitlán.

Os astecas permitiram que os forasteiros marchassem até a capital e então, respeitosamente, conduziram seu líder ao encontro do imperador Montezuma. No meio da entrevista, Cortés deu um sinal, e espanhóis com armaduras de aço assassinaram os guarda-costas de

Montezuma (equipados apenas com porretes de madeira e lâminas de pedra). O convidado de honra fez de seu anfitrião um prisioneiro.

Cortés estava agora em uma situação muito delicada. Ele havia capturado o imperador, mas estava cercado por dezenas de milhares de guerreiros inimigos furiosos, milhões de civis hostis e todo um continente sobre o qual ele não sabia praticamente nada. Tinha à sua disposição apenas algumas centenas de homens, e os reforços espanhóis mais próximos estavam em Cuba, a mais de 1,5 mil quilômetros de distância.

Cortés manteve Montezuma cativo no palácio, fazendo parecer que o rei continuava livre e no comando e que o "embaixador espanhol" era não mais do que um convidado. O Império Asteca era um regime político extremamente centralizado, e essa situação sem precedentes o paralisou. Montezuma continuou a se comportar como se governasse o império, e a elite asteca continuou a obedecê-lo, o que significava que obedecia a Cortés. Tal situação se prolongou por meses, durante os quais Cortés interrogou Montezuma e seus criados, capacitou tradutores em vários idiomas locais e enviou pequenas expedições de espanhóis em todas as direções para se familiarizar com o Império Asteca e as várias tribos, povos e cidades por ele governados.

A elite asteca acabou por se voltar contra Cortés e Montezuma, elegeu um novo imperador e expulsou os espanhóis de Tenochtitlán. No entanto, a essa altura várias rachaduras haviam aparecido no edifício imperial. Cortés usou o conhecimento que havia adquirido para forçar ainda mais as rachaduras e destruir o império de dentro para fora. Convenceu muitos dos súditos do império a se unirem a ele contra a elite asteca. Os súditos calcularam mal. Eles odiavam os astecas, mas não sabiam nada sobre a Espanha nem sobre o genocídio no Caribe. Presumiram que, com a ajuda espanhola, poderiam abalar a influência asteca. A ideia de que os espanhóis assumiriam o poder jamais lhes ocorrera. Eles tinham certeza de que, se Cortés e suas poucas centenas de escudeiros causassem algum problema, poderiam ser subjugados facilmente. Os povos rebeldes forneceram a Cortés um exército de dezenas de milhares de tropas locais, e com essa ajuda Cortés cercou Tenochtitlán e conquistou a cidade.

Nessa época, cada vez mais soldados e colonizadores espanhóis começaram a chegar ao México, alguns vindos de Cuba, outros da Espanha. Quando os povos locais perceberam o que estava acontecendo, era tarde demais. Um século após a chegada dos espanhóis em Vera Cruz, a população nativa das Américas havia encolhido 90% devido sobretudo a doenças desconhecidas que chegaram à América com os invasores. Os sobreviventes se encontravam sob o domínio de um regime racista e ganancioso que era muito pior que o dos astecas.

Dez anos depois que Cortés aportou no México, Pizarro chegou à costa do Império Inca. Ele tinha muito menos soldados do que Cortés – sua expedição totalizava apenas 168 homens! Mas Pizarro se beneficiou de todo o conhecimento e de toda a experiência obtidos nas invasões anteriores. Os incas, por sua vez, não sabiam nada sobre o destino dos astecas. Pizarro plagiou Cortés. Ele se declarou um emissário pacífico do rei da Espanha, convidou o governante inca, Atahualpa, para uma entrevista diplomática e então o sequestrou. Pizarro seguiu em frente, conquistando o império paralisado com a ajuda dos aliados locais. Se os súditos do Império Inca conhecessem o destino dos habitantes do México, não teriam se unido aos invasores. Mas eles não sabiam.

Os povos nativos da América não foram os únicos a pagar um preço alto por sua visão tacanha. Os grandes impérios da Ásia – o otomano, o safávida, o mogol e o chinês – logo ficaram sabendo que os europeus haviam descoberto algo grande, mas mostraram pouco interesse por essas descobertas. Continuaram a acreditar que o mundo girava em torno da Ásia e não fizeram qualquer tentativa de competir com os europeus pelo controle da América ou das novas rotas marítimas no Atlântico e no Pacífico. Até mesmo reinos europeus pequenos como a Escócia e a Dinamarca enviaram algumas expedições de exploração e conquista para a América, mas nem uma de tais expedições jamais partiu do mundo islâmico, da Índia ou da China. A primeira potência não europeia que tentou enviar uma expedição militar à América foi o Japão. Isso aconteceu em junho de 1942, quando uma expedição japonesa conquistou Kiska e Attu, duas pequenas ilhas na costa do Alasca, capturando, no processo, dez soldados norte-americanos e um cachorro. Isso foi o mais perto que os japoneses chegaram do continente.

É difícil argumentar que os otomanos ou os chineses estavam longe demais, ou que careciam dos meios tecnológicos, econômicos ou militares necessários. Os recursos que enviaram Zheng He da China à África Oriental nos anos 1420 deviam ser suficientes para chegar à América. Os chineses simplesmente não estavam interessados. O primeiro mapa-múndi chinês a mostrar a América só foi publicado em 1602 – e por um missionário europeu!

Durante 300 anos, os europeus desfrutaram de supremacia indisputada na América e na Oceania, no Atlântico e no Pacífico. As únicas batalhas significativas nessas regiões foram entre potências europeias. A riqueza e os recursos acumulados pelos europeus nessas áreas acabaram por lhes permitir invadir também a Ásia, derrotar os impérios asiáticos e dividi-la entre si. Quando otomanos, persas, indianos e chineses despertaram e começaram a prestar atenção, era tarde demais.

Foi só no século XX que culturas não europeias adotaram uma visão verdadeiramente global. Esse foi um dos fatores cruciais que levaram ao colapso da hegemonia europeia. Assim, na Guerra de Independência da Argélia (1954-1962), as guerrilhas argelinas derrotaram um exército francês que gozava de uma esmagadora vantagem numérica, tecnológica e econômica. Os argelinos prevaleceram porque foram apoiados por uma rede mundial anti-imperialismo e porque souberam mobilizar os meios de comunicação de todo o mundo a favor de sua causa, bem como a opinião pública na própria França. A derrota que o pequeno Vietnã do Norte infligiu ao colosso norte-americano se baseou em uma estratégia similar. Essas forças guerrilheiras mostraram que até mesmo as superpotências podiam ser derrotadas se uma batalha local fosse transformada em uma causa global. É interessante pensar no que teria acontecido se Montezuma tivesse sido capaz de manipular a opinião pública espanhola e obter auxílio de um dos rivais da Espanha – Portugal, a França ou o Império Otomano.

Aranhas raras e sistemas de escrita esquecidos

A ciência moderna e os impérios modernos foram motivados pela incessante sensação de que talvez algo importante os esperasse além do horizonte – algo que era melhor explorar e dominar. Mas a relação entre ciência e império era muito mais profunda. Não só a motivação como também as práticas dos que erguiam impérios se confundiam com as dos cientistas. Para os europeus modernos, construir um império era um projeto científico, e criar uma disciplina científica era um projeto imperial.

Quando conquistaram a Índia, os muçulmanos não levaram consigo arqueólogos para estudar sistematicamente a história indiana, antropólogos para estudar as culturas indianas, geólogos para estudar os solos indianos ou zoólogos para estudar a fauna indiana. Quando conquistaram a Índia, os britânicos fizeram todas essas coisas. Em 10 de abril de 1802, foi lançado o Grande Levantamento da Índia. Durou 60 anos. Com a ajuda de dezenas de milhares de guias, estudiosos e trabalhadores nativos, os britânicos mapearam cuidadosamente toda a Índia, demarcando fronteiras, medindo distâncias e inclusive calculando, pela primeira vez, a altura exata do monte Everest ou dos outros picos dos Himalaias. Os britânicos exploraram os recursos militares das províncias indianas e a localização das minas de ouro, mas também se deram ao trabalho de coletar informações sobre aranhas indianas raras, catalogar borboletas coloridas, estudar as origens antigas de línguas indianas extintas e escavar ruínas esquecidas.

Mohenjo-daro foi uma das principais cidades da civilização do vale do rio Indo, que floresceu no terceiro milênio a.C. e foi destruída por volta de 1900 a.C. Antes dos britânicos, nenhum governante da Índia – nem os máurias, nem os guptas, nem os sultões de Délhi, nem os grandes mogóis – havia prestado atenção às ruínas. Mas uma pesquisa arqueológica britânica encontrou o sítio em 1922. Uma equipe britânica então o escavou e descobriu a primeira grande civilização da Índia, da qual nenhum indiano tinha conhecimento.

Outro exemplo revelador da curiosidade científica britânica foi a decifração da escrita cuneiforme. Esse foi o principal sistema de escrita usado em todo o Oriente Médio por quase 3 mil anos, mas a última pessoa capaz de lê-lo provavelmente morreu no começo do primeiro milênio da era cristã. Desde então, os habitantes da região frequentemente encontravam inscrições cuneiformes em monumentos, estelas, ruínas antigas e cerâmicas quebradas, entretanto eles não faziam ideia de como ler os rabiscos estranhos e angulares, e, até onde sabemos, nunca tentaram. A escrita cuneiforme chamou a atenção dos europeus em

1618, quando o embaixador espanhol na Pérsia foi visitar as ruínas da antiga Persépolis, onde viu inscrições que ninguém soube lhe explicar. Notícias sobre a escrita desconhecida se espalharam entre os especialistas europeus e aguçaram sua curiosidade. Em 1657, estudiosos europeus publicaram a primeira transcrição de um texto cuneiforme de Persépolis. Seguiram-se cada vez mais transcrições, e por quase dois séculos os estudiosos no Ocidente tentaram decifrá-las. Nenhum deles conseguiu.

Nos anos 1830, um oficial britânico chamado Henry Rawlinson foi enviado à Pérsia para ajudar o xá a treinar seu exército à maneira europeia. Em seu tempo livre, Rawlinson viajou pela Pérsia e certo dia foi conduzido por guias locais até uma falésia nas montanhas Zagros, onde lhe mostraram a enorme inscrição de Behistun. Com aproximadamente 15 metros de altura e 25 de largura, ela fora entalhada no alto de uma falésia por ordem do rei Dario I, em torno de 500 a.C. Estava gravada em escrita cuneiforme em três idiomas: persa antigo, elamita e babilônio. A inscrição era bastante conhecida pelos habitantes locais, mas ninguém era capaz de lê-la. Rawlinson se convenceu de que, se pudesse decifrar a escrita, ele e outros estudiosos poderiam ler várias outras inscrições e textos que, na época, estavam sendo descobertos em todo o Oriente Médio, assim abrindo uma porta para um mundo antigo e esquecido.

O primeiro passo para decifrar o que estava escrito era produzir uma transcrição precisa que pudesse ser enviada para a Europa. Rawlinson desafiou a morte para fazê-lo, escalando a falésia íngreme a fim de copiar as estranhas letras. Ele contratou vários habitantes locais para ajudá-lo, em especial um garoto curdo que escalou até as partes mais inacessíveis da falésia a fim de copiar a parte superior da inscrição. Em 1847, o projeto foi concluído, e uma cópia completa e precisa foi enviada à Europa.

Rawlinson não se deu por satisfeito. Sendo um oficial do exército, ele tinha missões militares e políticas para cumprir, mas sempre que tinha um momento livre se debruçava sobre a escrita secreta. Experimentou um método após outro e finalmente conseguiu decifrar a parte da inscrição em persa antigo. Essa era a mais fácil, já que o persa antigo não era tão diferente do persa moderno, que Rawlinson conhecia muito bem. Uma compreensão do trecho em persa antigo lhe deu a chave que ele precisava para desvendar os segredos dos trechos elamita e babilônio.

A grande porta se abriu, e de lá saiu uma enxurrada de vozes antigas, mas vivas – o tumulto de bazares sumérios, as proclamações de reis assírios, as discussões de burocratas babilônios. Sem os esforços de imperialistas europeus modernos como Rawlinson, não teríamos tomado conhecimento de boa parte do destino dos impérios antigos do Oriente Médio.

Outro célebre estudioso imperialista foi William Jones. Jones chegou à Índia em setembro de 1783 para servir como juiz na Suprema Corte de Bengala. Ele também foi tão cativado pelas maravilhas da Índia que em menos de seis meses após chegar fundou a Sociedade Asiática. Essa organização acadêmica se dedicava a estudar as culturas, as histórias e as sociedades da Ásia, em particular da Índia. Menos de dois anos depois, Jones publicou suas observações sobre o sânscrito, que se tornaram pioneiras da ciência da linguística comparativa.

Em seus textos, Jones apontou similaridades surpreendentes entre o sânscrito, uma língua indiana antiga que se tornou a língua sagrada do ritual hindu, e o grego e o latim, bem como similaridades entre todas essas línguas e o gótico, o celta, o persa antigo, o francês e o inglês. Assim, "mãe" em sânscrito é "matar", em latim é "mater" e em celta antigo é "mathir". Jones supôs que todas essas línguas deviam ter uma mesma origem, tendo se desenvolvido a partir de uma língua ancestral esquecida. Foi, portanto, o primeiro a identificar aquela que mais tarde veio a ser conhecida como família de línguas indo-europeias.

O estudo de Jones foi um marco importante não só devido a suas hipóteses ousadas (e precisas), mas também devido à metodologia ordenada que ele desenvolveu para comparar as línguas. Tal metodologia foi posteriormente adotada por outros acadêmicos, permitindo que estudassem sistematicamente o desenvolvimento de todas as línguas do mundo.

Os linguistas receberam entusiástico apoio imperial. Os impérios europeus acreditavam que, para governar de maneira eficaz, precisavam conhecer as línguas e as culturas de seus súditos. Ao chegar à Índia, os oficiais britânicos passavam até três anos em uma faculdade de Calcutá, onde estudavam direito muçulmano e hindu ao lado de direito britânico; sânscrito, urdu e persa ao lado de grego e latim; e cultura tâmil, bengalesa e hindustâni ao lado de matemática, economia e geografia. O estudo de linguística prestou um auxílio inestimável na compreensão da estrutura e da gramática das línguas locais.

Graças ao trabalho de pessoas como William Jones e Henry Rawlinson, os conquistadores europeus conheciam muito bem seus impérios. Com efeito, muito melhor do que todos os conquistadores anteriores, ou mesmo do que a própria população nativa. Seu conhecimento superior teve vantagens práticas visíveis. Sem tal conhecimento, é improvável que um número irrisório de britânicos tivesse conseguido governar, oprimir e explorar tantas centenas de milhões de indianos por dois séculos. Durante todo o século XIX e início do século XX, menos de 5 mil oficiais britânicos, algo entre 40 mil a 70 mil soldados britânicos e, talvez, outros 100 mil empresários, parasitas, esposas e filhos de britânicos foram o suficiente para conquistar e governar até 300 milhões de indianos.[9]

Mas essas vantagens práticas não foram a única razão pela qual os impérios financiaram o estudo de linguística, botânica, geografia e história. Não menos importante foi o fato de que a ciência deu aos impérios uma justificativa ideológica. Os europeus modernos passaram a acreditar que adquirir novo conhecimento era sempre bom. O fato de que os impérios produziam um fluxo constante de novo conhecimento os rotulava como iniciativas progressistas e positivas. Mesmo hoje, a história de ciências como geografia, arqueologia e botânica não pode se furtar a dar crédito aos impérios europeus, pelo menos indiretamente. A história da botânica tem pouco a dizer sobre o sofrimento dos aborígenes australianos, mas geralmente encontra algumas palavras amáveis para James Cook e Joseph Banks.

Além do mais, o novo conhecimento acumulado pelos impérios tornou possível, pelo menos em teoria, beneficiar as populações conquistadas e lhes trazer os benefícios do "progresso" – proporcionando medicamentos e educação, construindo ferrovias e canais, garantindo justiça e prosperidade. Os imperialistas afirmavam que seus impérios não eram vastos empreendimentos de exploração, e sim projetos altruístas que visavam ao interesse das raças não europeias – nas palavras de Rudyard Kipling, "o fardo do homem branco":

> Tomai o fardo do Homem Branco,
> Enviai vossos melhores filhos.

Ide, condenai seus filhos ao exílio
Para servirem aos seus cativos;
Para esperar, com arreios
Com agitadores e selváticos
Seus cativos, servos obstinados,
Metade demônios, metade crianças.

É claro que os fatos muitas vezes contradizem esse mito. Os britânicos conquistaram Bengala, a província mais rica da Índia, em 1764. Os novos governantes se interessavam por pouca coisa além do enriquecimento próprio. Eles adotaram uma política econômica desastrosa que, poucos anos depois, levou à erupção da Grande Fome de Bengala. Começou em 1769, atingiu níveis catastróficos em 1770 e durou até 1773. Cerca de 10 milhões de bengaleses, um terço da população da província, morreram na calamidade.[10]

Na verdade, nem a narrativa da opressão e da exploração, nem a do "fardo do homem branco" correspondem exatamente aos fatos. Os impérios europeus fizeram coisas tão variadas numa gama tão ampla que se pode encontrar inúmeros exemplos para corroborar o que quer que se queira dizer sobre eles. Você pensa que esses impérios eram monstruosidades do mal que espalhavam a morte, a opressão e a injustiça pelo mundo? Facilmente seria possível encher uma enciclopédia com seus crimes. Você quer afirmar que eles na verdade aprimoraram as condições de vida de seus súditos com novos remédios, melhores condições e maior segurança? Você poderia encher outra enciclopédia com suas realizações. Devido à sua íntima colaboração com a ciência, esses impérios exerceram tanto poder e mudaram o mundo a tal ponto que talvez não possam ser simplesmente rotulados como bons ou maus. Criaram o mundo tal como o conhecemos, incluindo as ideologias que usamos para julgá-los.

Mas a ciência também foi usada pelos imperialistas para fins mais sinistros. Biólogos, antropólogos e até mesmo linguistas forneceram provas científicas de que os europeus são superiores a todas as outras raças e, consequentemente, têm o direito (se não, talvez, o dever) de governá-las. Depois que William Jones afirmou que todas as línguas indo-europeias descendem de uma única língua antiga, muitos acadêmicos ficaram ávidos por descobrir quem haviam sido os falantes dessa língua.

Eles observaram que os primeiros falantes de sânscrito, que invadiram a Índia a partir da Ásia Central há mais de 3 mil anos, se haviam autodenominado *Arya*. Os falantes da língua persa mais antiga se autodenominavam *Airiia*. Por isso, os estudiosos europeus concluíram que as pessoas que falaram a língua primordial que deu origem ao sânscrito e ao persa (e também ao grego, ao latim, ao gótico e ao celta) provavelmente se autodenominaram arianas. Poderia ser uma coincidência que aqueles que fundaram as magníficas civilizações indiana, persa, grega e romana fossem todos arianos?

Em seguida, acadêmicos britânicos, franceses e alemães associaram a teoria linguística sobre os arianos diligentes com a teoria de seleção natural de Darwin e postularam que os arianos eram não só um grupo linguístico como também uma entidade biológica – uma raça. E não qualquer raça, mas uma raça superior de humanos altos, de cabelo claro e olhos azuis, trabalhadores e super-racionais que surgiram das brumas do Norte para assentar as bases da cultura no mundo inteiro. Lamentavelmente, os arianos que invadiram a Índia e a Pérsia se casaram com membros da população nativa que eles encontraram nessas terras, perdendo sua tez clara e seu cabelo loiro e, com estes, a racionalidade e a diligência. As civilizações da Índia e da Pérsia consequentemente entraram em declínio. Na Europa, por outro lado, os arianos preservaram sua pureza racial. É por isso que os europeus conseguiram conquistar o mundo, e por isso estavam aptos para governá-lo – desde que tomassem precauções para não se misturar com as raças inferiores.

Tais teorias racistas, proeminentes e respeitáveis por muitas décadas, se tornaram um anátema tanto entre cientistas quanto entre políticos. As pessoas continuam a conduzir uma luta heroica contra o racismo sem perceber que a frente de batalha mudou, e que o lugar do racismo na ideologia imperialista foi substituído pelo "culturismo". A palavra "culturismo" não existe, mas já está em tempo de a inventarmos. Entre as elites de hoje, as afirmações sobre os méritos contrastantes de diversos grupos humanos quase sempre são expressadas em termos de diferenças históricas entre culturas, e não de diferenças biológicas entre raças. Já não dizemos "está no sangue"; dizemos "está na cultura".

Assim, os partidos direitistas da Europa que se opõem à imigração muçulmana geralmente tomam cuidado para evitar a terminologia racial. Os responsáveis por escrever os discursos de Marine le Pen teriam sido dispensados imediatamente se propusessem que a líder da Frente Nacional fosse à televisão para declarar que "não queremos que esses semitas inferiores diluam nosso sangue ariano e degenerem nossa civilização ariana". Em vez disso, a Frente Nacional francesa, o Partido para a Liberdade holandês, a Aliança para o Futuro da Áustria e similares tendem a argumentar que a cultura ocidental, tal como evoluiu na Europa, é caracterizada por valores democráticos, tolerância e igualdade de gênero, ao passo que a cultura muçulmana, que evoluiu no Oriente Médio, é caracterizada por política hierárquica, fanatismo e misoginia. Visto que as duas culturas são tão diferentes, e visto que muitos imigrantes muçulmanos não estão dispostos (e talvez nem sejam capazes) de adotar valores ocidentais, sua entrada não deve ser permitida, para que eles não fomentem conflitos internos e corroam a democracia e o liberalismo europeus.

Tais argumentos culturistas são alimentados por estudos científicos nas áreas de humanidades e ciências sociais que salientam o assim chamado choque de civilizações e as diferenças fundamentais entre culturas diferentes. Nem todos os historiadores e antropólogos aceitam essas teorias ou apoiam seu uso político. Mas, ao passo que os biólogos, hoje, têm facilidade para repudiar o racismo, explicando simplesmente que as diferenças entre as populações humanas do presente são triviais, é mais difícil para historiadores e antropólogos repudiar o culturismo. Afinal, se as diferenças entre as culturas humanas são triviais, por que deveríamos pagar historiadores e antropólogos para estudá-las?

Os cientistas forneceram ao projeto imperialista conhecimento prático, justificativas ideológicas e aparatos tecnológicos. Sem essa contribuição, é extremamente questionável se os europeus teriam conquistado o mundo. Os conquistadores devolveram o favor fornecendo aos cientistas informações e proteção, apoiando todo tipo de projeto estranho e fascinante e disseminando o modo de pensar científico aos quatro cantos da Terra. Sem o apoio imperial, é duvidoso que a ciência moderna tivesse ido tão longe. Há pouquíssimas disciplinas científicas que não começaram a vida como servas do crescimento imperial e que não devem grande parte de suas descobertas, coleções, edificações e bolsas de estudos à ajuda generosa de oficiais do exército, capitães da marinha e governantes imperiais.

Isso obviamente não é toda a história. A ciência foi apoiada por outras instituições, e não só por impérios. E os impérios europeus cresceram e floresceram graças também a outros fatores além da ciência. Por trás da ascensão meteórica tanto da ciência quanto do império, espreita uma força particularmente importante: o capitalismo. Se não fosse pelos homens de negócios procurando ganhar dinheiro, Colombo não teria chegado à América, James Cook não teria chegado à Austrália e Neil Armstrong jamais teria dado aquele pequeno passo na superfície da Lua.

16

O credo capitalista

O DINHEIRO TEM SIDO ESSENCIAL TANTO PARA A CONSTRUÇÃO DE IMPÉRIOS quanto para promover a ciência. Mas o dinheiro é o objetivo final desses empreendimentos, ou apenas uma necessidade perigosa?

Não é fácil entender o verdadeiro papel da economia na história moderna. Volumes inteiros foram escritos sobre como o dinheiro fundou Estados e os arruinou, abriu novos horizontes e escravizou milhões, impulsionou a indústria e levou centenas de espécies à extinção. Mas, para entender a história econômica moderna, é preciso entender uma só palavra. Essa palavra é: crescimento. Para melhor ou para pior, na saúde e na doença, a economia moderna cresce como um adolescente inundado por hormônios. Devora tudo que encontra pela frente, mas cresce mais depressa do que podemos registrar.

Durante a maior parte da história, a economia permaneceu mais ou menos do mesmo tamanho. Sim, a produção global aumentou, mas isso se deveu principalmente à expansão demográfica e ao povoamento de novas terras. A produção per capita continuou estática. Mas tudo isso mudou na era moderna. Em 1500, a produção global de bens e serviços era equivalente a cerca de 250 bilhões de dólares; hoje, gira em torno de 60 trilhões. O que é mais importante, em 1500 a produção per capita anual era, em média, 550 dólares, enquanto hoje todo homem, mulher e criança produz, em média, 8,8 mil dólares por ano.[1] O que explica esse crescimento estupendo?

A economia é um assunto notoriamente complicado. Para facilitar as coisas, imaginemos um exemplo simples.

Samuel Ganância, um financista perspicaz, funda um banco em São Paulo.

A. A. Arguto, um empreiteiro em ascensão em São Paulo, termina sua primeira obra, recebendo pagamento em dinheiro na casa de 1 milhão de dólares. Ele deposita essa soma no banco do sr. Ganância. O banco agora tem 1 milhão de dólares em capital.

Enquanto isso, Dulce Massa, uma chef experiente, mas sem recursos, acredita ter encontrado uma oportunidade de negócio: não há nenhuma padaria realmente boa em seu bairro. Mas ela não tem dinheiro suficiente para comprar toda a infraestrutura necessária, com fornos industriais, pias, facas e utensílios. Ela vai ao banco, apresenta seu plano de negócio a Ganância e o convence de que é um investimento vantajoso. Ele lhe concede um empréstimo de 1 milhão de dólares, creditando essa soma na conta dela no banco.

Dulce Massa agora contrata Arguto, o empreiteiro, para construir e equipar a padaria. O preço dele é 1 milhão de dólares.

Quando ela o paga, com um cheque de sua conta, Arguto o deposita na conta dele no banco de Ganância.

Então, quanto dinheiro Arguto tem em sua conta bancária? Exato, 2 milhões de dólares.

Quanto dinheiro, em espécie, há de fato no cofre do banco? Você acertou: 1 milhão de dólares.

Não termina aqui. Como empreiteiros costumam fazer, dois meses depois de iniciada a obra, Arguto informa a Dulce Massa que, devido a problemas e despesas imprevistos, o custo para construir a padaria na verdade será 2 milhões de dólares. A sra. Dulce Massa não fica satisfeita, mas não pode parar a obra na metade. Então, ela faz outra visita ao banco, convence o Sr. Ganância a lhe dar um empréstimo adicional, e ele deposita mais 1 milhão de dólares na conta dela. Ela transfere o dinheiro para a conta do empreiteiro.

Quanto dinheiro Arguto tem em sua conta agora? Ele tem 3 milhões de dólares.

Mas quanto dinheiro existe de verdade no banco? Continua havendo apenas 1 milhão de dólares. Na verdade, o mesmo milhão de dólares que esteve no banco esse tempo todo.

A legislação atual que regulamenta os bancos nos Estados Unidos permite que o banco repita esse exercício sete vezes mais. O empreiteiro acabaria por ter 10 milhões de dólares em sua conta, embora o banco continuasse tendo não mais de 1 milhão de dólares em seus cofres. Os bancos são autorizados a emprestar dez dólares para cada dólar que realmente têm, o que significa que 90% de todo o dinheiro em nossas contas bancárias não é coberto por moedas e notas reais.[2] Se todos os correntistas do Barclays decidirem sacar seu dinheiro de repente, o Barclays quebrará imediatamente (a não ser que o governo intervenha para salvá-lo). O mesmo é válido para o Lloyds, o Deutsche Bank, o Citibank e todos os outros bancos do mundo.

Parece um esquema Ponzi gigante, não? Mas, se isso é uma fraude, então toda a economia moderna é uma fraude. A verdade é que não se trata de uma fraude, e sim de um tributo às capacidades incríveis da imaginação humana. O que permite que os bancos – e toda a economia – sobrevivam e floresçam é nossa confiança no futuro. Essa confiança é a única garantia para a maior parte do dinheiro do mundo.

No exemplo da padaria, a discrepância entre o extrato bancário do empreiteiro e a quantidade de dinheiro que realmente existe no banco é a padaria da sra. Dulce Massa. O sr. Ganância colocou o dinheiro do banco nesse ativo, confiando que um dia será lucrativo. A padaria ainda não assou nem um pão, mas Dulce Massa e Ganância preveem que, dali a um ano, estará vendendo milhares de pães, bolos e biscoitos por dia, com uma bela margem de lucro. A sra. Dulce Massa, então, será capaz de pagar o empréstimo, com juros. Se, nesse momento, o sr. Arguto decidir sacar suas economias, Ganância será capaz de fornecer esse dinheiro. Toda a iniciativa é, portanto, baseada na confiança em um futuro imaginário – a confiança de que a empreendedora e o banqueiro terão a padaria dos seus sonhos, e a confiança do empreiteiro na futura solvência do banco.

Nós já vimos que o dinheiro é algo impressionante, porque pode representar uma série de objetos diferentes e converter qualquer coisa em praticamente qualquer outra coisa. No entanto, antes da era moderna essa capacidade era limitada. Na maioria dos casos, o dinheiro só podia representar e converter coisas que já existiam no presente. Isso impunha uma grave limitação ao crescimento, já que tornava muito difícil financiar novos empreendimentos.

Considere nossa padaria mais uma vez. Dulce Massa teria conseguido construí-la se o dinheiro só pudesse representar objetos tangíveis? Não. No presente, ela tem uma porção de sonhos, mas nenhum recurso tangível. A única forma de construir sua padaria seria encontrar um empreiteiro disposto a trabalhar hoje e receber o pagamento daqui a alguns anos, se e quando a padaria começasse a dar dinheiro. Infelizmente, tais empreiteiros são raros. Então nossa empreendedora está em um dilema. Sem uma padaria, ela não pode assar pães e bolos. Sem pães e bolos, ela não pode ganhar dinheiro. Sem dinheiro, ela não pode contratar um empreiteiro. Sem empreiteiro, ela não tem padaria.

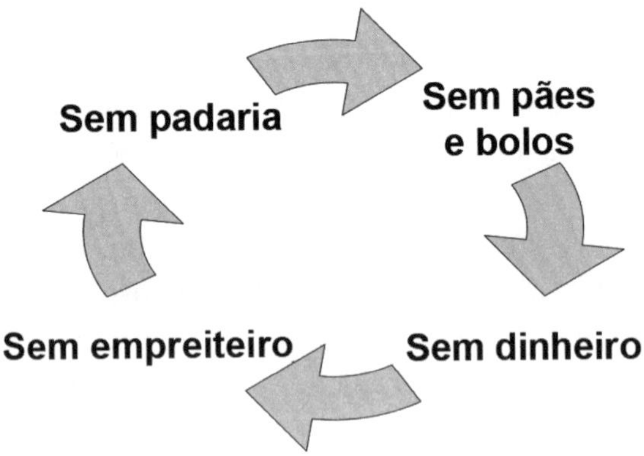

O dilema do empreendedor

A humanidade esteve presa nessa encruzilhada por milhares de anos. Em consequência, as economias permaneceram congeladas. A maneira de sair da armadilha só foi descoberta na era moderna, com o surgimento de um novo sistema baseado na confiança no futuro. Nele, as pessoas concordaram em representar bens imaginários – bens que não existem no presente – com um tipo especial de dinheiro chamado "crédito". O crédito nos permite construir o presente à custa do futuro. Baseia-se no pressuposto de que nossos recursos futuros serão muito mais abundantes do que nossos recursos presentes. Se pudermos construir coisas no presente usando receitas futuras, abre-se diante de nós uma série de novas oportunidades maravilhosas.

Se o crédito é algo tão maravilhoso, por que ninguém pensou nisso antes? É claro que pensaram. Acordos de crédito de um tipo ou de outro existiram em todas as culturas humanas conhecidas, remontando pelo menos à antiga Suméria. O problema nas eras anteriores não é que ninguém teve a ideia ou soube como usá-la. É que as pessoas raramente queriam conceder muito crédito porque não confiavam que o futuro seria melhor do que o presente. Geralmente acreditavam que os tempos passados eram melhores do que sua própria época e que o futuro seria

O círculo mágico da economia moderna

pior ou, quando muito, igual. Dito em termos econômicos, acreditavam que a quantidade total de riqueza era limitada, se é que nao estava em declínio. Portanto, as pessoas consideravam uma má aposta presumir que elas pessoalmente, ou seu reino, ou o mundo inteiro estariam produzindo mais riqueza dali a dez anos. Os negócios pareciam um jogo de soma zero. É claro, os lucros de uma padaria em particular podiam aumentar, mas só à custa da padaria em frente. Veneza podia florescer, mas só empobrecendo Gênova. O rei da Inglaterra podia enriquecer, mas só roubando o rei da França. O bolo podia ser repartido de muitas formas diferentes, mas nunca ficava maior.

É por isso que muitas culturas concluíram que ganhar montes de dinheiro era pecaminoso. Como disse Jesus, "É mais fácil passar um camelo pelo buraco de uma agulha do que entrar um rico no reino de Deus" (Mateus 19:24). Se o bolo é sempre do mesmo tamanho, e eu tenho um pedaço grande dele, devo ter pegado a fatia de alguém. Os ricos eram obrigados a fazer penitência por suas más ações, destinando parte de sua riqueza excedente à caridade.

Se o bolo global permanecia do mesmo tamanho, não havia margem para crédito. O crédito é a diferença entre o bolo de hoje e o bolo de amanhã. Se o bolo continua igual, por que conceder crédito? Seria um risco inaceitável, a não ser que se acreditasse que o padeiro ou o rei pedindo dinheiro pudesse ser capaz de roubar uma fatia da concorrência. Por isso, era difícil obter um empréstimo no mundo pré-moderno, e quando um era concedido, geralmente era *pequeno, de curto prazo* e *sujeito a juros altos.* Desse modo, empreendedores iniciantes tinham dificuldade para abrir novas padarias, e grandes reis que quisessem construir palácios ou travar guerras não tinham outra alternativa senão levantar os fundos necessários por meio de tarifas e impostos altos. Isso não era um problema para os reis (conquanto seus súditos continuassem obedientes), mas uma copeira que tivesse uma grande ideia para uma padaria e quisesse subir na vida geralmente só podia sonhar com riqueza enquanto esfregava o piso da cozinha da realeza.

Era uma situação desvantajosa para todos. Como o crédito era limitado, as pessoas tinham dificuldade para financiar novos negócios. Como havia poucos novos negócios, a economia não crescia. Como a economia não crescia, as pessoas presumiam que ela jamais cresceria, e os que tinham capital eram cautelosos com a concessão de crédito. A expectativa da estagnação se retroalimentava.

Um bolo que cresce

Então vieram a Revolução Científica e a ideia de progresso. A ideia de progresso se baseia na noção de que, se admitirmos nossa ignorância e investirmos recursos em pesquisa, as coisas podem melhorar. A ideia logo foi traduzida em termos econômicos. Quem acredita no progresso acredita que descobertas geográficas, invenções tecnológicas e avanços organizacionais podem aumentar a soma total da produção, do comércio e da riqueza humana. Novas rotas de comércio no Atlântico puderam florescer sem arruinar as velhas rotas no oceano Índico. Novos produtos puderam ser produzidos sem reduzir a produção dos velhos. Por exemplo, alguém podia abrir uma nova padaria especializada em bolos de chocolate e croissants sem fazer com que as padarias especializadas em pães fossem à falência. Todo mundo simplesmente desenvolveria novos gostos e comeria mais. Eu posso ser rico sem que você fique pobre; posso ser obeso sem que você morra de fome. O bolo do mundo inteiro pode crescer.

Nos últimos 500 anos, a ideia de progresso convenceu as pessoas a confiarem cada vez mais no futuro. Essa confiança gerou crédito; o crédito trouxe crescimento econômico real; e o crescimento fortaleceu a confiança no futuro e abriu caminho para ainda mais crédito. Não aconteceu da noite para o dia: a economia se comportou mais como uma montanha-russa do que como um balão. Mas, no longo prazo, com os obstáculos nivelados, a direção geral era inequívoca. Hoje, há tanto crédito no mundo que governos, corporações e indivíduos facilmente obtêm *empréstimos grandes, de longo prazo* e *a juros baixos* que excedem muitíssimo a receita atual.

A crença no crescimento do bolo global acabou por se tornar revolucionária. Em 1776, o economista escocês Adam Smith publicou *A riqueza das nações*, provavelmente o manifesto econômico mais importante de todos os tempos. No oitavo capítulo de seu primeiro volume, Smith apresentou o seguinte argumento original: quando um proprietário de terras, um tecelão ou um sapateiro tem mais lucro do que precisa para manter a própria família, ele usa o excedente para empregar mais assistentes, a fim de aumentar seu lucro. Quanto mais lucro tiver, mais assistentes pode empregar. Daí decorre que um aumento no lucro dos empreendedores privados é a base para o aumento na riqueza e prosperidade coletivas.

Isso talvez não soe tão original, porque todos vivemos em um mundo capitalista no qual o argumento de Smith é tido como algo natural.

Ouvimos variações sobre esse tema todos os dias nos noticiários. Mas a afirmação de Smith de que o desejo humano egoísta de aumentar o lucro privado é a base para a riqueza coletiva é uma das ideias mais revolucionárias na história humana – revolucionária não só de uma perspectiva econômica como também de uma perspectiva moral e política. O que Smith afirma é, na verdade, que a ganância é algo bom e que ao ficar mais rico eu beneficio a todos, e não só a mim mesmo. *Egoísmo é altruísmo.*

Smith ensinou as pessoas a pensarem na economia como uma situação em que todos ganham, em que meus lucros são também seus lucros. Não só ambos podemos desfrutar de uma fatia maior de bolo ao mesmo tempo, como o aumento da sua fatia depende do aumento da minha fatia. Se sou pobre, você também será pobre, porque eu não posso comprar seus produtos ou serviços. Se sou rico, você também enriquecerá, já que agora pode me vender alguma coisa. Smith negou a contradição tradicional entre riqueza e moralidade e escancarou os Portões do Céu para os ricos. Ser rico significava ser moral. Na história de Smith, as pessoas ficam ricas não saqueando os vizinhos, e sim aumentando o tamanho do bolo. E quando o bolo cresce, todos se beneficiam. Os ricos são, portanto, as pessoas mais úteis e benévolas da sociedade, porque impulsionam o crescimento em benefício de todos.

Tudo isso depende, entretanto, de os ricos usarem seus lucros para abrirem novas fábricas e contratarem novos empregados, em vez de desperdiçá-los em atividades não produtivas. Smith, portanto, repetiu como um mantra a máxima de que "quando os lucros aumentam, o proprietário de terras ou o tecelão empregam mais assistentes", e não "quando os lucros aumentam, Scrooge guarda seu dinheiro em um cofre e só o tira de lá para contar as moedas". Uma parte crucial da economia capitalista moderna foi o surgimento de uma nova ética, segundo a qual os lucros tinham de ser reinvestidos na produção. Isto mais uma vez é investido na produção, o que gera mais lucro, *et cetera ad infinitum.* Os investimentos podem ser feitos de muitas maneiras: aumentando a fábrica, realizando pesquisas científicas, desenvolvendo novos produtos. Mas, de alguma forma, todos esses investimentos devem aumentar a produção e se traduzir em lucros maiores. No novo credo capitalista, o primeiro e mais sagrado mandamento é: "Os lucros da produção devem ser reinvestidos no aumento da produção".

É por isso que o capitalismo é chamado de "capitalismo". O capitalismo distingue o "capital" da mera "riqueza". O capital consiste de dinheiro, bens e recursos que são investidos na produção. A riqueza, por outro lado, é enterrada debaixo do solo ou desperdiçada em atividades improdutivas. Um faraó que destina recursos a uma pirâmide improdutiva não é um capitalista. Um pirata que rouba uma frota de tesouro espanhola e enterra um cofre cheio de moedas brilhantes na praia de alguma ilha caribenha não é um capitalista. Mas um operário diligente que reinveste parte de sua renda na bolsa de valores, sim.

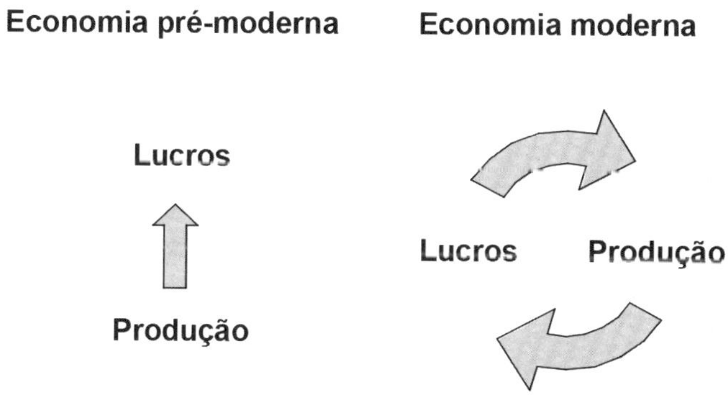

A ideia de que "os lucros da produção devem ser reinvestidos no aumento da produção" parece trivial. Mas foi uma ideia estranha à maioria dos povos ao longo da história. Em épocas pré-modernas, as pessoas acreditavam que o nível da produção fosse mais ou menos constante. Então, por que reinvestir seus lucros se a produção não crescerá muito, não importa o que você faça? Desse modo, os nobres da Europa medieval adotaram uma ética de generosidade e consumo ostensivo. Eles gastavam suas receitas em torneios, banquetes, palácios e guerras, e em caridade e catedrais monumentais. Poucos tentavam reinvestir os lucros para aumentar a produção de suas terras, desenvolver espécies melhores de trigo ou procurar novos mercados.

Na era moderna, a nobreza foi substituída por uma nova elite cujos membros acreditam verdadeiramente no credo capitalista. A nova elite capitalista é composta não de duques e marqueses, mas de presidentes de conselhos, corretores de ações e industrialistas. Esses magnatas são muito mais ricos que os membros da nobreza medieval, mas estão muito menos interessados em consumo extravagante e gastam uma parte muito menor de seus lucros em atividades não produtivas.

Os nobres medievais usavam mantos coloridos de ouro e prata e dedicavam grande parte de seu tempo a banquetes, carnavais e torneios glamorosos. Em comparação, os altos executivos modernos usam uniformes sombrios chamados ternos que lhes conferem todo o penacho de um bando de corvos e têm pouco tempo para festividades. O capitalista típico corre de uma reunião de negócios para outra, tentando decidir onde investir seu capital e seguindo as altas e baixas dos títulos e ações que possui. É verdade, seu terno talvez seja um Versace, e ele talvez viaje em um jato particular, mas essas despesas não são nada se comparadas com o que ele investe no aumento da produção humana.

Não só os magnatas usando Versace investem para aumentar a produtividade. Pessoas comuns e órgãos do governo pensam de maneira similar. Quantos jantares em bairros modestos mais cedo ou mais tarde se envolvem em um debate interminável sobre se é melhor investir as economias pessoais no mercado de ações, em títulos ou em propriedades? Os governos também se esforçam para investir a receita proveniente dos impostos em atividades produtivas que aumentarão a receita futura – por exemplo, construir um novo porto poderia facilitar a exportação de produtos, permitindo às fábricas gerar mais renda tributável, aumentando assim as receitas futuras do governo. Outro governo talvez prefira investir em educação, sob a justificativa de que pessoas instruídas são essenciais para indústrias lucrativas de alta tecnologia, que pagam muitos impostos sem demandar grande infraestrutura portuária.

O capitalismo começou como uma teoria sobre como a economia funciona. Era ao mesmo tempo descritivo e prescritivo – oferecia um relato de como o dinheiro funcionava e promovia a ideia de que reinvestir os lucros na produção leva a um rápido crescimento econômico. Mas, pouco a pouco, o capitalismo se tornou muito mais do que uma doutrina econômica. Hoje engloba uma ética – um conjunto de ensinamentos sobre como as pessoas devem se comportar, educar seus filhos e até mesmo pensar. Sua doutrina fundamental é que o crescimento econômico é o bem supremo, ou pelo menos uma via para o bem supremo, porque a justiça, a liberdade e até mesmo a felicidade dependem do crescimento econômico. Pergunte a um capitalista como trazer justiça e liberdade política para um lugar como o Zimbábue ou o Afeganistão, e você provavelmente ouvirá uma palestra sobre como a afluência econômica e uma classe média próspera são essenciais para instituições democráticas estáveis e sobre a consequente necessidade de inculcar nos aldeãos do Afeganistão os valores da livre-iniciativa, da prosperidade e da autossuficiência.

Essa nova religião também teve uma influência decisiva no desenvolvimento da ciência moderna. As pesquisas científicas geralmente são financiadas pelo governo ou por negócios privados. Quando os governos e os negócios capitalistas consideram investir em determinado projeto científico, a primeira questão costuma ser: "Esse projeto nos ajudará a aumentar a produção e os lucros? Produzirá crescimento econômico?". Um projeto que não for capaz de lidar com essas questoes tem poucas chances de encontrar um patrocinador. Nenhuma história da ciência moderna pode deixar o capitalismo de lado.

Da mesma forma, a história do capitalismo não pode ser compreendida se não levar em conta a ciência. A crença capitalista no crescimento econômico perpétuo desafia quase tudo que conhecemos sobre o universo. Uma sociedade de lobos seria extremamente tola em acreditar que a oferta de ovelhas continuaria crescendo por tempo indefinido. A economia humana, entretanto, conseguiu continuar crescendo exponencialmente durante toda a era moderna, graças apenas ao fato de que os cientistas produzem uma nova descoberta ou aparato a cada poucos anos – como o continente americano, o motor de combustão interna ou ovelhas geneticamente modificadas. Bancos e governos imprimem dinheiro, mas, em última análise, são os cientistas que pagam a conta.

Nos últimos anos, bancos e governos imprimiram dinheiro freneticamente. Todos estão morrendo de medo de que a atual crise econômica possa cessar o crescimento econômico. Entao estao criando trilhões de dólares, euros e ienes do nada, injetando crédito barato no sistema, e esperando que os cientistas, técnicos e engenheiros consigam pensar em algo realmente grandioso, antes que a bolha exploda. Tudo depende das pessoas que trabalham nos laboratórios. Novas descobertas em áreas como a biotecnologia e a nanotecnologia poderiam criar indústrias inteiramente novas, cujos lucros poderiam salvaguardar os trilhões de dinheiro de faz de conta que os bancos e os governos criaram desde 2008. Se os laboratórios de pesquisa não cumprirem tais expectativas antes que a bolha exploda, nos dirigiremos rumo a tempos muito difíceis.

Colombo à procura de um investidor

O capitalismo exerceu um papel decisivo não só na ascensão da ciência moderna como também no surgimento do imperialismo europeu. E foi o imperialismo europeu que criou o sistema de crédito capitalista. É claro, o crédito não foi inventado na Europa moderna. Existiu em quase todas as sociedades agrícolas, e no início da era moderna o surgimento do capitalismo europeu esteve intimamente relacionado com avanços econômicos na Ásia. Vale lembrar, também, que até o fim do século XVIII a Ásia era a potência econômica do mundo, o que significa que os europeus tinham muito menos capital à disposição do que chineses, muçulmanos ou indianos.

No entanto, nos sistemas sociopolíticos da China, da Índia e do mundo muçulmano, o crédito desempenhou apenas um papel secundário. Comerciantes e banqueiros nos mercados de Istambul, Isfahan, Délhi e Pequim podem ter pensado em termos capitalistas, mas os reis e generais nos palácios e fortalezas tenderam a desprezar os comerciantes e o pensamento mercantil. A maioria dos impérios não europeus do início da era moderna foram fundados por grandes conquistadores como Nurhachi e Nader Xá, ou por elites burocráticas e militares como nos impérios otomano e Qing. Financiando guerras por meio de impostos e pilhagem (sem fazer claras distinções entre os dois), eles deviam pouco aos sistemas de crédito e se importavam ainda menos com os interesses de banqueiros e investidores.

Na Europa, por outro lado, reis e generais pouco a pouco adotaram o modo de pensar mercantil, até que os comerciantes e os banqueiros se tornaram a elite governante. A conquista europeia do mundo foi cada vez mais financiada por meio de créditos em vez de impostos e cada vez mais dirigida por capitalistas cuja maior ambição era receber o máximo retorno sobre seus investimentos. Os impérios construídos por banqueiros e comerciantes usando sobrecasacas e cartolas derrotaram os impérios construídos por reis e nobres usando roupas de ouro e armaduras brilhantes.

Os impérios mercantis eram simplesmente muito mais perspicazes ao financiar suas conquistas. Ninguém quer pagar impostos, mas todos estão dispostos a investir.

Em 1484, Cristóvão Colombo abordou o rei de Portugal com a proposta de financiar uma frota que navegaria rumo ao Oeste a fim de encontrar uma nova rota de comércio para o leste da Ásia. Tais explorações eram um negócio muito custoso e arriscado. Era preciso muito dinheiro para construir embarcações, comprar suprimentos e pagar marinheiros e soldados – e não havia garantia alguma de que o investimento daria retorno. O rei de Portugal recusou.

Como o empreendedor de uma startup nos dias de hoje, Colombo não desistiu. Ele apresentou sua ideia a outros investidores em potencial na Itália, na França, na Inglaterra e novamente em Portugal. Em todas as ocasiões, foi rejeitado. Então tentou a sorte com Fernando e Isabel, governantes da Espanha recém-unificada. Contratou alguns lobistas experientes e, com sua ajuda, conseguiu convencer a rainha Isabel a investir. Como todo estudante sabe, Isabel tirou a sorte grande. As descobertas de Colombo permitiram aos espanhóis conquistar a América, onde instalaram minas de ouro e de prata, bem como plantações de açúcar e tabaco que enriqueceram reis, banqueiros e comerciantes espanhóis em um nível jamais sonhado.

Cem anos depois, príncipes e banqueiros estavam dispostos a conceder mais crédito aos sucessores de Colombo, e eles tinham muito mais capital à disposição, graças aos tesouros colhidos na América. E, o que é igualmente importante, príncipes e banqueiros tinham muito mais confiança no potencial da exploração e estavam mais dispostos a participar com seu dinheiro. Esse era o círculo mágico do capitalismo imperial: o crédito financiava novas descobertas; as descobertas levavam às colônias; as colônias geravam lucros; os lucros criavam confiança; e a confiança se traduzia em mais crédito. Nurhachi e Nader Xá ficavam sem combustível depois de alguns milhares de quilômetros. Os empreendedores capitalistas só aumentavam seu ímpeto financeiro a cada conquista.

Mas essas expedições continuaram sendo ocasionais, de modo que os mercados de crédito permaneceram um tanto quanto cautelosos. Muitas expedições regressavam à Europa de mãos vazias, não tendo descoberto nada de valor. Os ingleses, por exemplo, desperdiçaram muito capital em tentativas infrutíferas de descobrir uma passagem para a Ásia a noroeste através do Ártico. Muitas outras expedições não regressaram. Navios se chocavam com icebergs, afundavam em tempestades tropicais ou eram vítimas de piratas. A fim de aumentar o número de investidores em potencial e reduzir o risco em que eles incorriam, os europeus se voltaram para empresas constituídas como sociedades por cotas de responsabilidade limitada. Em vez de um único investidor apostando todo o seu dinheiro em um só navio frágil, a empresa coletava dinheiro de um grande número de investidores, cada um deles arriscando apenas uma pequena porção de seu capital. Os riscos eram minimizados, mas os lucros não tinham limites. Mesmo um pequeno investimento no navio certo poderia transformar o investidor em um milionário.

Década após década, a Europa Ocidental testemunhou o desenvolvimento de um sofisticado sistema financeiro capaz de levantar grandes somas de crédito em um piscar de olhos e colocá-las à disposição de governos e empreendedores privados. Esse sistema podia financiar explorações e conquistas de maneira muito mais eficiente do que qualquer reino ou império. O recém-descoberto poder do crédito pode ser observado na batalha feroz entre a Espanha e a Holanda. No século XVI, a Espanha era o Estado mais poderoso da Europa, dominando um vasto império global. Governava grande parte da Europa, grandes porções da América do Norte e do Sul, as ilhas Filipinas e uma série de bases na costa da África e da Ásia. Todos os anos, frotas carregadas de tesouros americanos e asiáticos regressavam aos portos de Sevilha e de Cádiz. A Holanda era um pequeno pântano ventoso, desprovido de recursos naturais, um pequeno rincão dos domínios do rei da Espanha.

Em 1568, os holandeses, que eram em sua maioria protestantes, se revoltaram contra seu senhor espanhol católico. No início, os rebeldes pareciam desempenhar o papel de Dom Quixote, atacando corajosamente moinhos de vento invisíveis. Mas, em 80 anos, os holandeses não só conquistaram a independência em relação à Espanha como também conseguiram substituir os espanhóis e seus aliados portugueses como senhores das rotas marítimas, construir um império holandês global e se tornar o Estado mais rico da Europa.

O segredo do sucesso holandês foi o crédito. Os burgueses holandeses, que tinham pouca predileção por combate em terra, contrataram exércitos mercenários para enfrentar a Espanha por eles. Enquanto isso, eles se lançaram ao mar em frotas cada vez maiores.

Exércitos mercenários e frotas brandindo canhões custam uma fortuna, mas os holandeses foram capazes de financiar suas expedições militares mais facilmente do que o poderoso Império Espanhol porque obtiveram a confiança do próspero sistema financeiro europeu numa época em que o rei espanhol estava corroendo de modo negligente a confiança nele depositada. Os financiadores concederam aos holandeses crédito suficiente para formar exércitos e frotas, e esses exércitos e frotas deram aos holandeses o controle sobre as rotas de comércio mundial, o que, por sua vez, gerou lucros vultosos. Os lucros lhes permitiram pagar os empréstimos, o que fortaleceu a confiança dos financistas. Em pouco tempo, Amsterdã se tornou não só um dos portos mais importantes da Europa como também a Meca financeira do continente.

Como exatamente os holandeses ganharam a confiança do sistema financeiro? Em primeiro lugar, eles faziam questão de quitar os empréstimos na data combinada, tornando a concessão de crédito menos arriscada para os credores. Em segundo lugar, o sistema jurídico de seu país era independente e protegia os direitos individuais – principalmente direitos sobre a propriedade privada. O capital foge de Estados ditatoriais que não conseguem defender os indivíduos e sua propriedade. Em vez disso, aflui em países que defendem o Estado de direito e a propriedade privada.

Imagine que você é filho de uma sólida família de financistas alemães. Seu pai vê uma oportunidade de expandir o negócio abrindo filiais em importantes cidades europeias. Ele o envia a Amsterdã e seu irmão mais novo a Madri, dando a cada um de vocês 10 mil moedas de ouro para investir. Seu irmão empresta seu capital inicial, com juros, para o rei da Espanha, que precisa dele para formar um exército a fim de enfrentar o rei da França. Você decide emprestar o seu para um comerciante holandês, que quer investir em um matagal na extremidade sul de uma ilha desolada chamada Manhattan, convencido de que os valores das propriedades irão disparar quando o rio Hudson se transformar em uma importante artéria comercial. Ambos os empréstimos devem ser quitados em um ano.

O ano passa. O comerciante holandês vende a terra que comprou com uma boa margem de lucro e lhe devolve o dinheiro com os juros que prometeu. Seu pai fica satisfeito. Mas seu irmãozinho em Madri está ficando nervoso. A guerra com a França terminou bem para o rei da Espanha, mas agora ele se meteu em um conflito com os turcos. Ele precisa de cada centavo para financiar a nova guerra e acha que isso é muito mais importante do que quitar velhas dívidas. Seu irmão envia cartas ao palácio e pede que amigos com relações na corte intercedam, mas é em vão. Seu irmão não só não ganhou os juros prometidos como também perdeu o capital principal. Seu pai não está satisfeito.

Agora, para piorar as coisas, o rei envia um oficial do tesouro até seu irmão para lhe dizer, sem meias palavras, que espera obter imediatamente outro empréstimo do mesmo tamanho. Seu irmão não tem dinheiro para emprestar. Ele escreve para o pai, tentando persuadi-lo de que dessa vez o rei honrará o compromisso. O patriarca tem uma queda por seu filho mais novo e, com o coração pesado, concorda. Outras 10 mil moedas de ouro desaparecem no tesouro espanhol e jamais serão vistas novamente. Enquanto isso, em Amsterdã, a situação é promissora. Você faz cada vez mais empréstimos a comerciantes holandeses, que os quitam na data combinada, mas sua sorte não dura indefinidamente. Um de seus clientes intui que tamancos de madeira serão a próxima febre em Paris e lhe pede um empréstimo para abrir uma loja de calçados na capital francesa. Você lhe empresta o dinheiro, mas, infelizmente, os tamancos não fazem sucesso com as damas francesas, e o comerciante, irritado, se recusa a pagar o empréstimo.

Seu pai fica furioso e diz a vocês dois que é hora de acionar os advogados. Em Madri, seu irmão entra com um processo contra o monarca espanhol, enquanto você, em Amsterdã, entra com um processo contra o ex-mago dos sapatos de madeira. Na Espanha, os tribunais são subservientes ao rei – os juízes estão à sua disposição e temem ser punidos se não fizerem sua vontade. Na Holanda, os tribunais são um braço separado do governo, não dependendo dos príncipes e burgueses do país. O tribunal de Madri rejeita o processo do seu irmão, enquanto o de Amsterdã decide em seu favor e penhora os ativos do comerciante de tamancos para forçá-lo a pagar o empréstimo. Seu pai aprendeu a lição. Melhor fazer negócio com comerciantes do que com reis, e melhor na Holanda do que em Madri.

E os esforços do seu irmão não terminaram. O rei da Espanha precisa desesperadamente de mais dinheiro para pagar seu exército. Ele tem certeza de que seu pai tem dinheiro para gastar. Então, forja acusações de traição contra seu irmão. Se ele não fornecer 20 mil moedas de ouro imediatamente, será jogado em um calabouço e apodrecerá lá até morrer.

Seu pai está farto. Ele paga o resgate pelo filho amado, mas jura nunca mais fazer negócios na Espanha novamente. Fecha a filial em Madri e manda seu irmão para Amsterdã. Duas filiais na Holanda parecem uma excelente ideia. Ele fica sabendo que até mesmo os capitalistas espanhóis estão desviando suas fortunas para fora do país. Eles também percebem que, se quiserem preservar seu dinheiro e usá-lo para obter mais riqueza, é melhor investi-lo onde o Estado de direito prevalece e a propriedade privada é respeitada – na Holanda, por exemplo.

Dessa forma, o rei da Espanha minou a confiança dos investidores, enquanto os comerciantes holandeses a ganharam. E foram os comerciantes – e não o Estado – que construíram o império holandês. O rei da Espanha continuou tentando financiar e manter suas conquistas cobrando mais impostos de uma população insatisfeita. Os comerciantes holandeses financiaram a conquista obtendo empréstimos e, cada vez mais, vendendo participações nas empresas que davam a seus acionistas o direito de receber uma parte dos lucros. Investidores prudentes que jamais teriam dado seu dinheiro para o rei da Espanha, e que teriam pensado duas vezes antes de conceder crédito ao governo holandês, estiveram dispostos a investir fortunas nas empresas de capital aberto holandesas, que foram o sustentáculo do novo império.

Se você achasse que uma empresa que já vendeu todas as suas ações teria muito lucro, poderia comprar ações de outras pessoas, provavelmente a um preço mais alto do que elas pagaram originalmente. Se você comprasse ações e mais tarde descobrisse que a empresa estava no vermelho, poderia tentar vender suas ações por um preço inferior. O comércio de ações levou ao surgimento, na maioria das principais cidades europeias, de bolsas de valores, lugares onde as ações das empresas eram comercializadas.

A mais famosa empresa de capital aberto da Holanda, a Vereenigde Oostindische Compagnie (VOC), foi fundada em 1602, exatamente quando os holandeses estavam se livrando do governo europeu e ainda era possível ouvir os estrondos da artilharia espanhola não muito longe dos baluartes de Amsterdã. A VOC usou o dinheiro que obteve com a compra de ações para construir navios, enviá-los à Ásia e trazer de volta produtos chineses, indianos e indonésios. Também financiou ações militares empreendidas por navios mercantes contra concorrentes e piratas. O dinheiro da VOC acabou por financiar a conquista da Indonésia.

A Indonésia é o maior arquipélago do mundo. No início do século XVII, seus milhares e milhares de ilhas foram governados por centenas de reinos, principados, sultanatos e tribos. Quando os comerciantes da VOC chegaram à Indonésia pela primeira vez em 1603, seu objetivo era estritamente comercial. No entanto, para garantir seus interesses comerciais e maximizar os lucros dos acionistas, os comerciantes da VOC começaram a lutar contra potentados locais que cobravam tarifas infladas, bem como contra concorrentes europeus. A VOC armou seus navios mercantes com canhões; recrutou mercenários europeus, japoneses, indianos e indonésios; e construiu fortes e conduziu batalhas e cercos em grande escala. Essa iniciativa pode soar um pouco estranha para nós, mas no início da Era Moderna era comum empresas privadas contratarem não só soldados como também generais e almirantes, canhões e navios, e até mesmo exércitos inteiros. A comunidade internacional encarava isso como algo natural e não estranhou nem um pouco quando uma empresa privada fundou um império.

Uma ilha atrás da outra caiu diante de mercenários da VOC e uma grande parte da Indonésia se tornou uma colônia da empresa. A VOC governou a Indonésia por quase 200 anos. Foi só em 1800 que o Estado holandês assumiu o controle da Indonésia, tornando-a uma colônia nacional holandesa pelos próximos 150 anos. Hoje, algumas pessoas alertam que as corporações do século XXI estão acumulando muito poder. A história do início da era moderna nos mostra a que ponto isso pode chegar se permitirmos que os negócios persigam seus próprios interesses sem controle algum.

Enquanto a VOC operava no oceano Índico, a Companhia das Índias Ocidentais, outra empresa holandesa, se ocupou do Atlântico. A fim de controlar o comércio no importante rio Hudson, a Companhia das Índias Ocidentais fundou uma colônia chamada Nova Amsterdã em uma ilha na foz do rio. A colônia foi ameaçada por índios e repetidas vezes atacada pelos britânicos, que finalmente a tomaram, em 1664. Os britânicos mudaram seu nome para Nova York. Os restos do muro construído pela Companhia das Índias Ocidentais para defender sua colônia dos índios e dos britânicos deram lugar à rua mais famosa do mundo: Wall Street.

Quando o século XVII dava seus últimos suspiros, a complacência e guerras continentais custosas levaram os holandeses a perder não só Nova York como também seu posto de locomotiva imperial e financeira da Europa, o qual foi febrilmente disputado pela França e pela Grã-Bretanha. No início, a França parecia estar em posição muito melhor. Era maior que a Grã-Bretanha, mais rica, mais populosa e contava com um exército mais numeroso e experiente. Mas a Grã-Bretanha conseguiu conquistar a confiança do sistema financeiro, ao passo que a França se mostrou não confiável. O comportamento da coroa francesa foi particularmente digno de nota durante a chamada Bolha do Mississippi, a maior crise financeira da Europa no século XVIII. Essa história também começa com uma empresa de capital aberto que fundou um império.

Em 1717, a Companhia do Mississippi, fundada na França, tratou de colonizar o vale do baixo Mississippi, fundando a cidade de Nova Orleans no processo. Para financiar seus planos ambiciosos, a empresa, que tinha boas relações na corte do rei Luís XV, vendeu ações na bolsa de valores de Paris. John Law, o diretor da empresa, era também presidente do Banco Central da França. Além disso, o rei o havia nomeado controlador-geral de finanças, um cargo mais ou menos equivalente ao de um ministro de Finanças em nossos dias. Em 1717, o vale do baixo Mississippi oferecia poucas atrações além de pântanos e crocodilos, mas a Companhia do Mississippi espalhou histórias de riquezas fabulosas e oportunidades infinitas. Aristocratas, homens de negócios e membros apáticos da burguesia urbana da França foram atraídos por essas fantasias, e os preços das ações da Companhia do Mississippi dispararam. No início, as açoes eram oferecidas a 500 livres. Em 1 de agosto de 1719, eram vendidas a 2,75 mil livres. Em 30 de agosto, valiam 4,1 mil livres e, em 4 de setembro, chegaram a 5 mil livres. Em 2 de dezembro, o preço de uma ação da Mississippi ultrapassou os 10 mil livres. A euforia tomou conta das ruas de Paris. As pessoas venderam todos os seus bens e contraíram grandes empréstimos para comprar ações da Companhia do Mississippi. Todos pensavam ter descoberto o caminho fácil para a riqueza.

Poucos dias depois, o pânico começou. Alguns especuladores perceberam que os preços das ações eram totalmente irrealistas e insustentáveis. Concluíram que era melhor vender enquanto os preços estavam no pico. À medida que a oferta de ações disponíveis aumentou, os preços caíram. Quando outros investidores viram o preço caindo, também quiseram vender depressa. Com isso, os preços despencaram ainda mais, desencadeando uma avalanche. Para estabilizar os preços, o Banco Central da França – presidido por seu diretor, John Law – comprou ações da Companhia do Mississippi, mas não poderia fazer isso para sempre. O banco acabou ficando sem dinheiro. Quando isso aconteceu, o controlador-geral de finanças, o mesmo John Law, autorizou a impressão de mais dinheiro a fim de comprar mais ações. Isso colocou todo o sistema financeiro da França dentro da bolha. E nem mesmo essa mágica financeira foi capaz de salvar o dia. O preço das ações da Companhia do Mississippi caiu de 10 mil livres para 1 mil livres outra vez, e então despencou completamente, e as ações perderam cada centavo de seu valor. A essa altura, o Banco Central e o Tesouro Real tinham uma quantidade absurda de ações sem valor e não tinham dinheiro algum. Os grandes especuladores saíram praticamente ilesos – eles venderam a tempo. Os pequenos investidores perderam tudo, e muitos cometeram suicídio.

A Bolha do Mississippi foi uma das crises financeiras mais espetaculares da história. O sistema financeiro da coroa francesa jamais se recuperou totalmente desse golpe. A maneira como a Companhia do Mississippi usou seu poder político para manipular os preços das ações e alimentar a febre de compra levou o público a perder a fé no sistema bancário da França e na sabedoria financeira do rei francês. Luís XV teve cada vez mais dificuldade de obter crédito. Esse veio a ser um dos principais motivos pelos quais o império ultramarino francês caiu nas mãos dos britânicos. Enquanto os britânicos conseguiam obter empréstimos facilmente e a juros baixos, a França enfrentava dificuldade para conseguir empréstimos e tinha de pagar juros altos por eles. Até que, nos anos 1780, Luís XVI, que havia subido ao trono após a morte do avô, percebeu que metade de seu orçamento anual estava comprometido com o pagamento de juros sobre os empréstimos e que seu destino era a bancarrota. Com relutância, em 1789, Luís XVI convocou os Estados-Gerais – o parlamento francês que não se reunia há um século e meio – a fim de encontrar uma solução para a crise. Assim começou a Revolução Francesa.

Enquanto o império ultramarino francês estava desmoronando, o Império Britânico se expandia rapidamente. Como o Império Holandês que o precedeu, o Império Britânico foi fundado e administrado principalmente por empresas privadas de capital aberto, cujas ações eram negociadas na bolsa de valores de Londres. As primeiras colônias inglesas na América do Norte foram fundadas no início do século XVII por sociedades anônimas como a Companhia de Londres, a Companhia de Plymouth, a Companhia de Dorchester e a Companhia de Massachusetts.

O subcontinente indiano também foi conquistado não pelo Estado britânico, e sim pelo exército mercenário da Companhia das Índias Orientais. Essa empresa privada britânica superou até mesmo a holandesa VOC. De sua sede na Leadenhall Street, em Londres, governou um poderoso império indiano por cerca de um século, mantendo uma força militar gigantesca de até 350 mil soldados, que superava consideravelmente as forças armadas da monarquia britânica. Foi só em 1858 que a Coroa britânica nacionalizou a Índia e o exército privado da empresa. Napoleão zombou dos britânicos, chamando-os de uma nação de lojistas. Mas esses lojistas derrotaram o próprio Napoleão, e o império deles foi o maior que o mundo já viu.

Em nome do capital

A nacionalização da Indonésia pela Coroa holandesa (1800) e a da Índia pela Coroa britânica (1858) não colocaram fim à aliança entre capitalismo e império. Ao contrário, a conexão só se tornou mais forte durante o século XIX. As empresas de capital aberto já não precisavam fundar e governar colônias privadas – seus administradores e grandes acionistas agora controlavam os bastidores do poder em Londres, Amsterdã e Paris, e eles podiam contar com o Estado para cuidar de seus interesses. Como Marx e outros críticos sociais ironizaram, os governos ocidentais estavam se tornando um sindicato capitalista.

O exemplo mais notório de como os governos se curvaram diante do dinheiro foi a Primeira Guerra do Ópio, travada entre a Grã-Bretanha e a China (1840-1842). Na primeira metade do século XIX, a Companhia das Índias Orientais e vários homens de negócio britânicos fizeram fortuna exportando drogas, principalmente ópio, para a China. Milhões de chineses ficaram viciados, o que debilitou o país do ponto de vista tanto econômico quanto social. No fim dos anos 1830, o governo chinês proibiu o tráfico de drogas, mas os comerciantes britânicos simplesmente ignoraram a lei. As autoridades chinesas começaram a confiscar e destruir os carregamentos de droga. Os cartéis de droga tinham relações em Westminster e na Downing Street – na verdade, muitos membros do parlamento e ministros tinham ações nas empresas de droga –, de modo que eles pressionaram o governo para agir.

Em 1840, a Grã-Bretanha declarou guerra à China em nome do "livre comércio". Foi uma vitória fácil. A China, excessivamente confiante, não foi páreo para as novas superarmas dos britânicos – navios a vapor, artilharia pesada, foguetes e fuzis de disparo rápido. Segundo o tratado de paz que se seguiu, a China concordou em não restringir as atividades dos comerciantes de drogas britânicos e em compensá-los pelos danos causados pela polícia chinesa. Além disso, a Grã-Bretanha exigiu e obteve o controle de Hong Kong, que eles passaram a usar como uma base segura para o tráfico de drogas (Hong Kong continuou nas mãos dos britânicos até 1997). No fim do século XIX, cerca de 40 milhões de chineses, um décimo da população do país, eram viciados em ópio.[3]

O Egito também aprendeu a respeitar o braço comprido do capitalismo britânico. Durante o século XIX, investidores franceses e britânicos emprestaram grandes somas aos governantes do Egito, primeiro a fim de financiar o projeto do Canal de Suez e depois para financiar iniciativas muito menos bem-sucedidas. A dívida egípcia inflou, e os credores europeus se intrometeram cada vez mais em assuntos egípcios. Em 1881, os nacionalistas egípcios estavam fartos e se rebelaram, declarando uma anulação unilateral de toda a dívida externa. A rainha Vitória não ficou satisfeita. Um ano depois, ela enviou seu exército e sua marinha para o Nilo, e o Egito continuou sendo um protetorado britânico até o fim da Segunda Guerra Mundial.

Essas estão longe de terem sido as únicas guerras travadas para proteger interesses de investidores. Na verdade, a própria guerra poderia se tornar uma commodity, assim como o ópio. Em 1821, os gregos se rebelaram contra o Império Otomano. A rebelião despertou grande simpatia nos círculos liberais e românticos da Grã-Bretanha – Lorde Byron, o poeta, inclusive foi à Grécia para lutar ao lado dos insurgentes. Mas os financistas de Londres também viram nisso uma oportunidade. Propuseram aos líderes rebeldes a emissão de Títulos da Rebelião Grega, comercializáveis na bolsa de valores de Londres. Os gregos prometeriam pagar os títulos, acrescidos de juros, se e quando conquistassem a independência. Investidores privados compraram títulos para lucrar, ou por simpatizar com a causa grega, ou por ambos os motivos. O valor dos Títulos da Rebelião Grega subia e caía na bolsa de valores conforme os sucessos e fracassos militares nos campos de batalha da Hellas. Aos poucos, os turcos levaram a melhor. Com uma derrota iminente dos rebeldes, os acionistas se viram diante da perspectiva de perder seus tesouros. O interesse dos acionistas era o interesse da nação, de modo que os britânicos organizaram uma frota internacional e, em 1827, afundaram a principal flotilha otomana na batalha de Navarino. Depois de séculos de dominação, a Grécia finalmente estava livre. Mas a liberdade veio com uma dívida gigantesca que o novo país não tinha como pagar. A economia grega foi hipotecada a credores britânicos durante décadas.

O abraço de urso entre o capital e a política teve implicações de longo alcance para o mercado de crédito. A quantidade de crédito em uma economia é determinada não só por fatores puramente econômicos, como a descoberta de novos campos de petróleo ou a invenção de uma nova máquina, como também por acontecimentos políticos, como mudanças de regime ou políticas externas mais ambiciosas. Depois da batalha de Navarino, os capitalistas britânicos estavam mais dispostos a investir seu dinheiro em negócios ultramarinos arriscados. Eles viram que, se um devedor estrangeiro se recusasse a pagar os empréstimos, o exército de Sua Majestade traria o dinheiro deles de volta.

É por isso que, hoje, a classificação de risco de um país é muito mais importante para seu bem-estar econômico do que seus recursos naturais. As classificações de risco indicam a probabilidade de um país pagar suas dívidas. Além de dados puramente econômicos, levam em consideração fatores políticos, sociais e até mesmo culturais. Um país rico em petróleo, mas amaldiçoado com um governo despótico, guerra endêmica e um sistema jurídico corrupto geralmente receberá uma classificação de risco alta. Em consequência, é provável que continue relativamente pobre, já que não será capaz de levantar o capital necessário para aproveitar ao máximo sua riqueza de petróleo. Um país desprovido de recursos naturais, mas que desfruta de paz, de um sistema jurídico justo e de um governo livre provavelmente receberá uma classificação de risco baixa. Como tal, pode conseguir levantar capital suficiente para financiar um bom sistema educativo e fomentar uma indústria de tecnologia próspera.

O culto ao livre mercado

O capital e a política se influenciam mutuamente a tal ponto que a relação entre os dois é acaloradamente debatida por economistas, políticos e pelo público. Capitalistas convictos costumam alegar que o capital deveria ter a liberdade de influenciar a política, mas a política não deveria ter a liberdade de influenciar o capital. Alegam que quando os governos interferem nos mercados, interesses políticos ocasionam com que façam investimentos pouco sensatos, que por sua vez resultam num crescimento mais lento. Por exemplo, um governo pode impor uma carga tributária pesada sobre os industrialistas e usar o dinheiro para pagar seguros-desemprego generosos, uma medida popular entre os eleitores. Na visão de muitos empresários, seria muito melhor se o governo deixasse o dinheiro com eles. Eles o usariam, segundo afirmam, para abrir novas fábricas e contratar os desempregados.

Nessa visão, a política econômica mais sábia é manter a política fora da economia, reduzir ao mínimo a carga tributária e a regulação do governo e deixar que as forças do mercado tomem seu curso. Os investidores privados, desimpedidos de considerações políticas, investirão seu dinheiro onde puderem obter mais lucro; portanto, a forma de garantir máximo crescimento econômico – que beneficiará a todos, industrialistas e operários – é o governo fazer o mínimo possível. Essa doutrina de livre mercado é hoje a mais comum e mais influente variante do credo capitalista. Os defensores mais entusiastas do livre mercado criticam aventuras militares no exterior com tanto fervor quanto criticam os programas nacionais de bem-estar social. Eles oferecem aos governos o mesmo conselho que os mestres zen oferecem aos iniciantes: simplesmente não faça nada.

Mas em sua forma extrema, a crença no livre mercado é tão ingênua quanto a crença no Papai Noel. Simplesmente não existe um mercado completamente isento de interesses políticos. O recurso econômico mais importante é a confiança no futuro, e esse recurso é constantemente ameaçado por ladrões e charlatães. Os mercados, sozinhos, não oferecem proteção alguma contra fraude, roubo e violência. É função dos sistemas políticos assegurar a confiança legislando sanções contra trapaças e instaurando e financiando forças policiais, tribunais e prisões que fazem com que a lei seja cumprida. Quando os reis falham em sua função e nao regulam o mercado devidamente, a consequência é perda de confiança, redução de crédito e depressão econômica. Essa foi a lição ensinada pela Bolha do Mississippi em 1719, e os que se esqueceram dela foram relembrados pela bolha imobiliária de 2007 nos Estados Unidos, e com a crise creditícia e a recessão que se seguiram.

O inferno capitalista

Há uma razão ainda mais fundamental pela qual é perigoso dar rédea solta aos mercados. Adam Smith ensinou que o sapateiro usaria seu excedente para empregar mais assistentes. Isso implica que a ganância egoísta é benéfica para todos, já que os lucros são usados para expandir a produção e contratar mais empregados.

Mas o que acontece se o sapateiro ganancioso aumenta os lucros pagando menos aos empregados e aumentando a jornada de trabalho deles? A resposta padrão é que o livre mercado protegeria os empregados. Se nosso sapateiro paga pouco e exige muito, os melhores empregados naturalmente o abandonariam e iriam trabalhar para a concorrência. Ao sapateiro tirano restariam os piores trabalhadores, ou nenhum. Ele teria de se remediar ou sair do negócio. Sua própria ganância o impeliria a tratar bem seus empregados.

Isso, na teoria, parece à prova de balas, mas na prática as balas passam com demasiada facilidade. Em um mercado completamente livre, não supervisionado por reis e padres, capitalistas avarentos podem criar monopólios ou entrar em conluio contra sua mão de obra. Se houver uma única corporação controlando todas as fábricas de sapatos em um país, ou se todos os proprietários de fábricas conspirarem para reduzir os salários simultaneamente, os trabalhadores já não serão capazes de se proteger mudando de emprego.

O que é ainda pior, chefes gananciosos podem restringir a liberdade de ir e vir dos trabalhadores por meio da servidão por dívida ou da escravidão. No fim da Idade Média, a escravidão era quase desconhecida na Europa cristã. Durante o início da era moderna, a ascensão do capitalismo europeu andou de mãos dadas com a ascensão do comércio de escravos no Atlântico. Forças mercantis irrestritas, e não reis tirânicos ou ideólogos racistas, foram responsáveis por essa calamidade.

Quando os europeus conquistaram a América, eles abriram minas de ouro e de prata e fundaram plantações de açúcar, tabaco e algodão. Essas minas e plantações se tornaram o sustentáculo da produção e da exportação americanas. As plantações de açúcar foram de especial importância. Na Idade Média, o açúcar era um luxo raro na Europa. Era importado do Oriente Médio a preços proibitivos e usado com parcimônia como um ingrediente secreto em iguarias e medicamentos à base de óleo de cobra. Depois que grandes plantações de açúcar foram estabelecidas na América, quantidades cada vez maiores de açúcar começaram a chegar à Europa. O preço do açúcar caiu, e a Europa desenvolveu um paladar insaciável por doce. Os empreendedores satisfizeram essa necessidade produzindo enormes quantidades de bolos, biscoitos, chocolates, doces e bebidas adocicadas feitas com cacau, café e chá. A ingestão anual de açúcar de um inglês cresceu de quase zero no início do século XVII para aproximadamente oito quilos, em média, no início do século XIX.

No entanto, cultivar cana e extrair seu açúcar era uma atividade que demandava trabalho intensivo. Poucas pessoas queriam trabalhar longas jornadas em campos de açúcar infestados de malária sob um sol tropical. Trabalhadores contratados teriam resultado em um produto caro demais para o consumo em massa. Cientes das forças do mercado, e ávidos por lucro e crescimento econômico, os europeus donos das plantações se voltaram para os escravos.

Do século XVI ao século XIX, por volta de 10 milhões de escravos africanos foram importados para a América. Cerca de 70% deles trabalharam nas plantações de açúcar. As condições de trabalho eram abomináveis. A maioria dos escravos viviam uma existência curta e miserável, e outros milhões morriam durante guerras travadas para capturar escravos ou durante a longa viagem do interior da África à costa da América. Tudo isso para que os europeus pudessem saborear seus doces e chás adocicados – e para que os barões do açúcar pudessem desfrutar de lucros enormes.

O comércio de escravos não era controlado por nenhum Estado ou governo. Foi uma iniciativa puramente econômica, organizada e financiada pelo livre mercado de acordo com as leis da oferta e da demanda. As empresas privadas de comércio de escravos vendiam ações nas bolsas de valores de Amsterdã, Londres e Paris. Europeus de classe média à procura de um bom investimento compravam essas ações. Contando com esse dinheiro, as empresas compravam navios, contratavam marinheiros e soldados, compravam escravos na África e os transportavam para a América, onde vendiam escravos aos donos das plantações, usando a receita para comprar produtos como açúcar, cacau, tabaco, algodão e rum. Eles regressavam à Europa, vendiam o açúcar e o algodão por um bom preço e então navegavam para a África para começar outra rodada. Os acionistas ficavam muito satisfeitos com esse arranjo. Ao longo do século XVIII, o rendimento sobre os investimentos no comércio de escravos foi de cerca de 6% ao ano – eram extremamente lucrativos, como qualquer consultor de hoje admitiria sem demora.

Essa é a pedra no sapato do capitalismo de livre mercado. Não há como garantir que os lucros sejam ganhos de forma justa, ou distribuídos de maneira justa. Ao contrário, a ânsia por aumentar os lucros e a produção cega as pessoas para qualquer coisa que possa estar no caminho. Quando o crescimento se torna um bem supremo, irrestrito por qualquer outra consideração ética, pode facilmente levar à catástrofe. Algumas religiões, como o cristianismo e o nazismo, mataram milhões por ódio fervoroso. O capitalismo matou milhões por pura indiferença unida à ganância. O comércio de escravos no Atlântico não derivou do ódio racista para com os africanos. Os indivíduos que compraram as ações, os corretores que as venderam e os administradores das empresas de comércio de escravos raramente pensavam nos africanos. O mesmo pode ser dito dos proprietários das plantações de açúcar: muitos deles viviam longe das plantações e a única informação que exigiam eram livros contábeis com registros precisos de lucros e perdas.

É importante lembrar que o comércio de escravos no Atlântico não foi uma aberração em um registro imaculado. A Grande Fome de Bengala, discutida no capítulo anterior, foi causada por uma dinâmica similar: a Companhia das Índias Orientais britânica se importava mais com seus lucros do que com a vida de 10 milhões de bengaleses. As campanhas militares da VOC na Indonésia eram financiadas por burgueses holandeses honestos que amavam seus filhos, faziam doações de caridade e apreciavam boa música e boa arte, mas não tinham consideração alguma pelo sofrimento dos habitantes de Java, Sumatra e Malaca. Inúmeros outros crimes e contravenções acompanharam o crescimento da economia moderna em outras partes do planeta.

O século XIX não trouxe nenhuma melhoria na ética do capitalismo. A Revolução Industrial que varreu a Europa enriqueceu os banqueiros e os donos do capital, mas condenou milhões de trabalhadores a uma vida de pobreza abjeta. Nas colônias europeias as coisas eram ainda piores. Em 1876, o rei Leopoldo II, da Bélgica, fundou uma organização humanitária não governamental com o objetivo declarado de explorar a África Central e combater o comércio de escravos ao longo do rio Congo. Também foi encarregada de melhorar as condições para os habitantes da região, construindo rodovias, escolas e hospitais. Em 1885, as potências europeias concordaram em conceder a essa organização o controle de 2,3 milhões de quilômetros quadrados na bacia do Congo. Esse território, 75 vezes o tamanho da Bélgica, ficou conhecido a partir de então como o Estado Livre do Congo. Ninguém pediu a opinião dos 20-30 milhões de habitantes do território.

Em pouco tempo a organização humanitária se tornou um negócio cujo objetivo real era o crescimento e o lucro. As escolas e os hospitais foram esquecidos, e em vez disso a bacia do Congo se encheu de minas e plantações, controladas principalmente por oficiais belgas que exploraram a população local de maneira brutal. A indústria da borracha foi particularmente notória. A borracha estava rapidamente se tornando uma mercadoria industrial, e a sua exportação era a principal fonte de receita do Congo. Os aldeães africanos que coletavam a borracha eram obrigados a fornecer cotas cada vez maiores. Aqueles que não conseguiam fornecer sua cota eram punidos brutalmente por sua "preguiça". Seus braços eram cortados e, em certas ocasiões, aldeias inteiras eram massacradas. De acordo com as estimativas mais precisas, entre 1885 e 1908 a busca por crescimento e lucros custou a vida de 6 milhões de indivíduos (pelo menos 20% da população do Congo). Algumas estimativas chegam a 10 milhões de mortes.[4]

Depois de 1908, e especialmente depois de 1945, a ganância capitalista foi um pouco freada, sobretudo por temor ao comunismo. Mas as desigualdades continuam extremas. O bolo econômico de 2015 é muito maior que o de 1500, mas é distribuído de maneira tão desigual que muitos camponeses africanos e trabalhadores indonésios voltam para casa depois de um dia duro de trabalho com menos comida do que seus ancestrais há 500 anos. De modo muito similar à Revolução Agrícola, o crescimento da economia moderna talvez também se revele uma fraude colossal. A espécie humana e a economia global podem muito bem continuar crescendo, mas muito mais indivíduos passam fome e privação.

O capitalismo tem duas respostas para essa crítica. Primeiro, o capitalismo criou um mundo que ninguém além de um capitalista é capaz de governar. A única tentativa séria de governar o mundo de uma forma diferente – o comunismo – foi tão pior em praticamente todos os aspectos concebíveis que ninguém tem estômago para tentar de novo. Em 8500 a.C., alguém podia derramar lágrimas amargas por causa da Revolução Agrícola, mas era tarde demais para desistir da agricultura. Da mesma forma, podemos não gostar do capitalismo, mas não podemos viver sem ele.

A segunda resposta é que só precisamos de um pouco mais de paciência – o paraíso, prometem os capitalistas, está logo ali na esquina. É verdade, cometeram-se erros, como o comércio de escravos no Atlântico e a exploração da classe trabalhadora europeia. Mas aprendemos a lição, e, se esperarmos só mais um pouquinho e deixarmos o bolo crescer um pouco mais, todos receberão uma fatia maior. A divisão de espólios nunca será igual, mas haverá o suficiente para satisfazer cada homem, mulher e criança – até mesmo no Congo.

De fato, há alguns sinais positivos. Pelo menos quando usamos critérios puramente materiais – como expectativa de vida, mortalidade infantil e ingestão de calorias –, o padrão de vida médio dos humanos em 2015 é significativamente maior do que era em 1913, apesar do crescimento exponencial no número de humanos.

Mas o bolo econômico pode crescer indefinidamente? Todo bolo requer matérias-primas e energia. Os profetas do apocalipse alertam que, mais cedo ou mais tarde, o *Homo sapiens* irá exaurir as matérias-primas e a energia do planeta Terra. E o que acontecerá depois?

17

As engrenagens da indústria

A ECONOMIA MODERNA CRESCE GRAÇAS À NOSSA CONFIANÇA NO FUTURO E À disposição dos capitalistas para reinvestir seus lucros na produção. Mas isso não é suficiente. O crescimento econômico também requer energia e matérias-primas, e essas são finitas. Quando e se acabarem, todo o sistema irá desmoronar.

No entanto, as evidências fornecidas pelo passado são que eles só são finitos em teoria. Contrariando as expectativas, embora o uso de energia e matérias-primas por parte da humanidade tenha crescido nos últimos séculos, a quantidade disponível para nossa exploração de fato *aumentou*. Sempre que a escassez de um ou de outro ameaçou desacelerar o crescimento econômico, choveram investimentos em pesquisa científica e em pesquisa tecnológica. Essas invariavelmente produziram não só maneiras mais eficazes de explorar os recursos existentes como também tipos completamente novos de energia e materiais.

Considere a indústria de veículos. Nos últimos 300 anos, a humanidade fabricou bilhões de veículos – de carroças e carrinhos de mão a trens, carros, jatos supersônicos e naves espaciais. Seria de se esperar que tal esforço imenso exaurisse as fontes de energia e as matérias-primas disponíveis para a produção de veículos e que hoje estivéssemos raspando o fundo do barril. Mas aconteceu o oposto. Enquanto, em 1700, a indústria de veículos global dependia quase exclusivamente de madeira e de ferro, hoje tem à sua disposição uma abundância de materiais recém-descobertos, como plástico, borracha, alumínio e titânio, nenhum dos quais nossos ancestrais sequer conheciam. Enquanto, em 1700, as carroças eram construídas principalmente por meio da força física de carpinteiros e ferreiros, hoje as máquinas nas fábricas da Toyota e da Boeing são alimentadas por motores de combustão de petróleo e usinas de energia nuclear. Uma revolução similar ocorreu em quase todos os outros setores da indústria. Podemos chamar isso de Revolução Industrial.

Durante milênios antes da Revolução Industrial, os humanos já sabiam como usar uma grande variedade de fontes de energia. Eles queimavam madeira a fim de derreter ferro, aquecer casas e assar bolos. Navios a vela usavam a energia eólica para se mover, e moinhos d'água capturavam o curso de rios para moer grãos. Mas todas essas opções tinham problemas e limites claros. Não havia árvores disponíveis em toda parte, o vento nem sempre soprava quando era necessário, e a força da água só era útil para quem morava perto de um rio.

Um problema ainda maior é que as pessoas não sabiam como converter um tipo de energia em outro. Elas podiam usar o movimento do vento e da água para mover navios e moinhos de pedra, mas não para aquecer água ou derreter ferro. Inversamente, elas não podiam usar a energia produzida pela queima de madeira para fazer um moinho de pedra se mover. Os humanos só tinham uma máquina capaz de realizar tais truques de conversão de energia: o corpo. No processo natural do metabolismo, o corpo dos humanos e de outros animais queima combustíveis orgânicos conhecidos como alimentos e converte a energia liberada em movimento muscular. Homens, mulheres e animais podiam consumir grãos e carne, queimar seus carboidratos e gorduras e usar a energia para puxar uma carroça ou um arado.

Uma vez que os corpos humano e animal eram o único dispositivo de conversão de energia disponível, a energia muscular era essencial para quase todas as atividades humanas. Músculos humanos construíam carroças e casas, músculos de bois aravam campos e músculos de cavalos transportavam alimentos. A energia que alimentava essas máquinas musculares orgânicas vinham de uma única fonte: as plantas. Essas, por sua vez, obtinham energia do Sol. No processo de fotossíntese, capturavam energia solar e armazenavam-na em compostos orgânicos. Quase tudo que as pessoas fizeram ao longo da história foi abastecido pela energia solar capturada pelas plantas e convertida em energia muscular.

Consequentemente, a história humana foi dominada por dois ciclos principais: os ciclos de crescimento das plantas e os ciclos alternados de energia solar (dia e noite, verão e inverno). Quando a luz do Sol era escassa e quando os campos de trigo continuavam verdes, os humanos tinham pouca energia. Os celeiros ficavam vazios, os cobradores de impostos ficavam ociosos, os soldados tinham dificuldade para se locomover e lutar, e os reis tendiam a manter a paz. Quando o Sol brilhava e o trigo amadurecia, os camponeses colhiam as sementes e enchiam os celeiros. Os cobradores de impostos corriam para garantir sua parte. Os soldados retesavam os músculos e afiavam as espadas. Os reis convocavam conselhos e planejavam as campanhas seguintes. Todos eram abastecidos pela energia solar – capturada e armazenada na forma de trigo, arroz e batata.

O segredo na cozinha

Durante esses longos milênios, dia sim, dia não as pessoas ficavam cara a cara com a invenção mais importante na história da produção de energia – e não conseguiam perceber isso. Essa invenção as encarava cada vez que uma dona de casa ou um servo colocava no fogão uma chaleira para ferver água para o chá ou uma panela cheia de batatas. No minuto em que a água fervia, a tampa da chaleira ou da panela saltava. O calor estava sendo convertido em movimento. Mas tampas de panelas saltando eram uma perturbação, sobretudo se alguém esquecia a panela no fogo e a água transbordava.

Um avanço parcial na conversão do calor em movimento ocorreu após a invenção da pólvora na China do século IX. No início, a ideia de usar pólvora para propelir projéteis era tão antinatural que durante séculos a substância foi usada primordialmente para produzir fogos de artifício. Mas – talvez depois que algum especialista em fogos de artifício moeu pólvora em um morteiro e esta atirou longe o pilão – as armas acabaram por surgir. Cerca de 600 anos se passaram desde a invenção da pólvora até o desenvolvimento de uma artilharia eficaz.

Mesmo então, a ideia de converter calor em movimento continuou sendo tão antinatural que outros três séculos se passaram antes de as pessoas inventarem a próxima máquina que usava calor para mover as coisas. A nova tecnologia nasceu nas minas de carvão da Grã-Bretanha. À medida que a população britânica crescia, florestas eram derrubadas para abastecer a economia crescente e abrir caminho para casas e campos. A Grã-Bretanha enfrentava uma escassez cada vez maior de lenha. Muitas jazidas de carvão estavam situadas em áreas alagadas, e a inundação impedia os mineiros de acessarem os estratos mais baixos das minas. Era um problema à procura de uma solução. Por volta de 1700, um estranho ruído começou a reverberar em torno dos poços de mineração britânicos. Esse ruído – prenúncio da Revolução Industrial – era sutil no início, mas ficou cada vez mais forte a cada década que se passava, até que envolveu o mundo inteiro em uma cacofonia ensurdecedora. Vinha de um motor a vapor.

Há muitos tipos de motores a vapor, mas todos eles têm um mesmo princípio. Queima-se algum tipo de combustível, como carvão, e usa-se o calor resultante para ferver água, produzindo vapor. À medida que o vapor se expande, empurra um pistão. O pistão se move, e qualquer coisa que esteja conectada ao pistão se move com ele. O calor foi convertido em movimento! Nas minas de carvão britânicas do século XVIII, o pistão era conectado a uma bomba que extraía água do fundo dos poços de mineração. Os primeiros motores eram incrivelmente ineficazes. Era preciso queimar uma enorme quantidade de carvão para bombear um volume minúsculo de água. Mas, nas minas, o carvão era abundante e estava ao alcance da mão, e por isso ninguém se importava.

Nas décadas que se seguiram, os empreendedores britânicos melhoraram a eficácia do motor a vapor, o tiraram dos poços de mineração e o conectaram a teares e descaroçadoras de algodão. Isso revolucionou a produção têxtil, tornando possível produzir quantidades cada vez maiores de tecidos baratos. Em um piscar de olhos, a Grã-Bretanha se tornou a oficina do mundo. Mas, o que é ainda mais significativo, tirar o motor a vapor das minas rompeu uma importante barreira psicológica. Se era possível queimar carvão para movimentar teares, por que não usar o mesmo método para movimentar outras coisas, como veículos?

Em 1825, um engenheiro britânico conectou um motor a vapor a um trem com vagões de minério cheios de carvão. O motor arrastou os vagões por uma linha de ferro por cerca de 20 quilômetros, da mina até o porto mais próximo. Essa foi a primeira locomotiva a vapor da história. Claramente, se o vapor podia ser usado para transportar carvão, por que não outros produtos? E por que não até mesmo pessoas? Em 15 de setembro de 1830, a primeira ferrovia comercial foi inaugurada, conectando Liverpool a Manchester. Os trens se moviam com o mesmo motor a vapor antes usado para bombear água e mover teares. Meros 20 anos depois, a Grã-Bretanha tinha dezenas de milhares de quilômetros de ferrovia.[1]

Daí em diante, as pessoas ficaram obcecadas com a ideia de que máquinas e motores pudessem ser usados para converter um tipo de energia em outro. Qualquer tipo de energia, em qualquer lugar do mundo, poderia ser usado para qualquer necessidade que tivéssemos, contanto que inventássemos a máquina certa. Por exemplo, quando os físicos perceberam que uma quantidade imensa de energia está armazenada no interior dos átomos, eles imediatamente começaram a pensar em como essa energia poderia ser liberada e usada para gerar eletricidade, abastecer submarinos e aniquilar cidades. Seiscentos anos se passaram do momento em que os alquimistas chineses descobriram a pólvora até o momento em que um canhão turco pulverizou os muros de Constantinopla. Apenas 40 anos se passaram do momento em que Einstein determinou que qualquer tipo de massa pode ser convertido em energia – é isso o que $E = mc^2$ significa – até o momento em que as bombas atômicas destruíram Hiroshima e Nagasaki e usinas de energia nuclear floresceram em todo o mundo.

Outra descoberta crucial foi o motor de combustão interna, que levou pouco mais de uma geração para revolucionar o transporte humano e transformar o petróleo em poder político líquido. O petróleo era conhecido há milhares de anos e usado para impermeabilizar telhados e lubrificar eixos. Mas até um século atrás ninguém pensava que fosse útil para muito mais do que isso. A ideia de derramar sangue em nome do petróleo teria parecido ridícula. Era possível travar uma guerra por terra, ouro, pimenta ou escravos, não por petróleo.

A trajetória da eletricidade foi ainda mais impressionante. Há dois séculos, a eletricidade não exercia papel algum na economia e, quando muito, era usada para experimentos científicos misteriosos e truques de mágica baratos. Uma série de invenções a transformaram em nosso gênio da lâmpada universal. Nós estalamos os dedos e ela imprime livros e costura roupas, mantém nossos legumes frescos e nosso sorvete congelado, cozinha nossos jantares e executa nossos criminosos, registra nossos pensamentos e nossos sorrisos, ilumina nossas noites e nos entretém com incontáveis programas de televisão. Poucos de nós entendemos como a eletricidade faz todas essas coisas, mas um número ainda menor pode imaginar a vida sem ela.

Um oceano de energia

Em seu cerne, a Revolução Industrial foi uma revolução na conversão de energia. Foi demonstrado inúmeras vezes que não há limite para a quantidade de energia à nossa disposição. Ou, mais precisamente, que o único limite é determinado por nossa ignorância. A cada poucas décadas descobrimos uma nova fonte de energia, de modo que a soma total de energia à nossa disposição só continua crescendo.

Por que tantas pessoas têm medo de que nossa energia esteja acabando? Por que elas alertam sobre um desastre se exaurirmos todos os combustíveis fósseis disponíveis? Claro está que não falta energia no mundo. A única coisa que nos falta é o conhecimento necessário para usá-la e convertê-la para nossas necessidades. A quantidade de energia armazenada em todo o combustível fóssil na Terra é insignificante se comparada com a quantidade que o Sol fornece a cada dia, livre de encargos. Somente uma minúscula proporção da energia solar chega à Terra, e no entanto equivale a 3.766.800 hexajoules de energia por ano (um joule é uma unidade de energia no sistema métrico, mais ou menos a quantidade que gastamos para erguer uma maçã pequena a um metro; um hexajoule é 1 quintilhão de joules – isso é um montão de maçãs).[2] Todas as plantas do mundo capturam apenas por volta de 3 mil desses hexajoules solares através da fotossíntese.[3] Todas as atividades e indústrias humanas reunidas consomem cerca de 500 hexajoules anualmente, o equivalente à quantidade de energia que a Terra recebe do Sol em apenas 90 minutos.[4] E isso é só a energia solar. Além dela, somos cercados por outras fontes imensas de energia, como a energia nuclear e a energia gravitacional, esta última mais evidente na potência das ondas oceânicas causadas pela influência da Lua sobre a Terra.

Antes da Revolução Industrial, o mercado de energia humano dependia quase exclusivamente das plantas. As pessoas viviam diante de um reservatório de energia verde carregando 3 mil hexajoules por ano e tentavam extrair o máximo possível dessa energia. Mas havia um claro limite à quantidade que podia ser extraída. Durante a Revolução

Industrial, passamos a perceber que na verdade estamos vivendo ao lado de um oceano enorme de energia, que contém bilhões e mais bilhões de hexajoules de energia em potencial. Tudo que precisamos fazer é inventar geradores melhores.

Aprender a utilizar e converter energia de maneira eficaz resolveu o outro problema que desacelera o crescimento econômico: a escassez de matérias-primas. Quando os humanos entenderam como utilizar grandes quantidades de energia barata, puderam começar a explorar depósitos de matéria-prima até então inacessíveis (por exemplo, minerando ferro nos desertos siberianos), ou transportar matérias-primas de lugares cada vez mais distantes (por exemplo, abastecendo as fábricas têxteis da Grã-Bretanha com lã australiana). Ao mesmo tempo, os avanços científicos permitiram que a humanidade inventasse matérias-primas completamente novas, como plástico, e descobrisse materiais naturais até então desconhecidos, como silício e alumínio.

Os químicos só descobriram o alumínio nos anos 1820, mas separar o metal de seu minério era extremamente difícil e custoso. Durante décadas, o alumínio era muito mais caro do que o ouro. Nos anos 1860, o imperador Napoleão III da França encomendou talheres de alumínio para seus convidados mais ilustres. Os visitantes menos importantes tinham de se virar com facas e garfos de ouro.[5] Mas, no fim do século XIX, os químicos descobriram uma maneira de extrair enormes quantidades de alumínio barato, e hoje a produção global fica em torno de 30 milhões de toneladas por ano. Napoleão III ficaria surpreso de saber que os descendentes de seus súditos usam papel-alumínio descartável para embrulhar seus sanduíches e jogam as sobras no lixo.

Há 2 mil anos, quando as pessoas na bacia do Mediterrâneo sofriam de pele seca, passavam azeite nas mãos. Hoje, abrem um tubo de creme. A seguir há uma lista de ingredientes de um creme para mãos simples que comprei por 3 dólares em uma loja qualquer:

> Água deionizada, ácido esteárico, glicerina, triglicérides do ácido cáprico/caprílico, propilenoglicol, miristato de isopropila, extrato de raiz de *Panax ginseng*, fragrância, álcool cetílico, trietanolamina,

dimeticona, extrato de folha de *Arctostaphylos uva-ursi*, fosfato de ascorbil magnésio, imidazolidinil ureia, metilparabeno, cânfora, propilparabeno, hidroxiisohexil 3-ciclohexeno carboxialdeído, hidroxicitronelal, linalol, butilfenil metilpropional, citronelol, limoneno, geraniol.

Quase todos esses ingredientes foram inventados ou descobertos nos últimos dois séculos.

Durante a Primeira Guerra Mundial, a Alemanha foi submetida a um bloqueio e sofreu escassez severa de matérias-primas, em particular o salitre, um ingrediente essencial para a fabricação de pólvora e outros explosivos. Os depósitos mais importantes de salitre ficavam no Chile e na Índia; não havia nenhum na Alemanha. É verdade, o salitre podia ser substituído pela amônia, mas esta também era cara de se produzir. Felizmente para os alemães, um de seus concidadãos, um químico judeu chamado Fritz Haber, havia descoberto em 1908 um processo para produzir amônia literalmente do ar. Quando a guerra eclodiu, os alemães usaram a descoberta de Haber para começar a produção industrial de explosivos usando o ar como matéria-prima. Alguns acadêmicos acreditam que, se não fosse pela descoberta de Haber, a Alemanha teria sido forçada a se render muito antes de novembro de 1918.[6] A descoberta rendeu a Haber (que, durante a guerra, também foi pioneiro no uso de gás venenoso em batalha) um prêmio Nobel em 1918. De química, e não da paz.

A vida na esteira

A Revolução Industrial produziu uma combinação sem precedentes de energia abundante e barata com matérias-primas abundantes e baratas. O resultado foi uma explosão na produtividade humana. A explosão se fez sentir, em primeiro lugar, na agricultura. Geralmente, quando pensamos na Revolução Industrial, pensamos em uma paisagem urbana de chaminés fumacentas, ou no sofrimento dos mineradores de carvão explorados transpirando debaixo da terra. Mas a Revolução Industrial foi, acima de tudo, a Segunda Revolução Agrícola.

Durante os últimos 200 anos, os métodos de produção industrial se tornaram o sustentáculo da agricultura. Máquinas como tratores começaram a assumir tarefas que antes eram executadas por energia muscular, ou simplesmente não executadas. Os campos e os animais se tornaram muitíssimo mais produtivos graças a fertilizantes artificiais, inseticidas industriais e todo um arsenal de hormônios e medicamentos. Refrigeradores, navios e aviões tornaram possível armazenar a produção durante meses e transportá-la de maneira rápida e barata ao outro lado do mundo. Os europeus começaram a se alimentar de carne fresca argentina e sushi japonês.

Até mesmo plantas e animais foram mecanizados. Mais ou menos na mesma época em que o *Homo sapiens* foi elevado a um status divino pelas religiões humanistas, os animais de criação deixaram de ser vistos como criaturas vivas capazes de sentir dor e sofrimento e passaram a ser tratados como máquinas. Hoje, esses animais muitas vezes são produzidos em massa em instalações similares a fábricas, seus corpos moldados de acordo com as necessidades industriais. Eles passam a vida inteira como engrenagens em linhas de produção gigantes, e a duração e a qualidade de sua existência são determinadas pelos lucros e perdas das corporações. Mesmo quando a indústria toma cuidado para mantê-los vivos, razoavelmente saudáveis e bem alimentados, não tem nenhum interesse intrínseco nas necessidades psicológicas e sociais dos animais (exceto quando estas têm um impacto direto sobre a produção).

Galinhas poedeiras, por exemplo, têm um mundo complexo de impulsos e necessidades comportamentais. Elas sentem desejos intensos de explorar seu ambiente, bicar e procurar alimento, determinar hierarquias sociais, construir ninhos e cuidar da aparência. Mas a indústria de ovos muitas vezes tranca as galinhas dentro de gaiolas minúsculas, e não é incomum espremerem quatro galinhas em uma única gaiola, cada uma delas com um espaço de chão de cerca de 25 por 22 centímetros. As galinhas recebem comida suficiente, mas são incapazes de reivindicar um território, construir um ninho ou se envolver em outras atividades naturais. Na verdade, a gaiola é tão pequena que em geral elas não conseguem nem mesmo abrir as asas ou ficar totalmente eretas.

Os porcos estão entre os mais inteligentes e curiosos dos mamíferos, possivelmente só ficam atrás dos grandes primatas. Mas as fazendas industrializadas de criação de porcos adotam a prática rotineira de confinar porcas lactantes dentro de caixotes de madeira tão pequenos que elas literalmente são incapazes de se virar (muito menos caminhar ou procurar comida). As porcas são mantidas nesses caixotes dia e noite durante quatro semanas depois de parir. Sua prole é retirada para ser engordada, e as porcas são inseminadas com a próxima leva de leitões.

Muitas vacas leiteiras passam quase a vida toda dentro de um pequeno cercado, pisando, sentando e dormindo sobre a própria urina e excremento. Elas recebem sua porção de alimento, hormônio e medicação de um conjunto de máquinas e são ordenhadas a cada poucas horas por outro conjunto de máquinas. A vaca é tratada como pouco mais do que uma boca que consome matérias-primas e um úbere que produz uma mercadoria. Tratar criaturas vivas que têm mundos emocionais complexos como se elas fossem máquinas tende a lhes causar não só desconforto físico como também grande estresse social e frustração psicológica.[7]

25. Pintos em uma esteira em uma chocadeira comercial. Os pintos machos e fêmeas imperfeitos são retirados da esteira e asfixiados em câmaras de gás, jogados em trituradores automáticos ou simplesmente no lixo, onde morrem esmagados. Centenas de milhões de pintos morrem todos os anos em tais chocadeiras.

Assim como o comércio de escravos no Atlântico não resultou do ódio para com os africanos, a indústria animal moderna não é motivada por animosidade. Novamente, é alimentada pela indiferença. A maioria das pessoas que produzem e consomem ovos, leite e carne raramente param para pensar no destino dos frangos, vacas ou porcos cuja carne e produtos estão comendo. Aqueles que pensam muitas vezes argumentam que tais animais realmente pouco se diferem de máquinas, desprovidos de sensações e emoções, incapazes de sofrer. Ironicamente, as mesmas disciplinas científicas que criam nossas máquinas de leite e de ovos têm demonstrado, para além de qualquer dúvida, que os mamíferos e as aves têm uma composição sensorial e emocional complexa. Eles não só sentem dor física como também podem padecer de sofrimento emocional.

Segundo a psicologia evolutiva, as necessidades emocionais e sociais dos animais domésticos evoluíram na natureza, onde foram essenciais para a sobrevivência e a reprodução. Por exemplo, uma vaca selvagem precisava saber se relacionar com outras vacas e bois, ou não seria capaz de sobreviver e se reproduzir. Para aprender as habilidades necessárias, a evolução implantou nos bezerros – e nos filhotes de todos os outros mamíferos sociais – um intenso desejo de brincar (é brincando que os mamíferos adquirem novas habilidades sociais). E implantou neles um desejo ainda mais intenso de estar junto da mãe, cujo leite e cuidados eram essenciais para sua sobrevivência.

O que acontece se, hoje, um fazendeiro separa uma bezerra da mãe, a coloca em uma jaula, lhe dá comida, água e inoculações contra doenças, e então, quando ela tiver idade suficiente, a insemina com esperma de boi? De uma perspectiva objetiva, essa bezerra já não precisa do vínculo com a mãe, nem de companheiros de brincadeira, para sobreviver e se reproduzir. Mas, de uma perspectiva subjetiva, a bezerra ainda sente um intenso desejo de estar junto da mãe e de brincar com outros bezerros. Se esses desejos não forem atendidos, a bezerra sofre muitíssimo. Essa é a lição elementar da psicologia evolutiva: uma necessidade formada na natureza continua a ser sentida subjetivamente, mesmo que já não seja necessária para a sobrevivência e a reprodução nas fazendas industriais. O que há de trágico na agricultura industrial é que ela se ocupa muito das necessidades objetivas dos animais, mas negligencia suas necessidades subjetivas.

A verdade dessa teoria é conhecida pelo menos desde os anos 1950, quando o psicólogo norte-americano Harry Harlow estudou o desenvolvimento de macacos. Harlow separou macacos recém-nascidos de suas mães várias horas após o nascimento. Os macaquinhos foram isolados dentro de gaiolas e criados por mães artificiais. Em cada gaiola, Harlow colocou duas mães artificiais. Uma era feita de fios de metal e equipada com uma mamadeira na qual o macaquinho podia mamar. A outra era feita de madeira coberta com tecido, o que a fazia lembrar uma mãe macaca de carne e osso, mas não fornecia ao macaquinho nenhum sustento material. Presumia-se que os macaquinhos se agarrariam à mãe de metal e não à mãe de madeira.

Para surpresa de Harlow, os macaquinhos mostraram uma preferência notável pela mãe de madeira, passando a maior parte do tempo com ela. Quando as duas mães eram colocadas bem próximas uma da outra, os macaquinhos se agarravam à mãe de madeira mesmo enquanto se esticavam para sugar leite da mãe de metal. Harlow suspeitou que talvez os macaquinhos fizessem isso porque sentiam frio. Então colocou uma lâmpada elétrica dentro da mãe de metal, que agora radiava calor. A maioria dos macaquinhos, exceto os muito jovens, continuou a preferir a mãe de madeira.

As pesquisas seguintes mostraram que os macacos órfãos de Harlow, ao crescer, ficaram emocionalmente abalados, embora tivessem recebido todo o nutriente de que necessitavam. Eles nunca se adequaram à sociedade de macacos, tinham dificuldade para se comunicar com outros macacos e sofriam de níveis elevados de ansiedade e agressão. A conclusão era inevitável: os macacos devem ter necessidades e desejos psicológicos que vão além de suas necessidades materiais e, se esses não são satisfeitos, sofrem muitíssimo. Os macaquinhos de Harlow preferiam ficar junto da mãe coberta de tecido porque buscavam não apenas leite, mas também um vínculo emocional. Nas décadas seguintes, vários estudos mostraram que essa conclusão se aplica não só aos macacos, mas também a outros mamíferos, bem como às aves. Hoje, milhões de animais de fazenda são submetidos às mesmas condições dos macacos de Harlow, quando os fazendeiros rotineiramente separam bezerros, cabritos e outros filhotes de suas mães para serem criados em isolamento.[8]

Ao todo, dezenas de bilhões de animais de criação vivem hoje como parte de uma linha de montagem mecanizada, e cerca de 50 bilhões deles são abatidos anualmente. Esses métodos industriais de

26. Um dos macacos órfãos de Harlow se agarra à mãe de madeira mesmo enquanto suga leite da mãe de metal.

criação de animais levaram a um nítido aumento na produção agrícola e nas reservas de alimento dos humanos. Junto com a mecanização do cultivo de plantas, a pecuária industrial é a base de toda a ordem socioeconômica moderna. Antes da industrialização da agricultura, a maior parte dos alimentos produzidos em campos e fazendas era "desperdiçada" alimentando camponeses e animais de criação. Só um pequeno percentual estava disponível para alimentar artesãos, professores, padres e burocratas. Consequentemente, em quase todas as sociedades os camponeses compreendiam mais de 90% da população. Após a industrialização da agricultura, um número cada vez menor de agricultores é necessário para alimentar um número crescente de operários e funcionários administrativos. Hoje, nos Estados Unidos, apenas 2% da população vive da agricultura[9], mas esses 2% produzem o suficiente não só para alimentar toda a população do país como também para exportar excedentes para o resto do mundo. Sem a industrialização da agricultura, a Revolução Industrial urbana jamais poderia ter acontecido – não teria havido mãos e cérebros suficientes para trabalhar em fábricas e escritórios.

À medida que essas fábricas e escritórios absorveram os bilhões de mãos e cérebros que eram dispensados do trabalho no campo, começaram a despejar uma avalanche de produtos sem precedentes. Hoje os humanos produzem muito mais aço, fabricam muito mais roupas e constroem muito mais estruturas do que em qualquer momento anterior. Além disso, produzem uma gama impressionante de produtos antes inimagináveis, como lâmpadas, telefones celulares, câmeras e lavadoras de louça. Pela primeira vez na história humana, a oferta começou a superar a demanda. E surgia um problema completamente novo: quem vai comprar todas essas coisas?

A era das compras

A economia capitalista moderna deve aumentar a produção constantemente se quiser sobreviver, como um tubarão que deve nadar para não morrer por asfixia. Mas só produzir não é o bastante. Também é preciso que alguém compre os produtos, ou os industrialistas e os investidores irão à falência. Para evitar essa catástrofe e garantir que as pessoas sempre comprem o que quer que a indústria produza, surgiu um novo tipo de ética: o consumismo.

A maioria das pessoas ao longo da história viveu em condições de escassez. A frugalidade era, portanto, sua palavra de ordem. A ética austera dos puritanos e a dos espartanos são apenas dois exemplos famosos. Uma pessoa boa evitava luxos, nunca desperdiçava comida e remendava calças rasgadas em vez de comprar novas. Somente reis e nobres se permitiam renunciar publicamente a tais valores e ostentar suas riquezas.

O consumismo vê o consumo de cada vez mais produtos e serviços como algo positivo. Encoraja as pessoas a cuidarem de si mesmas, a se mimarem e até a se matarem pouco a pouco por meio do consumo exagerado. A frugalidade é uma doença a ser curada. Não é preciso olhar muito longe para ver a ética do consumo em ação – basta ler a parte de trás de uma caixa de cereal. Esta é uma citação de uma caixa de um dos meus cereais matinais favoritos, produzido por uma empresa israelense, a Telma:

> Às vezes você precisa de cuidados. Às vezes você precisa de um pouco mais de energia. Há momentos para controlar o peso e momentos em que você simplesmente precisa fazer alguma coisa... imediatamente! A Telma oferece uma variedade de cereais saborosos especialmente para você – prazer sem remorso.

A mesma embalagem traz uma propaganda de outra marca de cereal chamada Health Treats:

> Health Treats oferece uma porção de grãos, frutas, nozes e castanhas para uma experiência que combina sabor, prazer e saúde. Para uma refeição saborosa no meio do dia, perfeita para um estilo de vida saudável. *Um verdadeiro deleite com o sabor maravilhoso de "quero mais"* [grifo no original].

Durante a maior parte da história, as pessoas teriam sido repelidas, e não atraídas, por esse texto. Eles o teriam considerado egoísta, indecente e moralmente corrupto. O consumismo trabalhou duro, com a ajuda da psicologia popular ("Just do it!"), para convencer as pessoas de que a indulgência é algo bom, ao passo que a frugalidade significa auto-opressão.

O consumismo prosperou. Somos todos bons consumistas. Compramos uma série de produtos de que não precisamos realmente e que até ontem não sabíamos que existiam. Os fabricantes criam deliberadamente produtos de vida curta e inventam modelos novos e desnecessários de produtos perfeitamente satisfatórios que devemos comprar para "não ficar de fora". Ir às compras se tornou um passatempo favorito, e os bens de consumo se tornaram mediadores essenciais nas relações entre membros da família, casais e amigos. Feriados religiosos como o Natal se tornaram festivais de compras. Nos Estados Unidos, até mesmo o Memorial Day – originalmente um dia solene para lembrar os soldados mortos em combate – é hoje uma ocasião para vendas especiais. A maioria das pessoas comemora esse dia indo às compras, talvez para provar que os defensores da liberdade não morreram em vão.

O florescimento da ética consumista é mais visível no mercado de alimentos. As sociedades agrícolas tradicionais viviam à sombra terrível da fome. No mundo afluente de hoje, um dos principais problemas de saúde é a obesidade, que acomete os pobres (que se empanturram de hambúrgueres e pizzas) de maneira ainda mais severa do que os ricos (que comem saladas orgânicas e vitaminas de frutas). Todos os anos, a população dos Estados Unidos gasta mais dinheiro em dietas do que a quantidade necessária para alimentar todas as pessoas famintas no resto do mundo. A obesidade é uma vitória dupla para o consumismo. Em vez de comer pouco, o que levará à contração econômica, as pessoas comem demais e então compram produtos para dieta – contribuindo duplamente para o crescimento econômico.

Como podemos alinhar a ética consumista com a ética capitalista do empresário, de acordo com a qual os lucros não devem ser desperdiçados, e sim reinvestidos na produção? É simples. Como em épocas anteriores, existe hoje uma divisão de trabalho entre a elite e as massas. Na Europa medieval, os aristocratas gastavam o dinheiro despreocupadamente em luxos extravagantes, ao passo que os camponeses levavam uma vida frugal, cuidando de cada centavo. Hoje, a situação se inverteu. Os ricos gerenciam seus ativos e investimentos com muito cuidado, enquanto os menos abastados se endividam comprando carros e televisores de que na verdade não necessitam.

A ética capitalista e a consumista são dois lados da mesma moeda, uma combinação de dois mandamentos. O mandamento supremo dos ricos é "invista!". O mandamento supremo do resto de nós é "compre!".

A ética capitalista-consumista é revolucionária em outro aspecto. A maioria dos sistemas éticos anteriores apresentava às pessoas um acordo muito difícil. Elas recebiam a promessa do paraíso, mas só se cultivassem a compaixão e a tolerância, superassem o desejo e a fúria e controlassem seus interesses egoístas. Isso era difícil demais para a maioria. A história da ética é um conto triste de ideais maravilhosos que ninguém consegue colocar em prática. A maioria dos cristãos não imitou Cristo, a maioria dos budistas não conseguiu seguir os passos de Buda, e a maioria dos confucianos teria causado um ataque de nervos a Confúcio.

Já a maioria das pessoas hoje consegue viver de acordo com o ideal capitalista-consumista. A nova ética promete o paraíso sob a condição de que os ricos continuem gananciosos e dediquem seu tempo a ganhar mais dinheiro e as massas deem rédea solta a seus desejos e paixões – e comprem cada vez mais. Essa é a primeira religião na história cujos seguidores realmente fazem o que se espera que façam. Mas como temos certeza de que, em troca, teremos o paraíso? Nós vimos na televisão.

18

Uma revolução permanente

A Revolução Industrial abriu novos caminhos para converter energia e produzir bens; com isso, em grande medida, libertou a humanidade de sua dependência do ecossistema à sua volta. Os humanos derrubaram florestas, drenaram pântanos, represaram rios, inundaram planícies, construíram dezenas de milhares de quilômetros de ferrovias e edificaram metrópoles repletas de arranha-céus. Enquanto o mundo era moldado para atender às necessidades do *Homo sapiens*, habitats foram destruídos e espécies foram extintas. Nosso planeta, um dia verde e azul, está se tornando um shopping center de plástico e concreto.

Hoje, os continentes da Terra abrigam quase 7 bilhões de sapiens. Se pegássemos todas essas pessoas e as colocássemos em uma balança gigante, sua massa combinada seria cerca de 300 milhões de toneladas. Se, então, pegássemos todos os animais de criação domesticados – vacas, porcos, ovelhas e frangos – e os colocássemos em uma balança ainda maior, sua massa seria cerca de 700 milhões de toneladas. Já a massa combinada de todos os grandes animais selvagens que sobreviveram – de porcos-espinhos e pinguins a elefantes e baleias – é menos de 100 milhões de toneladas. Nossos livros infantis, nossa iconografia e nossas telas de TV estão cheios de girafas, lobos e chimpanzés, mas o mundo real tem pouquíssimos deles. Há em torno de 80 mil girafas no mundo, em comparação com 1,5 bilhão de cabeças de gado; somente 200 mil lobos, comparados com 400 milhões de cachorros domesticados; apenas 250 mil chimpanzés – em contraste com bilhões de humanos. A humanidade realmente dominou o mundo.[1]

Degradação ecológica não é o mesmo que escassez de recursos. Como vimos no capítulo anterior, os recursos disponíveis para a humanidade estão crescendo constantemente e é bem provável que continuem a crescer. É por isso que as profecias apocalípticas de escassez de recursos provavelmente são equivocadas. Já o temor à degradação ecológica tem sua razão de ser. O futuro talvez testemunhe os sapiens tomando o controle de uma cornucópia de novos materiais e fontes de energia, enquanto simultaneamente destrói o que resta do habitat natural e leva a maior parte das outras espécies à extinção.

De fato, a desordem ecológica pode ameaçar a sobrevivência do próprio *Homo sapiens*. O aquecimento global, o aumento do nível dos oceanos e a poluição disseminada podem tornar a Terra menos habitável para nossa própria espécie, e o futuro, consequentemente, pode testemunhar uma disputa cada vez maior entre a capacidade humana e desastres naturais induzidos pelo homem. À medida que os humanos usam sua capacidade para conter as forças da natureza e submeter o ecossistema a suas necessidades e seus caprichos, podem causar cada vez mais efeitos colaterais imprevistos e perigosos. É provável que estes só possam ser controlados por meio de manipulações ainda mais drásticas do ecossistema, o que resultaria em caos ainda maior.

Muitos chamam esse processo de "destruição da natureza". Mas, na verdade, não é destruição, é transformação. A natureza não pode ser destruída. Há 65 milhões de anos, um asteroide exterminou os dinossauros, mas ao fazer isso abriu caminho para os mamíferos. Hoje, a humanidade está levando muitas espécies à extinção e pode inclusive aniquilar a si mesma. Mas outros organismos estão se saindo muito bem. Ratos e baratas, por exemplo, estão em seu apogeu. Essas criaturas obstinadas provavelmente sairiam de baixo dos escombros fumacentos de um armagedom nuclear prontas para espalhar seu DNA. Talvez daqui a 65 milhões de anos, ratos inteligentes olhem para trás e sintam-se gratos pela dizimação causada pela humanidade, assim como hoje podemos agradecer àquele asteroide que destruiu os dinossauros.

Ainda assim, os rumores sobre nossa própria extinção são prematuros. Desde a Revolução Industrial, a população humana mundial tem florescido como nunca. Em 1700, o mundo abrigava cerca de 700 milhões de humanos. Em 1800, éramos 950 milhões. Em 1900, havíamos quase dobrado para 1,6 bilhão. E, em 2000, esse número quadruplicou para 6 bilhões. Hoje, falta pouco para chegarmos aos 7 bilhões de sapiens.

Tempos modernos

Embora todos esses sapiens tenham se tornado cada vez mais impermeáveis aos caprichos da natureza, estão cada vez mais sujeitos aos ditames dos governos e das indústrias modernas. A Revolução Industrial abriu caminho para uma longa linha de experimentos em engenharia social e uma série ainda mais longa de transformações imprevistas na vida cotidiana e na mentalidade humana. Um exemplo entre muitos é a substituição dos ritmos da agricultura tradicional pelo cronograma preciso e uniforme da indústria.

A agricultura tradicional dependia de ciclos de tempo natural e crescimento orgânico. A maioria das sociedades não era capaz de medir o tempo com precisão, e tampouco estava muito interessada em fazê-lo. O mundo seguia seu curso sem relógios nem horários, sujeito apenas aos movimentos do Sol e aos ciclos de crescimento das plantas. Não havia um dia de trabalho uniforme, e todas as rotinas mudavam drasticamente de uma estação para outra. As pessoas sabiam onde o Sol estava e esperavam ansiosas por presságios da estação chuvosa e da época de colheita, mas não sabiam que horas eram e dificilmente se importavam em saber em que ano estavam. Se um viajante perdido no tempo aparecesse em uma aldeia medieval e perguntasse a um transeunte "Em que ano estamos?", o aldeão ficaria tão perplexo diante da pergunta quanto diante da roupa ridícula do estranho.

Ao contrário dos camponeses e sapateiros medievais, a indústria moderna se importa pouco com o Sol ou com a estação do ano. Santifica a precisão e a uniformidade. Por exemplo, em uma oficina medieval cada sapateiro fazia um sapato inteiro, da sola ao cadarço. Se um sapateiro se atrasasse para o trabalho, isso não atrasava os demais. No entanto, na linha de montagem de uma fábrica de sapatos moderna, cada operário maneja uma máquina que produz apenas uma pequena parte de um sapato, que então é passada à máquina seguinte. Se o funcionário que opera a máquina número 5 perdeu a hora, atrasa todas as outras máquinas. A fim de evitar tais calamidades, todos devem aderir a uma grade horária precisa. Cada trabalhador chega no trabalho exatamente à mesma hora. Todos almoçam juntos, quer tenham fome, quer não. Todos vão para casa quando uma sirene anuncia que seu turno chegou ao fim – e não quando terminaram seu projeto.

A Revolução Industrial transformou a grade horária e a linha de montagem em um modelo para quase todas as atividades humanas. Logo depois que as fábricas impuseram seus cronogramas ao comportamento humano, as escolas também adotaram grades horárias precisas, seguidas dos hospitais, dos gabinetes de governo e das mercearias. Mesmo em lugares desprovidos de máquinas e linhas de montagem, a grade horária imperou. Se o turno na fábrica termina às cinco da tarde, é melhor o bar das redondezas abrir suas portas às 17h02.

Um elo crucial na disseminação do sistema de grades horárias foi o transporte público. Se os operários precisassem iniciar seu turno às oito da manhã, o trem ou ônibus tinha de chegar ao portão da fábrica até as 7h55. Um atraso de poucos minutos desaceleraria a produção e, talvez, inclusive levasse à demissão dos que chegaram atrasados. Em 1784, começou a operar na Grã-Bretanha um serviço de carruagem com um cronograma divulgado. Sua grade horária especificava apenas o horário de partida, não de chegada. Na época, cada cidade e vila britânica tinha seu próprio horário local, que podia diferir do horário de Londres em até meia hora. Quando era meio-dia em Londres, era, talvez, 12h20 em Liverpool e 11h50 em Canterbury. Como não havia telefones, nem rádio ou televisão, nem trens rápidos – quem poderia saber, e quem se importava?[2]

O primeiro serviço de trem comercial começou operando entre Liverpool e Manchester em 1830. Dez anos depois, foi divulgada a primeira grade horária de trens. Os trens eram muito mais rápidos que as velhas carruagens e, por isso, as diferenças nos horários locais se tornaram um grande incômodo. Em 1847, as companhias ferroviárias britânicas se reuniram e concordaram que, dali em diante, todas as grades horárias de trens seriam ajustadas com o horário do Observatório de Greenwich, e não com o horário local de Liverpool, Manchester ou Glasgow. Cada vez mais instituições seguiram os passos das companhias ferroviárias. Finalmente, em 1880, o governo britânico deu o passo sem precedentes de legislar que todas as grades horárias na Grã-Bretanha deveriam seguir Greenwich. Pela primeira vez na história, um país adotou um horário nacional e obrigou sua população a viver de acordo com um relógio artificial, em vez de seguir os relógios locais ou os ciclos do amanhecer ao entardecer.

Esse começo modesto gerou uma rede global de grades horárias, sincronizadas até nas frações de segundo. Quando os meios de comunicação

– primeiro o rádio, depois a televisão – fizeram seu début, entraram em um mundo de grades horárias e se tornaram seus principais agentes e divulgadores. Entre as primeiras coisas que as estações de rádio transmitiram estavam os sinais horários, apitos que permitiam que povoados distantes e navios em alto-mar ajustassem seus relógios. Mais tarde, as estações de rádio adotaram o costume de transmitir o noticiário de hora em hora. Hoje em dia, o primeiro item de todo programa de notícias mais importante até mesmo que o início de uma guerra – é a hora. Durante a Segunda Guerra Mundial, o BBC News foi transmitido para a Europa ocupada por nazistas. Cada noticiário começava com uma transmissão ao vivo do Big Ben tocando a hora – o som mágico da liberdade. Físicos alemães engenhosos encontraram uma forma de determinar as condições do tempo em Londres com base em diferenças minúsculas no tom dos dim-dons transmitidos. Essa informação foi de inestimável ajuda para a Luftwaffe. Quando o serviço secreto britânico descobriu isso, substituiu a transmissão ao vivo por gravações do famoso relógio.

Para gerenciar a rede de grades horárias, relógios portáteis baratos, porém precisos, se tornaram onipresentes. Em cidades assírias, sassânidas ou incas possivelmente tenham existido no máximo alguns relógios de sol. Nas cidades medievais europeias, em geral havia um único relógio – uma máquina gigante no topo de uma torre alta na praça da cidade. Esses relógios de torres eram notoriamente imprecisos, mas, como não havia outros relógios na cidade para contradizê-los, não fazia muita diferença. Hoje, uma única família abastada costuma ter mais relógios em casa do que um país medieval inteiro. Você pode dizer a hora consultando seu relógio de pulso, passando os olhos por seu Android, espreitando o despertador ao lado da sua cama, observando o relógio de parede na cozinha, fitando o micro-ondas, dando uma espiada no aparelho de TV ou de DVD ou vendo de relance a barra de tarefas no seu computador. Você precisa fazer um esforço consciente para não saber que horas são.

Uma pessoa típica consulta esses relógios dezenas de vezes por dia, porque quase tudo que fazemos tem de ser feito em um momento específico. Um despertador nos acorda às sete da manhã, aquecemos nosso pãozinho congelado por exatos 50 segundos no micro-ondas, escovamos os dentes por três minutos até a escova de dentes elétrica apitar, pegamos o trem das 7h40 para o trabalho, corremos na esteira mecânica da academia até o alarme anunciar que se passou meia hora, sentamos em frente à TV às sete da noite para assistir a nosso programa favorito, somos interrompidos em momentos predefinidos por comerciais que custam mil dólares por segundo e acabamos por descarregar todo o nosso mal-estar em um terapeuta que restringe nosso falatório à hora de terapia, que agora, por convenção, dura 50 minutos.

A Revolução Industrial provocou dezenas de reviravoltas importantes na sociedade humana. Adaptar-se ao tempo industrial é apenas uma delas. Outros exemplos notáveis incluem a urbanização, o desaparecimento da classe camponesa, a ascensão do proletariado industrial, o empoderamento do indivíduo comum, a democratização, a cultura jovem e a desintegração do patriarcado.

Mas todas essas reviravoltas são obscurecidas pela revolução social mais grandiosa que já atingiu a humanidade: o colapso da família e da comunidade local e sua substituição pelo Estado e pelo mercado. Até onde sabemos, desde os tempos mais antigos, há mais de 1 milhão de anos, os humanos viviam em pequenas comunidades íntimas, em que quase todos os membros eram parentes. A Revolução Cognitiva e a Revolução Agrícola não mudaram isso. Elas reuniram famílias e comunidades para criar tribos, cidades, reinos e impérios, mas as famílias e as comunidades continuaram sendo os tijolos essenciais de todas as sociedades humanas. A Revolução Industrial, por sua vez, conseguiu, em pouco mais de dois séculos, transformar esses tijolos em átomos. A maior parte das funções tradicionais das famílias e comunidades foram entregues aos Estados e aos mercados.

O colapso da família e da comunidade

Antes da Revolução Industrial, a vida cotidiana da maioria dos humanos seguia seu curso no interior destas três estruturas antigas: a família nuclear, a família estendida e a comunidade íntima local.* A maioria das

* Uma "comunidade íntima" é um grupo de pessoas que se conhecem bem e dependem umas das outras para a sobrevivência.

pessoas trabalhava em negócios familiares – a fazenda ou a oficina da família, por exemplo – ou então trabalhava nos negócios familiares de vizinhos. A família também era o sistema de bem-estar social, o sistema de saúde, o sistema educacional, a indústria de construção, o sindicato, o fundo de pensão, a empresa de seguros, o rádio, a televisão, o jornal, o banco e até mesmo a polícia.

Quando uma pessoa ficava doente, a família cuidava dela. Quando uma pessoa envelhecia, a família a sustentava, e seus filhos eram seu fundo de pensão. Quando uma pessoa morria, a família cuidava dos órfãos. Se uma pessoa queria construir uma cabana, a família dava uma mão. Se uma pessoa queria abrir um negócio, a família levantava o dinheiro necessário. Se uma pessoa queria se casar, a família escolhia, ou pelo menos analisava, o candidato a esposo. Se surgia um conflito com um vizinho, a família interferia. Mas se a doença de uma pessoa era grave demais para a família lidar, ou um novo negócio demandava um investimento grande demais, ou a briga com o vizinho se agravava ao ponto da violência, a comunidade local vinha em seu socorro.

A comunidade oferecia ajuda com base em tradições locais e em uma economia de favores, que com frequência diferia muitíssimo das leis da oferta e da demanda do livre mercado. Em uma comunidade medieval à moda antiga, quando meu vizinho precisava, eu ajudava a construir sua cabana e a cuidar de sua ovelha, sem esperar nenhum pagamento em troca. Quando eu precisava, meu vizinho devolvia o favor. Ao mesmo tempo, o potentado local podia mobilizar todos os aldeães para construir seu castelo sem nos pagar um centavo sequer. Em troca, nós contávamos com ele para nos defender contra bandoleiros e bárbaros. A vida na aldeia envolvia muitas transações, mas poucos pagamentos. Havia alguns mercados, é claro, mas seu papel era limitado. Era possível comprar especiarias raras, tecidos e ferramentas e contratar os serviços de advogados e médicos. No entanto, menos de 10% dos produtos e serviços usados normalmente eram comprados no mercado. A maioria das necessidades humanas eram atendidas pela família e pela comunidade.

Havia também reinos e impérios que realizavam tarefas importantes, como travar guerras, construir estradas e edificar palácios. Para essas finalidades, os reis coletavam impostos e ocasionalmente alistavam soldados e trabalhadores. Mas, com poucas exceções, eles tendiam a ficar de fora dos assuntos cotidianos de famílias e comunidades. Mesmo se quisessem intervir, a maioria dos reis só poderia fazê-lo com dificuldade. As economias agrícolas tradicionais tinham poucos excedentes com que alimentar multidões de oficiais do governo, policiais, trabalhadores sociais, professores e médicos. Em consequência, a maioria dos governantes não desenvolvia grandes sistemas de bem-estar social, de saúde ou educacionais. Deixavam tais assuntos nas mãos de famílias e comunidades. Mesmo nas raras ocasiões em que os governantes tentavam intervir de maneira mais efetiva na vida cotidiana dos camponeses (como aconteceu, por exemplo, no império Qing, na China), eles o faziam convertendo chefes de família e membros mais velhos da comunidade em agentes do governo.

Muitas vezes, as dificuldades de transporte e comunicação tornavam tão complicado intervir nos assuntos de comunidades remotas que muitos reinos preferiam ceder até mesmo as prerrogativas reais mais básicas – como arrecadação de impostos e violência – às comunidades. O Império Otomano, por exemplo, permitia vinganças familiares para que se fizesse justiça, em vez de financiar uma polícia imperial numerosa. Se meu primo matasse alguém, o irmão da vítima podia me matar em vingança. O sultão em Istambul ou mesmo o paxá provincial não intervinham em tais conflitos, contanto que a violência permanecesse dentro de limites aceitáveis.

No império Ming chinês (1368-1644), a população estava organizada no sistema de *baojia*. Dez famílias se agrupavam para formar um *jia*, e dez *jias* constituíam um *bao*. Quando um membro de um *bao* cometia um crime, outros membros do mesmo *bao* podiam ser punidos por isso, em particular os anciãos. Também se cobravam impostos do *bao*, e era responsabilidade dos anciãos do *bao*, e não dos funcionários do Estado, avaliar a situação de cada família e determinar a quantidade de imposto que deveria pagar. Da perspectiva do império, esse sistema tinha uma vantagem enorme. Em vez de manter milhares de oficiais da receita e cobradores de impostos, que teriam de monitorar as receitas e despesas de cada família, essas tarefas eram deixadas aos mais velhos de cada comunidade. Eles sabiam quanto cada aldeão ganhava e normalmente conseguiam obrigá-los a pagar impostos sem envolver o exército imperial.

Na verdade, muitos reinos e impérios eram pouco mais do que grandes redes de proteção. O rei era o *capo di tutti capi* que cobrava uma taxa de proteção e, em troca, garantia que os agrupamentos criminosos e os peixes miúdos das redondezas não causassem nenhum dano àqueles sob sua proteção. Mas não fazia mais do que isso.

A vida no seio da família e da comunidade estava longe de ser ideal. Famílias e comunidades podiam oprimir seus membros de maneira não menos brutal do que os Estados e mercados de hoje, e sua dinâmica interna era muitas vezes repleta de tensão e violência – mas as pessoas tinham pouca escolha. Uma pessoa que perdesse a família e a comunidade por volta de 1750 estava morta. Não tinha emprego, nem educação, nem apoio em época de doença ou sofrimento. Ninguém lhe emprestaria dinheiro ou a defenderia se ela se visse em maus lençóis. Não havia policiais, assistentes sociais nem educação compulsória. Para sobreviver, tal pessoa teria de encontrar rapidamente uma família ou comunidade alternativa. Meninos e meninas que fugiam de casa podiam, na melhor das hipóteses, se tornar servos em uma nova família. Em último caso, havia o exército ou o bordel.

Tudo isso mudou radicalmente nos últimos dois séculos. A Revolução Industrial deu ao mercado novos poderes gigantescos, proveu o Estado de novos meios de comunicação e transporte e colocou à disposição do governo um exército de escriturários, professores, policiais e assistentes sociais. De início o mercado e o Estado descobriram que seu caminho estava bloqueado por famílias e comunidades tradicionais que tinham pouca afeição por intervenção externa. Os pais e os mais velhos da comunidade relutavam em deixar a geração mais jovem ser doutrinada por sistemas educacionais nacionalistas, alistada em exércitos ou transformada em um proletariado urbano sem raízes.

Com o tempo, os Estados e os mercados passaram a usar seu poder crescente para enfraquecer os vínculos tradicionais da família e da comunidade. O Estado enviou policiais para impedir vinganças familiares e as substituiu por decisões judiciais. O mercado enviou seus vendedores para eliminar tradições locais de longa data e substituí-las por modas comerciais em constante transformação. Mas isso não foi suficiente. Para acabar realmente com o poder da família e da comunidade, eles precisavam da ajuda de uma quinta-coluna.

O Estado e o mercado abordaram as pessoas com uma oferta que não podia ser recusada. "Tornem-se indivíduos", eles disseram. "Casem-se com quem quiserem, sem pedir permissão aos seus pais. Aceitem o emprego que quiserem, mesmo que os mais velhos da comunidade não aprovem. Vivam como desejarem, mesmo que não possam chegar a tempo para o jantar com a família toda semana. Vocês já não dependem da família ou da comunidade. Nós, o Estado e o mercado, tomaremos conta de vocês. Nós lhes daremos alimento, abrigo, educação, saúde, bem-estar e emprego. Nós lhes daremos pensões, seguros e proteção."

A literatura romântica muitas vezes apresenta o indivíduo como alguém lutando contra o Estado e o mercado. Nada poderia estar mais distante da realidade. O Estado e o mercado são a mãe e o pai do indivíduo, e o indivíduo só pode sobreviver graças a eles. O mercado nos fornece trabalho, seguro-saúde e uma aposentadoria. Se quisermos estudar uma profissão, as escolas do governo estão lá para nos ensinar. Se quisermos abrir um negócio, o banco nos empresta dinheiro. Se quisermos construir uma casa, uma empreiteira a constrói e o banco nos concede um financiamento, em alguns casos subsidiado ou garantido pelo Estado. Se a violência irromper, a polícia nos protege. Se ficarmos doentes por alguns dias, nosso seguro-saúde toma conta de nós. Se ficarmos debilitados durante meses, serviços sociais nacionais intervêm. Se precisarmos de assistência 24 horas, podemos contratar uma enfermeira – geralmente uma estranha vinda do outro lado do mundo que cuida de nós com o tipo de devoção que já não esperamos de nossos próprios filhos. Se tivermos os meios para tal, podemos passar a melhor idade em uma casa de repouso. As autoridades fiscais nos tratam como indivíduos e não esperam que paguemos os impostos do vizinho. Os tribunais também nos veem como indivíduos e nunca nos punem pelos crimes dos nossos primos.

Não só homens adultos como também mulheres e crianças são reconhecidos como indivíduos. Durante a maior parte da história, as mulheres foram vistas como propriedade da família ou da comunidade. Os Estados modernos, por outro lado, veem as mulheres como indivíduos, que desfrutam de direitos econômicos e legais independentemente de sua família e comunidade. Elas podem ter sua própria conta bancária,

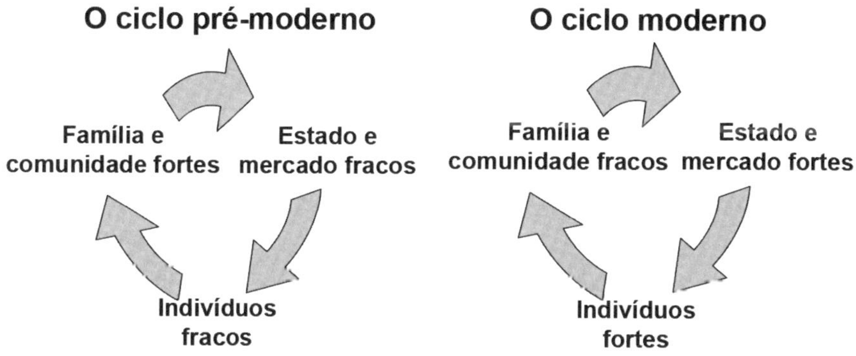

Família e comunidade *versus* Estado e mercado

decidir com quem se casar e até mesmo escolher se divorciar ou viver sozinhas.

Mas a libertação do indivíduo vem com um custo. Hoje, muitos de nós lamentamos a perda de famílias e comunidades fortes e nos sentimos alienados e ameaçados pelo poder que o Estado e o mercado impessoais exercem sobre nossa vida. Estados e mercados compostos de indivíduos alienados podem intervir muito mais facilmente na vida de seus membros do que Estados e mercados compostos de famílias e comunidades fortes. Quando os vizinhos em um condomínio não conseguem nem sequer concordar sobre quanto pagar a seu zelador, como podemos esperar que resistam ao Estado?

O acordo entre Estados, mercados e indivíduos é perturbador. O Estado e o mercado discordam quanto a seus direitos e obrigações mútuos, e os indivíduos reclamam que ambos demandam muito e proveem pouco. Em muitos casos, os indivíduos são explorados pelos mercados, e os Estados empregam seus exércitos, forças policiais e burocracias para perseguir indivíduos em vez de defendê-los. Mas é inacreditável que esse acordo funcione – ainda que de maneira imperfeita –, pois infringe inúmeras gerações de pactos sociais humanos. Milhões de anos de evolução nos projetaram para viver e pensar como membros de uma comunidade; em apenas dois séculos, nos tornamos indivíduos alienados. Nada atesta melhor o poder incrível da cultura.

A família nuclear não desapareceu totalmente da paisagem moderna. Quando os Estados e os mercados destituíram a família da maioria de seus papéis políticos e econômicos, deixaram algumas funções emocionais importantes. Ainda se espera que a família moderna atenda necessidades íntimas, que o Estado e o mercado (até agora) são incapazes de atender. Mas mesmo aqui a família está sujeita a cada vez mais intervenções. O mercado molda em um nível cada vez maior a maneira como as pessoas conduzem sua vida romântica e sexual. Enquanto, tradicionalmente, a família era o principal casamenteiro, hoje é o mercado que determina nossas preferências românticas e sexuais e então nos ajuda a encontrá-las – por uma bela quantia. Antes, a noiva e o noivo se encontravam na sala de estar da família, e o dinheiro passava das mãos de um pai às de outro. Hoje, o galanteio é feito em bares e cafés, e o dinheiro passa das mãos dos amantes às das garçonetes. Ainda mais dinheiro é transferido para as contas bancárias de designers de moda, gerentes de academias de ginástica, nutricionistas, esteticistas e cirurgiões plásticos, que nos ajudam a chegar ao café o mais parecido possível com o ideal de beleza do mercado.

O Estado também fica de olho nas relações familiares, sobretudo entre pais e filhos. Os pais são obrigados a mandar seus filhos para que sejam educados pelo Estado. Pais que são especialmente abusivos ou violentos com seus filhos podem ser contidos pelo Estado. Se necessário, o Estado pode até mesmo prender os pais ou transferir os filhos para famílias substitutas. Até não muito tempo atrás, a ideia de que o Estado deveria impedir os pais de bater em seus filhos ou humilhá-los teria sido rejeitada imediatamente, sendo considerada ridícula e impraticável. Na maioria das sociedades, a autoridade dos pais era sagrada. O respeito e a obediência aos pais estavam entre os valores mais sagrados, e os pais podiam fazer quase tudo que quisessem, inclusive matar bebês recém-nascidos, vender os filhos como escravos e casar as filhas com homens que tinham mais que o dobro da sua idade. Hoje, a autoridade dos pais está em queda. Aos jovens é cada vez menos exigida a obediência aos mais velhos, ao passo que os pais são culpabilizados por qualquer coisa de errado que aconteça na vida de uma criança. A mamãe e o papai têm praticamente tanta probabilidade de serem absolvidos no tribunal freudiano quanto os réus em uma farsa judicial stalinista.

Comunidades imaginadas

Assim como a família nuclear, a comunidade não poderia desaparecer completamente do mundo sem algum substituto emocional. Hoje, os mercados e os Estados atendem a maior parte das necessidades materiais que um dia eram atendidas pelas comunidades, mas também precisam proporcionar vínculos tribais.

Os mercados e os Estados fazem isso promovendo "comunidades imaginadas" que contêm milhões de estranhos e que são adaptadas para as necessidades nacionais e comerciais. Uma comunidade imaginada é uma comunidade de pessoas que não se conhecem de fato, mas imaginam que sim. Tais comunidades não são uma invenção nova. Reinos, impérios e igrejas funcionaram por milênios como comunidades imaginadas. Na China antiga, dezenas de milhões de pessoas se viam como membros de uma única família, tendo o imperador como pai. Na Idade Média, milhões de muçulmanos devotos imaginavam que eram todos irmãos e irmãs na grande comunidade do Islã. Mas, ao longo da história, tais comunidades imaginadas exerceram um papel secundário com relação às comunidades íntimas de várias dezenas de pessoas que se conheciam muito bem. As comunidades íntimas preenchiam as necessidades emocionais de seus membros e eram essenciais para a sobrevivência e o bem-estar de todos. Nos últimos dois séculos, as comunidades íntimas definharam, e as comunidades imaginadas preencheram o vácuo emocional.

Os dois exemplos mais importantes para a ascensão de tais comunidades imaginadas são a nação e tribo de consumidores. A nação é a comunidade imaginada do Estado. A tribo de consumidores é a comunidade imaginada do mercado. Ambas são comunidades *imaginadas* porque é impossível que todos os consumidores em um mercado ou que todos os membros de uma nação realmente conheçam uns aos outros da maneira como os aldeães se conheciam no passado. Nenhum alemão pode conhecer intimamente os outros 80 milhões de membros da nação alemã, nem os outros 500 milhões de consumidores que habitam o Mercado Comum Europeu (que primeiro se transformou na Comunidade Europeia e finalmente se tornou a União Europeia).

O consumismo e o nacionalismo fazem um esforço extra para nos levar a imaginar que milhões de estranhos pertencem à mesma comunidade que nós, que todos temos um passado em comum, interesses em comum e um futuro em comum. Não se trata de uma mentira. Trata-se de imaginação. Assim como o dinheiro, as empresas de responsabilidade limitada e os direitos humanos, nações e tribos de consumidores são realidades intersubjetivas. Só existem em nossa imaginação coletiva, mas seu poder é imenso. Contanto que milhões de alemães acreditem na existência de uma nação alemã, fiquem entusiasmados ao ver símbolos nacionais alemães, contem mitos nacionais alemães e estejam dispostos a sacrificar dinheiro, tempo e força bruta em nome da nação alemã, a Alemanha continuará sendo uma das potências mais fortes do mundo.

A nação faz tudo que está a seu alcance para ocultar seu caráter imaginado. A maioria das nações afirma ser uma entidade natural e eterna, criada em alguma época primordial por uma combinação do solo da pátria mãe com o sangue do povo. Mas tais afirmações são quase sempre exageradas. Existiam nações no passado distante, mas sua importância era muito menor do que hoje, porque a importância do Estado era muito menor. Um residente da Nuremberg medieval pode ter sentido certa lealdade para com a nação alemã, mas sentia muito mais lealdade para com sua família e comunidade local, que cuidavam da maior parte de suas necessidades. Além disso, qualquer que tenha sido a importância das nações antigas, poucas delas sobreviveram. A maioria das nações existentes só surgiu após a Revolução Industrial.

O Oriente Médio fornece muitos exemplos. As nações síria, libanesa, jordaniana e iraquiana são produto de fronteiras aleatórias desenhadas na areia por diplomatas franceses e britânicos que ignoraram a história, a geografia e a economia da região. Esses diplomatas determinaram, em 1918, que as pessoas do Curdistão, de Bagdá e de Basra seriam, dali em diante, "iraquianas". Foram primordialmente os franceses que decidiram quem seria sírio e quem seria libanês. Saddam Hussein e Hafez al-Assad tentaram o possível para promover e reforçar sua consciência nacional fabricada por britânicos e franceses, mas seus discursos bombásticos sobre a natureza supostamente eterna das nações iraquiana e síria eram palavras vazias.

Nem é preciso dizer que as nações não podem ser criadas do nada. Os que trabalharam duro para construir o Iraque ou a Síria usaram matérias-primas culturais, históricas e geográficas reais – algumas das quais têm séculos ou mesmo milênios de existência. Saddam Hussein cooptou a herança do califado abássida e do Império Babilônico e inclusive batizou uma de suas unidades blindadas de Divisão Hamurabi. Mas isso não faz da nação iraquiana uma entidade antiga. Se eu asso um bolo com farinha, óleo e açúcar, todos ingredientes guardados na minha despensa há dois meses, isso não significa que o bolo propriamente dito tenha dois meses.

Nas últimas décadas, as comunidades nacionais têm sido cada vez mais eclipsadas por tribos de consumidores que não se conhecem intimamente, mas partilham dos mesmos interesses e hábitos de consumo e, portanto, se sentem parte da mesma tribo de consumidores – e se definem como tais. Isso soa muito estranho, mas estamos cercados de exemplos. Os fãs da Madonna, por exemplo, constituem uma tribo de consumidores. Eles se definem em grande medida por aquilo que compram: ingressos para shows da Madonna, CDs da Madonna, pôsteres e camisetas da Madonna e inclusive toques de celular de músicas da Madonna. Fãs do Fluminense, vegetarianos e ambientalistas são outros exemplos. Eles também são definidos acima de tudo por aquilo que consomem. É a base de sua identidade. Um vegetariano alemão pode muito bem preferir uma vegetariana francesa a uma carnívora alemã como esposa.

Perpetum Mobila

As revoluções dos últimos dois séculos foram tão rápidas e radicais que transformaram a característica mais fundamental da ordem social. Tradicionalmente, a ordem social era firme e rígida. "Ordem" implicava estabilidade e continuidade. Revoluções sociais rápidas eram excepcionais, e a maioria das transformações sociais resultava da acumulação de uma série de pequenos passos. Os humanos tendiam a presumir que a estrutura social era inflexível e eterna. As famílias e as comunidades podiam lutar para mudar seu lugar dentro da ordem, mas a ideia de que se pudesse mudar a estrutura fundamental da ordem era estranha. As pessoas tendiam a se reconciliar com o status quo, declarando que "é assim que sempre foi, e é assim que sempre será".

Nos últimos dois séculos, o ritmo das mudanças se tornou tão rápido que a ordem social adquiriu um caráter dinâmico e maleável. Agora existe em um estado de fluxo permanente. Quando falamos de revoluções modernas, tendemos a pensar em 1789 (a Revolução Francesa), 1848 (as revoluções liberais) ou 1917 (a Revolução Russa). Mas o fato é que, atualmente, todo ano é revolucionário. Hoje, até mesmo uma pessoa de 30 anos pode dizer honestamente a adolescentes incrédulos: "Quando eu era jovem, o mundo era completamente diferente". A internet, por exemplo, só se disseminou no início dos anos 1990, há pouco mais de vinte anos. Hoje não podemos imaginar o mundo sem ela.

Daí que qualquer tentativa de definir as características da sociedade atual é como tentar definir a cor de um camaleão. A única característica da qual podemos ter certeza é a mudança incessante. As pessoas se acostumaram a isso, e a maioria de nós pensa na ordem social como algo flexível, que podemos projetar e melhorar à vontade. A principal promessa dos governantes pré-modernos era salvaguardar a ordem tradicional ou mesmo retornar a alguma era de ouro perdida. Nos últimos dois séculos, a moeda da política são promessas de destruir o velho mundo e construir um mundo melhor em seu lugar. Nem mesmo o mais conservador dos partidos políticos promete meramente manter as coisas como estão. Todos prometem reforma social, reforma educacional, reforma econômica – e muitas vezes cumprem tais promessas.

Assim como os geólogos esperam que os movimentos tectônicos resultem em terremotos e erupções vulcânicas, também podemos esperar que movimentos sociais drásticos resultem em explosões de violência sanguinárias. A história política dos séculos XIX e XX é muitas vezes contada como uma série de guerras mortíferas, holocaustos e revoluções. Como uma criança usando botas novas e saltando de poça em poça, esse modo de ver as coisas enxerga a história como saltando de um banho de sangue ao seguinte, da Primeira Guerra Mundial à Segunda e então à Guerra Fria, do genocídio armênio ao genocídio judeu e então ao genocídio ruandês, de Robespierre a Lenin e então a Hitler.

Há verdade nisso, mas essa tão conhecida lista de calamidades é um pouco enganosa. Prestamos demasiada atenção às poças e nos esquecemos da terra seca que as separa. As últimas décadas da era moderna testemunharam níveis sem precedentes não só de violência e horror como também de paz e tranquilidade. Charles Dickens escreveu, sobre a Revolução Francesa, que "foi o melhor dos tempos, [e] foi o pior dos tempos". Isso possivelmente é válido a respeito não só da Revolução Francesa, mas de toda a era prenunciada por ela.

É especialmente verdadeiro se considerarmos as sete décadas que se passaram desde o fim da Segunda Guerra Mundial. Durante esse período, a humanidade, pela primeira vez, se viu diante da possibilidade da autoaniquilação completa e vivenciou um grande número de guerras e genocídios. Mas essas décadas também foram a era mais pacífica da história humana – e por uma boa margem. Isso é surpreendente, porque essas mesmas décadas presenciaram mais mudança econômica, social e política do que qualquer era anterior. As placas tectônicas da história estão se movendo em ritmo frenético, mas os vulcões estão quase sempre silenciosos. A nova ordem maleável parece ser capaz de conter e até mesmo iniciar mudanças estruturais radicais sem ruir em conflitos violentos.[3]

Paz em nossa era

A maioria das pessoas não percebe o quão pacífica é a era em que vivemos. Nenhum de nós estava vivo há mil anos, e por isso nos esquecemos facilmente de que o mundo costumava ser muito mais violento. E, à medida que as guerras se tornaram mais raras, elas passaram a atrair mais atenção. Muito mais pessoas pensam nas guerras se alastrando hoje no Afeganistão e no Iraque do que na paz em que vivem a maioria dos canadenses e indianos.

O que é ainda mais importante, podemos nos relacionar mais facilmente com o sofrimento de indivíduos do que de populações inteiras. No entanto, para entender processos macro-históricos, precisamos examinar estatísticas de grandes grupos, e não histórias individuais. No ano 2000, guerras causaram a morte de 310 mil indivíduos, e crimes violentos mataram outros 520 mil. Cada uma das vítimas é um mundo destruído, uma família arruinada, amigos e parentes com cicatrizes para a vida toda. Mas, de uma perspectiva macro, essas 830 mil vítimas representam apenas 1,5% dos 56 milhões de pessoas que morreram em 2000. Naquele ano, 1,26 milhão de pessoas morreram em acidentes de carro (2,25% do total de mortes) e 815 mil pessoas cometeram suicídio (1,45%).[4]

Os números para 2002 são ainda mais surpreendentes. Dos 57 milhões de mortos, apenas 172 mil pessoas morreram em guerra e 569 mil morreram de crimes violentos (um total de 741 mil vítimas de violência humana). Por outro lado, 873 mil pessoas cometeram suicídio.[5] Acontece que no ano que se seguiu aos ataques do Onze de Setembro, apesar do muito que se falou em terrorismo e guerra, um cidadão médio tinha mais probabilidade de se matar do que de ser morto por um terrorista, um soldado ou um traficante de drogas.

Na maior parte do mundo, as pessoas vão dormir sem medo de que no meio da noite uma tribo vizinha cerque sua aldeia e mate a todos. Súditos britânicos abastados viajam diariamente de Nottingham a Londres pela floresta de Sherwood sem temer que uma gangue de bandoleiros alegres vestidos de verde lhes preparem uma emboscada e roubem seu dinheiro para dar aos pobres (ou, o que seria mais provável, matem-nos e peguem o dinheiro para si). Os estudantes não toleram ser fustigados por seus professores, as crianças não precisam temer ser vendidas como escravas quando seus pais não conseguem pagar as contas, e as mulheres sabem que a lei proíbe o marido de espancá-las e forçá-las a ficar em casa. Cada vez mais, no mundo inteiro, essas expectativas se cumprem.

A diminuição da violência se deve, em grande parte, à ascensão do Estado. Em toda a história, a maior parte da violência resultava de rixas locais entre famílias e comunidades. (Mesmo hoje, como indicam os números expostos aqui, o crime local é uma ameaça muito mais letal do que as guerras internacionais.) Conforme vimos, os primeiros agricultores, que não conheciam nenhuma organização política maior do que a comunidade local, sofriam violência extrema. À medida que reinos e impérios ficaram mais fortes, eles controlaram as comunidades e o nível de violência diminuiu. Nos reinos descentralizados da Europa medieval, cerca de 20 a 40 pessoas eram assassinadas todos os anos para cada 100 mil habitantes. Nas últimas décadas, quando os Estados e os mercados se tornaram todo-poderosos e as comunidades desapareceram, os índices de violência caíram ainda mais. Hoje, a média global é de apenas 9 assassinatos por ano para cada 100 mil pessoas, e a maioria desses assassinatos acontece em Estados débeis como a Somália e a Colômbia. Nos Estados centralizados da Europa, a média é um assassinato por ano para cada 100 mil pessoas.[6]

Certamente, há casos em que os Estados usam seu poder para matar seus próprios cidadãos, e tais casos assombram nossas memórias e medos. Durante o século XX, dezenas de milhões, se não centenas de milhões, de pessoas foram mortas por forças de segurança de seus próprios Estados. Ainda assim, de uma macroperspectiva, cortes de justiça e forças policiais do Estado provavelmente aumentaram o nível de segurança em todo o mundo. Mesmo em ditaduras opressivas, o cidadão médio moderno tem muito menos probabilidade de morrer pela mão de outra pessoa do que nas sociedades pré-modernas. Em 1964, uma ditadura militar foi instalada no Brasil. Governou o país até 1985. Durante esses 20 anos, várias centenas de brasileiros foram assassinados pelo regime. Outros milhares foram presos e torturados. Ainda assim, mesmo nos piores anos, o brasileiro médio no Rio de Janeiro tinha muito menos probabilidade de morrer por mãos humanas do que o ianomâmi médio. Os ianomâmis são uma sociedade agrícola de pequenas aldeias dispersas nas profundezas da floresta amazônica, sem exército, polícia ou prisões. Estudos antropológicos indicaram que de um quarto a metade dos ianomâmis acaba morrendo em conflitos violentos por propriedades, mulheres ou prestígio.[7]

Retirada imperial

É, talvez, controverso se a violência no interior dos Estados aumentou ou diminuiu desde 1945. O que ninguém pode negar é que a violência internacional atingiu o menor índice de todos os tempos. Possivelmente o exemplo mais óbvio é o colapso dos impérios europeus. Ao longo da história, os impérios esmagaram rebeliões com mão de ferro e, quando seu dia chegara, um império em decadência usava de todo o seu poder para se salvar, normalmente afundando em um banho de sangue. Sua derrocada final levava, no mais das vezes, à anarquia e a guerras de sucessão. Desde 1945, a maioria dos impérios optou por uma retirada precoce e pacífica. Seu processo de colapso se tornou relativamente rápido, calmo e ordenado.

Em 1945, a Grã-Bretanha governava um quarto do globo. Trinta anos depois, governava apenas algumas pequenas ilhas. Nesse período, se retirou da maioria de suas colônias de maneira pacífica e ordenada.

Embora em alguns lugares, como a Malásia e o Quênia, os britânicos tenham tentado permanecer pela força das armas, na maioria dos lugares eles aceitaram o fim do império com um suspiro, e não com um ataque de fúria. Concentraram seus esforços não em manter o poder, mas em transferi-lo da maneira mais tranquila possível. Pelo menos parte dos elogios geralmente feitos a Mahatma Gandhi por seu credo não violento se deve, na verdade, ao Império Britânico. Apesar de muitos anos de luta cruel e quase sempre violenta, quando o Raj chegou ao fim os indianos não precisaram enfrentar os britânicos nas ruas de Délhi e de Calcutá. O lugar do império foi tomado por uma porção de Estados independentes, a maioria dos quais desde então desfrutou de fronteiras estáveis e, durante a maior parte do tempo, viveu em paz com seus vizinhos. É verdade, dezenas de milhares de pessoas pereceram nas mãos do Império Britânico ameaçado, e em vários focos de tensão sua retirada levou à eclosão de conflitos étnicos que cobraram centenas de milhares de vidas (em particular, na Índia). Mas, quando comparada à média histórica no longo prazo, a retirada britânica foi um exemplo de paz e ordem. O Império Francês foi mais teimoso. Seu colapso envolveu ações de retaguarda sangrentas no Vietnã e na Argélia que custaram centenas de milhares de vidas. Mas os franceses também se retiraram do restante de seus domínios de forma rápida e pacífica, deixando para trás Estados ordenados, em vez de um caótico salve-se quem puder.

O colapso soviético em 1989 foi ainda mais pacífico, apesar da eclosão de conflitos étnicos nos Bálcãs, no Cáucaso e na Ásia Central. Em nenhum momento anterior um império tão poderoso desapareceu de forma tão rápida e pacífica. O Império Soviético de 1989 não havia sofrido nenhuma derrota militar exceto no Afeganistão, nenhuma invasão externa, nenhuma rebelião, nem mesmo campanhas de desobediência civil em grande escala ao estilo das promovidas por Martin Luther King. Os sovietes ainda tinham milhões de soldados, dezenas de milhares de tanques e aviões, e armas nucleares suficientes para exterminar toda a humanidade várias vezes. O Exército Vermelho e os outros exércitos do Pacto de Varsóvia permaneceram leais. Se o último governante soviético, Mikhail Gorbachev, tivesse dado a ordem, o Exército Vermelho teria aberto fogo sobre as massas subjugadas.

Mas a elite soviética e os regimes comunistas na maior parte da Europa Oriental (a Romênia e a Sérvia foram exceções) escolheram não usar nem mesmo uma fração minúscula desse poder militar. Quando seus membros perceberam que o comunismo estava falido, renunciaram ao uso da força, admitiram seu fracasso, fizeram as malas e foram para casa. Gorbachev e seus colegas desistiram, sem lutar, não só das conquistas soviéticas da Segunda Guerra Mundial como também das conquistas czaristas, muito mais antigas, no Báltico, na Ucrânia, no Cáucaso e na Ásia Central. É assustador pensar no que poderia ter acontecido se Gorbachev tivesse se comportado como a liderança sérvia – ou como os franceses na Argélia.

Pax Atomica

Os Estados independentes que vieram depois desses impérios tinham um nítido desinteresse por guerras. Com pouquíssimas exceções, desde 1945 eles já não invadem outros Estados para conquistá-los e anexá-los. Tais conquistas foram o feijão com arroz da história política desde tempos imemoriais. Foi assim que a maioria dos grandes impérios se estabeleceu e que a maioria dos governantes e suas populações esperavam que as coisas continuassem. Mas campanhas de conquista como as dos romanos, mongóis e otomanos não podem ocorrer em nenhum lugar do mundo. Desde 1945, nenhum país independente reconhecido pela ONU foi conquistado e varrido do mapa. Guerras internacionais limitadas ainda ocorrem de tempos em tempos, e milhões ainda morrem em guerras, mas guerras não são a norma.

Muitas pessoas acreditam que o desaparecimento de guerras internacionais é um fenômeno exclusivo das democracias ricas da Europa Ocidental. Na verdade, a paz chegou à Europa depois que prevaleceu em outras partes do mundo. Assim, as últimas guerras internacionais sérias entre países sul-americanos foram a guerra de 1941 entre o Peru e o Equador e a Guerra do Chaco (entre a Bolívia e o Paraguai), de 1932 a 1935. E antes disso não houve uma guerra séria entre países sul-americanos desde 1879-1884, com o Chile de um lado e a Bolívia e o Peru do outro.

Raramente pensamos no mundo árabe como particularmente pacífico. Mas, desde que os árabes conquistaram a independência, só uma vez um deles planejou uma invasão de outro em grande escala (a invasão iraquiana do Kuwait em 1990). Houve algumas disputas por fronteiras (por exemplo, entre a Síria e a Jordânia em 1970), muitas intervenções armadas nos assuntos do outro (por exemplo, da Síria no Líbano), uma série de guerras civis (Argélia, Iêmen, Líbia) e um sem-número de golpes e revoltas. Mas não houve nenhuma guerra internacional em grande escala entre os Estados árabes exceto a Guerra do Golfo. Mesmo se ampliarmos o escopo para incluir todo o mundo muçulmano, só encontraremos mais um exemplo, a guerra entre o Irã e o Iraque. Não houve nenhuma guerra entre a Turquia e o Irã, entre o Paquistão e o Afeganistão ou entre a Indonésia e a Malásia.

Na África, a situação é menos otimista. Mas, mesmo nesse continente, a maioria dos conflitos são guerras civis e golpes. Desde que os Estados africanos conquistaram a independência nos anos 1960 e 1970, pouquíssimos países invadiram outros na esperança de conquistá-los.

Houve períodos de calma relativa antes, como, por exemplo, na Europa entre 1871 e 1914, mas sempre terminaram mal. Mas desta vez é diferente, pois paz de verdade não é mera ausência de guerra; paz de verdade é quando uma guerra é implausível. Nunca houve paz de verdade no mundo. Entre 1871 e 1914, uma guerra europeia era uma eventualidade plausível, e a expectativa de guerra dominava o pensamento de exércitos, políticos e cidadãos comuns. Esse presságio é válido para todos os outros períodos pacíficos na história. Uma lei férrea da política internacional decretava: "Para cada dois regimes políticos próximos, há um cenário plausível que os fará entrar em guerra um contra o outro no intervalo de um ano". Essa lei da selva esteve em vigor na Europa do fim do século XIX, na Europa medieval, na China antiga e na Grécia clássica. Se Esparta e Atenas estavam em paz em 450 a.C., havia um cenário plausível de que estariam em guerra antes de 449 a.C.

Hoje, a humanidade subverteu a lei da selva. Finalmente, há paz de verdade, e não só ausência de guerra. Para a maioria dos Estados, não há nenhum cenário plausível levando a um conflito em grande escala no intervalo de um ano. O que poderia levar a uma guerra em grande escala entre a Alemanha e a França no ano que vem? Ou entre a China e o Japão? Ou entre o Brasil e a Argentina? Alguns conflitos menores por fronteiras poderiam ocorrer, mas somente um cenário verdadeiramente apocalíptico poderia resultar em uma guerra em grande escala à moda antiga entre os países citados em 2015, com divisões armadas argentinas avançando até o Rio de Janeiro e bombardeios de saturação brasileiros pulverizando as redondezas de Buenos Aires. Guerras desse tipo talvez ainda possam eclodir no ano que vem entre vários pares de Estados, por exemplo, entre Israel e a Síria, a Etiópia e Eritreia, ou os Estados Unidos e o Irã, mas essas são apenas exceções que provam a regra.

É claro que essa situação pode mudar no futuro e, visto em retrospectiva, o mundo de hoje pode parecer incrivelmente ingênuo. Mas, de uma perspectiva histórica, nossa própria ingenuidade é fascinante. Nunca antes a paz foi tão predominante a ponto de as pessoas não conseguirem sequer imaginar a guerra.

Os estudiosos procuraram explicar esses felizes avanços em mais livros e artigos do que uma pessoa estará disposta a ler, e eles identificaram vários fatores que contribuíram para isso. Em primeiro lugar, e o mais importante, o preço da guerra aumentou drasticamente. O Prêmio Nobel da Paz definitivo deveria ter sido dado a Robert Oppenheimer e seus colegas que criaram a bomba atômica. As armas nucleares transformaram as guerras entre superpotências em suicídio coletivo e tornaram impossível procurar a dominação mundial pela força das armas.

Em segundo lugar, embora o preço da guerra tenha disparado, seus lucros diminuíram. Durante a maior parte da história, os regimes políticos puderam enriquecer por meio de pilhagens ou da anexação de territórios inimigos. A maior parte das riquezas consistia de coisas materiais, como campos, gado, escravos e ouro, de modo que era fácil roubá-la ou ocupá-la. Hoje, a riqueza consiste principalmente de capital humano e know-how organizacional. Em consequência, é difícil pilhá-la ou conquistá-la por força militar.

Considere a Califórnia. Inicialmente, sua riqueza consistia de minas de ouro, mas hoje consiste de silício e celuloide – o vale do Silício e as colinas de celuloide de Hollywood. O que aconteceria se os chineses planejassem uma invasão armada à Califórnia, enviassem 1 milhão de soldados às praias de São Francisco e atacassem o interior? Eles ganhariam pouco. Não há minas de silício no vale do Silício. A riqueza reside na mente dos engenheiros do Google e nos roteiristas, diretores e magos dos efeitos especiais de Hollywood, que estariam no primeiro avião para Bangalore ou Mumbai muito antes de os tanques chineses avançarem pela Sunset Boulevard. Não é coincidência que as poucas guerras internacionais em grande escala que ainda acontecem no mundo, como a invasão iraquiana no Kuwait, ocorrem em lugares em que a riqueza é a antiquada riqueza material. Os xeiques do Kuwait puderam fugir para o exterior, mas os campos de petróleo continuavam lá, e foram ocupados.

Enquanto a guerra se tornou menos lucrativa, a paz se tornou mais lucrativa do que nunca. Nas economias agrícolas tradicionais, o comércio em longas distâncias e o investimento internacional eram secundários. Em consequência, a paz trazia poucos lucros, a não ser os de evitar os custos de uma guerra. Se, em 1400, a Inglaterra e a França estavam em paz, os franceses não tinham de pagar impostos de guerra onerosos e sofrer invasões inglesas destrutivas, mas, fora isso, a paz não beneficiava seus bolsos. Nas economias capitalistas modernas, o comércio e os investimentos internacionais se tornaram de suma importância. A paz, portanto, traz dividendos inigualáveis. Contanto que a China e os Estados Unidos estejam em paz, os chineses podem prosperar vendendo produtos aos Estados Unidos, negociando em Wall Street e recebendo investimentos norte-americanos.

Por último, mas não menos importante, ocorreu uma mudança tectônica na política cultural global. Muitas elites na história – líderes hunos, nobres vikings e sacerdotes astecas, por exemplo – viam a guerra como algo positivo. Outras a viam como nociva, mas inevitável, sendo melhor, portanto, usá-la em vantagem própria. Quanto à nossa, é a primeira vez na história em que o mundo é dominado por uma elite que ama a paz – políticos, empresários, intelectuais e artistas que genuinamente veem a guerra como maléfica e evitável. (Houve pacifistas no passado, como os primeiros cristãos, mas, nas raras ocasiões em que conquistaram poder, eles tenderam a esquecer a ideia de "oferecer a outra face".)

Há um ciclo de retroalimentação positivo entre todos esses quatro fatores. A ameaça de um holocausto nuclear promove o pacifismo; quando o pacifismo se espalha, a guerra recua e o comércio floresce; e o comércio aumenta os lucros da paz e os custos da guerra. Com o tempo, esse ciclo cria mais um obstáculo à guerra, que pode acabar se mostrando o mais importante de todos. A rede cada vez mais rígida de conexões internacionais corrói a independência da maioria dos países, diminuindo a chance de que um deles possa, sozinho, começar uma guerra. A maioria dos países já não se envolve em guerras de grande escala pela simples razão de que já não são independentes. Embora os cidadãos em

Israel, na Itália, no México ou na Tailândia possam alimentar ilusões de independência, o fato é que seus governos não podem conduzir políticas econômicas ou externas independentes, e certamente são incapazes de iniciar e conduzir uma guerra em grande escala por conta própria. Conforme explicado no capítulo 11, estamos testemunhando a formação de um império global. Como os impérios anteriores, este também impõe a paz no interior de suas fronteiras. E, considerando que suas fronteiras abrangem o mundo inteiro, o Império Mundial, com efeito, impõe a paz mundial.

Então, a era moderna é uma era obtusa de carnificina, guerra e opressão, tipificada pelas trincheiras da Primeira Guerra Mundial, pela nuvem de fumaça nuclear sobre Hiroshima e pelas manias sangrentas de Hitler e de Stalin? Ou é uma era de paz, simbolizada pelas trincheiras nunca cavadas na América do Sul, as nuvens de cogumelo que nunca apareceram sobre Moscou e Nova York e as visões serenas de Mahatma Gandhi e Martin Luther King?

A resposta é uma questão de tempo. É curioso perceber com que frequência nossa visão do passado é distorcida pelos acontecimentos dos últimos anos. Se este capítulo tivesse sido escrito em 1945 ou 1962, provavelmente teria sido muito mais melancólico. Como foi escrito em nossos dias, adota uma abordagem relativamente alegre da história moderna.

Para satisfazer otimistas e pessimistas, podemos concluir dizendo que estamos no limiar do céu e do inferno, movendo-nos nervosamente dos portões de um para a antessala do outro. A história ainda não se decidiu sobre nosso destino, e uma série de coincidências ainda pode nos colocar em uma ou outra direção.

19

E eles viveram felizes para sempre

Os últimos 500 anos testemunharam uma série de revoluções de tirar o fôlego. A Terra foi unida em uma única esfera histórica e ecológica. A economia cresceu exponencialmente, e hoje a humanidade desfruta do tipo de riqueza que só existia nos contos de fadas. A ciência e a Revolução Industrial deram à humanidade poderes sobre-humanos e energia praticamente sem limites. A ordem social foi totalmente transformada, bem como a política, a vida cotidiana e a psicologia humana.

Mas somos mais felizes? A riqueza que a humanidade acumulou nos últimos cinco séculos se traduz em contentamento? A descoberta de fontes de energia inesgotáveis abre diante de nós depósitos inesgotáveis de felicidade? Voltando ainda mais no tempo, os cerca de 70 milênios desde a Revolução Cognitiva tornaram o mundo um lugar melhor para se viver? O falecido Neil Armstrong, cuja pegada continua intacta na Lua sem vento, foi mais feliz que os caçadores-coletores anônimos que há 30 mil anos deixaram suas marcas de mão em uma parede na caverna de Chauvet? Se não, qual o sentido de desenvolver agricultura, cidades, escrita, moeda, impérios, ciência e indústria?

Os historiadores raramente fazem essas perguntas. Eles não perguntam se os cidadãos de Uruk e da Babilônia foram mais felizes que seus ancestrais caçadores-coletores, se a ascensão do islamismo tornou os egípcios mais satisfeitos com a vida, ou de que modo o colapso dos impérios europeus na África influenciou a felicidade de muitos milhões de pessoas. Mas essas são as perguntas mais importantes que podemos fazer à história. A maioria dos programas ideológicos e políticos atuais se baseia em ideias um tanto frágeis no que concerne à fonte real de felicidade humana. Os nacionalistas acreditam que a autodeterminação política é essencial para a nossa felicidade. Os comunistas postulam que todos seriam felizes sob a ditadura do proletariado. Os capitalistas sustentam que só o livre mercado pode garantir a maior felicidade possível para o maior número, criando crescimento econômico e abundância material e ensinando as pessoas a serem autossuficientes e empreendedoras.

O que aconteceria se pesquisas sérias mostrassem que essas hipóteses estão erradas? Se o crescimento econômico e a autossuficiência não tornam as pessoas mais felizes, qual o benefício do capitalismo? E se for revelado que os súditos de grandes impérios são, em geral, mais felizes que os cidadãos de Estados independentes e que, por exemplo, os ganenses eram mais felizes sob o domínio colonizador britânico do que sob seus próprios ditadores? O que isso diria sobre o processo de descolonização e sobre o valor da soberania nacional?

Essas são todas possibilidades hipotéticas, porque até agora os historiadores têm evitado fazer essas perguntas, que dirá respondê-las. Eles pesquisaram a história de praticamente tudo – política, sociedade, economia, gênero, doenças, sexualidade, alimentação, vestuário –, mas raras vezes pararam para se perguntar como essas coisas influenciam a felicidade humana.

Embora poucos tenham estudado a história da felicidade no longo prazo, quase todos os estudiosos e leigos têm alguma ideia vaga preconcebida a esse respeito. Em uma visão comum, as capacidades humanas aumentaram ao longo da história. Considerando que os humanos geralmente usam suas capacidades para aliviar sofrimentos e satisfazer aspirações, decorre que devemos ser mais felizes que nossos ancestrais medievais e que eles devem ter sido mais felizes que os caçadores-coletores da Idade da Pedra.

Mas esse relato progressista não convence. Conforme vimos, novas aptidões, comportamentos e habilidades não necessariamente contribuem para uma vida melhor. Quando os humanos aprenderam a lavrar a terra na Revolução Agrícola, sua capacidade coletiva de moldar seu ambiente aumentou, mas o destino de muitos indivíduos humanos se tornou mais cruel. Os camponeses tinham de trabalhar mais do que os caçadores-coletores para obter alimentos menos variados e nutritivos e estavam muito mais expostos a doenças e à exploração. De maneira similar, a disseminação dos impérios europeus aumentou enormemente o poder coletivo da humanidade, fazendo circular ideias, tecnologias e sementes e abrindo novas rotas de comércio. Mas isso esteve longe de ser uma boa notícia para os milhões de africanos, índios americanos e aborígenes australianos. Considerando a comprovada propensão humana para fazer mau uso do poder, parece ingênuo acreditar que quanto mais influência as pessoas tiverem, mais felizes serão.

Alguns dos que contrariam essa visão adotam uma postura diametralmente oposta. Eles concordam que existe uma relação inversa entre potencialidades humanas e felicidade. O poder corrompe, dizem, e, à medida que ganhou cada vez mais poder, a humanidade criou um mundo frio e mecanicista mal-adaptado a nossas necessidades reais. A evolução moldou nossa mente e nosso corpo para a vida de caçadores-coletores. A transição primeiro para a agricultura e depois para a indústria nos condenou a levar uma vida antinatural que não permite expressar plenamente nossas inclinações e nossos instintos inerentes e, portanto, não é capaz de satisfazer nossas aspirações mais profundas. Nada na vida confortável da classe média urbana pode se aproximar do entusiasmo e da alegria experimentados por um bando de caçadores-coletores após a caçada bem-sucedida de um mamute. Cada nova invenção só aumenta a distância entre nós e o jardim do Éden.

Em particular, os românticos enfatizam que nosso mundo sensorial é muito mais pobre se comparado com o de nossos ancestrais. Os antigos caçadores-coletores viviam o momento presente, e tinham plena consciência de cada som, sabor e odor. Sua sobrevivência dependia disso. Nós, ao contrário, estamos terrivelmente sem foco. Podemos ir ao supermercado e escolher comer mil pratos diferentes. Mas, qualquer que seja o prato escolhido, provavelmente o comeremos às pressas diante da TV, sem prestar atenção ao sabor. Podemos viajar para mil lugares incríveis. Mas, para onde quer que formos, provavelmente estaremos brincando com nosso smartphone em vez de realmente ver o lugar. Temos mais opções do que nunca, mas quão boas são essas opções, se perdemos a capacidade de prestar atenção realmente?

Mas essa insistência romântica em ver uma sombra escura por trás de cada invenção é tão dogmática quanto a crença na inevitabilidade do progresso. Possivelmente perdemos o contato com o caçador-coletor dentro de nós, mas isso não é de todo ruim. Por exemplo, nos últimos dois séculos a medicina moderna reduziu a mortalidade infantil de 33%

para menos de 5%. Alguém pode duvidar que isso fez uma enorme contribuição para a felicidade não só dessas crianças que do contrário teriam morrido como também de seus familiares e amigos?

Uma posição mais ponderada toma o caminho do meio. Até a Revolução Científica, não havia uma correlação clara entre potencialidades e felicidade. Os camponeses medievais podem, com efeito, ter sido mais infelizes que seus ancestrais caçadores-coletores. Mas nos últimos séculos os humanos aprenderam a usar suas potencialidades de modo mais sábio. Os triunfos da medicina moderna são apenas um exemplo. Outras conquistas sem precedentes incluem a drástica redução no índice de violência, o quase desaparecimento de guerras internacionais e a quase eliminação da fome em grande escala.

Mas isso também é simplificar demais. Primeiro, porque baseia sua avaliação otimista em uma amostra muito pequena de anos. A maioria dos humanos só começou a colher os frutos da medicina moderna em 1850, e a drástica redução na mortalidade infantil é um fenômeno do século XX. A fome em massa continuou a acometer grande parte da humanidade até meados do século XX. Durante o Grande Salto para a Frente, de 1958 a 1961 na China comunista, algo entre 10 e 50 milhões de seres humanos morreram de fome. As guerras internacionais só se tornaram raras após 1945, em grande parte graças à nova ameaça de aniquilação nuclear. Portanto, embora as últimas décadas tenham sido uma era de ouro sem precedentes para a humanidade, é cedo demais para saber se isso representa uma mudança fundamental nas correntes da história ou uma onda efêmera de boa sorte. Ao julgar a modernidade, é demasiado tentador adotar o ponto de vista de um cidadão de classe média do Ocidente do século XXI. Não devemos nos esquecer do ponto de vista do minerador galês, do chinês viciado em ópio ou do aborígene tasmaniano do século XIX. Truganini não é menos importante do que Homer Simpson.

Em segundo lugar, até mesmo a breve era de ouro do último meio século pode ter espalhado as sementes de catástrofe futura. Nas últimas décadas, temos perturbado o equilíbrio ecológico do nosso planeta de muitas maneiras, provavelmente com consequências terríveis. Há muitos indícios de que estamos destruindo as bases da prosperidade humana em uma orgia de consumo desenfreado.

Por fim, só podemos ficar orgulhosos das conquistas sem precedentes dos sapiens modernos se ignorarmos completamente o destino de todos os outros animais. Grande parte da alardeada riqueza material que nos protege de fome e doenças foi acumulada à custa de macacos de laboratório, vacas leiteiras e frangos criados em linha de produção. Nos últimos dois séculos, dezenas de bilhões deles foram submetidos a um regime de exploração industrial cuja crueldade não tem precedentes nos anais do planeta Terra. Se admitirmos apenas um décimo do que os ativistas pelos direitos dos animais estão reivindicando, a agricultura moderna poderia muito bem ser o maior crime da história. Ao avaliar a felicidade global, é um equívoco considerar apenas a felicidade das classes superiores, dos europeus, ou dos homens. Talvez também seja um equívoco considerar apenas a felicidade dos humanos.

Computando a felicidade

Até agora, discutimos a felicidade como se esta fosse, em grande medida, produto de fatores materiais, como saúde, dieta e riqueza. Se as pessoas são mais ricas e mais saudáveis, também devem ser mais felizes. Mas isso é mesmo assim tão óbvio? Filósofos, padres e poetas refletiram sobre a natureza da felicidade durante milênios, e muitos concluíram que fatores sociais, éticos e espirituais têm tanta influência sobre nossa felicidade quanto as condições materiais. E se as pessoas nas sociedades afluentes modernas sofrem muitíssimo de alienação e carência de sentido, apesar de sua prosperidade? E se nossos ancestrais menos abastados encontravam grande contentamento na comunidade, na religião e em um vínculo com a natureza?

Nas últimas décadas, psicólogos e biólogos aceitaram o desafio de estudar cientificamente o que de fato deixa as pessoas felizes. É o dinheiro, a família, a genética ou, talvez, a moral? O primeiro passo é definir o que será medido. A definição geralmente aceita de felicidade é "bem-estar subjetivo". A felicidade, de acordo com essa visão, é algo que sinto dentro de mim, uma sensação de prazer imediato ou de contentamento no longo prazo com o modo como minha vida avança. Se é algo sentido do lado de dentro, como pode ser medido de fora? Supostamente, podemos fazer isso pedindo que as pessoas nos digam como se sentem. Desse modo, os psicólogos e biólogos que desejam avaliar o quanto as pessoas se sentem felizes lhes dão questionários para responder e computam os resultados.

Um típico questionário sobre bem-estar subjetivo pede aos entrevistados para avaliarem em uma escala de zero a dez o quanto concordam com afirmações do tipo "Sinto-me satisfeito com minha forma de ser", "Sinto que a vida é muito satisfatória", "Sou otimista com relação ao futuro" e "A vida é boa". O pesquisador, então, soma todas as respostas e calcula o nível geral de bem-estar subjetivo do entrevistado.

Tais questionários são usados para correlacionar a felicidade com vários fatores objetivos. Um estudo pode comparar mil pessoas que ganham 100 mil dólares por ano com mil pessoas que ganham 50 mil dólares por ano. Se o estudo descobrir que o primeiro grupo tem um nível médio de bem-estar subjetivo de 8,7, ao passo que o segundo grupo tem um nível médio de apenas 7,3, o pesquisador pode concluir, de maneira razoável, que há uma correlação positiva entre riqueza e bem-estar subjetivo. Dito de forma simples, dinheiro traz felicidade. O mesmo método pode ser usado para examinar se pessoas vivendo em democracias são mais felizes que pessoas vivendo em ditaduras e se os casados são mais felizes que os solteiros, divorciados ou viúvos.

Isso fornece uma base para os historiadores, que podem examinar a riqueza, a liberdade política e os índices de divórcio no passado. Se as pessoas são mais felizes em democracias e as pessoas casadas são mais felizes que as divorciadas, um historiador tem uma base para argumentar que o processo de democratização das últimas décadas contribuiu para a felicidade da humanidade, ao passo que os índices crescentes de divórcio indicam uma tendência oposta.

Essa maneira de pensar não é isenta de falhas, mas, antes de apontar algumas delas, vale considerar suas descobertas.

Uma conclusão interessante é que, de fato, o dinheiro traz felicidade. Mas só até certo ponto, e além desse ponto tem pouca significância. Para as pessoas presas na base da pirâmide econômica, mais dinheiro significa mais felicidade. Se você é uma mãe solteira brasileira que ganha 12 mil reais por ano limpando casas e de repente ganha 500 mil reais na loteria, provavelmente sentirá um aumento significativo e duradouro em seu bem-estar subjetivo. Conseguirá alimentar e vestir seus filhos sem se afundar ainda mais em dívidas. No entanto, se você é um alto executivo que ganha 250 mil reais por ano e de repente ganha 1 milhão de reais na loteria, ou se a diretoria de sua empresa de repente decide dobrar seu salário, é provável que seu aumento no bem-estar subjetivo dure apenas algumas semanas. De acordo com descobertas empíricas, é quase certo que não fará uma grande diferença no modo como você se sente no longo prazo. Você comprará um carro mais pomposo, se mudará para uma casa suntuosa, se acostumará a comer coisas mais sofisticadas e a tomar os melhores vinhos, mas logo tudo isso parecerá rotineiro e nada excepcional.

Outra descoberta interessante é que a doença diminui a felicidade no curto prazo, mas só é fonte de sofrimento no longo prazo se as condições de vida de uma pessoa se deteriorarem de forma constante ou se a doença envolver dor contínua e debilitante. As pessoas que são diagnosticadas com doenças crônicas como diabetes geralmente ficam deprimidas por um tempo, mas, se a doença não piorar, elas se ajustam à nova condição e classificam sua felicidade nos mesmos patamares que as pessoas saudáveis. Imagine que Lúcia e Lucas são gêmeos de classe média, que concordam em participar de um estudo sobre bem-estar. Ao voltar do laboratório de psicologia, o carro de Lúcia é atingido por um ônibus, deixando-a com uma série de ossos fraturados e uma perna permanentemente danificada. Enquanto a equipe de resgate a está tirando do meio das ferragens, o telefone toca e Lucas grita que acabou de ganhar 10 milhões de reais na loteria. Dois anos depois, ela estará mancando e ele estará muito mais rico, mas, quando o psicólogo aparece para um estudo de acompanhamento, ambos tendem a dar as mesmas respostas que deram na manhã daquele dia fatídico.

Família e comunidade parecem ter mais impacto na nossa felicidade do que dinheiro e saúde. Pessoas com famílias coesas que vivem em comunidades unidas que lhes dão apoio são significativamente mais felizes do que pessoas cujas famílias são disfuncionais e que nunca encontraram (ou nunca buscaram) uma comunidade da qual fazer parte. O casamento é particularmente importante. Repetidos estudos descobriram que há uma relação muito direta entre bons casamentos e nível elevado de bem-estar subjetivo e entre maus casamentos e sofrimento. Isso é verdade independentemente de condições econômicas ou mesmo físicas. Um inválido sem recursos cercado por uma esposa amorosa, uma família dedicada e uma comunidade afetuosa pode se sentir melhor do que um bilionário alienado, contanto que a pobreza do inválido não seja extrema e que sua doença não seja degenerativa nem dolorosa.

Isso levanta a possibilidade de que a melhoria gigantesca nas condições materiais dos últimos dois séculos tenha sido compensada pelo colapso da família e da comunidade. As pessoas no mundo desenvolvido contam com o Estado e o mercado para quase tudo de que necessitam: alimento, abrigo, educação, saúde, segurança. Desse modo, tornou-se possível sobreviver sem ter uma família estendida ou amigos reais. Um indivíduo que mora em uma cobertura urbana é cercado por milhares de pessoas onde quer que vá, mas possivelmente jamais visitou o apartamento vizinho e sabe muito pouco sobre seus colegas de trabalho. Até mesmo seus amigos talvez sejam apenas companheiros de bar. Hoje, muitas amizades envolvem pouco mais do que conversar e se divertir juntos. Encontramos um amigo em um bar, telefonamos para ele ou lhe enviamos um e-mail para aliviar nossa raiva sobre o que aconteceu hoje no escritório ou compartilhar nossas opiniões sobre o último escândalo político. Mas até que ponto podemos conhecer bem uma pessoa somente com base em conversas?

Diferentemente de tais companheiros de bar, os amigos na Idade da Pedra dependiam uns dos outros para sua própria sobrevivência. Os humanos viviam em comunidades solidárias, e os amigos eram pessoas com quem se caçava mamutes. Juntos, sobreviviam a longas jornadas e a invernos rigorosos. Cuidavam um do outro quando um deles ficava doente, e compartilhavam a última porção de comida em épocas de necessidade. Tais amigos conheciam uns aos outros mais intimamente do que muitos casais de nossos dias. Quantos maridos podem dizer que sabem qual será o comportamento da esposa se eles forem atacados por um mamute enfurecido? Substituir tais redes tribais precárias pela segurança das economias e dos Estados paternalistas modernos obviamente tem vantagens enormes, mas é provável que a qualidade e a profundidade das relações íntimas tenha sido afetada.

Mas a descoberta mais importante de todas é que a felicidade não depende de condições objetivas de riqueza, saúde ou mesmo comunidade. Em vez disso, depende da correlação entre condições objetivas e expectativas subjetivas. Se você quer uma carroça e consegue uma carroça, fica contente. Se você quer uma Ferrari zero e só consegue um Fiat usado, sente que algo lhe foi negado. É por isso que ganhar na loteria tem, com o tempo, o mesmo impacto sobre a felicidade das pessoas que um acidente de carro debilitante. Quando as coisas melhoram, as expectativas inflam, e consequentemente até mesmo melhorias drásticas nas condições objetivas podem nos deixar insatisfeitos. Quando as coisas se deterioram, as expectativas diminuem, e consequentemente até mesmo com uma doença grave a pessoa pode ser tão feliz quanto era antes.

Você poderia dizer que não precisamos de um bando de psicólogos e seus questionários para descobrir isso. Profetas, poetas e filósofos perceberam, há milhares de anos, que estar satisfeito com o que você já tem é muito mais importante do que obter mais daquilo que deseja. Ainda assim, é bom quando pesquisas atuais – sustentadas por uma porção de números e gráficos – chegam à mesma conclusão a que os antigos chegaram.

A importância das expectativas humanas tem implicações de longo alcance para entendermos a história da felicidade. Se a felicidade dependesse apenas de condições objetivas como riqueza, saúde e relações sociais, teria sido relativamente fácil investigar sua história. A descoberta de que ela depende de expectativas subjetivas torna a tarefa dos historiadores muito mais difícil. Hoje, temos um arsenal de tranquilizantes e analgésicos à disposição, mas nossas expectativas de alívio e prazer, e nossa intolerância à inconveniência e ao desconforto aumentaram a tal ponto que podemos muito bem sofrer muito mais com a dor do que nossos ancestrais sofreram.

É difícil aceitar essa linha de pensamento. O problema é uma falácia de raciocínio incrustada em nossa psique. Quando tentamos adivinhar ou imaginar quão felizes outras pessoas são hoje, ou quão felizes foram no passado, inevitavelmente nos imaginamos em sua pele. Mas isso não funciona, porque associa nossas expectativas com as condições materiais de outros. Nas sociedades afluentes modernas, é costume tomar um banho e trocar de roupa todos os dias. Os camponeses medievais ficavam sem se lavar por meses a fio e quase nunca trocavam de roupa. A mera ideia de viver dessa maneira, imundos e fedorentos, nos repugna. Mas os camponeses medievais não pareciam se importar. Eles estavam acostumados à sensação e ao odor de uma camisa há muito não lavada. Não é que quisessem uma troca de roupas, mas não pudessem obtê-la – eles tinham o que queriam. Então, pelo menos no que se refere a roupas, estavam contentes.

Pensando bem, isso não é tão surpreendente. Afinal, nossos primos chimpanzés raramente se lavam e nunca trocam de roupa. E tampouco nós ficamos incomodados pelo fato de que nossos cachorros e gatos de estimação não tomam banho nem trocam de pele todos os dias. Nós os acariciamos, abraçamos e beijamos da mesma forma. É comum, nas sociedades abastadas, que as crianças pequenas não gostem de tomar banho, e leva-se anos de educação e disciplina para que elas adotem esse costume supostamente atraente. É tudo uma questão de expectativas.

Se a felicidade é determinada por expectativas, então os dois pilares da nossa sociedade – os meios de comunicação de massa e a indústria da publicidade – podem, sem querer, estar esgotando as reservas de contentamento do planeta. Se você fosse um rapaz de 18 anos vivendo em uma pequena aldeia há 5 mil anos, provavelmente se consideraria atraente, pois só haveria uns 50 homens em sua aldeia, e a maioria deles seria composta de velhos com cicatrizes e rugas, ou ainda de meninos. Mas, se você é um adolescente nos dias de hoje, tem muito mais probabilidade de se sentir inadequado. Mesmo que os outros rapazes na escola sejam feios, você não se compara com eles, e sim com os astros de cinema, atletas e supermodelos que vê diariamente na televisao, no Facebook e nos outdoors gigantes.

Então, talvez o descontentamento do Terceiro Mundo seja fomentado não só pela pobreza, doença, corrupção e opressão política como também pela mera exposição aos padrões do Primeiro Mundo. O egípcio médio tinha muito menos probabilidade de morrer de fome, praga ou violência sob o regime de Hosni Mubarak do que sob Ramsés II ou Cleópatra. Nunca as condições materiais da maior parte dos egípcios foram tão boas. Seria de se esperar que eles estivessem dançando nas ruas em 2011, agradecendo a Alá por sua boa sorte. Em vez disso, eles se ergueram furiosamente para derrubar Mubarak. Não estavam se comparando com seus ancestrais sob os faraós, e sim com seus contemporâneos no rico Ocidente.

Se esse é o caso, até mesmo a mortalidade talvez leve ao descontentamento. Suponha que a ciência encontre cura para todas as doenças, terapias eficazes contra o envelhecimento e tratamentos regenerativos que mantêm as pessoas jovens por tempo indefinido. Com toda a probabilidade, o resultado imediato será uma epidemia sem precedentes de raiva e ansiedade.

Aqueles que não puderem pagar pelos novos tratamentos milagrosos – a grande maioria das pessoas – serão tomados por raiva. Ao longo da história, os pobres e oprimidos encontraram conforto na ideia de que pelo menos a morte é imparcial – os ricos e poderosos também morrem. Os pobres não ficarão confortáveis com a ideia de que têm de morrer, ao passo que os ricos continuarão jovens e bonitos para sempre.

Mas a ínfima minoria capaz de pagar pelos novos tratamentos também não ficará eufórica. Terá motivos de sobra para se sentir apreensiva. Embora as novas terapias possam prolongar a vida e a juventude, não podem ressuscitar cadáveres. Que assustador pensar que eu e meus entes queridos podemos viver para sempre, mas só se não formos atingidos por um caminhão ou explodidos em pedacinhos por um terrorista! É provável que as pessoas potencialmente amortais sejam avessas a correr os menores riscos, e a agonia de perder um esposo, filho ou amigo próximo será insuportável.

Felicidade química

Os cientistas sociais distribuem questionários de bem-estar subjetivo e correlacionam os resultados com fatores socioeconômicos como riqueza e liberdade política. Os biólogos usam os mesmos questionários, mas correlacionam as respostas fornecidas pelas pessoas com fatores bioquímicos e genéticos. Suas descobertas são chocantes.

Os biólogos sustentam que nosso mundo mental e emocional é governado por mecanismos bioquímicos definidos por milhões de anos de evolução. Como todos os outros estados mentais, nosso bem-estar subjetivo não é determinado por parâmetros externos como salário, relações sociais ou direitos políticos. Em vez disso, é determinado por um complexo sistema de nervos, neurônios, sinapses e várias substâncias bioquímicas como serotonina, dopamina e oxitocina.

Ninguém fica feliz por ganhar na loteria, comprar uma casa, obter uma promoção ou encontrar o amor verdadeiro. As pessoas ficam felizes por um único motivo: sensações agradáveis em seu corpo. Uma pessoa que acabou de ganhar na loteria ou de encontrar um novo amor e pula de alegria na verdade não está reagindo ao dinheiro ou ao fato de ser amado. Está reagindo a vários hormônios que inundam sua corrente sanguínea e à tempestade de sinais elétricos pipocando em diferentes partes do seu cérebro.

Contrariando todas as esperanças de se criar o céu na terra, nosso sistema bioquímico interno parece estar programado para manter os níveis de felicidade relativamente constantes. Não existe seleção natural para a felicidade como tal – a linhagem genética de um ermitão feliz entrará em extinção quando os genes de pais ansiosos forem transmitidos para a geração seguinte. A felicidade e a infelicidade exercem um papel na evolução somente na medida em que encorajam ou desencorajam a sobrevivência e a reprodução. Talvez não cause surpresa, então, que a evolução tenha nos moldado para sermos nem felizes demais, nem infelizes demais. Ela nos permite sentir um ímpeto momentâneo de sensações agradáveis, mas estas nunca duram para sempre. Mais cedo ou mais tarde, diminuem e dão lugar a sensações desagradáveis.

Por exemplo, a evolução proporcionava sensações agradáveis como recompensa para os machos que disseminavam seus genes tendo relações sexuais com fêmeas férteis. Se o sexo não fosse acompanhado de tal prazer, poucos machos se importariam com isso. Ao mesmo tempo, a evolução tratou de fazer com que essas sensações de prazer desaparecessem rapidamente. Se os orgasmos durassem para sempre, os machos muito felizes morreriam de fome por falta de interesse por comida e não se dariam ao trabalho de procurar outras fêmeas férteis.

Alguns estudiosos comparam a bioquímica humana a um sistema de ar-condicionado que mantém a temperatura constante, venha uma onda de calor ou uma tempestade de neve. Os eventos climáticos podem mudar a temperatura momentaneamente, mas o sistema de ar-condicionado sempre faz com que a temperatura retorne ao mesmo ponto predefinido.

Alguns sistemas de ar-condicionado estão configurados para 25 graus Celsius. Outros estão configurados para 20 graus. Os sistemas de condicionamento da felicidade humana também diferem de pessoa para pessoa. Em uma escala de 1 a 10, algumas pessoas nascem com um sistema bioquímico alegre que permite que seu humor oscile entre os níveis 6 e 10, estabilizando-se, com o tempo, no nível 8. Tal pessoa é muito feliz mesmo que viva em uma cidade grande alienante, perca todo o dinheiro em uma queda da bolsa de valores e seja diagnosticada com diabetes. Outras pessoas são amaldiçoadas com uma bioquímica melancólica que oscila entre 3 e 7 e se estabiliza em 5. Tal pessoa infeliz permanece deprimida mesmo que desfrute do apoio de uma comunidade coesa, ganhe milhões na loteria e seja tão saudável quanto um atleta olímpico. Na verdade, mesmo que nosso amigo deprimido ganhe 50 milhões de dólares de manhã, descubra a cura para a Aids e o câncer antes do meio-dia, sele a paz entre israelenses e palestinos à tarde e, à noite, reencontre seus filhos que desapareceram há anos – ainda seria incapaz de experimentar qualquer coisa além do nível 7 de felicidade. Seu cérebro simplesmente não é projetado para a euforia, aconteça o que acontecer.

Pense por um instante em sua família e seus amigos. Você conhece algumas pessoas que estão sempre relativamente alegres, não importa o que aconteça com elas. E há aquelas que estão sempre insatisfeitas, não importa que dádivas o mundo deite a seus pés. Tendemos a acreditar que, se pudéssemos ao menos mudar de trabalho, nos casar, terminar de escrever aquele romance, comprar um carro novo ou quitar a hipoteca, estaríamos nas nuvens. Mas, quando conseguimos o que desejamos, não parecemos mais felizes. Comprar carros e escrever romances não muda nossa bioquímica. Pode estimulá-la por um breve instante, mas logo voltamos ao ponto inicial.

Como isso pode ser compatível com as descobertas sociológicas e psicológicas mencionadas anteriormente, de que, por exemplo, as pessoas casadas são, em média, mais felizes do que as solteiras? Primeiro, essas descobertas são correlações – a direção causal pode ser o oposto do que alguns pesquisadores presumiram. É verdade que as pessoas casadas são mais felizes que as solteiras e as divorciadas, mas isso não necessariamente significa que o casamento produz felicidade. Pode ser que a felicidade gere casamento. Ou, mais corretamente, que a serotonina, a dopamina e a oxitocina viabilizem e mantenham um casamento. As pessoas que nasceram com uma bioquímica alegre geralmente são felizes e contentes. Tais pessoas são companhias mais atraentes e, em consequência, têm uma chance maior de se casarem. Também têm menos probabilidade de se divorciarem, porque é muito mais fácil conviver com alguém feliz e contente do que com alguém deprimido e insatisfeito. Em consequência, é verdade que as pessoas casadas são, em média, mais felizes que as solteiras, mas uma mulher solteira com tendência à depressão em função de sua bioquímica não necessariamente ficaria mais feliz se tivesse um marido.

Além disso, a maioria dos biólogos não são fanáticos. Eles sustentam que a felicidade é determinada *principalmente* pela bioquímica, mas concordam que fatores psicológicos e sociológicos também têm seu lugar. Nosso sistema mental de ar-condicionado tem certa liberdade de movimento dentro de limites predeterminados. É quase impossível exceder os limites de emoção superiores e inferiores, mas casamento e divórcio podem ter influência sobre a área entre os dois. Uma pessoa nascida com uma média de nível 5 de felicidade jamais dançaria loucamente nas ruas. Mas um bom casamento poderia possibilitar que ela desfrutasse do nível 7 de tempos em tempos e que evitasse o desânimo do nível 3.

Se aceitarmos a abordagem biológica da felicidade, a história se revela de menor importância, já que a maioria dos acontecimentos históricos não tem impacto algum sobre nossa bioquímica. A história pode mudar os estímulos externos que causam a liberação de serotonina, mas não muda os níveis de serotonina resultantes e, portanto, não pode tornar as pessoas mais felizes.

Compare um camponês na França medieval com um banqueiro na Paris de hoje. O camponês vivia em uma cabana de barro sem aquecimento com vista para um curral de porcos, ao passo que o banqueiro mora em uma bela cobertura com todos os últimos aparatos tecnológicos e uma vista para a Champs-Élysées. Intuitivamente, esperaríamos que o banqueiro fosse muito mais feliz do que o camponês. No entanto, cabanas de barro, coberturas e a Champs-Élysées não determinam, de fato, nosso humor. A serotonina, sim. Quando o camponês medieval terminava de construir sua cabana de barro, seus neurônios cerebrais secretavam serotonina, levando-a ao nível X. Quando, em 2015, o banqueiro quita o pagamento de sua cobertura maravilhosa, neurônios cerebrais secretam uma quantidade similar de serotonina, levando-a a um nível X similar. Não faz diferença para o cérebro o fato de que a cobertura é muito mais confortável que a cabana de barro. Só o que importa é que, no presente, o nível de serotonina é X. Em consequência, o banqueiro não seria nem um pouco mais feliz do que seu tataravô, o pobre camponês medieval.

Isso é válido não só para nossa vida privada como também para grandes acontecimentos coletivos. Considere, por exemplo, a Revolução Francesa. Os revolucionários estiveram bastante ocupados: executaram o rei, deram terras aos camponeses, declararam os direitos do homem, aboliram os privilégios dos nobres e travaram guerra contra a Europa inteira. Mas nada disso mudou a bioquímica francesa. Em consequência, apesar de todas as reviravoltas políticas, sociais, ideológicas e econômicas provocadas pela revolução, seu impacto sobre a felicidade dos franceses foi pequeno. Aqueles que ganharam uma bioquímica alegre na loteria genética foram tão felizes antes da revolução quanto depois. Aqueles que com uma bioquímica melancólica reclamaram de Robespierre e de Napoleão com a mesma amargura com que haviam reclamando de Luís XVI e Maria Antonieta.

Se é assim, quão benéfica foi a Revolução Francesa? Se as pessoas não se tornaram mais felizes, qual o sentido de todo aquele caos, medo, sangue e guerra? Biólogos jamais teriam atacado a Bastilha. As pessoas pensam que essa revolução política ou aquela reforma social as tornarão mais felizes, mas sua bioquímica as trapaceia repetidas vezes.

Há um único acontecimento histórico que tem importância real. Hoje, quando enfim percebemos que a chave para a felicidade está nas mãos do nosso sistema bioquímico, podemos parar de desperdiçar o tempo com reformas políticas e sociais, golpes e ideologias e focar, em vez disso, na única coisa que nos torna realmente felizes: manipular nossa bioquímica. Se investirmos milhões na compreensão da bioquímica do nosso cérebro e no desenvolvimento de tratamentos adequados, podemos tornar as pessoas muito mais felizes do que antes, sem necessidade de revolução alguma. O Prozac, por exemplo, não muda regimes políticos, mas ao elevar os níveis de serotonina tira as pessoas da depressão.

Nada captura melhor o argumento biológico do que o famoso slogan da New Age: "A felicidade começa dentro de você". Dinheiro, status social, cirurgia plástica, casas bonitas, posições de poder – nada disso lhe trará felicidade. A felicidade duradoura só vem da serotonina, da dopamina e da oxitocina.[1]

No romance distópico de Aldous Huxley, *Admirável mundo novo*, publicado em 1932, no auge da Grande Depressão, a felicidade era o valor supremo, e os medicamentos psiquiátricos substituíam a polícia e as eleições como a base da política. A cada dia, cada pessoa toma uma dose de "soma", um medicamento sintético que torna as pessoas felizes sem prejudicar sua produtividade e eficiência. O Governo Mundial, que controla o mundo inteiro, nunca é ameaçado por guerras, revoluções, greves ou manifestações, porque todas as pessoas estão extremamente satisfeitas com sua situação atual, qualquer que seja. A visão de futuro de Huxley é muito mais perturbadora do que a de George Orwell em *1984*. O mundo de Huxley parece monstruoso para a maioria dos leitores, mas é difícil explicar por quê. Todo mundo está feliz o tempo todo – o que poderia haver de errado nisso?

O sentido da vida

O desconcertante mundo de Huxley é baseado no pressuposto biológico de que a felicidade é igual ao prazer. Ser feliz é nada mais, nada menos que experimentar sensações corporais agradáveis. Uma vez que nossa bioquímica limita o volume e a duração dessas sensações, a única maneira de fazer as pessoas sentirem um nível elevado de felicidade por um longo período é manipular seu sistema bioquímico.

Mas essa definição de felicidade é contestada por alguns estudiosos. Em um famoso estudo, Daniel Kahneman, vencedor do Prêmio Nobel de Economia, pediu a algumas pessoas que relatassem um dia típico de trabalho, descrevendo cada momento e avaliando o quanto as agradou ou desagradou. Ele descobriu o que parece ser um paradoxo no modo como a maioria das pessoas veem sua vida. Considere o trabalho inerente à criação de um filho. Kahneman descobriu que ao contar momentos alegres e momentos penosos, criar um filho se revela uma atividade um tanto desagradável. Consiste, em grande parte, de trocar fraldas, lavar pratos e lidar com choradeiras, o que ninguém gosta de fazer. Mas a maioria dos pais declara que seus filhos são sua principal fonte de felicidade. Isso significa que as pessoas não sabem o que é bom para elas?

Essa é uma possibilidade. Outra é que as descobertas demonstram que a felicidade não é o saldo positivo entre momentos agradáveis e momentos desagradáveis; antes, consiste em enxergar a própria vida em sua totalidade como algo significativo e valioso. Há um importante componente ético e cognitivo na felicidade. Nossos valores fazem toda a diferença quanto nos vermos como "escravos infelizes de um bebê ditador" ou como "nutrindo amorosamente uma nova vida".[2] Como colocou Nietzsche, se você tem um motivo para viver, é capaz de tolerar praticamente qualquer coisa. Uma vida cheia de sentido pode ser extremamente gratificante mesmo em meio a adversidades, ao passo que uma vida sem sentido é um suplício terrível independentemente de ser repleta de conforto.

Embora as pessoas em todas as culturas e épocas tenham sentido os mesmos tipos de prazer e de dor, o sentido que elas atribuíam à sua experiência provavelmente variou muitíssimo. Se é assim, a história da felicidade pode ter sido muito mais turbulenta do que os biólogos imaginam. É uma conclusão que não necessariamente favorece a modernidade. Se avaliarmos a vida minuto a minuto, as pessoas que viveram na Idade Média certamente tiveram uma vida difícil. No entanto, se elas acreditavam na promessa de felicidade eterna após a morte, podem muito bem ter considerado sua vida muito mais valiosa e plena de sentido do que as pessoas seculares de hoje, que, no longo prazo, não conseguem esperar nada além do completo esquecimento. Diante da pergunta "Você está satisfeito com sua vida como um todo?", as pessoas na Idade Média possivelmente teriam uma pontuação bastante alta em um questionário de bem-estar subjetivo.

Então, nossos ancestrais medievais eram felizes porque encontravam sentido na vida em ilusões coletivas sobre a vida após a morte? Sim. Contanto que ninguém destruísse suas fantasias, por que não? Até onde sabemos, de um ponto de vista puramente científico, a vida humana não tem sentido algum. Os humanos são o resultado de processos evolutivos cegos que atuam sem propósito ou objetivo. Nossas ações não são parte de um plano cósmico divino, e, se o planeta Terra explodisse amanhã, o universo provavelmente seguiria em frente como de costume. Até onde podemos afirmar no presente momento, a subjetividade humana não faria falta. Portanto, *qualquer* significado que as pessoas atribuem à própria vida é apenas uma ilusão. Os sentidos sobrenaturais que os medievais encontravam em sua vida eram não mais ilusórios do que os sentidos humanistas, nacionalistas e capitalistas que as pessoas de hoje encontram. O cientista que afirma que sua vida tem sentido porque ele contribui para um aumento no conhecimento humano, o soldado que declara que sua vida tem sentido porque ele luta para defender sua terra natal e o empreendedor que encontra sentido em construir uma nova empresa são não menos iludidos do que seus semelhantes medievais que encontravam sentido lendo as Escrituras, participando de uma Cruzada ou construindo uma nova catedral.

Então, talvez a felicidade seja sincronizar nossas ilusões pessoais de sentido com as ilusões coletivas predominantes. Contanto que minha narrativa pessoal esteja alinhada com as narrativas das pessoas à minha volta, posso me convencer de que minha vida tem sentido e encontrar felicidade nessa convicção.

Essa é uma conclusão um tanto deprimente. A felicidade realmente depende de autoilusão?

Conhece-te a ti mesmo

Se a felicidade se baseia em ter sensações agradáveis, para sermos mais felizes precisamos reformular nosso sistema bioquímico. Se a felicidade se baseia em sentir que a vida tem sentido, para sermos mais felizes precisamos nos iludir de maneira mais eficaz. Existe uma terceira alternativa?

Ambas as visões anteriores partem do pressuposto de que a felicidade é uma espécie de sensação subjetiva (de prazer ou de sentido) e, para avaliar a felicidade das pessoas, tudo que precisamos fazer é lhes perguntar como elas se sentem. Para muitos de nós, isso parece lógico porque a religião dominante da nossa era é o liberalismo. O liberalismo santifica as sensações subjetivas dos indivíduos. Vê essas sensações como fonte suprema de autoridade. O que é bom e o que é mau, o que é bonito e o que é feio, o que tem de ser e o que não tem de ser, tudo isso é determinado por aquilo que cada um de nós sente.

A política liberal se baseia na ideia de que os eleitores sabem o que é melhor e não há necessidade de um Grande Irmão para nos dizer o que é bom para nós. A economia liberal se baseia na ideia de que o cliente sempre tem razão. A arte liberal declara que a beleza está nos olhos de quem vê. Os estudantes em escolas e universidades liberais são ensinados a pensarem por si mesmos. "Just do it!", nos encorajam os comerciais. Filmes de ação, dramas de teatro, telenovelas, romances e canções de sucesso pegajosas nos doutrinam constantemente: "seja verdadeiro consigo mesmo", "ouça a si mesmo", "siga seu coração". Jean-Jacques Rousseau afirmou sua visão de maneira mais clássica: "Tudo o que sinto ser bom, é bom; tudo o que sinto ser mau, é mau".

As pessoas que foram criadas desde a infância à base de uma dieta de tais slogans tendem a acreditar que a felicidade é uma sensação subjetiva e que cada indivíduo sabe melhor do que ninguém se é feliz ou infeliz. Mas essa visão é peculiar ao liberalismo. A maioria das religiões e ideologias ao longo da história afirmou que há parâmetros objetivos para o bem, para a beleza e para como as coisas deveriam ser. Elas desconfiavam das sensações e das preferências das pessoas comuns. Na entrada do templo de Apolo em Delfos, os peregrinos eram recebidos pela inscrição: "Conhece-te a ti mesmo!". A implicação era que o indivíduo médio ignora seu verdadeiro eu e, portanto, tende a ignorar a verdadeira felicidade. Freud provavelmente concordaria.*

E também os teólogos cristãos. São Paulo e Santo Agostinho sabiam perfeitamente bem que, se as pessoas fossem indagadas a respeito, a maioria delas preferiria fazer sexo do que rezar para Deus. Isso prova que fazer sexo é o segredo para a felicidade? Não de acordo com São Paulo e Santo Agostinho. Só prova que a humanidade é pecadora por natureza e que as pessoas são facilmente seduzidas por Satã. De uma perspectiva cristã, a grande maioria das pessoas está mais ou menos na mesma situação que viciados em heroína. Imaginemos um psicólogo que embarca em um estudo de felicidade entre usuários de drogas. Ele os interroga e cada um deles declara que só é feliz quando injeta. O psicólogo publicaria um artigo declarando que a heroína é o segredo para a felicidade?

A ideia de que os sentimentos podem nos enganar não se restringe ao cristianismo. Pelo menos quando se trata do valor de sentimentos, até mesmo Darwin e Dawkins podem encontrar pontos em comum com São Paulo e Santo Agostinho. De acordo com a teoria do gene egoísta, a seleção natural faz com que as pessoas, assim como outros organismos, escolham o que é bom para a reprodução de seus genes, mesmo que isso seja ruim para elas como indivíduos. A maioria dos machos passa a vida trabalhando, se preocupando, competindo e lutando, em vez de desfrutar de felicidade pacífica, porque seu DNA os manipula para atender seus próprios objetivos egoístas. Como Satã, o DNA usa prazeres fugazes para tentar os indivíduos e subjugá-los.

---

* Paradoxalmente, enquanto os estudos psicológicos do bem-estar subjetivo se apoiam na capacidade das pessoas de diagnosticarem corretamente sua felicidade, a principal razão de ser da psicoterapia é que as pessoas não se conhecem realmente e às vezes precisam de ajuda profissional para se livrarem de comportamentos autodestrutivos.

Por conseguinte, a maioria das religiões e filosofias adotou uma abordagem muito diferente da do liberalismo para tentar compreender a felicidade.[3] A posição budista é particularmente interessante. O budismo deu mais importância à questão da felicidade do que possivelmente qualquer outro credo humano. Durante 2,5 mil anos, os budistas estudaram de maneira sistemática a essência e as causas da felicidade, e é por isso que, na comunidade científica, há um interesse cada vez maior pela filosofia e pelas práticas de meditação budistas. O budismo concebe a felicidade da mesma forma que a biologia, isto é, entende que a felicidade resulta de processos que ocorrem em nosso corpo, e não de acontecimentos no mundo externo. No entanto, partindo da mesma noção elementar, o budismo chega a conclusões muito diferentes.

De acordo com o budismo, a maioria das pessoas identifica sensações agradáveis como felicidade e sensações desagradáveis como sofrimento. Em consequência, as pessoas atribuem enorme importância ao que sentem, ávidas por vivenciar cada vez mais sensações agradáveis e por evitar sensações desagradáveis. Independentemente do que fizermos ao longo de nossa vida, seja coçar a perna, remexer-se na cadeira, ou travar guerras mundiais, estamos apenas tentando obter sensações agradáveis.

O problema, de acordo com o budismo, é que os nossos sentimentos e sensações são apenas vibrações transitórias, que mudam a cada instante, como as ondas do oceano. Se há cinco minutos eu me sentia alegre e cheio de propósito, agora esses sentimentos se foram, e posso muito bem me sentir triste e deprimido. Então, se quero ter sensações agradáveis, devo persegui-las constantemente, enquanto trato de afastar as sensações desagradáveis. Mesmo que eu consiga fazer isso, logo tenho de começar tudo de novo, sem jamais obter recompensas duradouras por meus esforços.

O que há de tão importante em obter tais prêmios efêmeros? Por que se esforçar tanto para conquistar algo que desaparece quase no mesmo instante em que surge? De acordo com o budismo, a raiz do sofrimento não é a sensação de dor nem de tristeza e nem mesmo de falta de sentido. Em vez disso, a raiz do sofrimento é essa incessante e inútil busca de sensações efêmeras, que nos leva a estar em um constante estado de tensão, inquietude e insatisfação.

Devido a essa busca, a mente nunca está satisfeita. Mesmo quando sentimos prazer, ela não está contente, porque teme que essa sensação logo desapareça e deseja ardentemente que permaneça e se intensifique.

As pessoas só se libertam do sofrimento não quando experimentam essa ou aquela sensação de prazer, e sim quando entendem a natureza transitória de todos os seus sentimentos e param de persegui-los. Esse é o objetivo das práticas de meditação budistas. Na meditação, espera-se que você observe sua mente e seu corpo com atenção, que testemunhe o incessante ir e vir de todos os seus sentimentos e perceba como é inútil persegui-los. Quando a busca cessa, a mente fica tranquila, clara e satisfeita. Sentimentos de todo tipo continuam indo e vindo – alegria, raiva, tédio, desejo –, mas quando você para de ansiar por sentimentos específicos, pode simplesmente aceitá-los tal como são. Você vive o momento presente em vez de fantasiar sobre o que poderia ter sido.

A serenidade resultante é tão profunda que aqueles que passam a vida inteira em uma busca desenfreada por sensações agradáveis mal conseguem imaginá-la. É como um homem parado durante décadas à beira do mar, abraçando certas ondas "boas" e tentando impedir que elas quebrem e simultaneamente repelindo as ondas "más" para evitar que se aproximem. Dia sim, dia não, o homem está na praia, indo à loucura com esse exercício inútil. Ele acaba por se sentar na areia e apenas permite que cada onda venha e se vá a seu bel-prazer. Que paz!

Essa ideia é tão alheia à cultura liberal moderna que, quando os movimentos ocidentais da New Age descobriram ensinamentos budistas, eles os traduziram em termos liberais e, assim, os distorceram. Com frequência, os cultos da New Age afirmam: "A felicidade não depende de condições externas. Só depende do que sentimos dentro de nós. As pessoas devem parar de almejar conquistas externas como riqueza e status e, em vez disso, se conectar com suas sensações internas". Ou, de maneira mais sucinta, "a felicidade começa dentro de você". Isso é exatamente o que os biólogos afirmam, mas praticamente o oposto do que Buda disse.

Buda concordava com a biologia moderna e com os movimentos da New Age ao afirmar que a felicidade independe de condições externas. Mas sua compreensão mais importante e mais profunda foi que a verdadeira felicidade também independe de nossas sensações interiores. Com efeito, quanto mais importância damos a nossas sensações, mais ansiamos por elas, e mais sofremos. A recomendação de Buda era parar a busca não só de conquistas externas, como também, acima de tudo, a busca de sensações internas.

Para resumir, os questionários de bem-estar subjetivo identificam nosso bem-estar com nossas sensações subjetivas, e a busca de felicidade com a busca de certos estados emocionais. Por outro lado, para muitas filosofias e religiões tradicionais, como o budismo, o segredo da felicidade é conhecer a verdade sobre você mesmo – entender quem, ou o que, você é realmente. A maioria das pessoas se identifica, de maneira errônea, com suas sensações, pensamentos, gostos e desgostos. Quando sentem raiva, pensam: "Eu estou com raiva. Esta é minha raiva". Em consequência, passam a vida evitando certos tipos de sensação e almejando outros. Elas nunca percebem que não são suas sensações e que a busca incessante por determinadas sensações só as aprisiona ao sofrimento.

Se é assim, toda a nossa compreensão da história da felicidade pode estar equivocada. Talvez não seja tão importante saber se as expectativas das pessoas são satisfeitas e se elas têm sensações agradáveis. A principal questão é se as pessoas conhecem seu verdadeiro eu. Que evidências nós temos de que as pessoas de hoje se conhecem melhor essa verdade do que os antigos caçadores-coletores ou os camponeses medievais?

Os acadêmicos começaram a estudar a história da felicidade há apenas alguns anos, e ainda estamos formulando as hipóteses iniciais e procurando os métodos de pesquisa adequados. É cedo demais para adotar conclusões rígidas e encerrar um debate que mal começou. O que é importante é conhecer tantas abordagens quanto possível e fazer as perguntas certas.

A maioria dos livros de história se concentra nas ideias dos grandes pensadores, na ousadia dos guerreiros, na caridade dos santos e na criatividade dos artistas. Eles têm muito a dizer sobre a construção e a destruição de estruturas sociais, sobre a ascensão e queda de impérios, sobre a descoberta e disseminação de tecnologias. Mas não dizem nada sobre como tudo isso influenciou a felicidade e o sofrimento dos indivíduos. Essa é a maior lacuna em nossa compreensão da história. É melhor começarmos a preenchê-la.

20

O fim do *Homo sapiens*

ESTE LIVRO COMEÇOU APRESENTANDO A HISTÓRIA COMO A PRÓXIMA ETAPA NO continuum da física à química e então à biologia. Os sapiens estão sujeitos às mesmas forças físicas, reações químicas e processos de seleção natural que governam todos os seres vivos. A seleção natural pode ter proporcionado ao *Homo sapiens* um campo muito mais amplo do que proporcionou a qualquer outro organismo, mas esse campo ainda assim teve suas fronteiras. A implicação é a de que, não importam seus esforços e conquistas, os sapiens são incapazes de se libertar de seus limites determinados biologicamente.

Mas no início do século XXI, isso já não é verdade: o *Homo sapiens* está transcendendo esses limites. Está começando a violar as leis da seleção natural, substituindo-as pelas leis do design inteligente.

Durante quase 4 bilhões de anos, cada organismo do planeta evoluiu submetido à seleção natural. Nenhum deles foi projetado por um criador inteligente. A girafa, por exemplo, tem seu pescoço longo graças à competição entre girafas arcaicas, e não aos caprichos de um ser superinteligente. As protogirafas com pescoço mais comprido tinham acesso a mais alimento e, em consequência, geraram mais descendentes do que aquelas com pescoço mais curto. Ninguém, certamente não as girafas, disse: "Com um pescoço comprido, as girafas poderiam comer as folhas das copas das árvores. Vamos encompridá-lo". A beleza da teoria de Darwin é que ela não precisa pressupor a existência de um criador inteligente para explicar como as girafas acabaram tendo pescoço comprido.

Durante bilhões de anos, o design inteligente não foi sequer uma opção, porque não havia inteligência capaz de criar coisas. Os micro-organismos, que até pouco tempo atrás eram os únicos seres vivos no planeta, são capazes de feitos incríveis. Um micro-organismo pertencente a uma espécie pode incorporar códigos genéticos de uma espécie completamente diferente em suas células e, desse modo, adquirir novas capacidades, como resistência a antibióticos. Porém, até onde sabemos, os micro-organismos não têm consciência, nem objetivos na vida, nem capacidade de planejamento.

Em algum momento, organismos como girafas, golfinhos, chimpanzés e neandertais desenvolveram consciência e capacidade de planejamento. Mas, mesmo se um neandertal fantasiasse sobre galinhas tão gordas e lentas que ele poderia simplesmente agarrá-las sempre que estivesse com fome, ele não tinha como transformar essa fantasia em realidade. Tinha de caçar as aves que foram selecionadas naturalmente.

A primeira fenda no velho regime apareceu há cerca de 10 mil anos, durante a Revolução Agrícola. Os sapiens que sonharam com galinhas gordas e lentas descobriram que, se acasalassem as galinhas mais gordas com os galos mais lentos, parte de seus descendentes seria gorda e lenta. Se acasalassem esses descendentes uns com os outros, poderiam produzir uma linhagem de aves gordas e lentas. Era uma raça de galinhas desconhecida na natureza, produzida pelo design inteligente não de um deus, mas de um humano.

Ainda assim, em comparação com uma deidade todo-poderosa, o *Homo sapiens* tinha algumas limitações. Os sapiens podiam usar o cruzamento seletivo para desviar e acelerar processos de seleção natural que normalmente afetavam as galinhas, mas não podiam introduzir características completamente novas que estavam ausentes no código genético das galinhas selvagens. De certo modo, a relação entre o *Homo sapiens* e as galinhas era similar a muitas outras relações simbióticas que surgiram com tanta frequência por conta própria na natureza. Os sapiens exerceram pressões seletivas específicas sobre as galinhas que fizeram com que as galinhas gordas e lentas proliferassem, assim como as abelhas polinizadoras selecionam flores, fazendo com que as mais coloridas proliferem.

Hoje, o regime de seleção natural de 4 bilhões de anos está enfrentando um desafio completamente diferente. Em laboratórios no mundo inteiro, cientistas estão criando seres vivos. Eles violam as leis da seleção natural impunemente, sem se deixar frear nem mesmo pelas características originais de um organismo. Eduardo Kac, um bioartista brasileiro, decidiu, em 2000, criar uma nova obra de arte: uma coelha verde fluorescente. Kac contatou um laboratório francês e ofereceu um pagamento para que eles fabricassem uma coelha radiante de acordo com suas especificações. Os cientistas franceses pegaram um embrião de coelha branca comum, implantaram em seu DNA um gene tirado de uma água-viva verde fluorescente e voilà! Uma coelha verde fluorescente para *le monsieur*. Kac batizou a coelha de Alba.

É impossível explicar a existência de Alba pelas leis da seleção natural. Ela é produto de design inteligente. É também uma precursora do que está por vir. Se o potencial que Alba significa for plenamente realizado – e se a humanidade não aniquilar a si mesma até lá –, a Revolução Científica pode se mostrar muito maior do que uma mera revolução histórica. Pode se revelar a mais importante revolução *biológica* desde o surgimento da vida na Terra. Depois de 4 bilhões de anos de seleção natural, Alba se encontra no amanhecer de uma nova era cósmica, em que a vida será governada por design inteligente. Se isso acontecer, toda a história humana até esse ponto pode, em retrospectiva, ser reinterpretada como um processo de experimentação e aprendizado que revolucionou o jogo da vida. Tal processo deve ser entendido de uma perspectiva cósmica de bilhões de anos, e não de uma perspectiva humana de milênios.

Biólogos do mundo inteiro estão em embate com os defensores do design inteligente, que se opõem ao ensino da evolução darwinista em escolas e afirmam que a complexidade biológica prova que deve haver um criador que concebeu todos os detalhes biológicos de antemão. Os biólogos estão certos quanto ao passado, mas os defensores do design inteligente podem, ironicamente, estar certos quanto ao futuro.

No momento em que escrevo este livro, a substituição da seleção natural pelo design inteligente poderia acontecer de três maneiras: por meio de engenharia biológica, engenharia cyborg (cyborgs são seres que combinam partes orgânicas e inorgânicas) ou engenharia de vida inorgânica.

Ratos e homens

Engenharia biológica é a intervenção humana deliberada no nível biológico (por exemplo, implantando um gene) com o objetivo de modificar a forma, as potencialidades, as necessidades ou os desejos de um organismo, a fim de realizar algumas ideias culturais preconcebidas, tais como as predileções artísticas de Eduardo Kac.

Não há nada de novo sobre a engenharia biológica *per se*. As pessoas a vêm usando há milênios a fim de remodelar outros organismos e a si mesmas. Um exemplo simples é a castração. Os humanos castram touros possivelmente há 10 mil anos, a fim de criar bois. Os bois são menos agressivos e, portanto, mais fáceis de treinar para puxar arados. Os humanos também castravam seus próprios jovens para criar cantores sopranos com vozes encantadoras e eunucos que podiam ser incumbidos de supervisionar o harém do sultão.

Mas os avanços recentes em nossa compreensão de como os organismos funcionam, até os níveis celulares e nucleares, criaram possibilidades antes inimagináveis. Por exemplo, hoje podemos não só castrar um homem como também mudar seu sexo por meio de tratamentos hormonais e cirúrgicos. Mas isso não é tudo. Considere a surpresa, a repulsa e a consternação geral quando, em 1996, a fotografia a seguir apareceu nos jornais e na televisão:

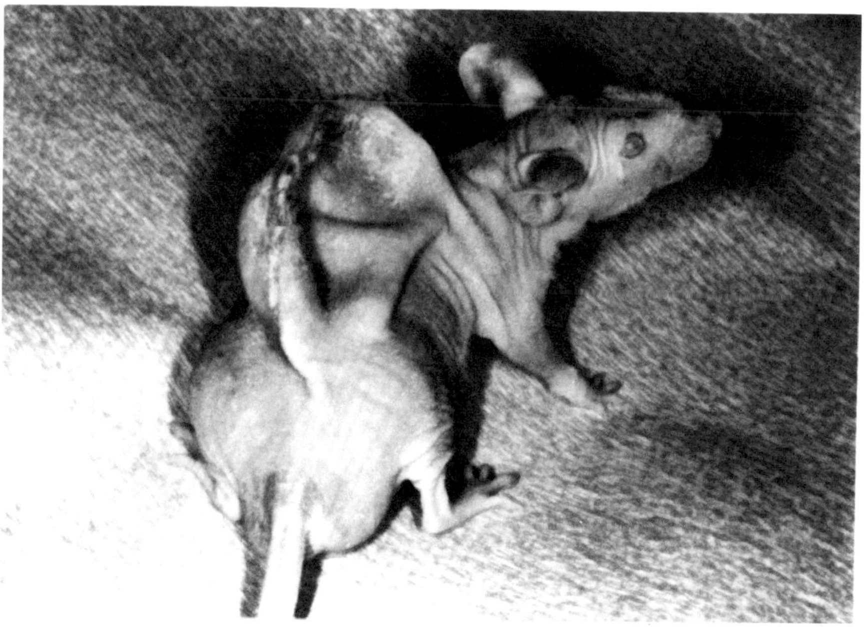

27. Um rato em cujo dorso os cientistas fizeram crescer uma "orelha" feita de células de cartilagem de gado. É um eco sombrio da estátua do homem-leão da caverna de Stadel. Há 30 mil anos, os humanos já fantasiavam sobre combinar espécies diferentes. Hoje, são capazes de produzir tais quimeras.

Não, isso não foi feito no Photoshop. É uma fotografia intocada de um rato real em cujo dorso os cientistas implantaram células de cartilagem de gado. Os cientistas foram capazes de controlar o crescimento do novo tecido, moldando-o, nesse caso, na forma de algo que parece uma orelha humana. O processo talvez logo permita que os cientistas fabriquem orelhas artificiais, que podem então ser implantadas em humanos.[1]

Maravilhas ainda mais incríveis podem ser realizadas pela engenharia genética, que justamente por isso levanta uma série de questões éticas, políticas e ideológicas. E não são só os monoteístas devotos que objetam que o homem não deveria usurpar o papel de Deus. Muitos ateístas convictos ficam não menos chocados com a ideia de que cientistas estejam tomando o lugar da natureza. Os ativistas dos direitos dos animais condenam o sofrimento causado aos animais de laboratório em experimentos de engenharia genética e aos animais de criação que são produzidos em absoluta desconsideração para com suas necessidades e desejos. Os ativistas dos direitos humanos temem que a engenharia genética possa ser usada para criar super-homens que subjugarão o resto de nós. Profetas Jeremias oferecem visões apocalípticas de bioditaduras que clonarão soldados destemidos e trabalhadores obedientes. A sensação predominante é a de que oportunidades demais estão surgindo depressa demais e de que nossa capacidade de modificar genes está superando nossa capacidade de fazer uso inteligente e sagaz desse conhecimento.

O resultado é que no momento estamos usando apenas uma pequena parte do potencial da engenharia genética. A maioria dos organismos sendo manipulados hoje são aqueles com os lobbies políticos mais fracos – plantas, fungos, bactérias e insetos. Por exemplo, linhagens de E. coli, uma bactéria que vive simbioticamente no intestino humano (e que vira manchete quando sai do intestino e causa infecções fatais), foram manipuladas geneticamente para produzir biocombustível.[2] A E. coli e várias espécies de fungos também foram manipuladas para produzir insulina, diminuindo, assim, o custo do tratamento para diabetes.[3] Um gene extraído de um peixe do Ártico foi inserido em batatas, tornando as plantas mais resistentes a geadas.[4]

Alguns mamíferos também foram submetidos à manipulação genética. Todos os anos, a indústria leiteira perde bilhões de dólares devido à mastite, uma doença que atinge os úberes de vacas leiteiras. Os cientistas estão fazendo experiências com vacas geneticamente modificadas cujo leite contém lisostafina, uma substância bioquímica que ataca as bactérias responsáveis pela doença.[5] A indústria suína, que registrou uma queda nas vendas porque os consumidores desconfiam das gorduras pouco saudáveis presentes no presunto e no bacon, deposita esperanças em uma linhagem de porcos, ainda experimental, que recebeu implantes de material genético de um verme. Os novos genes fizeram com que os porcos transformassem ácidos graxos ômega 6, que fazem mal à saúde, em seus parentes saudáveis, os ômega 3.[6]

A próxima geração de engenharia genética com muita facilidade produzirá porcos com gordura saudável. Os geneticistas conseguiram não só prolongar em seis vezes a expectativa de vida média dos vermes como também produzir camundongos inteligentes que apresentam habilidades muito aprimoradas de memória e aprendizado.[7] Ratos-do-mato são roedores pequenos e robustos que lembram camundongos, e a maioria das variedades de ratos-do-mato é promíscua. Mas há uma espécie em que ratos-do-mato machos e fêmeas formam relações monogâmicas duradouras. Os geneticistas afirmam ter isolado os genes responsáveis pela monogamia dos ratos-do-mato. Se a inclusão de um gene puder transformar um rato-do-mato Don Juan em um marido amoroso e leal, estaremos muito longe de conseguir modificar geneticamente não só as capacidades individuais dos roedores (e dos humanos) como também suas estruturas sociais?[8]

O retorno dos neandertais

Mas os geneticistas não querem apenas transformar linhagens vivas. Eles almejam reviver criaturas extintas. E não só dinossauros, como em *O parque dos dinossauros*. Uma equipe de cientistas russos, japoneses e coreanos recentemente mapeou o genoma de antigos mamutes, encontrados congelados na Sibéria. Agora, eles planejam pegar um óvulo fertilizado de uma elefanta de nossos dias, substituir seu DNA pelo DNA reconstruído do mamute e implantar o óvulo no útero de uma elefanta. A expectativa é que, depois de aproximadamente 22 meses, nasça o primeiro mamute após 5 mil anos.[9]

Mas por que parar nos mamutes? O professor George Church, da Universidade Harvard, recentemente propôs que, com a conclusão do Projeto Genoma Neandertal, podemos agora implantar o DNA reconstruído de um neandertal no óvulo de uma sapiens, produzindo, assim, a primeira criança neandertal depois de 30 mil anos. Church afirmou que poderia fazer isso por meros 30 milhões de dólares. Várias mulheres já se voluntariaram para servir como mães de aluguel.[10]

Para que precisamos de neandertais? Alguns afirmam que, se pudéssemos estudar neandertais vivos, conseguiríamos responder a algumas das perguntas mais insistentes sobre as origens e a singularidade do *Homo sapiens.* Ao comparar o cérebro de um neandertal com o de um *Homo sapiens* e mapear onde suas estruturas diferem, talvez possamos identificar que mudança biológica produziu a consciência tal como a experimentamos. Há também uma razão ética – alguns argumentam que, se o *Homo sapiens* foi responsável pela extinção dos neandertais, tem um dever moral de ressuscitá-los. E ter alguns neandertais por perto pode ser útil. Uma porção de industrialistas ficaria feliz em pagar um neandertal para fazer o trabalho braçal de dois sapiens.

Mas por que parar nos neandertais? Por que não voltar à prancheta de desenho de Deus e projetar um sapiens melhor? As capacidades, necessidades e desejos do *Homo sapiens* têm uma base genética, e o genoma dos sapiens não é mais complexo que o de ratos-do-mato e camundongos. (O genoma de um camundongo contém cerca de 2,5 bilhões de bases nucleicas; o genoma dos sapiens, cerca de 2,9 bilhões de bases – o que significa que é apenas 14% maior.)[11] No médio prazo – talvez daqui a algumas décadas –, a engenharia genética e outras formas de engenharia biológica talvez nos permitam fazer alterações de longo alcance não só em nossa fisiologia, nosso sistema imunológico e nossa expectativa de vida como também em nossas capacidades intelectuais e emocionais. Se a engenharia genética pode criar camundongos geniais, por que não humanos geniais? Se pode criar ratos-do-mato monogâmicos, por que não humanos programados para que serem fiéis aos seus parceiros?

A Revolução Cognitiva que transformou o *Homo sapiens* de um primata insignificante no senhor do mundo não demandou qualquer mudança notável na psicologia ou mesmo no tamanho e na forma exterior do cérebro dos sapiens. Ao que parece, envolveu não mais do que algumas pequenas mudanças na estrutura cerebral interna. Talvez outra pequena mudança fosse suficiente para iniciar uma Segunda Revolução Cognitiva, criar um tipo completamente novo de consciência e transformar o *Homo sapiens* em algo totalmente diferente.

É verdade, ainda não temos o discernimento necessário para alcançar isso, mas parece não haver uma barreira técnica nos impedindo de produzir super-humanos. Os principais obstáculos são as objeções éticas e políticas que desaceleraram as pesquisas com humanos. E não importa o quão convincentes possam ser os argumentos éticos, é difícil compreender de que modo conseguirão deter o próximo passo por muito mais tempo, sobretudo se o que está em jogo é a possibilidade de prolongar a vida humana indefinidamente, dominar doenças incuráveis e aprimorar nossas capacidades cognitivas e emocionais.

O que aconteceria, por exemplo, se desenvolvêssemos uma cura para o mal de Alzheimer que, como benefício adicional, pudesse melhorar acentuadamente a memória de pessoas saudáveis? Alguém seria capaz de interromper tão importante pesquisa? E, quando a cura surgisse, alguma autoridade seria capaz de limitar seu uso aos pacientes de Alzheimer e evitar que pessoas saudáveis a usassem para adquirir uma memória superdesenvolvida?

Não está claro se a bioengenharia realmente seria capaz de ressuscitar os neandertais, mas isso, com toda a probabilidade, revelaria muito sobre o *Homo sapiens.* Experimentar com nossos genes não necessariamente nos matará. Mas talvez venhamos a brincar com o *Homo sapiens* ao ponto de já não sermos mais *Homo sapiens.*

Vida biônica

Há uma outra nova tecnologia que poderia mudar as leis da vida: a engenharia cyborg. Os cyborgs são seres que combinam partes orgânicas e inorgânicas, como um humano com mãos biônicas. De certo modo, praticamente todos nós somos biônicos hoje em dia, já que nossos sentidos e funções naturais são complementados por dispositivos como óculos, marca-passos, órteses e até mesmo computadores e telefones celulares (que aliviam nosso cérebro de parte do ônus do processamento e armazenamento de dados). Estamos muito próximos de nos tornamos verdadeiros cyborgs, de ter características inorgânicas que são inseparáveis de nosso corpo, características que modificam nossas capacidades, desejos, personalidades e identidades.

A Agência de Projetos de Pesquisa Avançada de Defesa (DARPA, na sigla em inglês), uma agência de pesquisa militar dos Estados Unidos, está desenvolvendo cyborgs de insetos. A ideia é implantar chips eletrônicos, detectores e processadores no corpo de uma mosca ou de uma barata, o que permitirá que um humano ou um operador automático controle remotamente os movimentos do inseto e capture e transmita informações. Uma dessas moscas poderia pousar na parede no quartel-general do inimigo, escutar as conversas mais secretas e, se não for pega antes por uma aranha, nos informar exatamente o que o inimigo está planejando.[12] Em 2006, o Centro de Guerra Submarina da Marinha (NUWC, na sigla em inglês) dos Estados Unidos informou sua intenção de desenvolver tubarões cyborgs, declarando: "A NUWC está desenvolvendo um dispositivo cujo objetivo é controlar o comportamento de uma série de animais via implantes neurais". Os desenvolvedores esperam identificar campos eletromagnéticos subaquáticos criados por submarinos e minas, aproveitando as capacidades de detecção magnética dos tubarões, que são superiores às de qualquer detector fabricado pelo homem.[13]

Os sapiens também estão sendo transformados em cyborgs. A mais nova geração de aparelhos auditivos é às vezes chamada de "orelha biônica". O dispositivo consiste de um implante que capta o som por meio de um microfone localizado na parte externa da orelha. O implante filtra o som, identifica vozes humanas e as traduz em sinais elétricos que são enviados diretamente ao nervo auditivo central e de lá para o cérebro.[14]

A Retina Implant, uma empresa alemã financiada pelo governo, está desenvolvendo uma prótese de retina que pode permitir que pessoas cegas adquiram uma visão parcial. Envolve a implantação de um microchip dentro do olho do paciente. As fotocélulas absorvem a luz que incide sobre o olho e a transformam em energia elétrica, que estimula as células nervosas intactas na retina. Os impulsos nervosos dessas células estimulam o cérebro, onde são traduzidos em visão. No momento, a tecnologia permite que os pacientes se orientem no espaço, identifiquem letras e inclusive reconheçam rostos.[15]

Jesse Sullivan, um eletricista norte-americano, perdeu os dois braços até o ombro em um acidente em 2001. Hoje ele usa dois braços biônicos, cortesia do Instituto de Reabilitação de Chicago. A característica especial dos novos braços de Jesse é que eles são operados unicamente pelo pensamento. Sinais neurais chegando do cérebro de Jesse são traduzidos por microcomputadores em comandos elétricos, e os braços se movem. Quando Jesse quer levantar o braço, ele faz o que qualquer pessoa normal inconscientemente faz – e o braço se ergue. Esses braços podem realizar uma gama muito mais limitada de movimentos do que os braços orgânicos, mas permitem a Jesse realizar tarefas simples cotidianas. Um braço biônico similar foi desenvolvido recentemente para Claudia Mitchell, uma fuzileira norte-americana que perdeu o braço em um acidente de motocicleta. Os cientistas acreditam que logo teremos braços biônicos que não só se movimentarão quando desejado como também serão capazes de transmitir sinais de volta ao cérebro, permitindo, com isso, que os amputados recuperem até mesmo a sensação do tato![16]

No presente, esses braços biônicos são uma substituição modesta de nossos originais orgânicos, mas eles têm potencial sem limites para se desenvolverem. Os braços biônicos, por exemplo, podem ser muito

28. Jesse Sullivan e Claudia Mitchell dando as mãos. O incrível em seus braços biônicos é que eles são operados pelo pensamento.

mais fortes do que seus equivalentes orgânicos, fazendo até mesmo um campeão de boxe se sentir fraco. Além disso, têm a vantagem de que podem ser substituídos a cada poucos anos, ou separados do corpo e operados à distância.

Cientistas na Universidade Duke, na Carolina do Norte, demonstraram isso recentemente com macacos reso em cujo cérebro foram implantados eletrodos. Os eletrodos recebem sinais do cérebro e os transmitem a dispositivos externos. Os macacos haviam sido treinados para controlar, unicamente por meio do pensamento, braços e pernas biônicos separados do corpo. Uma macaca, chamada Aurora, aprendeu a controlar por meio do pensamento um braço biônico separado de seu corpo enquanto, simultaneamente, movia seus dois braços orgânicos. Como uma deusa hindu, Aurora agora tem três braços, e seus braços podem estar situados em aposentos – ou mesmo cidades – diferentes. Ela pode se sentar em seu laboratório na Carolina do Norte, coçar as costas com uma mão, coçar a cabeça com a outra e, simultaneamente, roubar uma banana em Nova York (embora a capacidade de comer uma fruta roubada à distância continue sendo um sonho). Outra macaca reso, Idoya, ficou mundialmente famosa em 2008 quando controlou por meio do pensamento um par de pernas biônicas em Kyoto, no Japão, de sua cadeira na Carolina do Norte. As pernas tinham 20 vezes o peso de Idoya.[17]

A síndrome do encarceramento é uma condição em que a pessoa perde toda ou quase toda a capacidade de mover qualquer parte do corpo, embora suas capacidades cognitivas permaneçam intactas. Até o momento, os pacientes que sofrem dessa síndrome só são capazes de se comunicar com o mundo externo por meio de pequenos movimentos oculares. No entanto, alguns pacientes tiveram eletrodos receptores de sinais implantados em seu cérebro. Esforços vêm sendo realizados para traduzir tais sinais não só em movimentos como também em palavras. Se o experimento funcionar, os pacientes com síndrome do encarceramento enfim poderão se comunicar diretamente com o mundo externo, e talvez algum dia sejamos capazes de usar a tecnologia para ler a mente de outras pessoas.[18]

Mas, de todos os projetos sendo desenvolvidos atualmente, o mais revolucionário é a tentativa de conceber uma interface direta e de mão dupla entre o cérebro humano e o computador. Isso permitirá que computadores leiam os sinais elétricos de um cérebro humano, transmitindo simultaneamente sinais que o cérebro possa ler. E se tais interfaces forem usadas para associar diretamente um cérebro com a internet, ou associar diretamente vários cérebros uns com os outros, criando assim uma espécie de rede intercerebral? O que pode acontecer à memória humana, à consciência humana e à identidade humana se o cérebro tiver acesso direto a um banco de memória coletiva? Em tal situação, um cyborg poderia, por exemplo, acessar as memórias de outro. Não ouvir falar delas, não as ler em uma autobiografia, não as imaginar – mas se lembrar delas diretamente, como se fossem suas. O que acontece com conceitos como ego e identidade de gênero quando as mentes se tornam coletivas? Como alguém poderia conhecer a si mesmo ou seguir seu sonho se o sonho não está em sua mente, e sim em algum reservatório de aspirações coletivas? Tal cyborg já não seria humano, ou mesmo orgânico. Seria algo completamente diferente. Seria tão fundamentalmente outro tipo de ser que não podemos sequer compreender as implicações políticas, psicológicas ou filosóficas.

Outra vida

A terceira forma de mudar as leis da vida é produzir seres completamente inorgânicos. Os exemplos mais óbvios são programas de computador e vírus de computador que podem sofrer evolução independente.

O campo da programação genética é hoje um dos mais interessantes no mundo da ciência da computação. Tenta emular os métodos da evolução genética. Muitos programadores sonham em criar um programa capaz de aprender e evoluir de maneira totalmente independente de seu criador. Nesse caso, o programador seria um *primum mobile*, um primeiro motor, mas sua criação estaria livre para evoluir em direções que nem seu criador nem qualquer outro humano jamais poderiam ter imaginado.

Um protótipo de tal programa já existe – chama-se vírus de computador. Conforme se espalha pela internet, o vírus se replica milhões e milhões de vezes, o tempo todo sendo perseguido por programas de antivírus predatórios e competindo com outros vírus por um lugar no ciberespaço. Um dia, quando o vírus se replica, um erro ocorre – uma mutação computadorizada. Talvez a mutação ocorra porque o engenheiro humano programou o vírus para, ocasionalmente, cometer erros aleatórios de replicação. Talvez a mutação se deva a um erro aleatório. Se, por acidente, o vírus modificado for melhor para escapar de programas de antivírus sem perder sua capacidade de invadir outros computadores, vai se espalhar pelo ciberespaço. Nesse caso, os mutantes irão sobreviver e se reproduzir. Com o passar do tempo, o ciberespaço estará cheio de novos vírus que ninguém produziu e que passam por uma evolução inorgânica.

Essas são criaturas vivas? Depende do que entendemos por "criaturas vivas". Mas elas certamente foram criadas a partir de um novo processo evolutivo, completamente independente das leis e limitações da evolução orgânica.

Imagine outra possibilidade: suponha que você pudesse fazer um backup do seu cérebro para um HD portátil e então rodá-lo em seu notebook. Seu notebook seria capaz de pensar e sentir como um sapiens? Se sim, ele seria você ou outra pessoa? E se os programas de computador pudessem criar uma mente totalmente nova, mas digital, composta de códigos de computador, completa, com um senso de eu, consciência e memória? Se você rodasse o programa em seu computador, este seria uma pessoa? Se você o deletasse, poderia ser acusado de assassinato?

Talvez logo tenhamos a resposta para essas perguntas. O Projeto Cérebro Humano, fundado em 2005, espera recriar um cérebro humano completo dentro de um computador, com circuitos eletrônicos no computador emulando redes neurais no cérebro. O diretor do projeto afirmou que, com o financiamento adequado, em uma ou duas décadas podemos ter um cérebro humano artificial dentro de um computador capaz de falar e se comportar de maneira muito similar a um humano. Se bem-sucedido, isso significaria que depois de 4 bilhões de anos circulando pelo pequeno mundo dos componentes orgânicos, a vida de repente irromperá na vastidão do reino inorgânico, pronta para assumir formas com que jamais ousamos sonhar. Nem todos os estudiosos concordam que a mente funciona de maneira análoga aos computadores digitais de hoje – e, se não funciona, os computadores atuais não seriam capazes de simulá-la. Porém, seria tolo descartar categoricamente a possibilidade sem tentar. Em 2013, o projeto recebeu uma concessão de 1 bilhão de euros da União Europeia.[19]

A singularidade

Atualmente, apenas uma fração minúscula dessas novas oportunidades se concretizou. Mas o mundo de 2015 já é um mundo em que a cultura está se libertando das algemas da biologia. Nossa capacidade de manipular não só o mundo à nossa volta, mas acima de tudo o mundo dentro de nossos corpos e mentes está se desenvolvendo a toda velocidade. Cada vez mais esferas de atividade estão sendo abaladas. Os advogados precisam repensar questões de privacidade e identidade; os governos precisam repensar questões de saúde e igualdade; as associações esportivas e as instituições educativas precisam redefinir *fair play* e conquistas; os fundos de pensão e os mercados de trabalho devem se reajustar a um mundo em que os sexagenários talvez sejam os novos balzaquianos. Todos eles devem lidar com os enigmas da bioengenharia, dos cyborgs e da vida inorgânica.

Para mapear o primeiro genoma humano, foram necessários 15 anos e 3 bilhões de dólares. Hoje, podemos mapear o DNA de uma pessoa em poucas semanas e ao custo de algumas centenas de dólares.[20] A era da medicina personalizada – que associa tratamentos com DNA – começou. O médico da família logo poderá dizer, com certeza muito maior, que você tem um alto risco de vir a ter câncer de fígado, mas que não precisa se preocupar muito com ataques do coração. Ele pode determinar que um medicamento popular que ajuda 92% das pessoas é inútil para você e que em vez disso você deve tomar outro comprimido, fatal para muitas pessoas, mas exato para você. O caminho para a medicina quase perfeita está diante de nós.

No entanto, com avanços no conhecimento médico virão novos impasses éticos. Os especialistas em assuntos éticos e jurídicos já estão se debatendo com a questão espinhosa da privacidade no que concerne ao DNA. As empresas de seguro-saúde terão o direito de solicitar um mapeamento do nosso DNA e aumentar os preços se descobrirem uma tendência genética a comportamentos imprudentes? Seríamos solicitados a enviar nosso DNA, em vez de nosso CV, a empregadores em potencial? Um empregador poderia dar preferência a um candidato porque seu DNA parece melhor? Ou, em tais casos, poderíamos processá-los por "discriminação genética"? Uma empresa que desenvolve uma nova criatura ou um novo órgão poderia patentear sua sequência de DNA? É claro que uma pessoa pode ser dona de uma determinada galinha, mas poderá ser dona de uma espécie inteira?

Tais dilemas são obscurecidos pelas implicações éticas, sociais e políticas do Projeto Gilgamesh e de nossas novas habilidades em potencial para criar super-humanos. A Declaração Universal dos Direitos Humanos, programas médicos de governos do mundo inteiro, programas nacionais de seguro-saúde e constituições nacionais em todo o mundo reconhecem que uma sociedade humana deve dar a todos os seus membros tratamento médico adequado e mantê-los em bom estado de saúde. Estava tudo bem com isso enquanto a medicina esteve preocupada principalmente em prevenir doenças e curar os doentes. O que pode acontecer quando a medicina passar a se preocupar em melhorar as habilidades humanas? Todos os humanos teriam direito a tais habilidades melhoradas ou haveria uma nova elite super-humana?

Nosso mundo moderno se orgulha de reconhecer, pela primeira vez na história, a igualdade elementar entre todos os humanos, porém pode estar prestes a criar a sociedade mais desigual de todas. Ao longo da história, as classes superiores sempre afirmaram ser mais inteligentes, mais fortes e, em geral, melhores do que as classes inferiores. Normalmente, elas estavam se iludindo. Um bebê nascido em uma família camponesa pobre tendia a ser tão inteligente quanto o príncipe-herdeiro. Com a ajuda de novas capacidades médicas, as pretensões das classes superiores podem logo se tornar uma realidade objetiva.

Isso não é ficção científica. A maioria das tramas de ficção científica descreve um mundo em que sapiens – idênticos a nós – desfrutam de tecnologia superior, como espaçonaves que viajam à velocidade da luz e armas a laser. Os dilemas centrais dessas tramas são tirados do nosso próprio mundo e meramente recriam nossas tensões emocionais e sociais em um cenário futurista. Mas o verdadeiro potencial das tecnologias futuras é transformar o próprio *Homo sapiens*, incluindo nossas emoções e desejos, e não apenas nossos veículos e armas. O que é uma espaçonave se comparada com um cyborg eternamente jovem que não procria e não tem sexualidade, que pode partilhar pensamentos diretamente com outros seres, cuja capacidade de memória e concentração é mil vezes maior que a nossa, e que nunca fica triste nem com raiva, mas tem emoções e desejos que nem sequer podemos imaginar?

A ficção científica raramente descreve tal futuro, porque uma descrição precisa é, por definição, incompreensível. Produzir um filme sobre a vida de um super-cyborg é como produzir *Hamlet* para uma audiência de neandertais. Com efeito, os futuros senhores do mundo provavelmente serão mais diferentes de nós do que somos dos neandertais. Enquanto nós e os neandertais somos humanos, nossos herdeiros serão como deuses.

Os físicos definem o Big Bang como uma singularidade. É um ponto em que todas as leis conhecidas da natureza não existiam. O tempo também não existia. Portanto, não faz sentido dizer que alguma coisa existiu "antes" do Big Bang. Talvez estejamos nos aproximando de uma nova singularidade, em que todos os conceitos que dão significado ao nosso mundo – eu, você, homens, mulheres, amor e ódio – se tornarão irrelevantes. Qualquer coisa acontecendo além desse ponto não tem sentido para nós.

A profecia de Frankenstein

Em 1818, Mary Shelley publicou *Frankenstein*, a história de um cientista que tenta criar um ser superior e, em vez disso, cria um monstro. Nos últimos dois séculos, essa história foi contada repetidas vezes em inúmeras variações, tornando-se o tema central de nossa nova mitologia científica. À primeira vista, a história de Frankenstein parece nos advertir de que, se tentarmos brincar de Deus e criar vida, seremos punidos severamente. Mas a história tem um significado mais profundo.

O mito do Frankenstein confronta o *Homo sapiens* com o fato de que os últimos dias estão se aproximando depressa. A não ser que alguma catástrofe nuclear ou ecológica intervenha, diz a história, o ritmo do desenvolvimento tecnológico logo levará à substituição do *Homo sapiens* por seres completamente diferentes que têm não só uma psique diferente como também mundos cognitivos e emocionais muito diferentes. Isso é algo que a maioria dos sapiens considera extremamente desconcertante. Gostamos de acreditar que, no futuro, pessoas exatamente como nós viajarão de planeta em planeta em espaçonaves velozes. Não gostamos de considerar a possibilidade de que, no futuro, seres com emoções e identidades como as nossas já não existam e que nosso lugar seja tomado por formas de vida estranhas cujas capacidades ofuscam as nossas.

De algum modo, encontramos conforto na fantasia de que o dr. Frankenstein pode criar apenas monstros terríveis, a quem deveríamos destruir a fim de salvar o mundo. Gostamos de contar a história dessa maneira porque implica que somos os melhores de todos os seres, que nunca houve e nunca haverá algo melhor do que nós. Qualquer tentativa de nos melhorar inevitavelmente fracassará, porque, mesmo que nosso corpo possa ser aprimorado, não se pode tocar o espírito humano.

Teríamos dificuldade de engolir o fato de que os cientistas poderiam criar não só corpos como também espíritos e de que os drs. Frankenstein do futuro poderiam, portanto, criar algo verdadeiramente superior a nós, algo que olhará para nós de modo tão condescendente quanto olhamos para os neandertais.

Não podemos saber ao certo se os Frankensteins de hoje realizarão essa profecia. O futuro é desconhecido, e seria surpreendente se todas as previsões das últimas páginas se concretizassem. A história nos ensina que o que parece estar depois da esquina pode jamais se materializar devido a barreiras imprevistas e que outros cenários não imaginados acontecerão de fato. Quando irrompeu a era nuclear nos anos 1940, fizeram-se muitas previsões sobre o futuro mundo nuclear do ano 2000. Quando o *Sputnik* e a *Apollo 11* atiçaram a imaginação do mundo, todos começaram a prever que no fim do século as pessoas estariam vivendo em colônias espaciais em Marte e Plutão. Poucas delas se tornaram realidade. Por outro lado, ninguém previu a internet.

Portanto, não saia por aí comprando seguros de responsabilidade civil para indenizá-lo contra processos iniciados por seres digitais. As fantasias – ou pesadelos – acima mencionados são apenas estímulos à sua imaginação. O que devemos levar a sério é a ideia de que a próxima etapa da história incluirá não só transformações tecnológicas e organizacionais como também transformações sociais na consciência e na identidade humana. E essas podem ser transformações tão fundamentais que colocarão em dúvida o próprio termo "humano". Quanto tempo temos? Ninguém sabe ao certo. Como já dissemos, alguns dizem que em 2050 alguns humanos já serão amortais. Previsões menos radicais falam do próximo século, ou do próximo milênio. Mas, da perspectiva de 70 mil anos de história do sapiens, o que são alguns milênios?

Se a história do sapiens está mesmo chegando ao fim, nós, membros de uma de suas últimas gerações, devemos dedicar algum tempo a responder a uma última pergunta: o que queremos nos tornar? Essa pergunta, às vezes conhecida como a pergunta do Aperfeiçoamento Humano, obscurece o debate que atualmente preocupa políticos, filósofos, acadêmicos e pessoas comuns. Afinal, o debate atual entre as religiões, ideologias, nações e classes de hoje muito provavelmente desaparecerá junto com o *Homo sapiens*. Se nossos sucessores funcionarem realmente em um nível diferente de consciência (ou, talvez, tiverem algo além da consciência que sequer somos capazes de conceber), parece improvável que o cristianismo ou o islamismo os interesse, que sua organização social seja comunista ou socialista ou que seus gêneros possam ser masculino ou feminino.

E, ainda assim, os grandes debates da história são importantes porque pelo menos a primeira geração desses deuses seria determinada pelas ideias culturais de seus criadores humanos. Eles seriam criados à imagem do capitalismo, do islamismo ou do feminismo? A resposta a essa pergunta poderia empurrá-los em direções completamente diferentes.

A maioria das pessoas prefere não falar sobre isso. Mesmo o campo da bioética prefere abordar outra pergunta: "O que é proibido fazer?". É aceitável fazer experimentos genéticos com seres humanos vivos? Com fetos abortados? Com células-tronco? É ético clonar ovelhas? E chimpanzés? E quanto a humanos? Todas essas são perguntas importantes, mas é ingênuo imaginar que podemos simplesmente frear os projetos científicos que estão transformando o *Homo sapiens* em um tipo diferente de ser, pois esses projetos estão inextricavelmente unidos à busca pela imortalidade – o Projeto Gilgamesh. Pergunte aos cientistas por que eles estudam o genoma, ou tentam conectar um cérebro a um computador, ou tentam criar uma mente dentro de um computador. Nove em cada dez lhe darão a mesma resposta: estamos fazendo isso para curar doenças e salvar vidas humanas. Embora as implicações de criar uma mente dentro de um computador sejam muito mais dramáticas do que curar doenças psiquiátricas, essa é a justificativa padrão fornecida, porque ninguém pode argumentar contra ela. É por isso que o Projeto Gilgamesh é o mais importante da ciência. Serve para justificar tudo que a ciência faz. O dr. Frankenstein pega carona nos ombros de Gilgamesh. Uma vez que é impossível deter Gilgamesh, também é impossível deter o dr. Frankenstein.

A única coisa que podemos tentar fazer é influenciar a direção que eles estão tomando. Mas, considerando que possivelmente logo seremos capazes de manipular inclusive nossos desejos, a verdadeira pergunta a ser enfrentada não é "O que queremos nos tornar?", e sim "O que queremos querer?". Aqueles que não se sentem assombrados por essa pergunta provavelmente não refletiram o suficiente a respeito.

Epílogo

O animal que se tornou um deus

Há 70 mil anos, o *Homo sapiens* ainda era um animal insignificante cuidando da sua própria vida em algum canto da África. Nos milênios seguintes, ele se transformou no senhor de todo o planeta e no terror do ecossistema. Hoje, está prestes a se tornar um deus, pronto para adquirir não só a juventude eterna como também as capacidades divinas de criação e destruição.

Infelizmente, até agora o regime dos sapiens sobre a Terra produziu poucas coisas das quais podemos nos orgulhar. Nós dominamos o meio à nossa volta, aumentamos a produção de alimentos, construímos cidades, fundamos impérios e criamos grandes redes de comércio. Mas diminuímos a quantidade de sofrimento no mundo? Repetidas vezes, os aumentos gigantescos na capacidade humana não necessariamente melhoraram o bem-estar dos sapiens como indivíduos e geralmente causaram enorme sofrimento a outros animais.

Nas últimas décadas, pelo menos fizemos algum progresso real no que concerne à condição humana, com a redução da fome, das pragas e das guerras. Mas a situação de outros animais está se deteriorando mais rapidamente do que nunca, e a melhoria no destino da humanidade ainda é muito frágil e recente para que possamos ter certeza dela.

Além disso, apesar das coisas impressionantes de que os humanos são capazes de fazer, nós continuamos sem saber ao certo quais são nossos objetivos e, ao que parece, estamos insatisfeitos como sempre. Avançamos de canoas e galés a navios a vapor e naves espaciais – mas ninguém sabe para onde estamos indo. Somos mais poderosos do que nunca, mas temos pouca ideia do que fazer com todo esse poder. O que é ainda pior, os humanos parecem mais irresponsáveis do que nunca. Deuses por mérito próprio, contando apenas com as leis da física para nos fazer companhia, não prestamos contas a ninguém. Em consequência, estamos destruindo os outros animais e o ecossistema à nossa volta, visando a não muito mais do que nosso próprio conforto e divertimento, mas jamais encontrando satisfação.

Existe algo mais perigoso do que deuses insatisfeitos e irresponsáveis que não sabem o que querem?

Notas

1. Um animal insignificante

1 Ann Gibbons, "Food for Thought: Did the First Cooked Meals Help Fuel the Dramatic Evolutionary Expansion of the Human Brain?", *Science* 316:5831 (2007), 1558-1560.

2. A árvore do conhecimento

1 Robin Dunbar, *Grooming, Gossip, and the Evolution of Language* (Cambridge, Mass.: Harvard University Press, 1998).

2 Frans de Waal, *Chimpanzee Politics: Power and Sex among Apes* (Baltimore: Johns Hopkins University Press, 2000); Frans de Waal, *Our Inner Ape: A Leading Primatologist Explains Why We Are Who We Are* (Nova York: Riverhead Books, 2005); Michael L. Wilson e Richard W. Wrangham, "Intergroup Relations in Chimpanzees", *Annual Review of Anthropology* 32 (2003), 363-392; M. McFarland Symington, "Fission-Fusion Social Organization in *Ateles and Pan*", *International Journal of Primatology*, 11:1 (1990), 49; Colin A. Chapman e Lauren J. Chapman, "Determinants of Groups Size in Primates: The Importance of Travel Costs", in *On the Move: How and Why Animals Travel in Groups*, org. Sue Boinsky e Paul A. Garber (Chicago: University of Chicago Press, 2000), 26.

3 Dunbar, *Grooming, Gossip, and the Evolution of Language*, 69-79; Leslie C. Aiello e R. I. M. Dunbar, "Neocortex Size, Group Size, and the Evolution of Language", *Current Anthropology* 34:2 (1993), 189. Para críticas a essa abordagem, ver: Christopher McCarthy et al., "Comparing Two Methods for Estimating Network Size", *Human Organization* 60:1 (2001), 32; R. A. Hill e R. I. M. Dunbar, "Social Network Size in Humans", *Human Nature* 14:1 (2003), 65.

4 Yvette Taborin, "Shells of the French Aurignacian and Perigordian", in *Before Lascaux: The Complete Record of the Early Upper Paleolithic*, org. Heidi Knecht, Anne Pike-Tay e Randall White (Boca Raton: CRC Press, 1993), 211-228.

5 G.R. Summerhayes, "Application of PIXE-PIGME to Archaeological Analysis of Changing Patterns of Obsidian Use in West New Britain, Papua New

Guinea", in *Archaeological Obsidian Studies: Method and Theory*, org. Steven M. Shackley (Nova York: Plenum Press, 1998), 129-158.

3. Um dia na vida de Adão e Eva

1 Christopher Ryan e Cacilda Jethá, *Sex at Dawn: The Prehistoric Origins of Modern Sexuality* (Nova York: Harper, 2010); S. Beckerman e P. Valentine (orgs.), *Cultures of Multiple Fathers. The Theory and Practice of Partible Paternity in Lowland South America* (Gainesville: University Press of Florida, 2002).

2 Noel G. Butlin, *Economics and the Dreamtime: A Hypothetical History* (Cambridge: Cambridge University Press, 1993), 98-101; Richard Broome, *Aboriginal Australians* (Sydney: Allen & Unwin, 2002), 15; William Howell Edwards, *An Introduction to Aboriginal Societies* (Wentworth Falls, N.S.W.: Social Science Press, 1988), 52.

3 Fekri A. Hassan, *Demographic Archaeology* (Nova York: Academic Press, 1981), 196-199; Lewis Robert Binford, *Constructing Frames of Reference: An Analytical Method for Archaeological Theory Building Using Hunter Gatherer and Environmental Data Sets* (Berkeley: University of California Press, 2001), 143.

4 Brian Hare, *The Genius of Dogs: How Dogs Are Smarter Than You Think* (Dutton: Penguin Group, 2013).

5 Christopher B. Ruff, Erik Trinkaus e Trenton W. Holliday, "Body Mass and Encephalization in Pleistocene *Homo*", *Nature* 387 (1997), 173-176; M. Henneberg e M. Steyn, "Trends in Cranial Capacity and Cranial Index in Subsaharan Africa During the Holocene", *American Journal of Human Biology* 5:4 (1993): 473-479; Drew H. Bailey e David C. Geary, "Hominid Brain Evolution: Testing Climatic, Ecological, and Social Competition Models", *Human Nature* 20 (2009): 67-79; Daniel J. Wescott e Richard L. Jantz, "Assessing Craniofacial Secular Change in American Blacks and Whites Using Geometric Morphometry", in *Modern Morphometrics in Physical Anthropology: Developments in Primatology: Progress and Prospects*, org. Dennis E. Slice (Nova York: Plenum Publishers, 2005), 231-245.

6 Nicholas G. Blurton Jones et al., "Antiquity of Postreproductive Life: Are There Modern Impact on Hunter-Gatherer Postreproductive Life Spans?", *American Journal of Human Biology* 14 (2002), 184-205.

7 Kim Hill e A. Magdalena Hurtado, *Aché Life History: The Ecology and Demography of a Foraging People* (Nova York: Aldine de Gruyter, 1996), 164, 236.

8 Hill e Hurtado, *Aché Life History*, 78.

9 Vincenzo Formicola e Alexandra P. Buzhilova, "Double Child Burial from Sunghir (Russia): Pathology and Inferences for Upper Paleolithic Funerary

Practices", *American Journal of Physical Anthropology* 124:3 (2004), 189-198; Giacomo Giacobini, "Richness and Diversity of Burial Rituals in the Upper Paleolithic", Diogenes 54:2 (2007), 19-39.

10 I. J. N. Thorpe, "Anthropology, Archaeology, and the Origin of Warfare", *World Archaeology* 35:1 (2003), 145-165; Raymond C. Kelly, *Warless Societies and the Origin of War* (Ann Arbor: University of Michigan Press, 2000); Azar Gat, *War in Human Civilization* (Oxford: Oxford University Press, 2006); Lawrence H. Keeley, *War before Civilization: The Myth of the Peaceful Savage* (Oxford: Oxford University Press, 1996); Slavomil Vencl, "Stone Age Warfare", in *Ancient Warfare: Archaeological Perspectives*, org. John Carman e Anthony Harding (Stroud: Sutton Publishing, 1999), 57-73.

4. A inundação

1 James F. O'Connel e Jim Allen, "Pre-LGM Sahul (Pleistocene Australia – New Guinea) and the Archeology of Early Modern Humans", in *Rethinking the Human Revolution: New Behavioural and Biological Perspectives on the Origin and Dispersal of Modern Humans*, org. Paul Mellars, Ofer Bar-Yosef, Katie Boyle (Cambridge: McDonald Institute for Archaeological Research, 2007), 395-410; James F. O'Connel e Jim Allen, "When Did Humans First Arrived in Grater Australia and Why Is It Important to Know?", *Evolutionary Anthropology*, 6:4 (1998), 132-146; James F. O'Connel e Jim Allen, "Dating the Colonization of Sahul (Pleistocene Australia – New Guinea): A Review of Recent Research", *Journal of Radiological Science* 31:6 (2004), 835-853; Jon M. Erlandson, "Anatomically Modern Humans, Maritime Voyaging, and the Pleistocene Colonization of the Americas", in *The first Americans: the Pleistocene Colonization of the New World*, org. Nina G. Jablonski (São Francisco: University of California Press, 2002), 59-60, 63-64; Jon M. Erlandson e Torben C. Rick, "Archeology Meets Marine Ecology: The Antiquity of Maritime Cultures and Human Impacts on Marine Fisheries and Ecosystems", *Annual Review of Marine Science* 2 (2010), 231-251; Atholl Anderson, "Slow Boats from China: Issues in the Prehistory of Indo-China Seafaring", *Modern Quaternary Research in Southeast Asia*, 16 (2000), 13-50; Robert G. Bednarik, "Maritime Navigation in the Lower and Middle Paleolithic", *Earth and Planetary Sciences* 328 (1999), 559-560; Robert G. Bednarik, "Seafaring in the Pleistocene", *Cambridge Archaeological Journal* 13:1 (2003), 41-66.

2 Timothy F. Flannery, *The Future Eaters: An Ecological History of the Australasian Lands and Peoples* (Port Melbourne, Vic.: Reed Books Australia, 1994); Anthony D. Barnosky et al., "Assessing the Causes of Late Pleistocene Extinctions on the Continents", *Science* 306:5693 (2004): 70-75; Bary W. Brook e David M. J. S. Bowman, "The Uncertain Blitzkrieg of Pleistocene Megafauna", *Jour-*

nal of Biogeography 31:4 (2004), 517-523; Gifford H. Miller et al., "Ecosystem Collapse in Pleistocene Australia and a Human Role in Megafaunal Extinction", *Science* 309:5732 (2005), 287-290; Richard G. Roberts et al., "New Ages for the Last Australian Megafauna: Continent Wide Extinction about 46,000 Years Ago", *Science* 292:5523 (2001), 1888-1892.

3 Stephen Wroe e Judith Field, "A Review of Evidence for a Human Role in the Extinction of Australian Megafauna and an Alternative Explanation", *Quaternary Science Reviews* 25:21-22 (2006), 2692-2703; Barry W. Brooks et al., "Would the Australian Megafauna Have Become Extinct If Humans Had Never Colonised the Continent? Comments on 'A Review of the Evidence for a Human Role in the Extinction of Australian Megafauna and an Alternative Explanation' by S. Wroe and J. Field", *Quaternary Science Reviews* 26:3-4 (2007), 560-564; Chris S. M. Turney et al., "Late-Surviving Megafauna in Tasmania, Australia, Implicate Human Involvement in their Extinction", *Proceedings of the National Academy of Sciences* 105:34 (2008), 12150-12153.

4 John Alroy, "A Multispecies Overkill Simulation of the End-Pleistocene Megafaunal Mass Extinction", *Science*, 292:5523 (2001), 1893-1896; O'Connel e Allen, "Pre-LGM Sahul", 400-401.

5 L.H. Keeley, "Proto-Agricultural Practices Among Hunter-Gatherers: A Cross-Cultural Survey", in *Last Hunters, First Farmers: New Perspectives on the Prehistoric Transition to Agriculture*, org. T. Douglas Price e Anne Birgitte Gebauer (Santa Fe, N.M.: School of American Research Press, 1995), 243-272; R. Jones, "Firestick Farming", *Australian Natural History* 16 (1969), 224-228.

6 David J. Meltzer, *First Peoples in a New World: Colonizing Ice Age America* (Berkeley: University of California Press, 2009).

7 Paul L. Koch e Anthony D. Barnosky, "Late Quaternary Extinctions: State of the Debate", *The Annual Review of Ecology, Evolution, and Systematics* 37 (2006), 215-250; Anthony D. Barnosky et al., "Assessing the Causes of Late Pleistocene Extinctions on the Continents", 70-75.

5. A maior fraude da história

1 O mapa se baseia principalmente em: Peter Bellwood, *First Farmers: The Origins of Agricultural Societies* (Malden: Blackwell Pub., 2005).

2 Jared Diamond, *Armas, germes e aço: os destinos das sociedades humanas* (Rio de Janeiro: Record, 2001).

3 Azar Gat, *War in Human Civilization* (Oxford: Oxford University Press, 2006), 130-131; Robert S. Walker e Drew H. Bailey, "Body Counts in Lowland South American Violence", *Evolution and Human Behavior* 34 (2013), 29-34.

4 Katherine A. Spielmann, "A Review: Dietary Restriction on Hunter-Gatherer Women and the Implications for Fertility and Infant Mortality", *Human Ecology* 17:3 (1989), 321-345. Ver também: Bruce Winterhalder e Eric Alder Smith, "Analyzing Adaptive Strategies: Human Behavioral Ecology at Twenty Five", *Evolutionary Anthropology* 9:2 (2000), 51-72.

5 Alain Bideau, Bertrand Desjardins e Hector Perez-Brignoli (orgs.), *Infant and Child Mortality in the Past* (Oxford: Clarendon Press, 1997); Edward Anthony Wrigley et al., *English Population History from Family Reconstitution*, 1580-1837 (Cambridge: Cambridge University Press, 1997), 295-296, 303.

6 Manfred Heun et al., "Site of Einkorn Wheat Domestication Identified by DNA Fingerprints", *Science* 278:5341 (1997), 1312-1314.

7 Charles Patterson, *Eternal Treblinka: Our Treatment of Animals and the Holocaust* (Nova York: Lantern Books, 2002), 9-10; Peter J. Ucko e G.W. Dimbleby (orgs.), *The Domestication and Exploitation of Plants and Animals* (Londres: Duckworth, 1969), 259.

8 Avi Pinkas (org.), *Farmyard Animals in Israel – Research, Humanism and Activity* (Rishon Le-Ziyyon: The Association for Farmyard Animals, 2009 [hebraico]), 169-199; "Milk Production – the Cow" [hebraico], The Dairy Council, acesso em: 22 mar. 2012, http://www.milk.org.il/cgi-webaxy/sal/sal.pl?lang=he&ID=645657_milk&act=show&dbid=katavot&dataid=cow.htm

9 Edward Evan Evans-Pritchard, *The Nuer: A Description of the Modes of Livelihood and Political Institutions of a Nilotic People* (Oxford: Oxford University Press, 1969); E.C. Amoroso e P.A. Jewell, "The Exploitation of the Milk-Ejection Reflex by Primitive People", in *Man and Cattle: Proceedings of the Symposium on Domestication at the Royal Anthropological Institute, 24-26 May 1960*, org. A.E. Mourant e F.E. Zeuner (Londres: The Royal Anthropological Institute, 1963), 129-134.

10 Johannes Nicolaisen, *Ecology and Culture of the Pastoral Tuareg* (Copenhagen: National Museum, 1963), 63.

6. Construindo pirâmides

1 Angus Maddison, *The World Economy*, vol. 2 (Paris: Centro de Desenvolvimento da Organização para a Cooperação e Desenvolvimento Econômico, 2006), 636; "Historical Estimates of World Population", U.S. Census Bureau, acesso em: 10 dez. 2010, http://www.census.gov/ipc/www/worldhis.html.

2 Robert B. Mark, *The Origins of the Modern World: A Global and Ecological Narrative* (Lanham, MD: Rowman & Littlefield Publishers, 2002), 24.

3 Raymond Westbrook, "Old Babylonian Period", in *A History of Ancient Near Eastern Law*, vol. 1, org. Raymond Westbrook (Leiden: Brill, 2003), 361-

430; Martha T. Roth, *Law Collections from Mesopotamia and Asia Minor*, 2. ed. (Atlanta: Scholars Press, 1997), 71-142; M. E. J. Richardson, *Hammurabi's Laws: Text, Translation and Glossary* (Londres: T & T Clark International, 2000).

4 Roth, *Law Collections from Mesopotamia*, 76.

5 Roth, *Law Collections from Mesopotamia*, 121.

6 Roth, *Law Collections from Mesopotamia*, 122-123.

7 Roth, *Law Collections*, 133-134.

8 Constance Brittaine Bouchard, *Strong of Body, Brave and Noble: Chivalry and Society in Medieval France* (Nova York: Cornell University Press, 1998), 99; Mary Martin McLaughlin, "Survivors and Surrogates: Children and Parents from the Ninth to Thirteenth Centuries", in *Medieval Families: Perspectives on Marriage, Household and Children*, org. Carol Neel (Toronto: University of Toronto Press, 2004), 81; Lise E. Hull, *Britain's Medieval Castles* (Westport: Praeger, 2006), 144.

7. Sobrecarga de memória

1 Andrew Robinson, *The Story of Writing* (Nova York: Thames and Hudson, 1995), 63; Hans J. Nissen, Peter Damerow e Robert K. Englung, *Archaic Bookkeeping: Writing and Techniques of Economic Administration in the Ancient Near East* (Chicago, Londres: The University of Chicago Press, 1993), 36.

2 Marcia e Robert Ascher, *Mathematics of the Incas – Code of the Quipu* (Nova York: Dover Publications, 1981).

3 Gary Urton. *Signs of the Inka Khipu* (Austin: University of Texas Press, 2003); Galen Brokaw. *A History of the Khipu* (Cambridge: Cambridge University Press, 2010).

4 Stephen D. Houston (org.), *The First Writing: Script Invention as History and Process* (Cambridge: Cambridge University Press, 2004), 222.

8. Não existe justiça na história

1 Sheldon Pollock, "Axialism and Empire", in *Axial Civilizations and World History*, org. Johann P. Arnason, S. N. Eisenstadt e Björn Wittrock (Leiden: Brill, 2005), 397-451.

2 Harold M. Tanner, *China: A History* (Indianapolis: Hackett, Pub. Co., 2009), 34.

3 Ramesh Chandra, *Identity and Genesis of Caste System in India* (Délhi: Kalpaz Publications, 2005); Michael Bamshad et al., "Genetic Evidence on the

Origins of Indian Caste Population", *Genome Research* 11 (2001): 904-1004; Susan Bayly, *Caste, Society and Politics in India from the Eighteenth Century to the Modern Age* (Cambridge: Cambridge University Press, 1999).

4 Houston, *First Writing*, 196.

5 Secretário-geral da ONU, *Report of the Secretary-General on the In-depth Study on All Forms of Violence Against Women*, apresentado à Assembleia Geral da ONU, Doc. A/16/122/Add.1 (6 jul. 2006), 89.

6 Sue Blundell, *Women in Ancient Greece* (Cambridge, Mass.: Harvard University Press, 1995), 113-129, 132-133.

10. O cheiro do dinheiro

1 Francisco López de Gómara, *Historia de la Conquista de Mexico*, vol. 1, org. D. Joaquin Ramirez Cabañes (Cidade do México: Editorial Pedro Robredo, 1943), 106.

2 Andrew M. Watson, "Back to Gold – and Silver", *Economic History Review* 20:1 (1967), 11-12; Jasim Alubudi, *Repertorio Bibliográfico del Islam* (Madri: Vision Libros, 2003), 194.

3 Watson, "Back to Gold – and Silver", 17-18.

4 David Graeber, *Debt: The First 5,000 Years* (Brooklyn, N.Y.: Melville House, 2011).

5 Glyn Davies, *A History of Money: from Ancient Times to the Present Day* (Cardiff: University of Wales Press, 1994), 15.

6 Szymon Laks, *Music of Another World*, trad. Chester A. Kisiel (Evanston, Ill.: Northwestern University Press, 1989), 88-89. O "mercado" de Auschwitz era restrito a certas classes de prisioneiros, e as condições mudaram drasticamente com o passar do tempo.

7 Ver também Niall Ferguson, *The Ascent of Money* (Nova York: The Penguin Press, 2008), 4.

8 Para informações sobre o dinheiro de cevada, eu me baseei em uma tese de pós-doutorado não publicada: Refael Benvenisti, *Economic Institutions of Ancient Assyrian Trade in the Twentieth to Eighteenth Centuries BC* (Universidade Hebraica de Jerusalém, tese de pós-doutorado não publicada, 2011). Ver também Norman Yoffee, "The Economy of Ancient Western Asia", in *Civilizations of the Ancient Near East*, vol. 1, org. J. M. Sasson (Nova York: C. Scribner's Sons, 1995), 1387-1399; R. K. Englund, "Proto-Cuneiform Account-Books and Journals", in *Creating Economic Order: Record-keeping, Standardization, and the Development of Accounting in the Ancient Near East*, org. Michael Hudson e Cornelia Wunsch (Bethesda, MD: CDL Press, 2004), 21-46; Marvin A. Powell,

"A Contribution to the History of Money in Mesopotamia prior to the Invention of Coinage", in *Festschrift Lubor Matouš*, org. B. Hruška e G. Komoróczy (Budapeste: Eötvös Loránd Tudományegyetem, 1978), 211-243; Marvin A. Powell, "Money in Mesopotamia", *Journal of the Economic and Social History of the Orient*, 39:3 (1996), 224-242; John F. Robertson, "The Social and Economic Organization of Ancient Mesopotamian Temples", in *Civilizations of the Ancient Near East*, vol. 1, org. Sasson, 443-500; M. Silver, "Modern Ancients", in *Commerce and Monetary Systems in the Ancient World: Means of Transmission and Cultural Interaction*, org. R. Rollinger e U. Christoph (Stuttgart: Steiner, 2004), 65-87; Daniel C. Snell, "Methods of Exchange and Coinage in Ancient Western Asia", in *Civilizations of the Ancient Near East*, vol. 1, org. Sasson, 1487-1497.

11. Visões imperiais

1 Nahum Megged, *The Aztecs* (Tel Aviv: Dvir, 1999 [hebraico]), 103.

2 Tacitus, *Agricola*, capítulo 30 (Cambridge, Mass.: Harvard University Press, 1958), p. 220-221.

3 A. Fienup-Riordan, *The Nelson Island Eskimo: Social Structure and Ritual Distribution* (Anchorage: Alaska Pacific University Press, 1983), p. 10.

4 Yuri Pines, "Nation States, Globalization and a United Empire – the Chinese Experience (third to fifth centuries BC)", *Historia* 15 (1995), 54 [hebraico].

5 Alexander Yakobson, "Us and Them: Empire, Memory and Identity in Claudius' Speech on Bringing Gauls into the Roman Senate", in *On Memory: An Interdisciplinary Approach*, org. Doron Mendels (Oxford: Peter Land, 2007), 23-24.

12. A lei da religião

1 W.H.C. Frend, *Martyrdom and Persecution in the Early Church* (Cambridge: James Clarke & Co., 2008), 536-537.

2 Robert Jean Knecht, *The Rise and Fall of Renaissance France*, 1483-1610 (Londres: Fontana Press, 1996), 424.

3 Marie Harm e Hermann Wiehle, *Lebenskunde fuer Mittelschulen – Fuenfter Teil. Klasse 5 fuer Jungen* (Halle: Hermann Schroedel Verlag, 1942), 152-157.

13. O segredo do sucesso

1 Susan Blackmore, *The Meme Machine* (Oxford: Oxford University Press, 1999).

14. A descoberta da ignorância

1 David Christian, *Maps of Time: An Introduction to Big History* (Berkeley: University of California Press, 2004), 344-345; Angus Maddison, *The World Economy*, vol. 2 (Paris: Centro de Desenvolvimento da Organização para a Cooperação e Desenvolvimento Econômico, 2001), 636; "Historical Estimates of World Population", U.S. Census Bureau, acesso em: 10 dez. 2010, http://www.census.gov/ipc/www/worldhis.html.

2 Maddison, *The World Economy*, vol. 1, 261.

3 "Gross Domestic Product 2009", Banco Mundial, Dados e Estatísticas, acesso em: 10 dez. 2010, http://siteresources.worldbank.org/DATASTATISTICS/Resources/GDP.pdf.

4 Christian, *Maps of Time*, 141.

5 O maior navio de carga contemporâneo carrega cerca de 100 mil toneladas. Em 1470, as frotas do mundo inteiro reunidas podiam carregar não mais de 320 mil toneladas. Em 1570, a tonelagem global era de até 730 mil toneladas (Maddison, *The World Economy*, vol. 1, 97).

6 O maior banco do mundo – The Royal Bank of Scotland declarou, em 2007, depósitos no valor de 1,3 trilhão de dólares. Isso é cinco vezes a produção global anual em 1500. Ver "Annual Report and Accounts 2008", The Royal Bank of Scotland, 35, acesso em: 10 dez. 2010, http://files.shareholder.com/downloads/RBS/626570033x0x278481/eb7a003a-5c9b-41ef-bad3-81fb98a6c823/RBS_GRA_2008_09_03_09.pdf.

7 Ferguson, *Ascent of Money*, 185-198.

8 Maddison, *The World Economy*, vol. 1, 31; Wrigley, *English Population History*, 295; Christian, *Maps of Time*, 450, 452; "World Health Statistic Report 2009", 35-45, Organização Mundial da Saúde, acesso em: 10 dez. 2010, http://www.who.int/whosis/whostat/EN_WHS09_Full.pdf.

9 Wrigley, *English Population History*, 296.

10 "England, Interim Life Tables, 1980-82 to 2007-09", Office for National Statistics, acesso em: 22 mar. 2012, http://www.ons.gov.uk/ons/publications/re-reference-tables.html?edition=tcm%3A77-61850.

11 Michael Prestwich, *Edward I* (Berkley: University of California Press, 1988), 125-126.

12 Jennie B. Dorman et al., "The *age-1* and *daf-2* Genes Function in a Common Pathway to Control the Lifespan of *Caenorhabditis elegans*", *Genetics* 141:4 (1995), 1399-1406; Koen Houthoofd et al., "Life Extension via Dietary Restriction is Independent of the Ins/IGF-1 Signaling Pathway in *Caenorhabditis elegans*", *Experimental Gerontology* 38:9 (2003), 947-954.

13 Shawn M. Douglas, Ido Bachelet e George M. Church, "A Logic-Gated Nanorobot for Targeted Transport of Molecular Payloads", *Science* 335: 6070 (2012): 831-4; Dan Peer et al., "Nanocarries as an Emerging Platform for Cancer Therapy", *Nature Nanotechnology* 2 (2007): 751-60; Dan Peer et al., "Systemic Leukocyte-Directed siRNA Delivery Revealing Cyclin DI as an Anti--Inflammatory Target", *Science* 319: 5863 (2008): 627-30.

15. O casamento entre ciência e império

1 Stephen R. Bown, *Scurvy: How a Surgeon, a Mariner, and a Gentleman Solved the Greatest Medical Mystery of the Age of Sail* (Nova York: Thomas Dunne Books, St. Matin's Press, 2004); Kenneth John Carpenter, *The History of Scurvy and Vitamin C* (Cambridge: Cambridge University Press, 1986).

2 James Cook, *The Explorations of Captain James Cook in the Pacific, as Told by Selections of his Own Journals 1768-1779*, org. Archibald Grenfell Price (Nova York: Dover Publications, 1971), 16-17; Gananath Obeyesekere, *The Apotheosis of Captain Cook: European Mythmaking in the Pacific* (Princeton: Princeton University Press, 1992), 5; J.C. Beaglehole (org.), *The Journals of Captain James Cook on His Voyages of Discovery*, vol. 1 (Cambridge: Cambridge University Press, 1968), 588.

3 Mark, *Origins of the Modern World*, 81.

4 Christian, *Maps of Time*, 436.

5 John Darwin, *After Tamerlane: The Global History of Empire since 1405* (Londres: Allen Lane, 2007), 239.

6 Soli Shahvar, "Railroads i. The First Railroad Built and Operated in Persia", in Online Edition of Encyclopaedia Iranica, última atualização em 7 abr. 2008, http://www.iranicaonline.org/articles/railroads-i; Charles Issawi, "The Iranian Economy 1925-1975: Fifty Years of Economic Development", in *Iran under the Pahlavis*, org. George Lenczowski (Stanford: Hoover Institution Press, 1978), 156.

7 Mark, *The Origins of the Modern World*, 46.

8 Kirkpatrik Sale, *Christopher Columbus and the Conquest of Paradise* (Londres: Tauris Parke Paperbacks, 2006), 7-13.

9 Edward M. Spiers, *The Army and Society: 1815-1914* (Londres: Longman, 1980), 121; Robin Moore, "Imperial India, 1858-1914", in *The Oxford History of the British Empire: The Nineteenth Century*, vol. 3, org. Andrew Porter (Nova York: Oxford University Press, 1999), 442.

10 Vinita Damodaran, "Famine in Bengal: A Comparison of the 1770 Famine in Bengal and the 1897 Famine in Chotanagpur", *The Medieval History Journal* 10:1-2 (2007), 151.

16. O credo capitalista

1 Maddison, *World Economy*, vol. 1, 261, 264; "Gross National Income Per Capita 2009, Atlas Method and PPP", Banco Mundial, acesso em: 10 dez. 2010, http://siteresources.worldbank.org/DATASTATISTICS/Resources/GNIPC.pdf.

2 A matemática do meu exemplo da padaria não é tão precisa quanto poderia ser. Uma vez que os bancos são autorizados a emprestar 10 dólares para cada dólar que mantêm em sua posse, de cada milhão de dólares depositados no banco, este pode emprestar a empreendedores apenas 909 mil dólares, mantendo 91 mil dólares em seus cofres. Mas, para facilitar a vida para os leitores, preferi trabalhar com números redondos. Além disso, os bancos nem sempre seguem as regras.

3 Carl Trocki, *Opium, Empire and the Global Political Economy* (Nova York: Routledge, 1999), 91.

4 Georges Nzongola-Ntalaja, *The Congo from Leopold to Kabila: A People's History* (Londres: Zed Books, 2002), 22.

17. As engrenagens da indústria

1 Mark, *Origins of the Modern World*, 109.

2 Nathan S. Lewis e Daniel G. Nocera, "Powering the Planet: Chemical Challenges in Solar Energy Utilization", *Proceedings of the National Academy of Sciences* 103:43 (2006), 15731.

3 Kazuhisa Miyamoto (org.), "Renewable Biological Systems for Alternative Sustainable Energy Production", *FAO Agricultural Services Bulletin* 128 (Osaka: Osaka University, 1997), capítulo 2.1.1, acesso em: 10 dez. 2010, http://www.fao.org/docrep/W7241E/w7241e06.htm#2.1.1percent20solarpercent20energy; James Barber, "Biological Solar Energy", *Philosophical Transactions of the Royal Society A* 365:1853 (2007), 1007.

4 "International Energy Outlook 2010", U.S. Energy Information Administration, 9, acesso em: 10 dez. 2010, http://www.eia.doe.gov/oiaf/ieo/pdf/0484(2010).pdf.

5 S. Venetsky, "'Silver' from Clay", *Metallurgist* 13:7 (1969), 451; Aftalion, Fred, *A History of the International Chemical Industry* (Filadélfia: University of Pennsylvania Press, 1991), 64; A. J. Downs, *Chemistry of Aluminum, Gallium, Indium and Thallium* (Glasgow: Blackie Academic & Professional, 1993), 15.

6 Jan Willem Erisman et al., "How a Century of Ammonia Synthesis Changed the World" in *Nature Geoscience* 1 (2008), 637.

7 G. J. Benson e B. E. Rollin (orgs.), *The Well-Being of Farm Animals: Challenges and Solutions* (Ames, IA: Blackwell, 2004); M. C. Appleby, J. A. Mench e B. O. Hughes, *Poultry Behaviour and Welfare* (Wallingford: CABI Publishing, 2004); J. Webster, *Animal Welfare: Limping Towards Eden* (Oxford: Blackwell Publishing, 2005); C. Druce e P. Lymbery, *Outlawed in Europe: How America Is Falling Behind Europe in Farm Animal Welfare* (Nova York: Archimedean Press, 2002).

8 Harry Harlow e Robert Zimmermann, "Affectional Responses in the Infant Monkey", *Science* 130:3373 (1959), 421-432; Harry Harlow, 'The Nature of Love', *American Psychologist* 13 (1958), 673-685; Laurens D. Young et al., "Early stress and later response to separation in rhesus monkeys", *American Journal of Psychiatry* 130:4 (1973), 400-405; K. D. Broad, J. P. Curley e E. B. Keverne, "Mother-infant bonding and the evolution of mammalian social relationships", *Philosophical Transactions of the Royal Society B* 361:1476 (2006), 2199-2214; Florent Pittet et al., "Effects of maternal experience on fearfulness and maternal behaviour in a precocial bird", *Animal Behavior* (mar. 2013), In Press – disponível on-line em: http://www.sciencedirect.com/science/article/pii/S0003347213000547).

9 "National Institute of Food and Agriculture", Departamento de Agricultura dos Estados Unidos, acesso em: 10 dez. 2010, http://www.csrees.usda.gov/qlinks/extension.html.

18. Uma revolução permanente

1 Vaclav Smil, *The Earth's Biosphere: Evolution, Dynamics, and Change* (Cambridge, Mass.: MIT Press, 2002); Sarah Catherine Walpole et al., 'The Weight of Nations: An Estimation of Adult Human Biomass', *BMC Public Health* 12:439 (2012), http://www.biomedcentral.com/1471-2458/12/439.

2 William T. Jackman, *The Development of Transportation in Modern England* (Londres: Frank Cass & co., 1966), 324-327; H. J. Dyos e D.H. Aldcroft, *British Transport – An economic survey from the seventeenth century to the twentieth* (Leicester: Leicester University Press, 1969), 124-131; Wolfgang Schivelbusch, *The Railway Journey: The Industrialization of Time and Space in the 19th Century* (Berkeley: Univeristy of California Press, 1986).

3 Para uma discussão detalhada sobre a paz sem precedentes das últimas décadas, ver, em particular, Steven Pinker, *The Better Angels of Our Nature: Why Violence Has Declined* (Nova York: Viking, 2011); Joshua S. Goldstein, *Winning the War on War: The Decline of Armed Conflict Worldwide* (Nova York, N.Y.: Dutton, 2011); Gat, *War in Human Civilization.*

4 "World Report on Violence and Health: Summary, Geneva 2002", Organização Mundial da Saúde, acesso em: 10 dez. 2010, http://www.who.int/whr/2001/en/whr01_annex_en.pdf. Para taxas de mortalidade em épocas anteriores, ver Lawrence H. Keeley, *War before Civilization: The Myth of the Peaceful Savage* (Nova York: Oxford University Press, 1996).

5 "World Health Report, 2004", Organização Mundial da Saúde, 124, acesso em: 10 dez. 2010, http://www.who.int/whr/2004/en/report04_en.pdf.

6 Manuel Eisner, "Modernization, Self-Control and Lethal Violence", *British Journal of Criminology* 41:4 (2001), 618-638; Manuel Eisner, "Long-Term Historical Trends in Violent Crime", *Crime and Justice: A Review of Research* 30 (2003), 83-142; 'World Report on Violence and Health: Summary, Geneva 2002', Organização Mundial da Saúde, acesso em: 10 dez. 2010, http://www.who.int/whr/2001/en/whr01_annex_en.pdf; "World Health Report, 2004", Organização Mundial da Saúde, 124, acesso em: 10 dez. 2010, http://www.who.int/whr/2004/en/report04_en.pdf.

7 Napoleon Chagnon, *Yanomamo: The Fierce People* (Nova York: Holt, Rinehart and Winston, 1968); Keeley, *War before Civilization.*

19. E eles viveram felizes para sempre

1 Para a psicologia e a bioquímica da felicidade, as fontes a seguir são bons pontos de partida: Jonathan Haidt, *The Happiness Hypothesis: Finding Modern Truth in Ancient Wisdom* (Nova York: Basic Books, 2006); R. Wright, *The Moral Animal: Evolutionary Psychology and Everyday Life* (Nova York: Vintage Books, 1994); M. Csikszentmihalyi, 'If We Are So Rich, Why Aren't We Happy?', *American Psychologist* 54:10 (1999): 821-827; F. A. Huppert, N. Baylis e B. Keverne (orgs.), *The Science of Well-Being* (Oxford: Oxford University Press, 2005); Michael Argyle, *The Psychology of Happiness*, 2.ed. (Nova York: Routledge, 2001); Ed Diener (org.), *Assessing Well-Being: The Collected Works of Ed Diener* (Nova York: Springer, 2009); Michael Eid e Randy J. Larsen (orgs.), *The Science of Subjective Well-Being* (Nova York: Guilford Press, 2008); Richard A. Easterlin (org.), *Happiness in Economics* (Cheltenham: Edward Elgar Pub., 2002); Richard Layard, *Happiness: Lessons from a New Science* (Nova York: Penguin, 2005).

2 Daniel Kahneman, *Thinking, Fast and Slow* (Nova York: Farrar, Straus e Giroux, 2011); Inglehart et al., "Development, Freedom, and Rising Happiness", 278-281.

3 D. M. McMahon, *The Pursuit of Happiness: A History from the Greeks to the Present* (Londres: Allen Lane, 2006).

20. O fim do *Homo sapiens*

1 Keith T. Paige et al., "De Novo Cartilage Generation Using Calcium Alginate-Chondrocyte Constructs", *Plastic and Reconstructive Surgery* 97:1 (1996), 168-178.

2 David Biello, "Bacteria Transformed into Biofuels Refineries", *Scientific American*, 27 jan. 2010, acesso em: 10 dez. 2010, http://www.scientificamerican.com/article.cfm?id=bacteria-transformed-into-biofuel-refineries.

3 Gary Walsh, "Therapeutic Insulins and Their Large-Scale Manufacture", *Applied Microbiology and Biotechnology* 67:2 (2005), 151-159.

4 James G. Wallis et al., "Expression of a Synthetic Antifreeze Protein in Potato Reduces Electrolyte Release at Freezing Temperatures", *Plant Molecular Biology* 35:3 (1997), 323-330.

5 Robert J. Wall et al., "Genetically Enhanced Cows Resist Intramammary *Staphylococcus Aureus* Infection", *Nature Biotechnology* 23:4 (2005), 445-451.

6 Liangxue Lai et al., "Generation of Cloned Transgenic Pigs Rich in Omega-3 Fatty Acids", *Nature Biotechnology* 24:4 (2006), 435-436.

7 Ya-Ping Tang et al., "Genetic Enhancement of Learning and Memory in Mice", *Nature* 401 (1999), 63-69.

8 Zoe R. Donaldson e Larry J. Young, "Oxytocin, Vasopressin, and the Neurogenetics of Sociality", *Science* 322:5903 (2008), 900-904; Zoe R. Donaldson, "Production of Germline Transgenic Prairie Voles (Microtus Ochrogaster) Using Lentiviral Vectors", *Biology of Reproduction* 81:6 (2009), 1189-1195.

9 Terri Pous, "Siberian Discovery Could Bring Scientists Closer to Cloning Woolly Mammoth", *Time*, 17 set. 2012, acesso em: 19 fev. 2013; Pasqualino Loi et al., "Biological time machines: a realistic approach for cloning an extinct mammal", *Endangered Species Research* 14 (2011), 227-233; Leon Huynen, Craig D. Millar e David M. Lambert, "Resurrecting ancient animal genomes: The extinct moa and more", *Bioessays* 34 (2012), 661-669.

10 Nicholas Wade, "Scientists in Germany Draft Neanderthal Genome", *New York Times*, 12 fev. 2009, acesso em: 10 dez. 2010, http://www.nytimes.com/2009/02/13/science/13neanderthal.html?_r=2&ref=science; Zack Zorich, "Should We Clone Neanderthals?", *Archaeology* 63:2 (2009), acesso em: 10 dez. 2010, http://www.archaeology.org/1003/etc/neanderthals.html.

11 Robert H. Waterston et al., "Initial Sequencing and Comparative Analysis of the Mouse Genome", *Nature* 420:6915 (2002), 520.

12 13 Bill Christensen, "Military Plans Cyborg Sharks", *Live Science*, March 7, 2006, acesso em: 10 dez. 2010, http://www.livescience.com/technology/060307_shark_implant.html.

14 "Cochlear Implants", National Institute on Deafness and Other Communication Disorders, acesso em: 22 mar. 2012, http://www.nidcd.nih.gov/health/hearing/pages/coch.aspx.

15 Retina Implant, http://www.retina-implant.de/en/doctors/technology/default.aspx.

16 David Brown, "For 1st Woman With Bionic Arm, a New Life Is Within Reach", *The Washington Post*, 14 set. 2006, acesso em: 10 dez. 2010, http://www.washingtonpost.com/wp-dyn/content/article/2006/09/13/AR2006091302271.html?nav=E8.

17 Miguel Nicolelis, *Beyond Boundaries: The New Neuroscience of Connecting Brains and Machines – and How It Will Change Our Lives* (Nova York: Times Books, 2011).

18 Chris Berdik, "Turning Thought into Words", *BU Today*, 15 out. 2008, acesso em: 22 mar. 2012, http://www.bu.edu/today/2008/turning-thoughts-into-words/.

19 Jonathan Fildes, "Artificial Brain '10 years away'", *BBC News*, 22 jul. 2009, acesso em: 19 set. 2012, http://news.bbc.co.uk/2/hi/8164060.stm.

20 Radoje Drmanac et al., "Human Genome Sequencing Using Unchained Base Reads on Self-Assembling DNA Nanoarrays", *Science* 327:5961 (2010), 78-81; website da "Complete Genomics": http://www.completegenomics.com/; Rob Waters, "Complete Genomics Gets Gene Sequencing under 5000$ (Update 1)", *Bloomberg*, 5 nov. 2009, acesso em: 10 dez. 2010; http://www.bloomberg.com/apps/news?pid=newsarchive&sid=aWutnyE4SoWw; Fergus Walsh, "Era of Personalized Medicine Awaits", *BBC News*, última atualização em 8 abr. 2009, acesso em: 22 mar. 2012, http://news.bbc.co.uk/2/hi/health/7954968.stm; Leena Rao, "PayPal Co-Founder And Founders Fund Partner Joins DNA Sequencing Firm Halcyon Molecular", *TechCrunch*, 24 set. 2009, acesso em: 10 dez. 2010, http://techcrunch.com/2009/09/24/paypal-co-founder-and-founders-fund-partner-joins-dna-sequencing-firm-halcyon-molecular/.

Agradecimentos

Pelo aconselhamento e pela ajuda, agradeço a Sarai Aharoni, Dorit Aharonov, Amos Avisar, Tzafrir Barzilai, Noah Beninga, Tirza Eisenberg, Amir Fink, Benjamin Z. Kedar, Yossi Maurey, Eyal Miller, Shmuel Rosner, Rami Rotholz, Ofer Steinitz, Michael Shenkar, Guy Zaslavsky e a todos os professores e alunos do programa de História Mundial da Universidade Hebraica de Jerusalém por todo o assessoramento recebido.

Meu agradecimento especial a Jared Diamond, que me ensinou a ver o grande cenário; a Diego Holstein, que me inspirou a escrever uma história; e a Deborah Harris, que me ajudou a difundi-la.

Créditos das imagens

1 Pinturas rupestres na caverna de Chauvet, na França. ©Jean Clottes.

2 Reconstruções modernas do *Homo rudolfensis, Homo erectus* e *Homo neanderthalensis.* ©Visual/Corbis.

3 Reconstrução de uma criança neandertal. ©Anthropologisches Institut und Museum, Universität Zürich.

4 Estatueta em marfim de um "homem-leão" (ou "mulher-leoa") da caverna de Stadel, na Alemanha. Foto de Thomas Stephan, ©Ulmer Museum.

5 O leão da Peugeot. Foto: Itzik Yahav.

6 Um túmulo de 12 mil anos encontrado no norte de Israel contendo o esqueleto de uma mulher de 50 anos ao lado de um filhote de cachorro. Foto: Museu do Homem Pré-histórico, Kibutz Ma'ayan Baruch.

7 Uma pintura da caverna de Lascaux, *c.* 15 mil-20 mil anos atrás. ©Visual/Corbis.

8 Impressões de mãos da "Cova das Mãos", Argentina, *c.* 7000 a.C. ©Visual/Corbis.

9 Pintura rupestre de uma caverna egípcia retratando cenas típicas da vida de antigos agricultores. ©Visual/Corbis.

10 Os remanescentes de uma estrutura monumental de Göbekli Tepe. Fotografias do Deutsches Archäologisches Institut©.

11 Um par de bois arando um campo, em uma pintura de 1200 a.C. em um túmulo egípcio. ©Visual/Corbis.

12 Um bezerro moderno. Foto: Anonymous for Animal Rights©.

13 Tábua de argila com um texto administrativo da cidade de Uruk, *c.* 3400-3000 a.C. ©The Schøyen Collection, Oslo e Londres, MS 1717. http://www.schoyencollection.com/

14 Um quipo andino datando do século XII. ©The Schøyen Collection, Oslo e Londres, MS 718. http://www.schoyencollection.com/

15 Um retrato oficial do rei Luís XIV, da França. ©Réunion des musées nationaux / Gérard Blot.

16 Um retrato oficial de Barack Obama. ©Visual/Corbis.

17 Peregrinos circundando a Caaba, em Meca. ©Visual/Corbis.

18 A estação de trem Chhatrapati Shivaji, em Mumbai. Fotografia de fish-bone, http://en.wikipedia.org/wiki/File:Victoria_Terminus,_Mumbai.jpg

19 O Taj Mahal. Foto: Guy Gelbgisser Asia Tours.

20 Um cartaz de propaganda nazista. Biblioteca do Congresso, Bildarchiv Preussischer Kulturbesitz, Museu Memorial do Holocausto, Estados Unidos. Cortesia de Roland Klemig©.

21 Uma charge nazista. Fotografia de Boaz Neumann. De Kladderadatsch 49 (1933), p. 7.

22 Alamogordo, 16 de julho de 1945, 5:29:53 da manhã. ©Visual/Corbis.

23 Um mapa-múndi europeu de 1459. ©British Library Board, Shelfmark Add. 11267.

24 O mapa-múndi de Salviati, 1525. ©Firenze, Biblioteca Medicea Laurenziana, Ms. Laur. Med. Palat. 249 (mappa Salviati).

25 Pintos em uma esteira em uma chocadeira comercial. Foto: Anonymous for Animal Rights©.

26 O experimento de Harlow. ©Photo Researchers / Visualphotos.com.

27 Um camundongo em cujo dorso os cientistas fizeram crescer uma "orelha" feita de células de cartilagem de gado. Fotografia de Charles Vacanti©.

28 Jesse Sullivan e Claudia Mitchell dando as mãos. ©Imagebank/Gettyimages Israel.

Índice remissivo

Os números em negrito indicam imagens

C

D

E

F

G

J

S

T

U

V

W

X

Y

Z

IMPRESSO NA GRÁFICA COAN
TUBARÃO – SC – BRASIL
2017